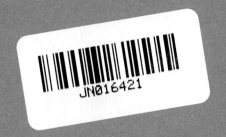

イラスト授業シリーズ

ひと目でわかる HOW TECHNOLOGY WORKS
テクノロジーのしくみとはたらき図鑑

イラスト授業シリーズ

ひと目でわかる

テクノロジーの しくみとはたらき図鑑

HOW TECHNOLOGY WORKS

村上雅人／小林忍［日本語版監修］
東辻賢治郎［訳］

創元社

DK | Penguin Random House

Original Title: How Technology Works

Printed and bound in China

For the curious
www.dk.com

本書の内容に対するご意見およびご質問は創元社大阪本社宛まで文書か FAX にてお送りください。お受けできる質問は本書で紹介した内容に限らせていただきます。なお、お電話での質問にはお答えできませんのであらかじめご了承ください。

〈イラスト授業《じゅぎょう》シリーズ〉
ひと目《め》でわかる　テクノロジーのしくみとはたらき図《ず》鑑《かん》

2020年9月30日第1版第1刷　発行
2022年6月10日第1版第2刷　発行

日本語版監修者　村上雅人／小林忍
訳　者　東辻賢治郎
発行者　矢部敬一
発行所　株式会社 創元社
https://www.sogensha.co.jp/
本社　〒541-0047 大阪市中央区淡路町4-3-6
Tel.06-6231-9010　Fax.06-6233-3111
東京支店　〒101-0051 東京都千代田区神田神保町1-2田辺ビル
Tel.03-6811-0662

ISBN978-4-422-40048-8 C0340

CONTENTS

第1章 動力とエネルギーの技術

第2章 移動と輸送の技術

第3章 材料と建設の技術

第4章 家庭の技術

第5章 音と光の技術

第6章 コンピューターの技術

第7章 通信と伝達の技術

第8章 農業・牧畜と食品の技術

第9章 医療の技術

第1章

動力とエネルギーの技術

動力とエネルギー

微細な電気信号の波動から爆薬の破裂まで、何かを起こすのはエネルギーである。エネルギーはジュール（J）という単位で測ることができる。エネルギーが別のエネルギーに変換されるとき、その単位時間あたりの量を動力（仕事率）と呼ぶ。

動力を測定する

動力（仕事率）は、変換されるエネルギーの量を変換に要した時間で除して求められる。一定の時間に変換されるエネルギーが多ければ多いほど、つまりエネルギーが速く変換されるほど動力は大きくなる。1,800Wの電気ストーブは600Wの電気ストーブよりも1秒あたり3倍のエネルギーを熱エネルギーに変換できる。

トルクとは何か？

トルクとはねじったり回転させたりする力のこと。エンジンの牽引力の目安としてよく用いられる。

動力の単位

エンジンや機器や人間など、動力を表す方法はその発生源によっていろいろある。

ワット（W）
1Wとは1秒あたり1Jの仕事がなされること、もしくはエネルギーが変換されること。電球が電気エネルギーを光に変える程度はWで表される。W数が大きいほど動力も大きい。

キロワット（kW）とメガワット（MW）
1kWは1,000W。大きな原動機や装置の消費電力で用いられる単位。MWは100万W。MW規模の動力を発生する大規模な機械は発電所、空母、あるいは素粒子物理学の実験に用いられる加速器などがある。

キロワットアワー（kWh）
1,000Wを60分間消費した際の電力量を1kWhと呼び、360万Jに相当する。

馬力（PS）
乗り物のエンジンの出力は馬力で示されることが多い。1馬力（仏馬力）は735.5W。ブレーキ馬力（制動馬力、bhp）という呼称は、エンジンの計測時に摩擦によるエネルギー損失量が計測されたことによる。

動力の発生と消費

動力の捉え方や測り方は目的に左右される。発生する動力が問題となる場合もあれば、消費される動力が問題となる場合もある。

原子力発電所：1,000MW
原子力発電所の性能は最大出力時に発生する電力で表される。これは風力発電でも同じ。

電子レンジ：1,000W
電子レンジの性能は消費電力（たとえば1,000W）や年間消費エネルギー（62kWhなど）で表される。

内燃機関（燃料エンジン）車：1,479馬力
車のエンジンでいわれる最大馬力とは発生可能な動力の最大値のこと。ブガッティ・シロンなどのスーパーカーでは1,479馬力に達する。

風力発電：3.5MW
沖合に設置される風力発電設備は年間を通して3.5MWの発電容量を有する。これは一般家庭1,000戸分の電力をまかなうことができる。

LEDテレビ：60W
LEDテレビは電子レンジより消費電力は少ないが（60W程度）使用頻度は多く、年間消費エネルギーはだいたい同じくらいになる（54kWh程度）。

電気自動車：147馬力
多くの電気自動車の動力は内燃機関車よりかなり小さい。ただし静止時や低速運転時には電気モーターの方が大きなトルクを発生できる。

エネルギーの変換

エネルギー保存則によりエネルギーは破棄も消去もできないが、さまざまな形に変換することはできる。電力は音、熱（熱エネルギー）、光（放射エネルギー）などに変換が容易なため、それらのエネルギーの源として重宝されている。モーターを用いれば動き（運動エネルギー）に変えることもできる。

化学エネルギー

化学エネルギーは化合物（食べもの、電池、化石燃料など）の結合に蓄えられたエネルギーであり、化学反応（原子間の結合の組み換え）によって解放される。たとえば化石燃料である石炭を燃やすと、石炭に蓄えられていた化学エネルギーは光と熱に変わる。

運動エネルギー

運動エネルギーは運動中の物体（走っている人や滑降するスキーヤー）が帯びるエネルギーである。エネルギーを帯びる運動には回転や振動など多様な形態がある。物体が帯びる運動エネルギー量は速度と質量によって決まる。

力学的エネルギー

力学的エネルギーは物体の運動エネルギーとポテンシャルエネルギー（仕事ではなく位置などの状態によって付与され取り出すことが可能なエネルギー）の和。たとえば圧縮されたバネは、元の形状に戻る際にポテンシャルエネルギー（弾性エネルギー）を解放する。

熱エネルギー

熱エネルギーは、厳密にいえば物質を構成する原子の振動に由来する運動エネルギーである。たとえば火から鍋に熱が伝わる、というときの熱は熱エネルギーの移動の形式である。

失われるエネルギー

機器からは常に一部のエネルギーが失われている。たとえば電球で光として利用できるのは電力のごく一部であり、そのほかは熱として失われる。冷気の漏れる冷蔵庫など、故障や調節の不備のある機器では多くのエネルギーが無駄となる。

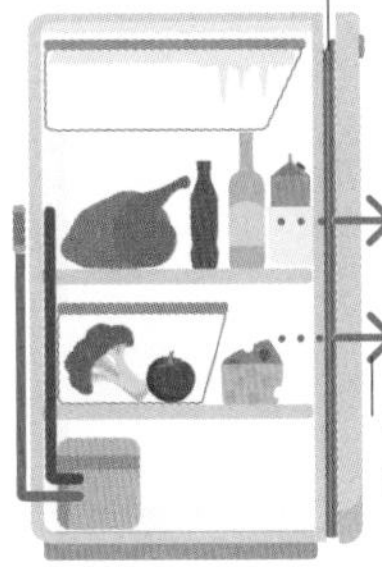

太陽電池パネルにおけるエネルギー変換

太陽電池パネルは光電池セルが並んでいる（30頁参照）。これが太陽光に含まれる放射エネルギーを電子の流れ、すなわち電気エネルギーに変換する。

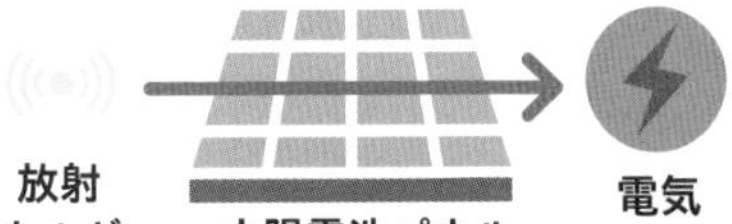

化石燃料

世界の電気の3分の2を生み、10億台を超える自動車やそのほかの機械が動力としているのは大昔の生き物の死骸から生まれた燃料である。こうした化石燃料（原油、石炭、天然ガス）は有限で再生不可能（枯渇性）なエネルギーである。化石燃料は燃焼すると化学エネルギーの多くを熱エネルギーに変換するが、同時に無視できない規模の温室効果ガスも発生する。

中国とアメリカ合衆国を合わせると世界の温室効果ガスの40%を排出している

上下水道

多くの国では当たり前のように衛生的な水（淡水）が供給されている。水が蛇口に届けられるまでには、人にとって安全な水にするために何種類もの処理を行っている。

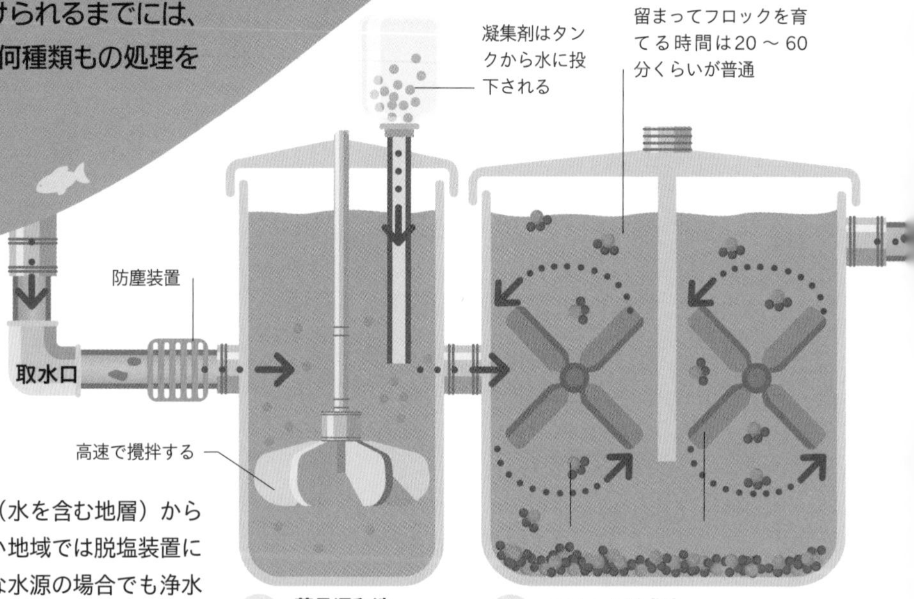
凝集剤はタンクから水に投下される
水がフロック形成池に留まってフロックを育てる時間は20 ～ 60分くらいが普通
防塵装置
取水口
高速で攪拌する

1 取水
水は魚などの生き物や、砂利やゴミや木の葉などの混ざりものを除去するいくつものろ過装置を通って処理装置へ取り入れられる。

2 薬品混和池
水と硫酸アンモニムなどの凝集剤を混ぜ合わせ、水中の浮遊物がかたまりになりやすくする。

3 フロック形成池
ゆっくりと攪拌して浮遊物のかたまり（フロック）を大きく成長させる。大きくなったフロックはそのほかの沈殿物やバクテリアとともに底に沈み、上澄みの水が次の工程へ進む。

浄水処理のしくみ

真水（淡水）は湖沼、河、地下帯水層（水を含む地層）から貯水場へ取り入れられる。淡水が少ない地域では脱塩装置によって海水から塩分を除去する。どんな水源の場合でも浄水装置によって病気の原因となる微生物を除去する。人の口に入るまでの浄水の過程では、有害な化学物質や飲用に適さない匂い・味なども取り除き、それぞれの段階で水質をチェックする。

フッ化物の添加

国や地域によっては、虫歯で損なわれる歯のエナメル質を強化するために水道水にフッ化物を添加している。ただし、幼児が過剰摂取すると歯のフッ素症（エナメル質の窪みや孔）や変色の原因になるという批判もある。

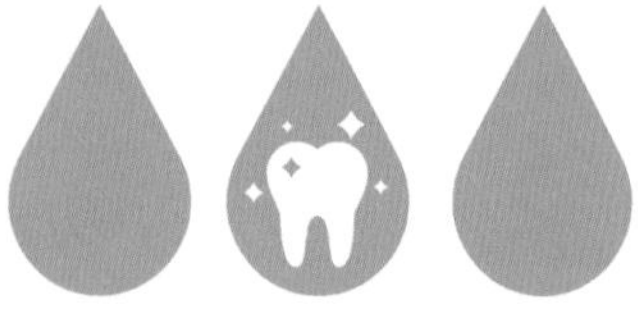

防塵装置

下水の処理

家庭や施設で使用された水は排水管や下水溝から下水道へ集められ、下水処理場へ向かう。処理場では大きなゴミを取り除いた後、数段階の処理が行われる。これらの処理はリンや窒素、油脂、固形物、および有害な微生物を除去するためのものである。

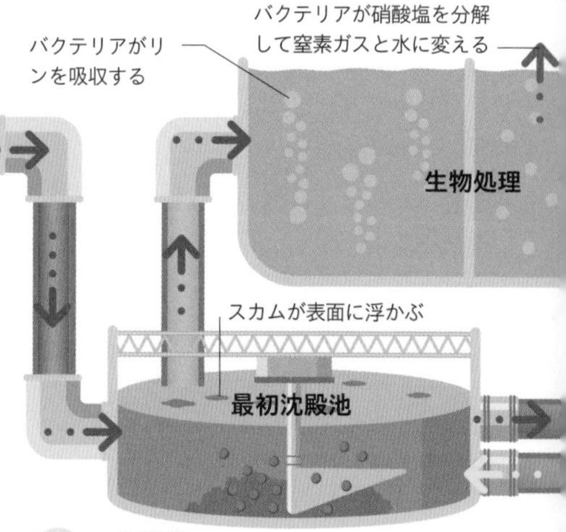
バクテリアがリンを吸収する
バクテリアが硝酸塩を分解して窒素ガスと水に変える
生物処理
スカムが表面に浮かぶ
最初沈殿池

1 一次処理
排泄物などの固形物は沈殿池の底に沈み、取り除かれる。水面の油脂や浮遊物はスキマーによって除去される。

8億4,400万人

きれいな**飲料水**を利用することのできない**人々**の数

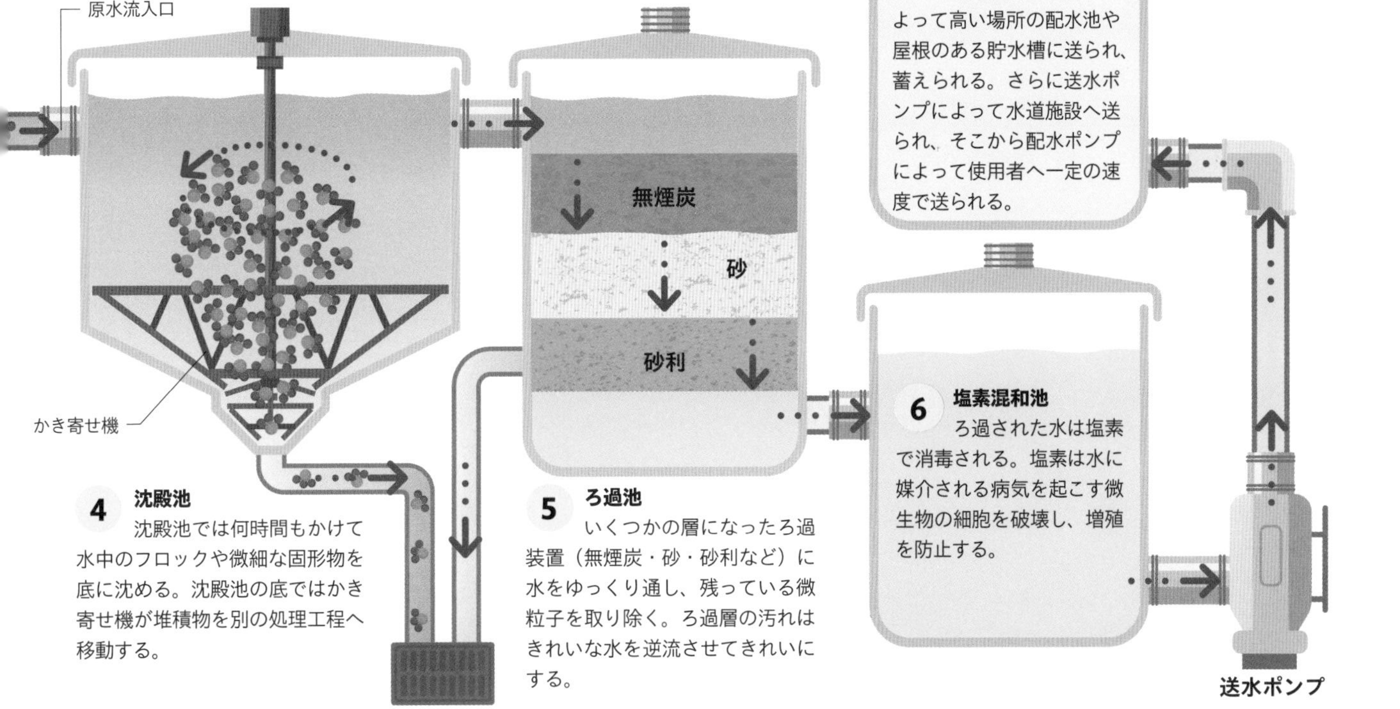
原水流入口
かき寄せ機
無煙炭
砂
砂利
浄水
送水ポンプ

4　沈殿池
沈殿池では何時間もかけて水中のフロックや微細な固形物を底に沈める。沈殿池の底ではかき寄せ機が堆積物を別の処理工程へ移動する。

5　ろ過池
いくつかの層になったろ過装置（無煙炭・砂・砂利など）に水をゆっくり通し、残っている微粒子を取り除く。ろ過層の汚れはきれいな水を逆流させてきれいにする。

6　塩素混和池
ろ過された水は塩素で消毒される。塩素は水に媒介される病気を起こす微生物の細胞を破壊し、増殖を防止する。

7　配水池
水は強力なポンプによって高い場所の配水池や屋根のある貯水槽に送られ、蓄えられる。さらに送水ポンプによって水道施設へ送られ、そこから配水ポンプによって使用者へ一定の速度で送られる。

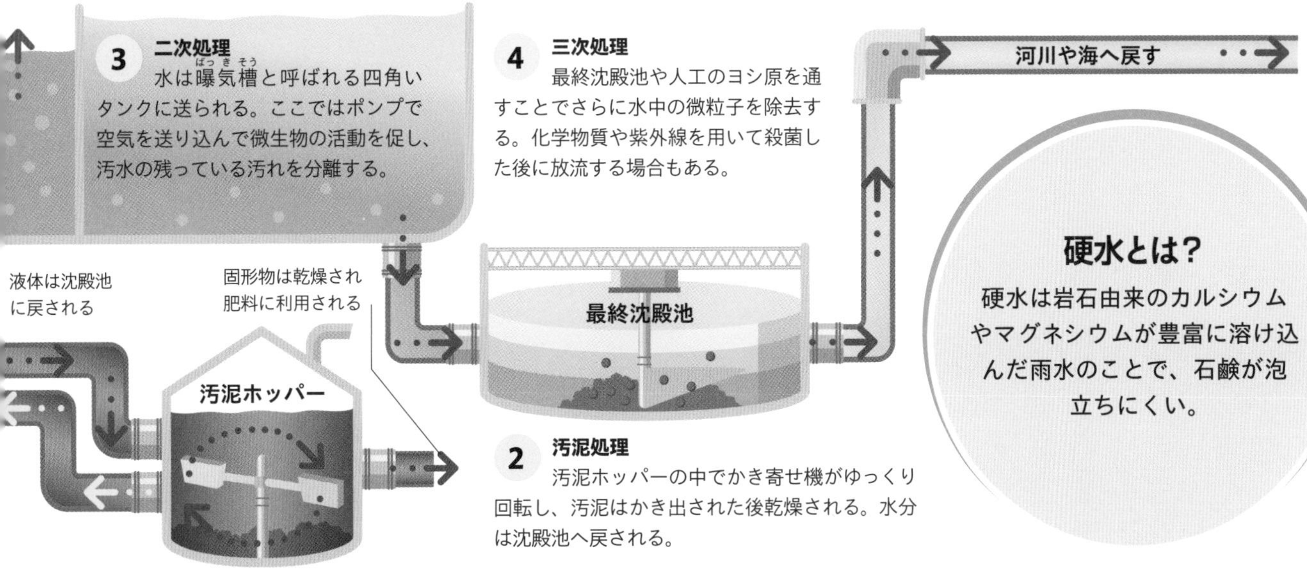
液体は沈殿池に戻される
固形物は乾燥され肥料に利用される
汚泥ホッパー
最終沈殿池
河川や海へ戻す

3　二次処理
水は曝《ばっ》気《き》槽《そう》と呼ばれる四角いタンクに送られる。ここではポンプで空気を送り込んで微生物の活動を促し、汚水の残っている汚れを分離する。

4　三次処理
最終沈殿池や人工のヨシ原を通すことでさらに水中の微粒子を除去する。化学物質や紫外線を用いて殺菌した後に放流する場合もある。

2　汚泥処理
汚泥ホッパーの中でかき寄せ機がゆっくり回転し、汚泥はかき出された後乾燥される。水分は沈殿池へ戻される。

硬水とは？

硬水は岩石由来のカルシウムやマグネシウムが豊富に溶け込んだ雨水のことで、石鹸が泡立ちにくい。

石油精製

原油は地殻中から汲み出され、タンカーやパイプラインによって石油精製工場へ送られる。原油には多くの種類の炭化水素が含まれており、それらを分離した精製物はさまざまな使途に利用されている。

分留

原油中の炭化水素は種類ごとに沸点が異なるため、気化させた後に異なる温度で蒸留することで成分ごとに分離できる（分留）。この工程は分留塔で行われる。沸点の低い物質ほど塔の上部で凝縮されるため、特定の成分（留分）を抽出できるように複数の棚板がそれぞれ特定の高さに設置されている。

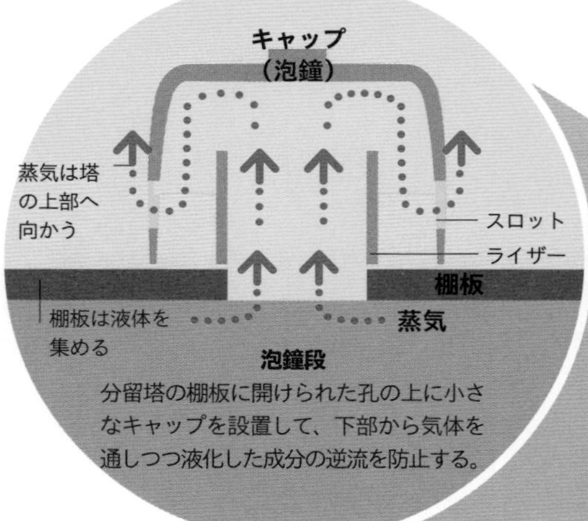
キャップ
（泡鐘）
蒸気は塔の上部へ向かう
スロット
ライザー
棚板
棚板は液体を集める
蒸気

泡鐘段

分留塔の棚板に開けられた孔の上に小さなキャップを設置して、下部から気体を通しつつ液化した成分の逆流を防止する。

5 棚板に成分が集まる
原油の各成分は塔のそれぞれの高さで冷却されて液化して棚板に集められ、配管を通じて処理工程や貯蔵所へ送られる。

4 蒸気の上昇
軽く、沸点の低い炭化水素は棚板の穴を通ってさらに上部へ向かう。

3 蒸留
塔内部のそれぞれの高さ・温度の位置で石油蒸気中の一部の成分が液化して分離され、ほかの成分は蒸気としてさらに上に向かう。

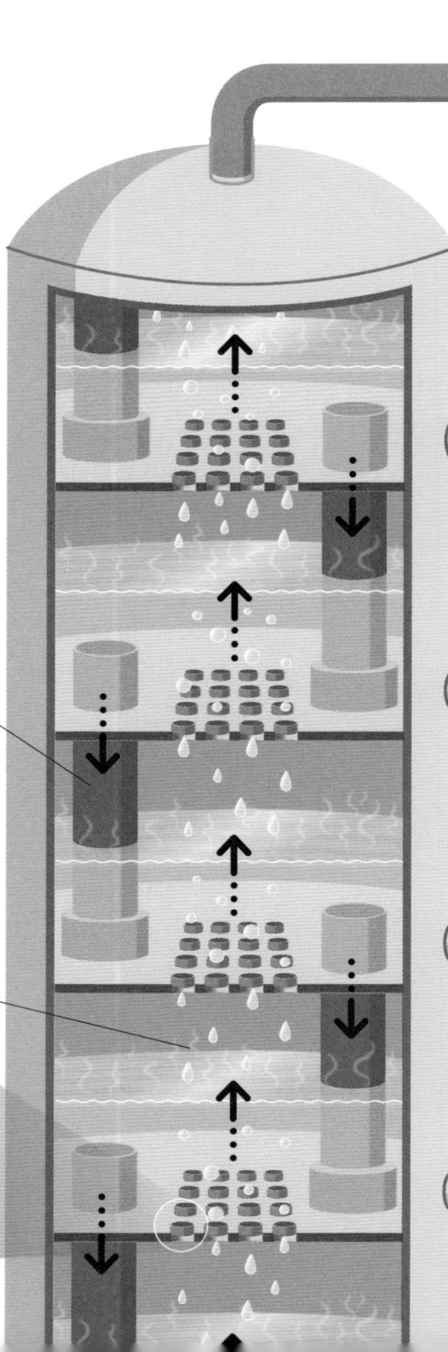
ダウンカマーと呼ばれる管が液体を下の棚板へ送る
蒸気は棚板の穴を通って上昇する

液化石油（LP）ガス
プロパンやブタンなどの軽い炭化水素は蒸気のまま集められる。ボンベに詰められたものは暖房や調理に利用される。

軽質ナフサ
この成分はエチレンの原料となり、ポリエチレンなどのプラスチックの原材料となる。

ガソリン
このまま燃料として用いられる。原油の約半分は自動車の燃料として使われている。

重質ナフサ
クラッキング（ナフサ分解、下記参照）などの工程を経て、燃料やそのほかの石油製品の原料となる。

灯油
灯油は暖房の燃料として用いられるほか、精製されて強力なジェット燃料

世界最大の石油精製工場はインドのグジャラート州にあるジャームナガル**製油所**で、**1日あたり124万バレル**（bbl、約2億ℓ）の石油を生産する

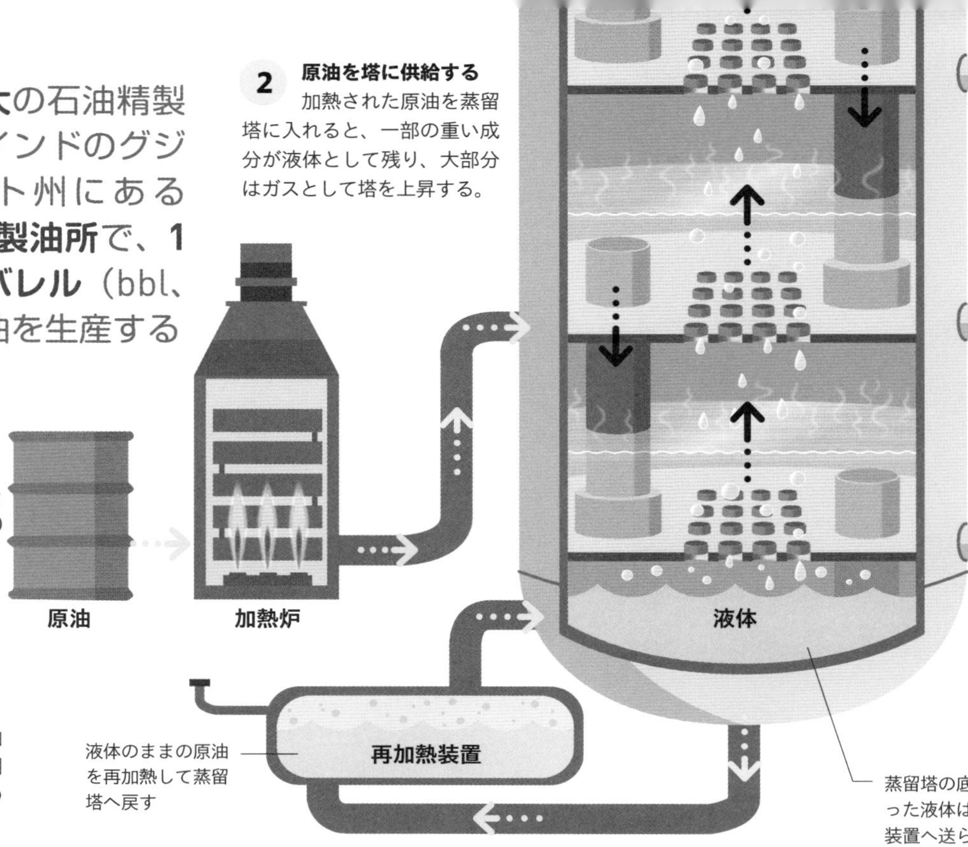
原油
加熱炉
液体
再加熱装置
液体のままの原油を再加熱して蒸留塔へ戻す
蒸留塔の底に集まった液体は再加熱装置へ送られる

1 脱塩された原油を加熱炉へ送る
原油から塩分などの不純物を取り除いた後、加熱炉で400℃程度まで加熱する。

2 原油を塔に供給する
加熱された原油を蒸留塔に入れると、一部の重い成分が液体として残り、大部分はガスとして塔を上昇する。

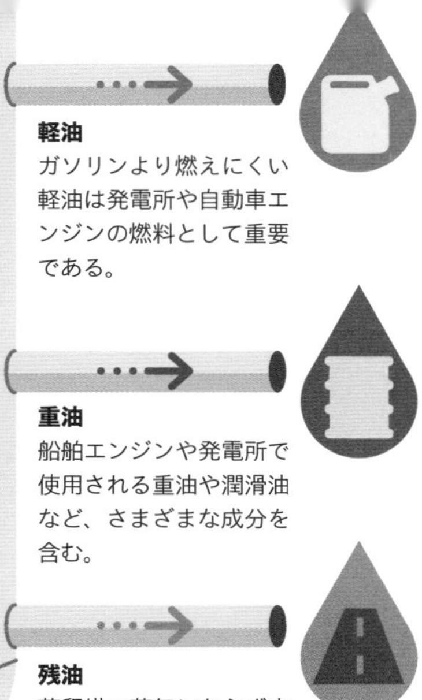

軽油
ガソリンより燃えにくい軽油は発電所や自動車エンジンの燃料として重要である。

重油
船舶エンジンや発電所で使用される重油や潤滑油など、さまざまな成分を含む。

残油
蒸留塔で蒸気にならず底部に貯まった油は、道路舗装用のアスファルトなどに使用される。

蒸留塔
石油精製工場の蒸留塔は、抽出成分ごとに異なる高さの棚板で水平に分割された垂直の管で構成されている。

原油流出事故

石油タンカーやパイプラインが自然環境中に原油を流出する事故を起こすと、生態系は破壊的な影響を受ける。海洋で事故が起きた場合は、水面に浮いた油を回収枠で汲み取ったり、化学処理剤を用いたりして除去作業を行う。

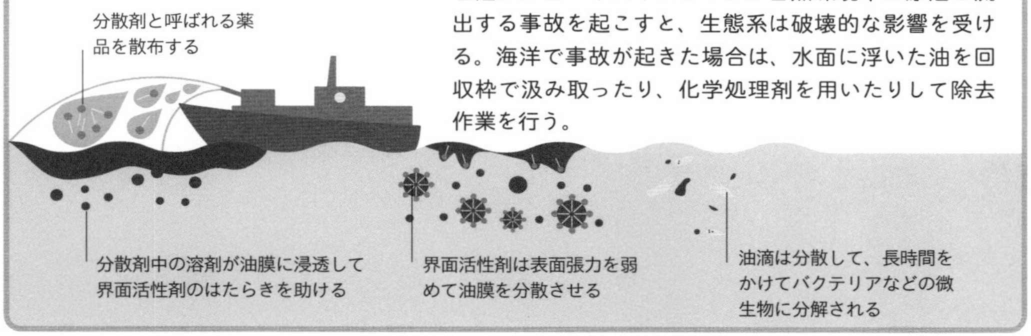
分散剤と呼ばれる薬品を散布する
分散剤中の溶剤が油膜に浸透して界面活性剤のはたらきを助ける
界面活性剤は表面張力を弱めて油膜を分散させる
油滴は分散して、長時間をかけてバクテリアなどの微生物に分解される

加工処理

沸点が低く軽い石油成分は燃えやすく煤煙が少ないため、重い成分よりも需要が大きい。このため、長い分子鎖《ぶんしさ》を持つ一部の重い成分はクラッキングという処理により有用で価値の高い製品に加工される場合がある。これは熱や、酸化ケイ素や酸化アルミニウムなどの触媒によって分子鎖を小さく分解する工程である。

発電機

発電機は電磁誘導の原理を利用している。2つの磁極の間でコイル（巻線）を回転させるとコイルに電流が生じ、これを取り出して利用する。

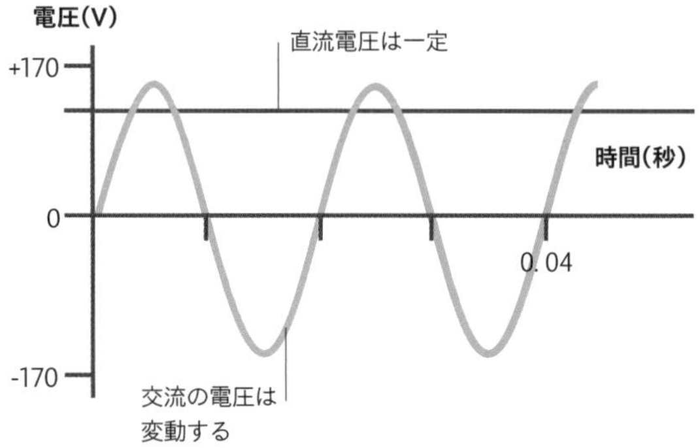

反転する電流

直流は一定の電圧を発生するが、交流では電圧の向きが変わる。交流によって同じエネルギーを同じ時間で送るためには直流より電圧を高くする必要がある。

凡例
交流
直流

直流と交流

発電機が発生する電流は交流（AC）、直流（DC）のいずれかである。直流は電池が発生する電流のように一方向にのみ流れる。交流は1秒間に何回も流れる方向が反転する。交流では変圧器（トランス）を使用して電圧を大きく変化させることができ、長距離を効率よく伝達することができる。そのため商用電源には交流が用いられる。

交流発電機

交流発電機はオルタネーターとも呼ばれる。回転するコイル（回転子）はスリップリングとブラシを介して電流を使用する回路へ接続されている。ブラシのはたらきにより回転するスリップリングとブラシ側の固定されている電線の間には途切れることなく電流が流れる。交流発電機で発生する電流はコイルが1回転する間に2回流れる方向を変える。

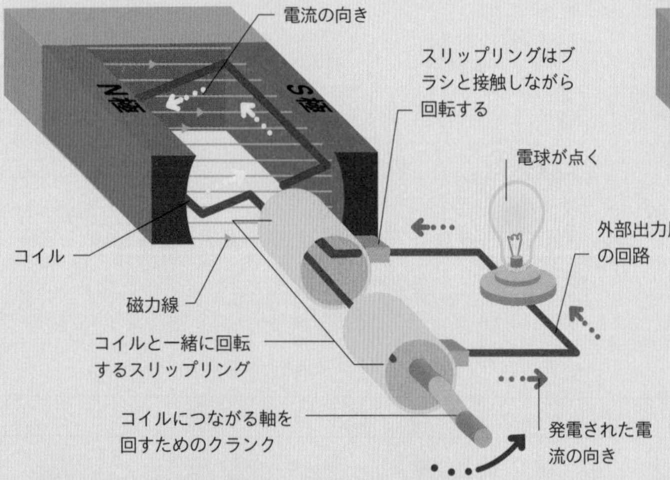

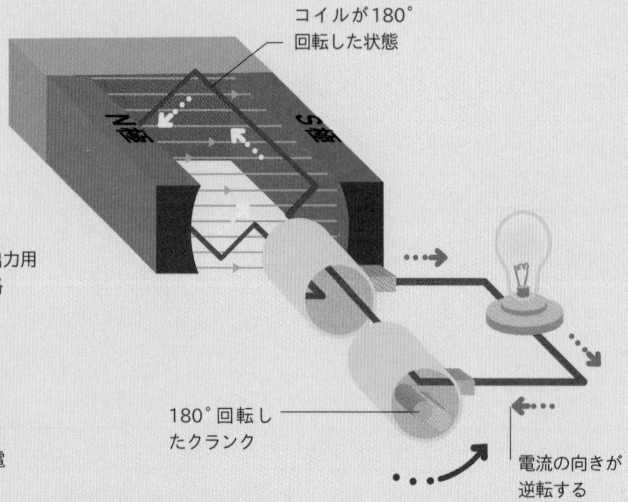

1 コイルが回転を始める

ハンドルを回すなどして交流発電機の軸が回転を始めると軸につながったコイルが永久磁石のN極とS極によって生じる磁界の中を回転する。コイルが磁界を横切るように回転すると電流が発生し、この電流はコイルが磁界の中で水平になるときに最大となる。

2 電流の方向の変化

コイルがさらに磁界の中を180°回転すると、コイルの向きが磁石のN極とS極との位置関係ではちょうど逆になるため、コイルからみると磁界が逆転することになる。そのため発生する電流の向きが逆転する。こうして半回転ごとに向きを変える電流がスリップリングとブラシを通じて外部の出力回路へと流れる。

自転車のダイナモ

自転車のダイナモ（リムダイナモ）は回転部をタイヤの摩擦で回転させることによって電力を生み、電灯を光らせる。回転部は軸によって永久磁石につながっている。この磁石が回転すると磁界が変化し、ダイナモのコイルの巻線に電流を発生させる。

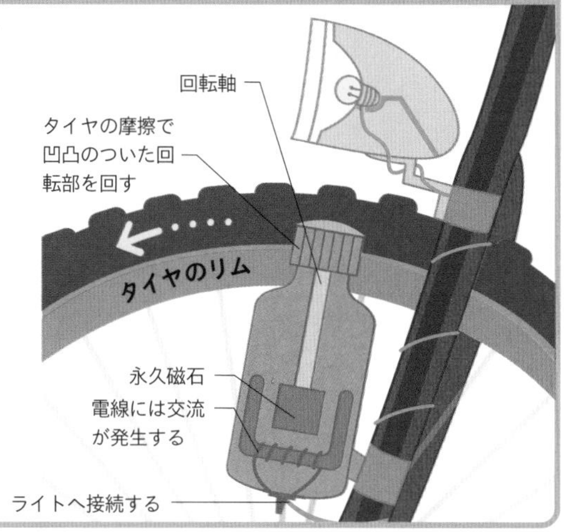
回転軸
タイヤの摩擦で凹凸のついた回転部を回す
タイヤのリム
永久磁石
電線には交流が発生する
ライトへ接続する

交流の周波数とは?

交流の周波数とは電流の向きが変わる頻度をヘルツ（Hz）という単位で示すもの。1Hzは１秒に１回のことで、電源電流はアメリカ合衆国では60Hz、ヨーロッパの多くの国では50Hzで発電されている。

直流発電機

直流発電機は整流子と呼ばれる部品を用いて交流を直流へ変えている。整流子は絶縁された2つの部分からなり、それぞれの部分の間には電気が流れない。整流子は、交流電流が向きを変えるタイミングに合わせて極性を反転させ、常に一定の向きの電流が出力されるようにしている。

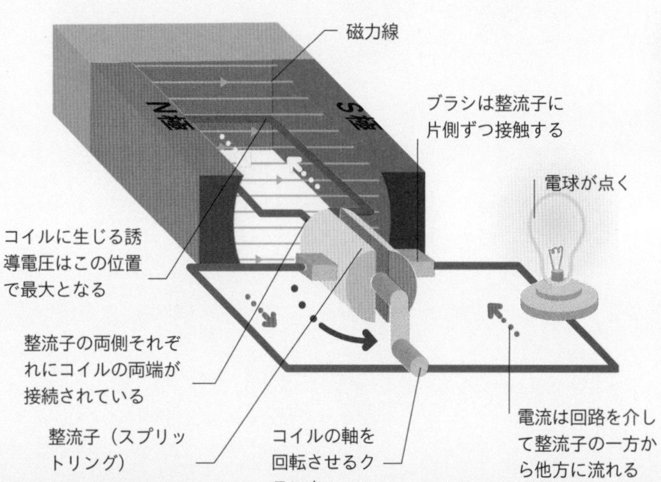
磁力線
N極
S極
ブラシは整流子に片側ずつ接触する
電球が点く
コイルに生じる誘導電圧はこの位置で最大となる
整流子の両側それぞれにコイルの両端が接続されている
整流子（スプリットリング）
コイルの軸を回転させるクランク
電流は回路を介して整流子の一方から他方に流れる

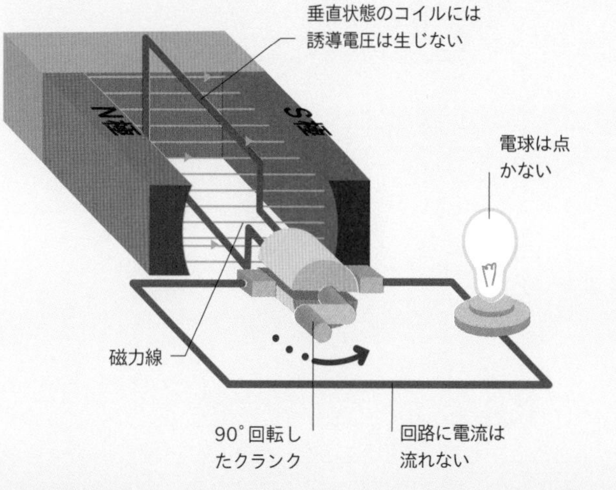
垂直状態のコイルには誘導電圧は生じない
N極
S極
電球は点かない
磁力線
90°回転したクランク
回路に電流は流れない

1　接続を逆転する

電流が最大となるタイミングでは、電流は整流子（スプリットリング）の片側を通り、出力回路を経て整流子の別の側を通ってコイルに至るという回路を形成している。さらにコイルが180°回転する間にブラシは整流子の最初の部分の接触を断ち、回路の逆側につながった整流子のもう片方の部分と接触する。コイルがいずれの半回転の間でも電流は常に一定の向きに流れる。

2　電流の変動

コイルが垂直になって整流子とブラシの接続が切れる瞬間は電流は生じない。つまり、直流電流は一定の電流ではなく流れたり止まったりするパルスとして発電される。実用されている多くの直流発電機では、複数のコイルと整流子を用いることでこの問題を解決している（ほかのコイルの起電力が弱いときでも水平の位置をとるコイルがあるようにする）。

ユニバーサルモーター（単相直巻整流子電動機）

ユニバーサルモーターと呼ばれるモーターでは永久磁石の代わりに複数の巻線による電磁石が用いられており、この電磁石が発生する磁界の中で電機子と呼ばれるコイルが回転する。電機子とその周囲の巻線は直列に接続されており、同じ電流が流れる。このため、ユニバーサルモーターは直流でも交流でも回転させることができる。

電動ドリルの内部

電動ドリルの多くはユニバーサルモーターを使用し、強力な回転力（トルク）を発生するとともに速度調節が可能になっている。

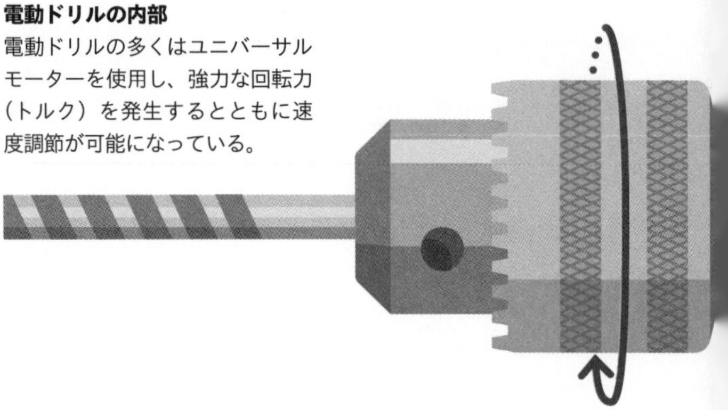

モーター

電気モーター（電動機）は電流と磁界の間に生じる引力と反発力を利用して回転運動を作り出す。モバイル機器に内蔵されている微小な駆動装置から大型船の動力源まで、さまざまなサイズがある。

すべての**電力**の**約45％**は**モーターを回す**ために使用されている

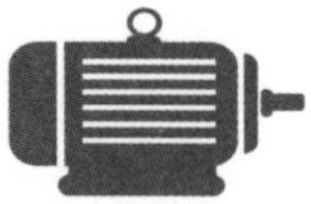

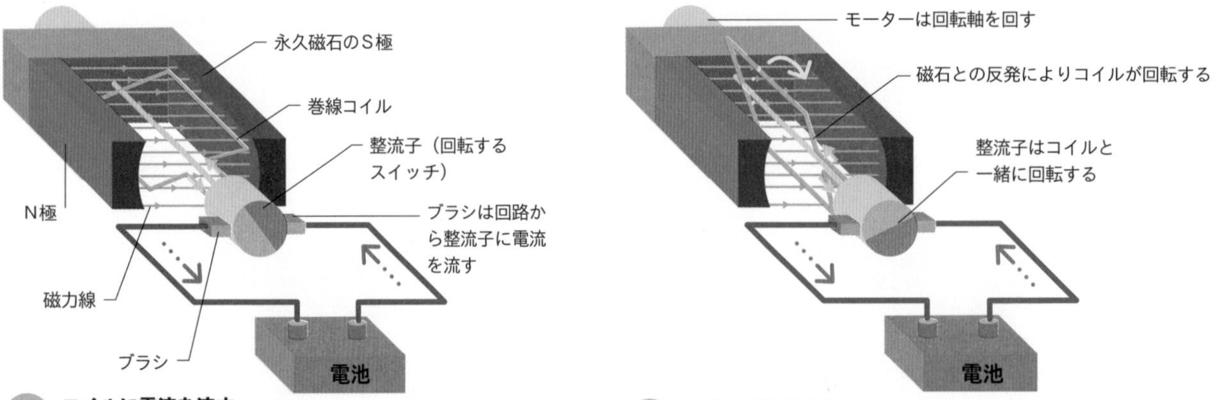

永久磁石のS極
巻線コイル
整流子（回転するスイッチ）
N極
ブラシは回路から整流子に電流を流す
磁力線
ブラシ
電池
モーターは回転軸を回す
磁石との反発によりコイルが回転する
整流子はコイルと一緒に回転する
電池

1 コイルに電流を流す
永久磁石の両極間に設置された巻線コイルに電流を流す。コイルは電磁石となる。

2 コイルが回転する
コイルは磁石の同じ極同士の反発力によって回転し、4分の1回転すると、違う極同士の引力により半回転まで同じ向きに回転を続ける。

モーターのしくみ

多くのモーターの内部は、永久磁石による磁界中を巻線コイルが動く構成になっている。コイルは電流が流れるとN極とS極を持つ電磁石となる。このためコイルは永久磁石の磁極に合わせて回転する。コイルの電流は半回転ごとに整流子によって逆転されコイルの磁極も反転するので、コイルは同じ向きに回転を続ける。コイルの回転力は回転軸によって伝達され、これを利用して車輪などを回す。

直流モーターはどれくらいの速度で回せるか？

通常の直流モーターの回転数は毎分2万5,000回転程度だが、掃除機に使われるものなど一部のモーターは毎分12万5,000回転に達するものがある。

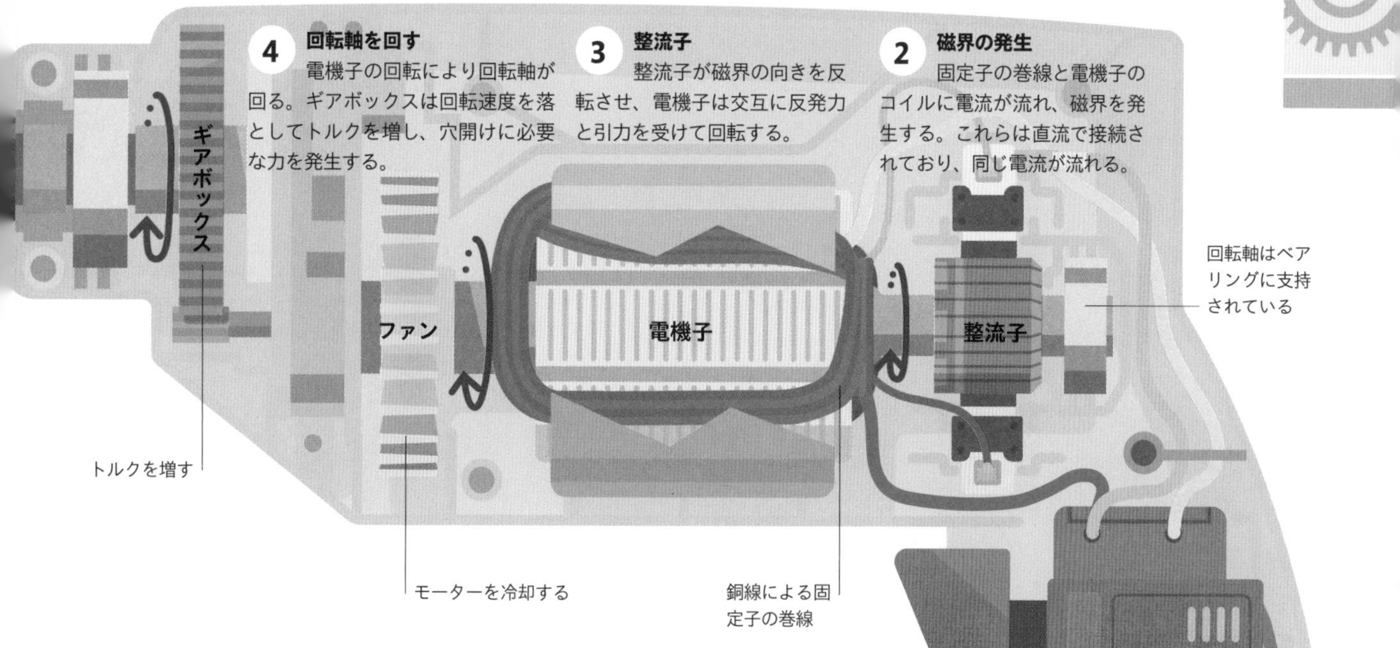
ギアボックス
トルクを増す
ファン
モーターを冷却する
電機子
銅線による固定子の巻線
整流子
回転軸はベアリングに支持されている
スイッチ機構
電源ケーブル

1 電源
ケーブルにより、ドリルのスイッチに商用電源が接続される。トリガーを引いたときだけ通電してユニバーサルモーターに電流が流れる。充電池を電源とするドリルもある。

2 磁界の発生
固定子の巻線と電機子のコイルに電流が流れ、磁界を発生する。これらは直流で接続されており、同じ電流が流れる。

3 整流子
整流子が磁界の向きを反転させ、電機子は交互に反発力と引力を受けて回転する。

4 回転軸を回す
電機子の回転により回転軸が回る。ギアボックスは回転速度を落としてトルクを増し、穴開けに必要な力を発生する。

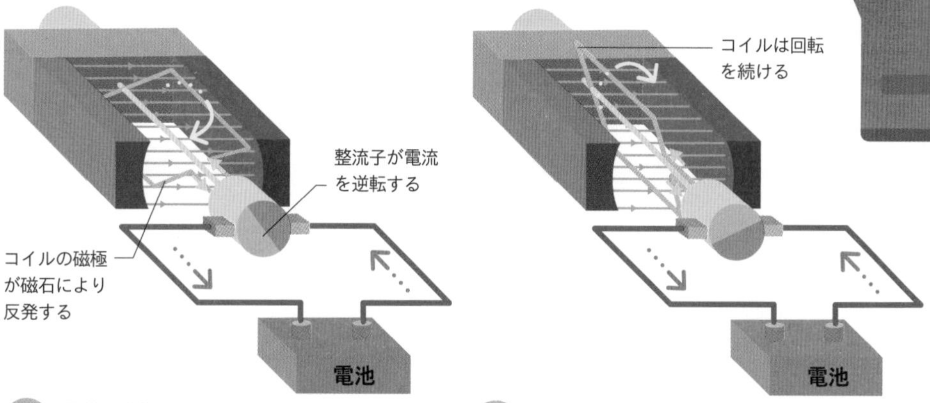
整流子が電流を逆転する
コイルの磁極が磁石により反発する
電池
コイルは回転を続ける
電池

3 電流を逆転する
整流子によって電流の向きが反転すると、コイルの電磁石の極性も反転し、ふたたび反発力が生まれる。

4 回転が続く
電流が次々に反転され、永久磁石との反発力と引力によってコイルは回転し続ける。

フレミングの左手の法則

左の親指・人差し指・中指をそれぞれ直角の形にすると、モーターのコイルが回転する向きを簡単に知ることができる。人差し指を磁界の向き、中指を電流の向きとすると、親指がコイルの回転する向きとなる。

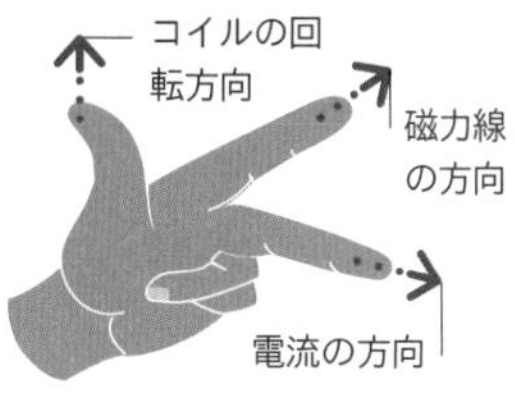
コイルの回転方向
磁力線の方向
電流の方向

発電所

電気は長距離を伝えることができ、多くの使い道があるきわめて有用なエネルギー源である。莫大な電気を生み出す発電所の多くでは、石炭をはじめとする化石燃料が用いられている。

世界の電気供給の66%は化石燃料に由来する

発電所のしくみ

一般的な石炭火力発電所では、ボイラーで水を加熱して過熱蒸気を作り、これでタービンを回転させることにより発電機を回している。大規模な発電所では2,000MWの電気を発生することができる。これは一般家庭100万戸分に相当する。発電に使用された蒸気は冷却されて水として再利用され、排煙は有害物質を除去する処理が行われる。ボイラーで発生する灰はコンクリートブロックの材料などとして再利用されることが多い。

石炭への依存は減っているか？

印象とは裏腹に、最近数十年間で石炭の使用量は急増している。1970年代以降、年間消費量は200%以上増加した。

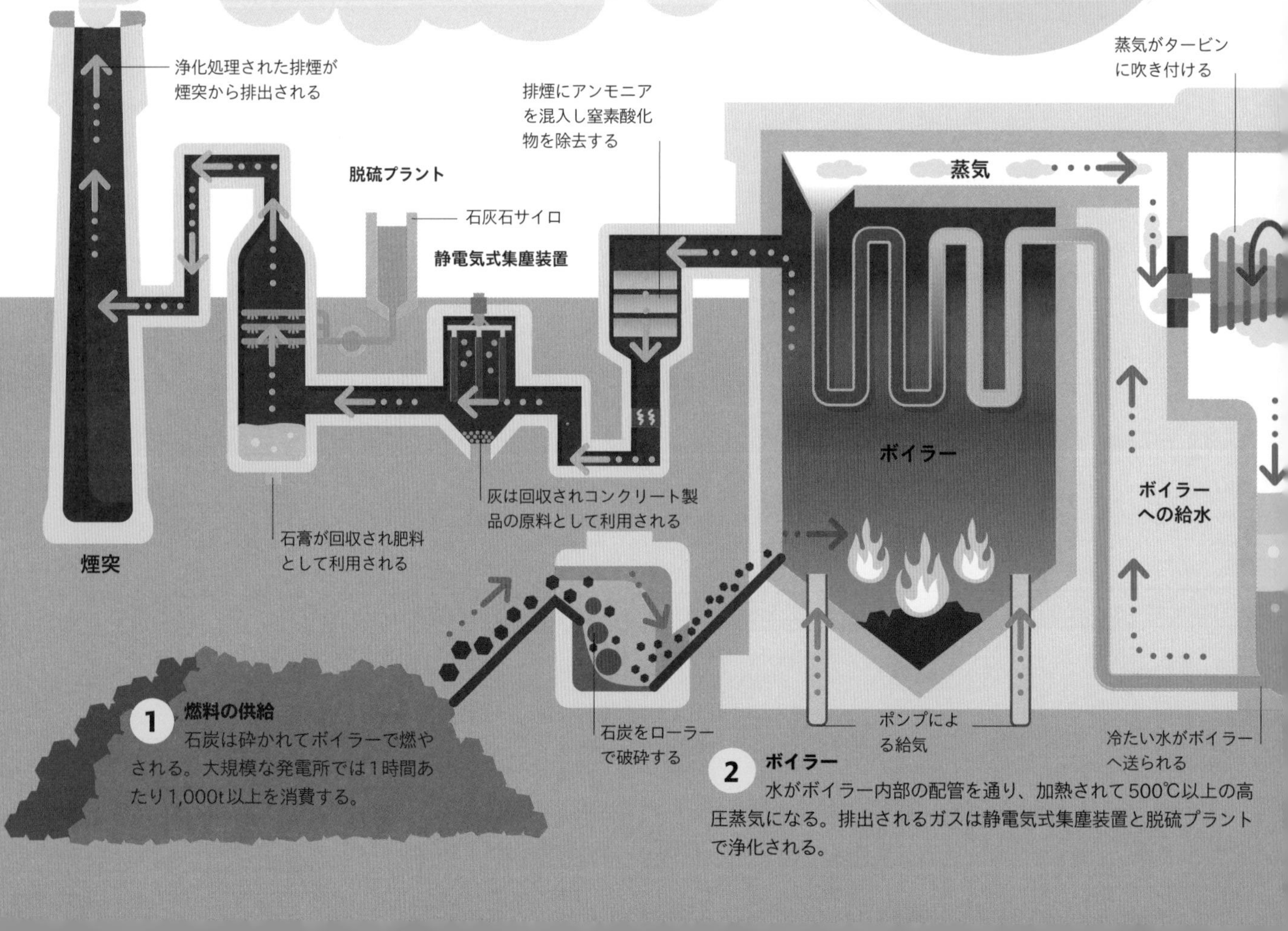

浄化処理された排煙が煙突から排出される
脱硫プラント
石灰石サイロ
静電気式集塵装置
排煙にアンモニアを混入し窒素酸化物を除去する
蒸気
蒸気がタービンに吹き付ける
ボイラー
ボイラーへの給水
煙突
石膏が回収され肥料として利用される
灰は回収されコンクリート製品の原料として利用される
石炭をローラーで破砕する
ポンプによる給気
冷たい水がボイラーへ送られる

1 燃料の供給
石炭は砕かれてボイラーで燃やされる。大規模な発電所では1時間あたり1,000t以上を消費する。

2 ボイラー
水がボイラー内部の配管を通り、加熱されて500℃以上の高圧蒸気になる。排出されるガスは静電気式集塵装置と脱硫プラントで浄化される。

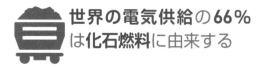

排出物の浄化

ボイラーの排気は放出される前に有害物質が除去される。集塵装置は静電気を用いて微粒子を取り除き、排煙脱硫装置は硫化物の95％を除去する（左頁参照）。ただし、有害物質が完全に除去されるわけではない。アメリカ合衆国の石炭火力発電所では、毎年、100万tの二酸化硫黄が排出されている。

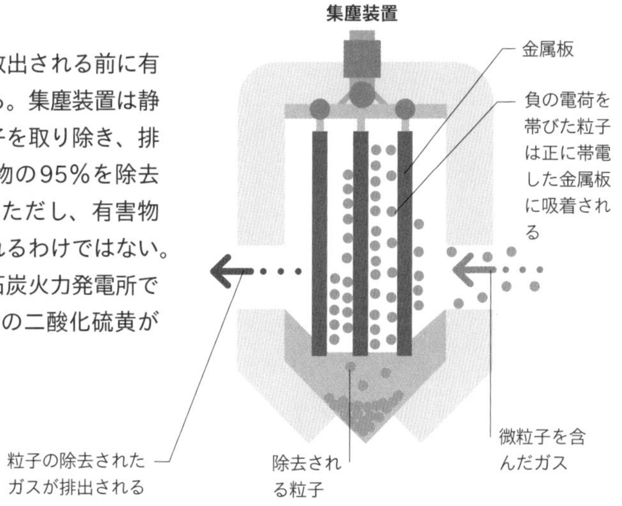
集塵装置
金属板
負の電荷を帯びた粒子は正に帯電した金属板に吸着される
粒子の除去されたガスが排出される
除去される粒子
微粒子を含んだガス

エネルギーの効率性

燃料に由来するエネルギーのうち、消費者まで届けられるのはわずか3分の1である。60％以上は発電所で失われている。

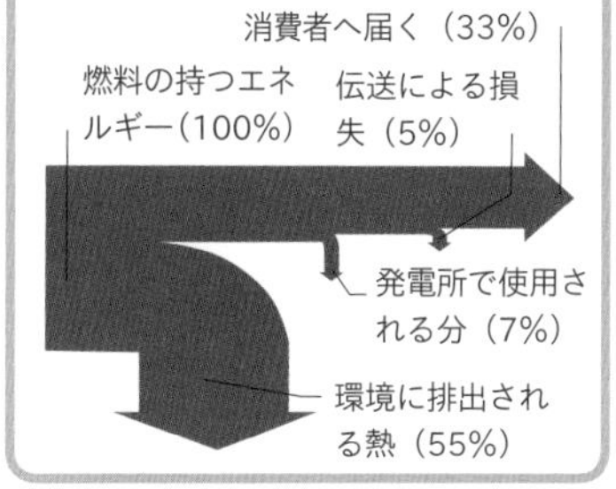
消費者へ届く（33％）
燃料の持つエネルギー（100％）
伝送による損失（5％）
発電所で使用される分（7％）
環境に排出される熱（55％）

3　タービン
高圧蒸気が蒸気タービンの羽根にあたり、強力かつ高速に回転軸を回す。この力が軸を介して発電機に伝達される。

5　送電
昇圧トランスにより電圧を上げることで送電中の損失を減らし、電気を送る。

6　冷却塔
蒸気は凝縮器で冷却され、冷却塔に送られる。ここでほとんどの水は冷却されて再利用される。蒸気の一部は排出され、多くの熱が失われる。

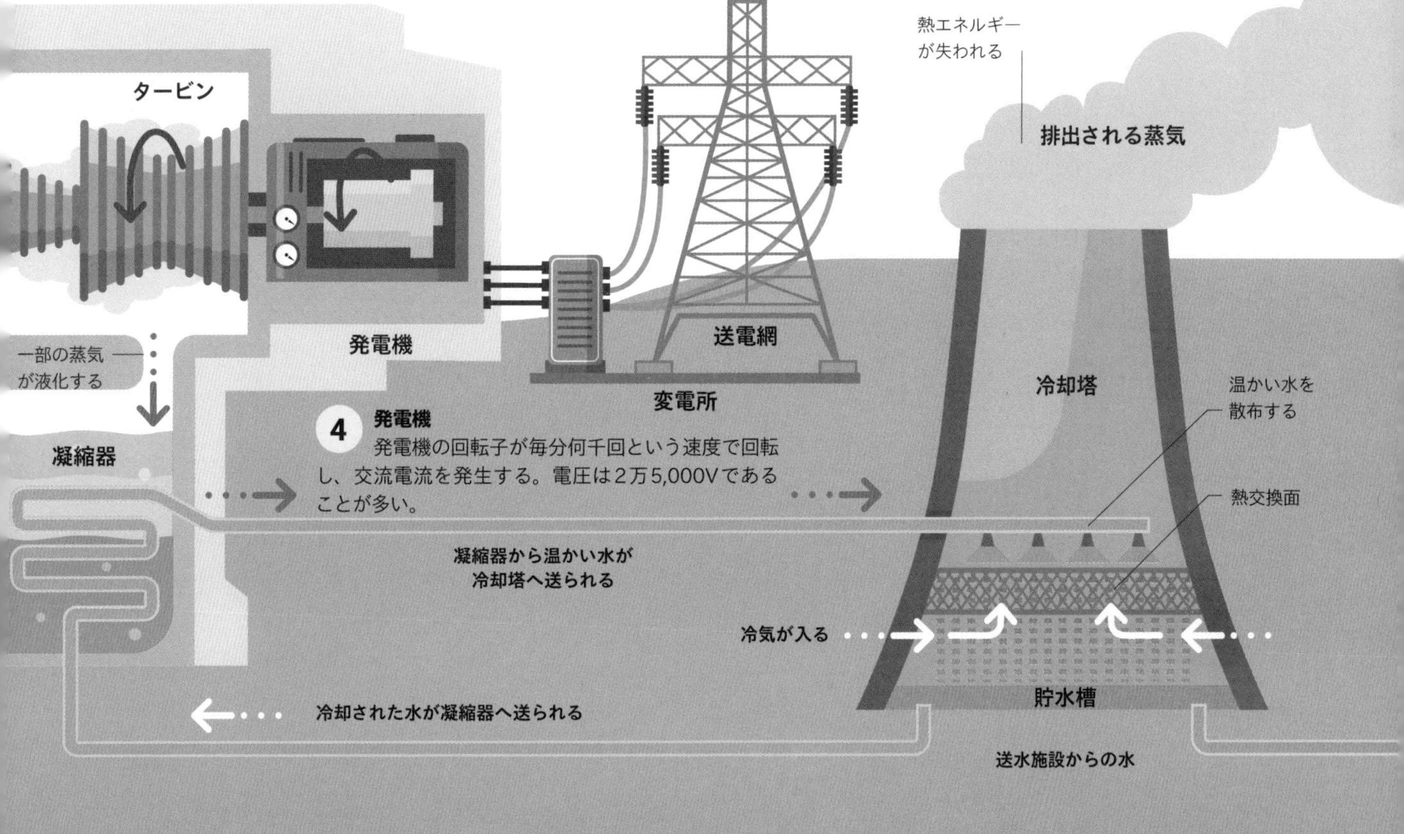
熱エネルギーが失われる
排出される蒸気
タービン
発電機
送電網
変電所
一部の蒸気が液化する
凝縮器
冷却塔
温かい水を散布する
熱交換面
凝縮器から温かい水が冷却塔へ送られる
冷気が入る
貯水槽
冷却された水が凝縮器へ送られる
送水施設からの水

4　発電機
発電機の回転子が毎分何千回という速度で回転し、交流電流を発生する。電圧は2万5,000Vであることが多い。

送電

電気の大部分は大規模な発電所（20-21頁参照）で作られてから長い距離を経て、工場や家庭といった消費者まで届けられる。これは、送電線やさまざまな施設による複雑なネットワーク（電力網）によって実現される。

送電塔
一般的な送電塔は格子や管状の構造をした、鋼鉄とアルミニウム製の背の高い塔である。送電線を安全な高さで支持し、接地された塔と送電線の間には絶縁体が設置されている。

電力輸送

産業やビジネスや家庭などの必要に応じ、莫大な電力を必要とされる場所に正確に配分しなければならない。電力は地上および地下の送電線を通じて輸送され、変電所などに設置されている変圧器は電圧の調整を行っている。これらの装置を効率よく運用するために、さまざまなセンサーのネットワークが構築されている。

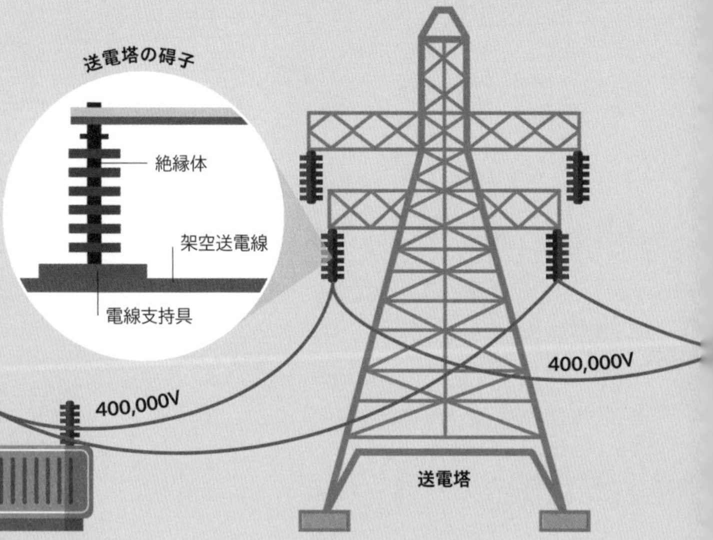
送電塔の碍子
絶縁体
架空送電線
電線支持具
400,000V
送電塔

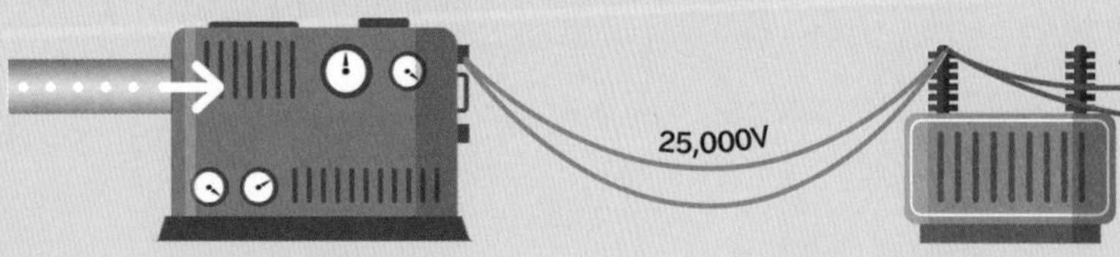
25,000V
400,000V
発電機
昇圧変圧器

1 発電所
発電所の発電機が運動エネルギーを電気エネルギーに変換する。2万5,000Vの交流電流（16頁参照）を発生する場合が多い。

2 超高圧変電所
超高圧変電所の変圧器により昇圧する。40万Vまで昇圧する場合が多い。

3 高電圧送電塔
送電塔の多くはアルミニウムと鋼鉄で建造されている。送電線と塔本体の間にガラスや磁器製の絶縁体を設置し、塔を通じて電気が地面に流れるのを防ぐ。

変圧器（トランス）

変圧器は電磁誘導を利用して電圧を変える装置である。鉄心のまわりに巻かれた一次コイルに交流を流すと、変動する磁場が発生し、二次コイルに誘導電圧を発生する。一次コイルより二次コイルの方が巻線が多いと電圧は上がり、逆の場合は電圧が下がる。

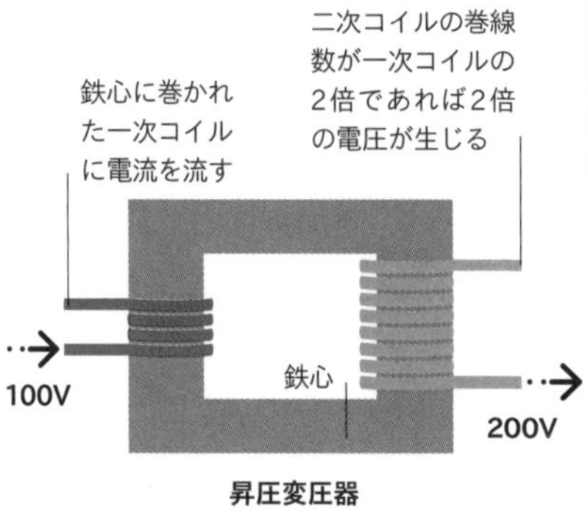
鉄心に巻かれた一次コイルに電流を流す
二次コイルの巻線数が一次コイルの2倍であれば2倍の電圧が生じる
100V
鉄心
200V
昇圧変圧器

鳥はなぜ送電線に留まっていられるか？

電流は常に最も抵抗の低い経路を流れる。鳥は電気を通しにくいため、送電線を流れる電気は鳥には流れず、送電線を流れ続ける。

世界で**最も高い送電塔**は中国にあり、**高さは370m**

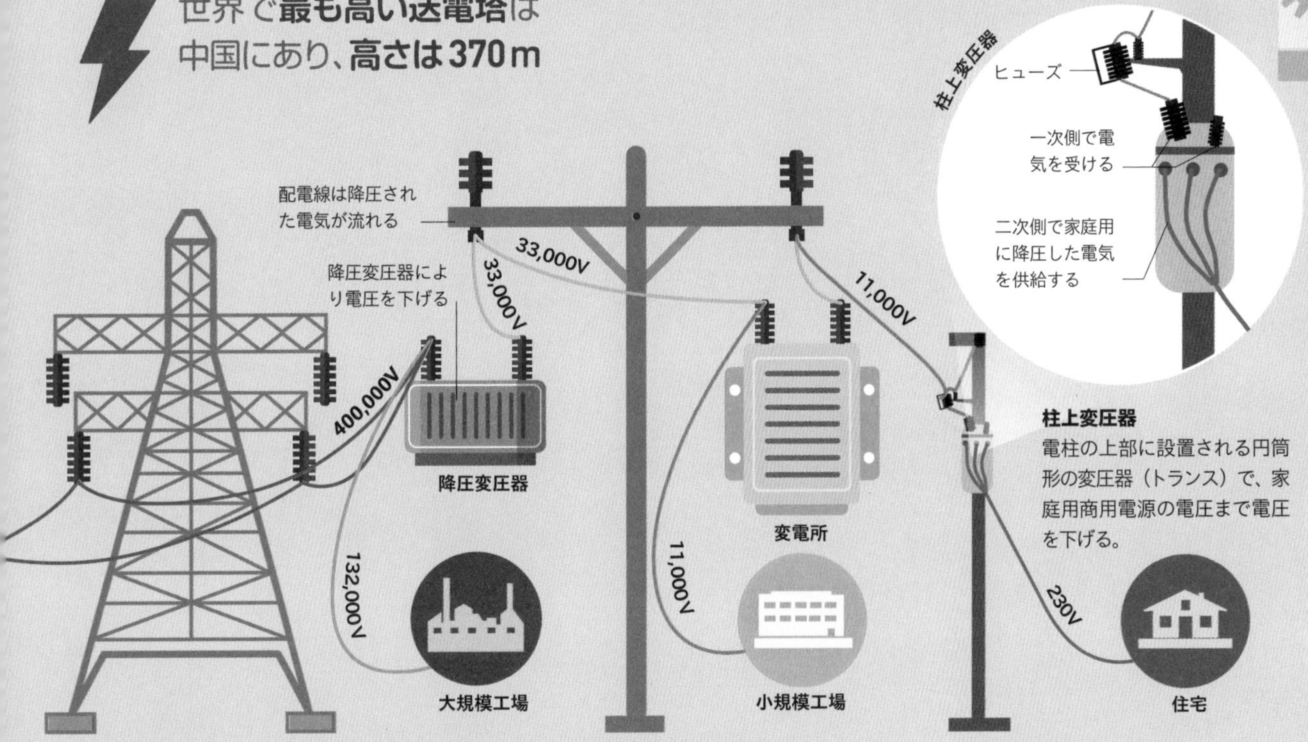
柱上変圧器
ヒューズ
一次側で電気を受ける
二次側で家庭用に降圧した電気を供給する
配電線は降圧された電気が流れる
降圧変圧器により電圧を下げる
33,000V
33,000V
11,000V
400,000V
降圧変圧器
変電所
132,000V
11,000V
230V
大規模工場
小規模工場
住宅
柱上変圧器
電柱の上部に設置される円筒形の変圧器（トランス）で、家庭用商用電源の電圧まで電圧を下げる。

4　直接配電する場合

大きな電力を必要とする工場などでは、高電圧送電線から直接電気を引き込む。それ以外の工場では13万2,000V程度まで降圧させるための変圧器が必要である。

5　配電変電所

変電所にはいくつかの変圧器があり、高電圧で送られてきた電気の電圧を下げる。小規模な産業・商業施設にはここから配電される。

6　家庭への配電

配電線のネットワークにより各家庭まで電気を届ける。家庭の分電盤に届く前に、柱上変圧器で最終的な降圧を行う。

地中送電線

架空送電線や送電塔による景観の阻害を避け、土地利用の改善を図るために、地中に埋設されている送電線も多い。こうした送電線には複数の絶縁保護層が必要となる。送電線は管路や溝に設置される。各ケーブルは1km程度の長さになり、接続箇所には補強が施される。ケーブルの周囲はコンクリートの覆いで保護され、意図しない切断事故を防ぐ。

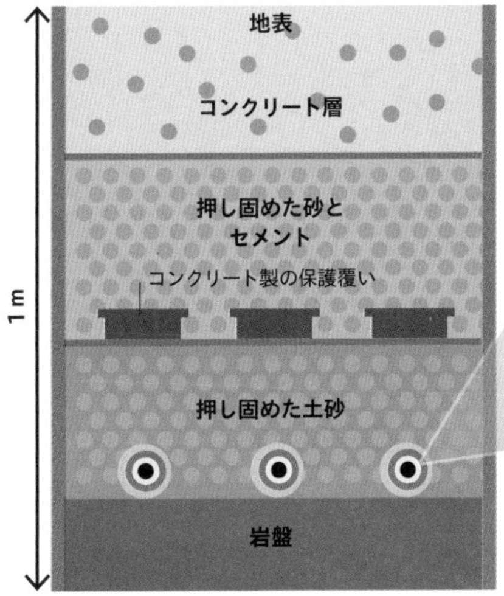
1m
地表
コンクリート層
押し固めた砂とセメント
コンクリート製の保護覆い
押し固めた土砂
岩盤

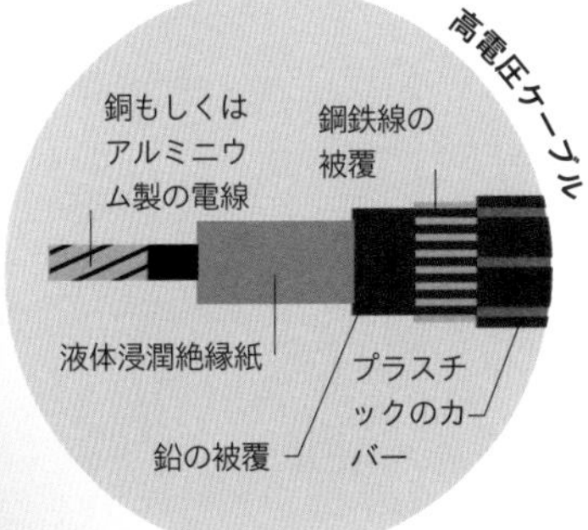
高電圧ケーブル
銅もしくはアルミニウム製の電線
鋼鉄線の被覆
液体浸潤絶縁紙
プラスチックのカバー
鉛の被覆

直接埋設用のケーブル

直接埋設用のケーブルは地中の土砂や湿気に触れるため、特殊な設計が施されている。電導性のよい導体の周囲には4層からなる保護層があり、約1mの溝を掘って埋設される。

原子力発電

原子力は、原子核が分裂（核分裂）もしくは融合（核融合）する際に放出されるエネルギーである。原子力発電所は核分裂のエネルギーを利用して発電を行う。

核分裂

原子力発電所の燃料はウランなどの放射性元素である。これらの核燃料の原子核が分裂すると膨大なエネルギーが熱の形で発生するため、この熱を利用して蒸気タービンを回し、発電機を動かす。化石燃料と比較すると核分裂で用いる燃料は少量で、発生する温室効果ガスもはるかに少ない。

原子炉（加圧水型原子炉）の内部
放射能の漏出を防ぐため、核分裂が起こる原子炉は頑丈な鉄筋コンクリート製ドームの内部に設置されている。

4 蒸気の発生
原子炉で加熱された水が蒸気発生器（熱交換器）に送られ、二次冷却水が流れる管にエネルギーを伝える。冷却水は高圧で高温の水蒸気となる。

3 制御棒
制御棒は連鎖反応の速度を調整する。制御棒は中性子を吸収するため、燃料棒の間に挿入すると連鎖反応の速度が遅くなる。

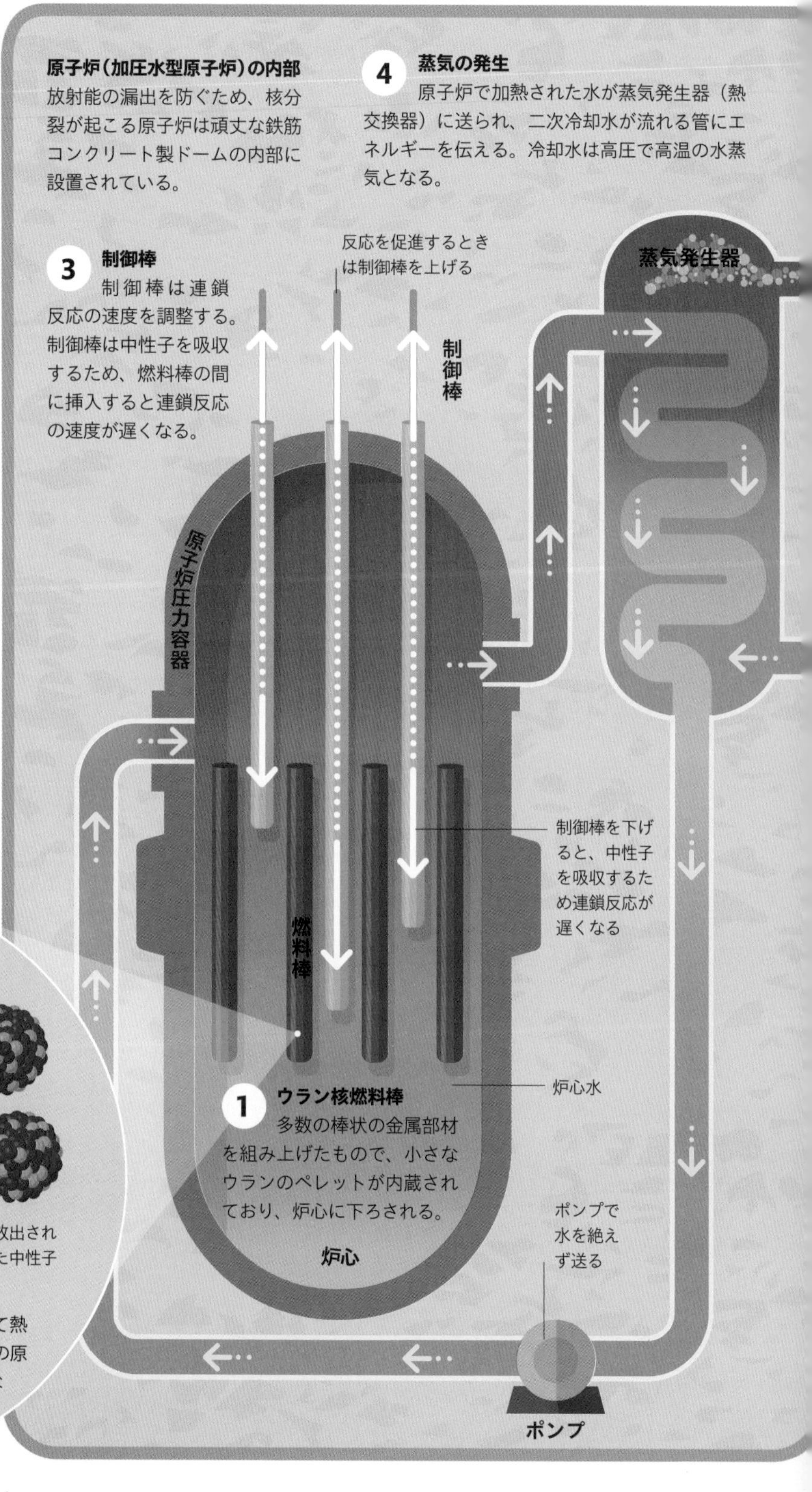
反応を促進するとき
は制御棒を上げる
蒸気発生器
制御棒
原子炉圧力容器
燃料棒
制御棒を下げると、中性子を吸収するため連鎖反応が遅くなる
炉心水
ポンプで水を絶えず送る
炉心
ポンプ

1 ウラン核燃料棒
多数の棒状の金属部材を組み上げたもので、小さなウランのペレットが内蔵されており、炉心に下ろされる。

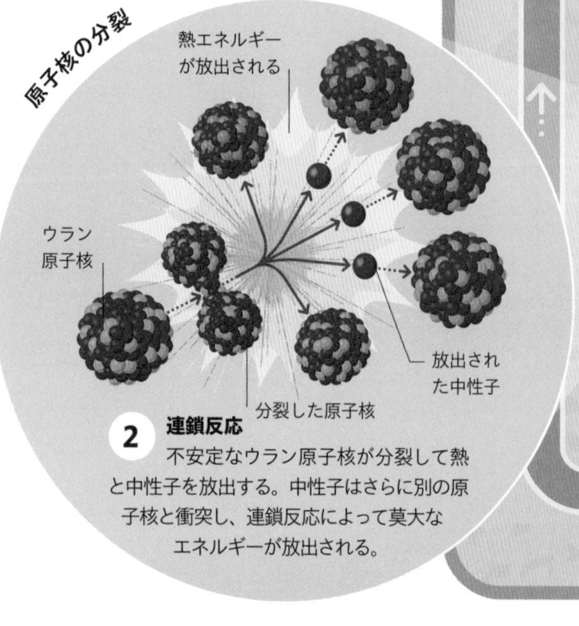
原子核の分裂
熱エネルギーが放出される
ウラン原子核
放出された中性子
分裂した原子核

2 連鎖反応
不安定なウラン原子核が分裂して熱と中性子を放出する。中性子はさらに別の原子核と衝突し、連鎖反応によって莫大なエネルギーが放出される。

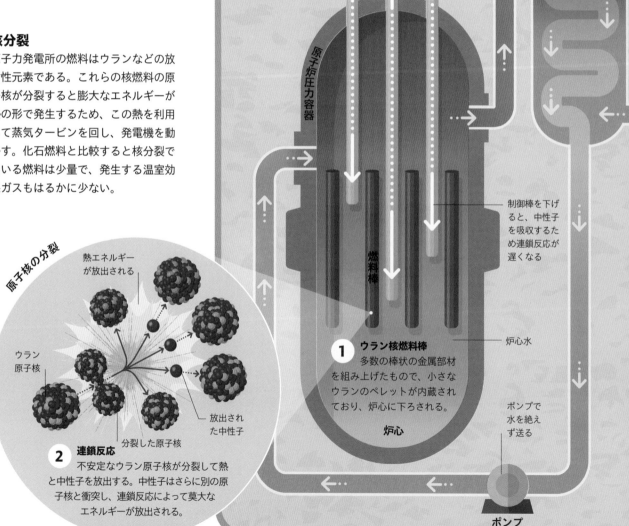

5 タービンを回す
蒸気発生器で発生する高圧水蒸気により、タービン建屋に設置されたタービンを回転させる。タービンは毎分1,800～3,600回転で回転する。

6 電力の供給
タービンの回転によって発電機を回す。効率的に送電するために、発生する電気は変圧器によって昇圧される。

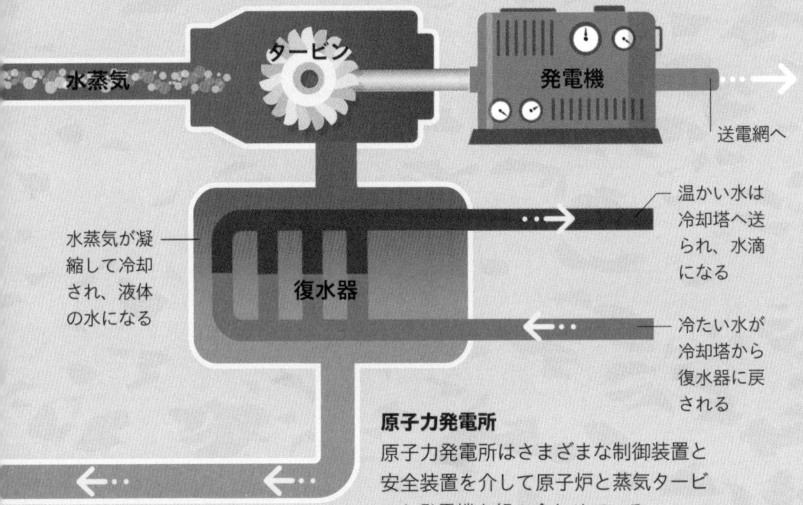
水蒸気
タービン
発電機
送電網へ
温かい水は冷却塔へ送られ、水滴になる
水蒸気が凝縮して冷却され、液体の水になる
復水器
冷たい水が冷却塔から復水器に戻される

原子力発電所
原子力発電所はさまざまな制御装置と安全装置を介して原子炉と蒸気タービンと発電機を組み合わせている。

炉心溶融（メルトダウン）

原子炉の冷却系に不具合があると燃料棒が過熱し、極端な場合は燃料棒が融解して格納容器から流れ出す。こうなると莫大な放射能が漏出して環境が汚染される。2011年には、東日本大震災にともなう津波の被害により、日本の福島第一原発の3つの原子炉が部分的な炉心溶融に至った。

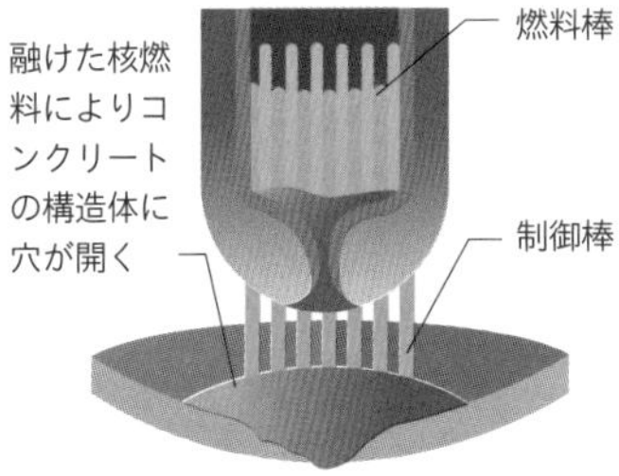
融けた核燃料によりコンクリートの構造体に穴が開く
燃料棒
制御棒

1 使用済み燃料集合体
高レベルの放射能と熱を放出し続ける使用済みの燃料棒を数年間保存し、徐々に冷却する。

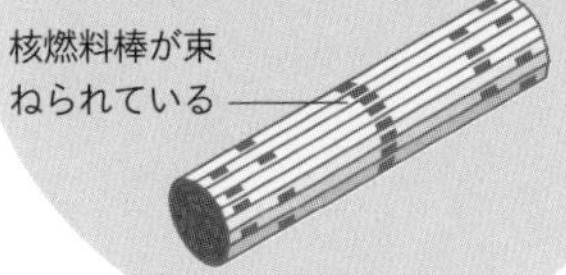
核燃料棒が束ねられている

2 廃棄物容器
放射性廃棄物は融解されて不活性なガラスと混合され、固化してキャニスターやカプセルなどに収められる。

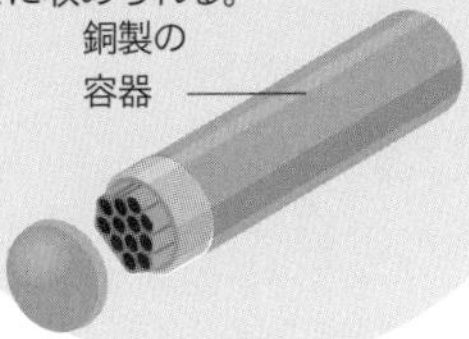
銅製の容器

3 粘土による遮蔽
廃棄物容器を埋設し、不浸透性の厚い粘土で覆う。

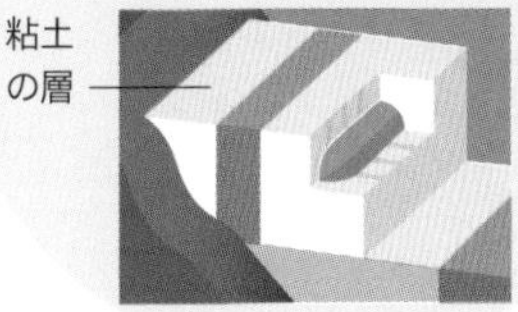
粘土の層

4 処分地
地層処分は地下500～1,000ｍに行われ、監視と管理が行われる。

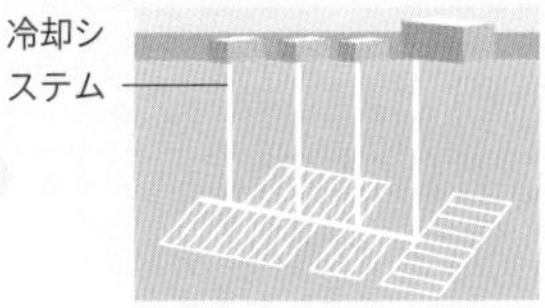
冷却システム

放射性廃棄物の処理

使用済み（もしくは損耗した）燃料棒は２～５年ごとに原子炉から取り出されるが、その後も数十年間にわたって熱を放出し、さらに長期にわたって高レベルの放射能を帯び続ける。その多くはまず冷却プールに数年間沈めた後、一部は再処理工程へ送られ、残りはコンクリート製の容器に収められる。国によっては廃棄物を地中深くに埋設する計画が提案されているが、稼動している処分地はまだない。

地層処理の計画
放射性廃棄物の処理方法として、すでに実現しているガラス固化処理を経た後、温度制御された地下空間に埋設する計画が提案されている。

1,000MWの原子力発電所は毎年**27t**の**使用済み核燃料**を排出する

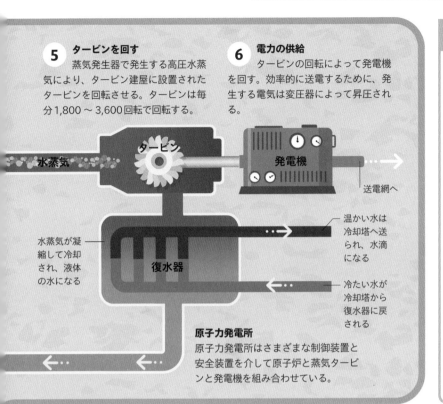

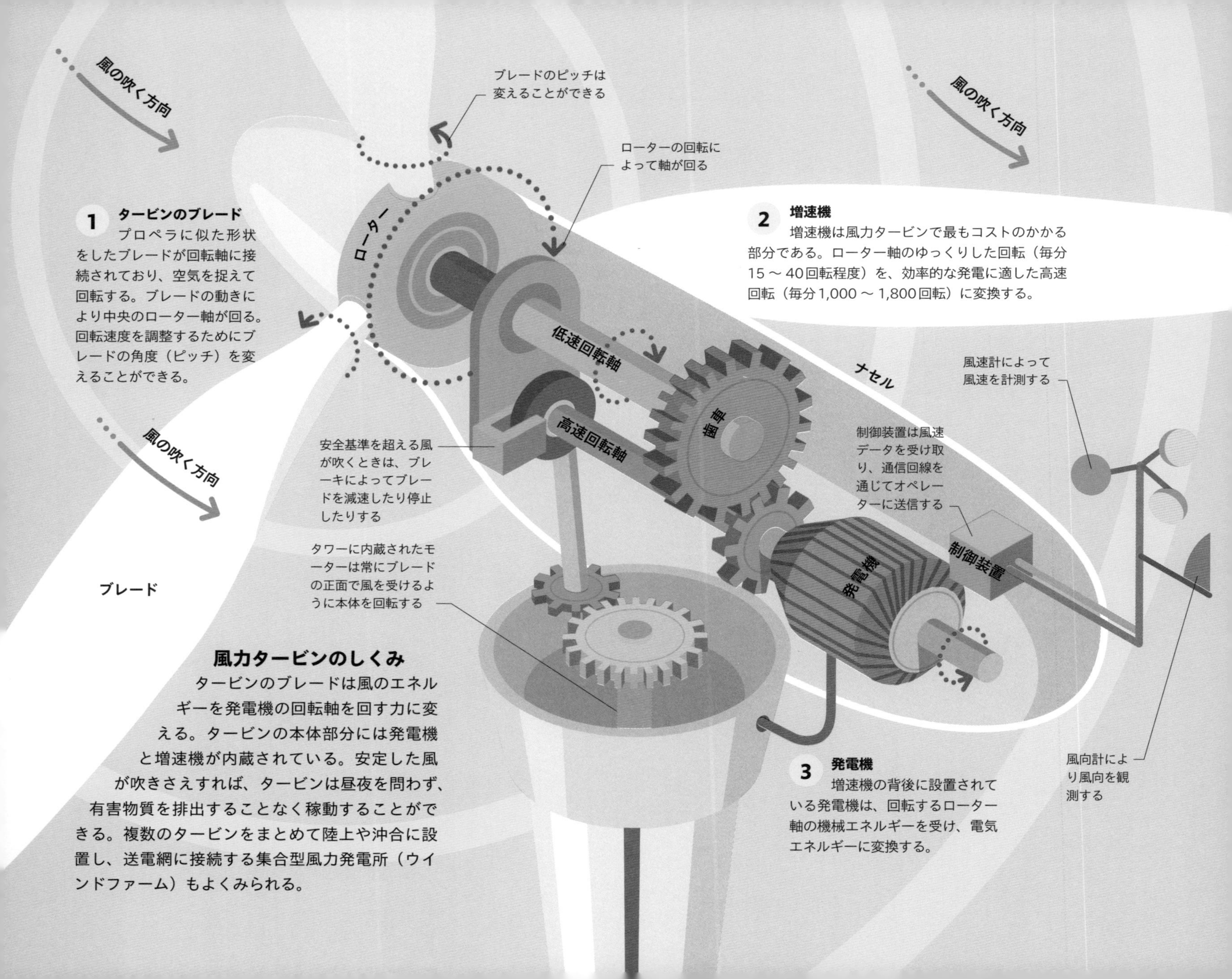
風の吹く方向
風の吹く方向
風の吹く方向
ブレードのピッチは変えることができる
ローターの回転によって軸が回る
ローター
低速回転軸
高速回転軸
歯車
ナセル
発電機
制御装置
ブレード
安全基準を超える風が吹くときは、ブレーキによってブレードを減速したり停止したりする
タワーに内蔵されたモーターは常にブレードの正面で風を受けるように本体を回転する
風速計によって風速を計測する
制御装置は風速データを受け取り、通信回線を通じてオペレーターに送信する
風向計により風向を観測する

風力タービンのしくみ

タービンのブレードは風のエネルギーを発電機の回転軸を回す力に変える。タービンの本体部分には発電機と増速機が内蔵されている。安定した風が吹きさえすれば、タービンは昼夜を問わず、有害物質を排出することなく稼動することができる。複数のタービンをまとめて陸上や沖合に設置し、送電網に接続する集合型風力発電所（ウインドファーム）もよくみられる。

1 タービンのブレード

プロペラに似た形状をしたブレードが回転軸に接続されており、空気を捉えて回転する。ブレードの動きにより中央のローター軸が回る。回転速度を調整するためにブレードの角度（ピッチ）を変えることができる。

2 増速機

増速機は風力タービンで最もコストのかかる部分である。ローター軸のゆっくりした回転（毎分15～40回転程度）を、効率的な発電に適した高速回転（毎分1,000～1,800回転）に変換する。

3 発電機

増速機の背後に設置されている発電機は、回転するローター軸の機械エネルギーを受け、電気エネルギーに変換する。

風力発電

すでに何世紀もの間、風の力は帆船の推進力や風車の動力として利用されてきた。現代では、化石燃料を用いず温室効果ガスも排出しない再生可能エネルギー源として、風の運動エネルギーを電気エネルギーに変える風力タービンが利用されている。

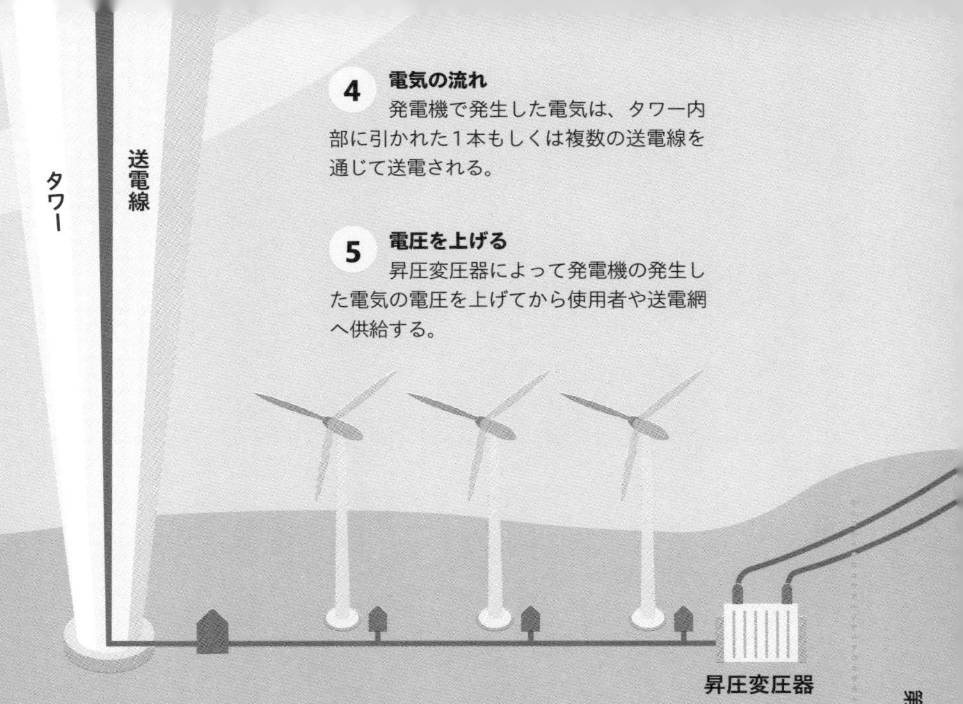
タワー
送電線
昇圧変圧器

4 電気の流れ
発電機で発生した電気は、タワー内部に引かれた1本もしくは複数の送電線を通じて送電される。

5 電圧を上げる
昇圧変圧器によって発電機の発生した電気の電圧を上げてから使用者や送電網へ供給する。

平均的な**風力タービン**は**一般家庭1,000戸分**の**電力**を発電することができる

小型風力発電

小規模な再生可能エネルギーのシステムにおいて、独立型もしくは屋根上に設置される形式の風力タービンが発電に使用されることがある。太陽熱温水機や太陽光発電など、ほかのサステナブルなエネルギー源と組み合わせて利用することで集約型の大規模な発電所への依存を減らし、化石燃料の消費や有害な排出物を低減することができる。

自給自足
1つの風力タービンで家庭の電力需要をまかなうことができる。スマートメーターによって受給を計測しながら、余った電力は送電網に供給する。

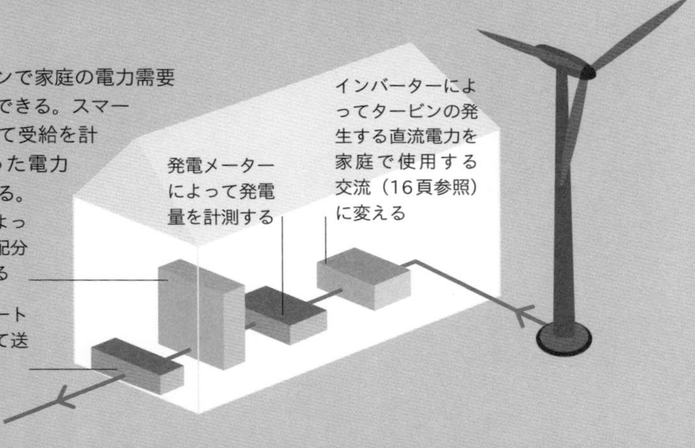
分電盤によって電気の配分を制御する
発電メーターによって発電量を計測する
インバーターによってタービンの発生する直流電力を家庭で使用する交流（16頁参照）に変える
余剰電力はスマートメーターを介して送電網へ供給する

風力タービンと野生動物

風力タービンの建設は海や陸上の生態系に影響を与える。最も直接的な脅威を受けるのは鳥とコウモリである。1つの解決策は、風力発電施設を建設する際に渡り鳥の営巣地や渡りのルートから離れた場所を選択することである。別の方法として、大きな音を発生する「音響灯台」をタービンの付近に設置し、鳥に警告することも検討されている。

水力・地熱発電

流れている水の持つエネルギーや地殻が蓄えている熱は発電に利用することができる。いずれもクリーンで持続可能なエネルギー源だが、インフラ建設に大きな投資をともなうことが多い。

潮汐の力

潮汐発電は、自然の引き潮や潮流の運動エネルギーによってタービンを回し、発電する。風力発電と似た独立型のタービンを用いる方式もあるが、入江や河口に複数のタービンを設置した大規模な堰を建設する場合もある。

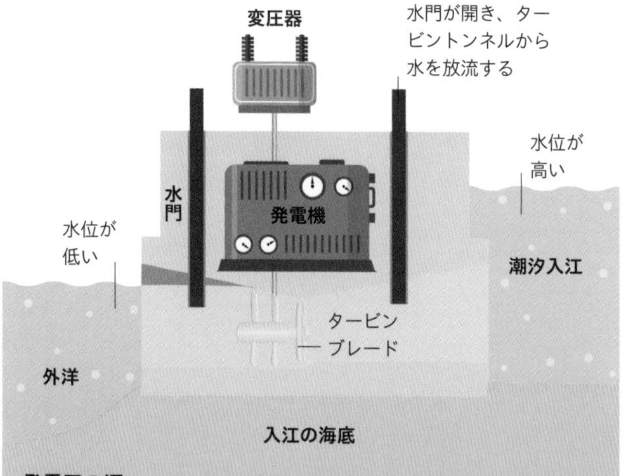

変圧器
水門が開き、タービントンネルから水を放流する
水位が高い
水門
発電機
水位が低い
潮汐入江
タービンブレード
外洋
入江の海底

発電用の堰
海水は満潮時に入江に入り、堰に留められる。これを引き潮時にタービンを設置した放水路から流す。

水力発電

水力発電は水の落下や速い流れの力を利用してタービンを回し、発電する。最も一般的なのは、高所のダムに水を貯め、タービンに向けて放流する形式である。

2 電力の発生
水はタービンを高速で通過し、大きな力でブレードを回す。この力により発電機は電力を作り出す。

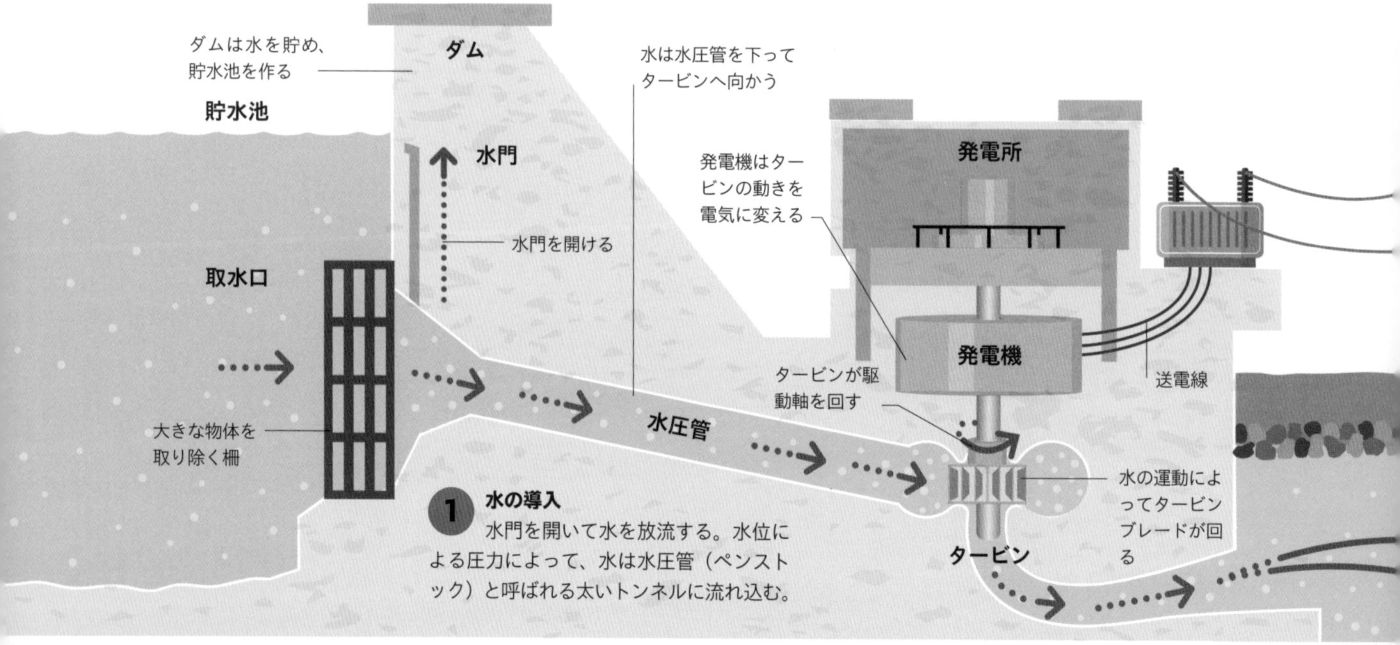

ダムは水を貯め、貯水池を作る
ダム
貯水池
水は水圧管を下ってタービンへ向かう
水門
水門を開ける
発電所
発電機はタービンの動きを電気に変える
取水口
発電機
送電線
タービンが駆動軸を回す
大きな物体を取り除く柵
水圧管
水の運動によってタービンブレードが回る
タービン

1 水の導入
水門を開いて水を放流する。水位による圧力によって、水は水圧管（ペンストック）と呼ばれる太いトンネルに流れ込む。

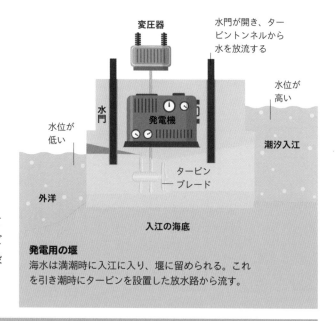

掘削の危険性

地熱増産システム（EGS）では、広範囲からより多くの熱を利用するために高圧の液体を岩盤の亀裂に注入する。この注入が、予期せぬ地震活動を誘発する可能性があることが指摘されている。2006年には、スイスのバーゼルの地熱発電所がマグネチュード3.4の地震を起こした責任を問われた。その11年後に韓国のポハンで発生し82人の負傷者を出したマグネチュード5.4の地震では、この地方の地熱発電所が原因となった可能性が指摘されている。

パラグアイとブラジルの国境にある**イタイプダム**は、**パラグアイで消費されるエネルギー**の**76%**を供給している

水を動かす

水力発電による定常的な発電には、強く連続的な水の流れが必要となる。揚水発電と呼ばれる形式では、電力需要の少ない時には余剰電力でポンプを駆動し、放水した水を再度貯水池に戻している。

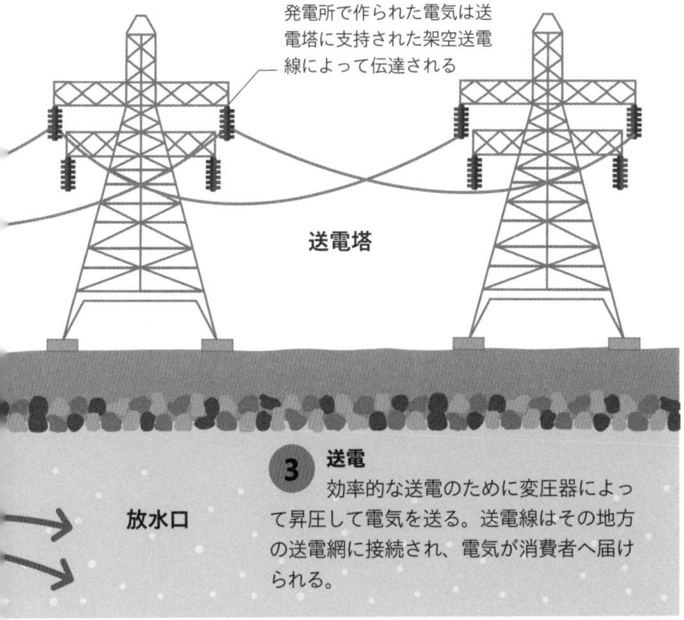
発電所で作られた電気は送電塔に支持された架空送電線によって伝達される
送電塔
放水口

3　送電
効率的な送電のために変圧器によって昇圧して電気を送る。送電線はその地方の送電網に接続され、電気が消費者へ届けられる。

地熱発電

地下の高温の岩盤から熱を取り出して利用する方法はいくつもある。地下水を直接取り出す場合もあれば、地熱を利用できる地域に水を圧送して発電用の熱を得る場合もある。地熱発電所で発生する有害な排出物は、石炭火力発電所に比較すればごくわずかである。

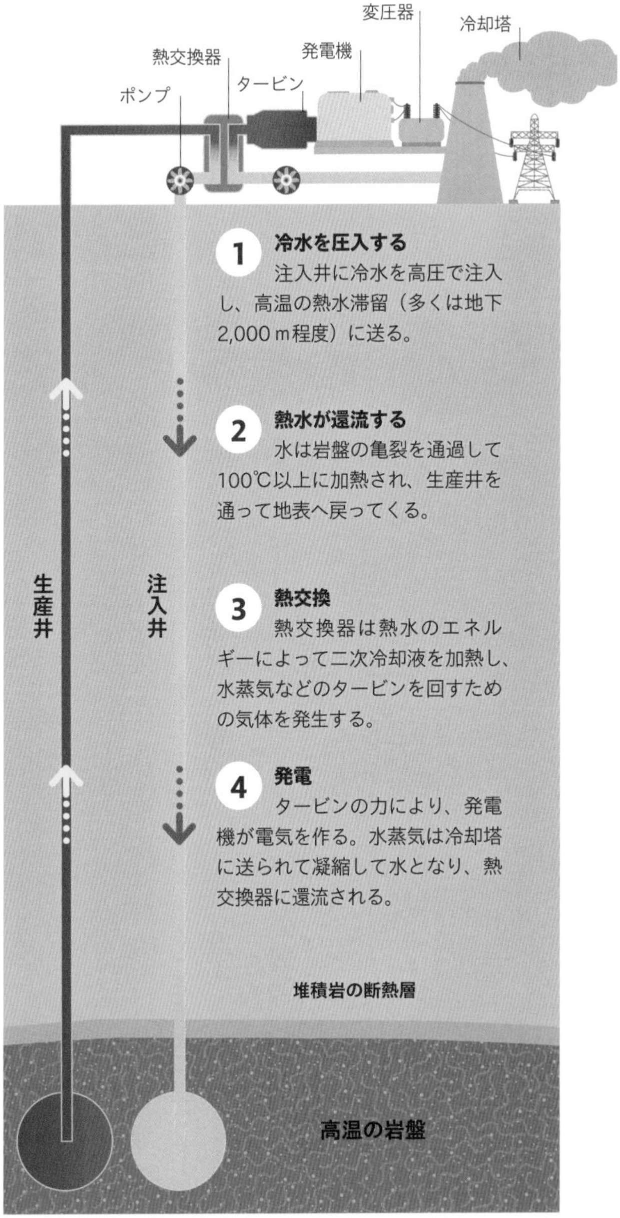
変圧器
冷却塔
熱交換器
発電機
タービン
ポンプ
生産井
注入井
堆積岩の断熱層
高温の岩盤

1　冷水を圧入する
注入井に冷水を高圧で注入し、高温の熱水滞留（多くは地下2,000ｍ程度）に送る。

2　熱水が還流する
水は岩盤の亀裂を通過して100℃以上に加熱され、生産井を通って地表へ戻ってくる。

3　熱交換
熱交換器は熱水のエネルギーによって二次冷却液を加熱し、水蒸気などのタービンを回すための気体を発生する。

4　発電
タービンの力により、発電機が電気を作る。水蒸気は冷却塔に送られて凝縮して水となり、熱交換器に還流される。

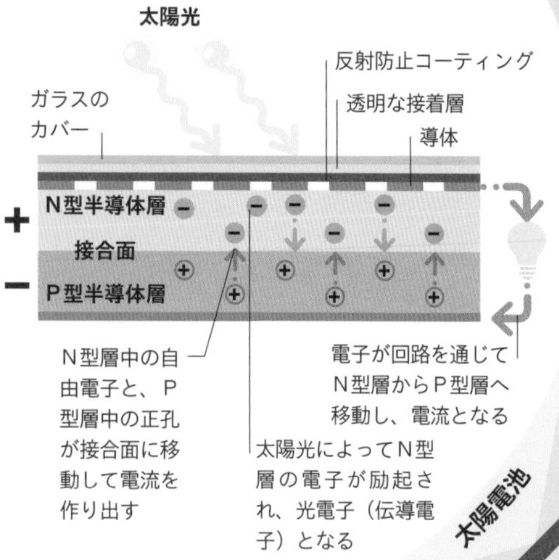
太陽光
反射防止コーティング
ガラスのカバー
透明な接着層
導体
＋
N型半導体層
接合面
－
P型半導体層
N型層中の自由電子と、P型層中の正孔が接合面に移動して電流を作り出す
太陽光によってN型層の電子が励起され、光電子（伝導電子）となる
電子が回路を通じてN型層からP型層へ移動し、電流となる

1　太陽エネルギーを利用する
太陽光は光子と呼ばれる小さなエネルギー粒子からなる。光子が多数の太陽電池セルで構成された太陽電池パネルに当たると、そのエネルギーを受けた電子が回路を通じて流れ、電流を作り出す。

太陽のエネルギー

太陽光のエネルギーを捉える方法はいくつかある。太陽熱集光器は、太陽を利用して配管に流れる水を加熱する。太陽電池パネル（不純物を添加したシリコンの半導体で作られる）は太陽のエネルギーを光起電力効果（左を参照）によって電気に変える。太陽エネルギーは再生可能エネルギーであり、有害な排出物はない。推算によれば、家庭用の太陽光発電システムは二酸化炭素排出量を毎年1.7t低減することができる。

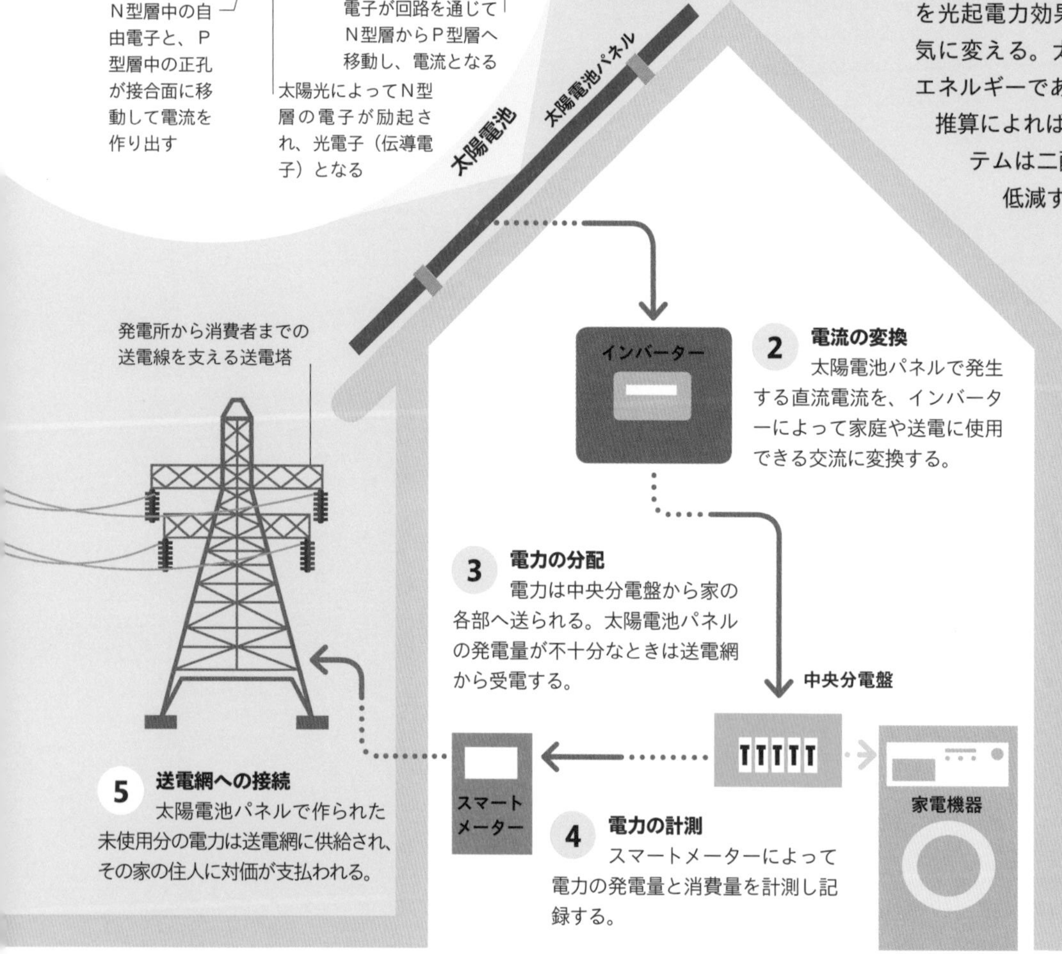
太陽電池
太陽電池パネル
発電所から消費者までの送電線を支える送電塔
インバーター
中央分電盤
スマートメーター
家電機器

2　電流の変換
太陽電池パネルで発生する直流電流を、インバーターによって家庭や送電に使用できる交流に変換する。

3　電力の分配
電力は中央分電盤から家の各部へ送られる。太陽電池パネルの発電量が不十分なときは送電網から受電する。

4　電力の計測
スマートメーターによって電力の発電量と消費量を計測し記録する。

5　送電網への接続
太陽電池パネルで作られた未使用分の電力は送電網に供給され、その家の住人に対価が支払われる。

世界最大の太陽光発電プラントは**インドのタミル・ナードゥ**に建設されたもので、**250万枚の太陽電池パネル**で構成されている

太陽エネルギーとバイオマスエネルギー

太陽のエネルギーは、水を直接温めたり、太陽電池によって大規模な発電を行ったり、さまざまなスケールで利用することができる。バイオマス（動植物に由来する有機物）もまた有用なエネルギー源として活用できる。

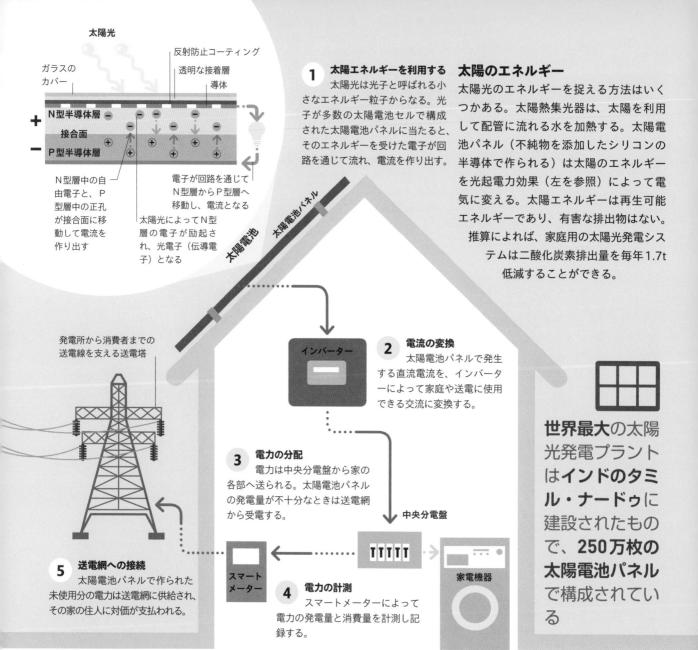

下水

下水処理で生じる汚泥は嫌気《けんき》槽で嫌気性バクテリアに分解され、メタンなどのガスを発生する。これらのガスは精製して燃料に使用できる。

産業廃棄物

一部の産業から出る廃棄物、とくに製紙工程で発生する黒液などは有機物を多く含み、燃やして発電に利用することができる。

バイオマスエネルギー

バイオマスエネルギーは、発電所でバイオマス（廃棄される植物や動物に由来する有機物）を燃焼することや、さまざまな副産物からバイオ燃料を作り出すことで得られる。収穫された農産物や樹木は再生できるため、バイオマスは再生可能なエネルギー源と考えられている。ただし、バイオマスエネルギーの拡大は、食料生産のできる耕作可能地を減らすことにつながるという問題がある。

農業

アブラナやサトウキビやビートなどの作物がバイオ燃料のために生産されている。こうした非食料用途の農作物は、ほかの作物に利用しにくい土地でも収穫できる場合がある。

林業

樹木は最も古い燃料であり、燃やして熱源や光源にするために何千年もの間使われてきた。丸太、ウッドチップ、木質ペレット、おがくずは全バイオマスエネルギー消費量の3分の1以上をまかなっている。

動物の排泄物

動物の排泄物はバイオマスとして燃料に使えるほか、牛などの家畜に由来する肥やしは高濃度のメタンを含んでいるためバイオガスへと加工して燃料にすることができる。

自治体の収拾する廃棄物

膨大な固形廃棄物の一部は燃やして熱や電力として利用される。埋め立て処分の量を減らすメリットもある。

バイオマスエタノール

エタノールはサトウキビ、コーン、モロコシなどの作物のバイオマスに含まれる糖からも製造可能なアルコールである。ブラジルは世界をリードするバイオマスエタノール生産国であり、新車の80%およびオートバイの半数はエタノールもしくはガソリンとエタノールの混合物で走ることができる。

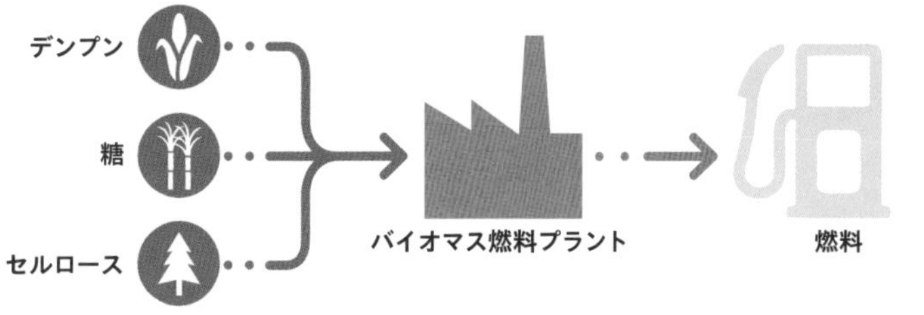

電池

電池は、電気エネルギーに変換して使える化学エネルギーを持ち運び可能な形態で蓄えたものである。電池は大きく一次電池（一度だけ使えるもの）と二次電池（充電できるもの）に分けることができる。

電池から**リサイクル**された**亜鉛**と**マンガン**は、**トウモロコシの成長**を助ける**微量元素**として利用できる

電池のしくみ

電池の内部では、化学反応により金属原子から電子が放出されている。電子は電解質中を負極へ移動する。電極に電気回路が接続されると、電子は電流となって正極へ戻る。この化学エネルギーから電気エネルギーへの変換を放電と呼ぶ。

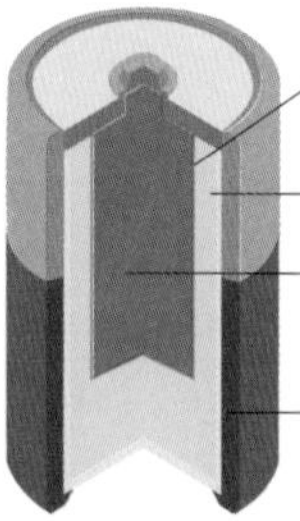
セパレーター
電解質
正極（炭素棒）
負極（内装ケースを兼ねた亜鉛であることが多い）

電池の中身

電池は電解質と呼ばれる導電物質を挟んでプラス極（正極）とマイナス極（負極）が設置された構造をしている。

1 化学反応

電池が回路に接続されると、化学反応によって金属原子が電子を放出する。電子は電解質と呼ばれる化学物質に移動する。

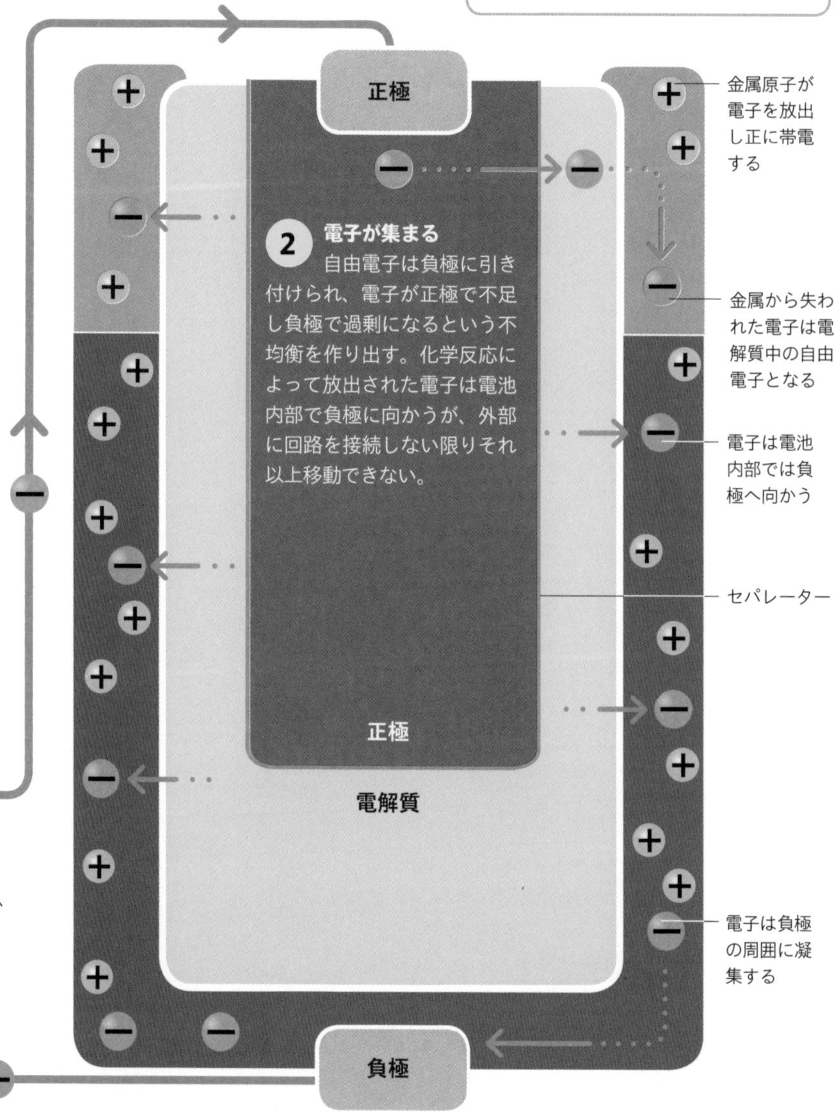
凡例
電子
配線
正の電荷
電子の流れの向き
正極
金属原子が電子を放出し正に帯電する
金属から失われた電子は電解質中の自由電子となる
電子は電池内部では負極へ向かう
セパレーター
正極
電解質
電子は負極の周囲に凝集する
負極

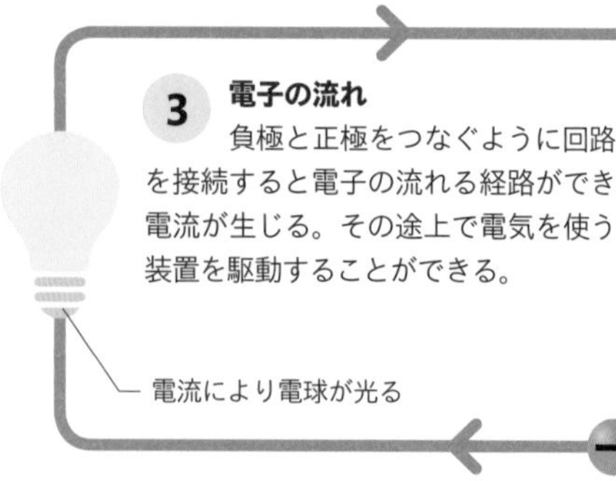
電流により電球が光る

2 電子が集まる

自由電子は負極に引き付けられ、電子が正極で不足し負極で過剰になるという不均衡を作り出す。化学反応によって放出された電子は電池内部で負極に向かうが、外部に回路を接続しない限りそれ以上移動できない。

3 電子の流れ

負極と正極をつなぐように回路を接続すると電子の流れる経路ができ、電流が生じる。その途上で電気を使う装置を駆動することができる。

4 戻ってくる電子

電子は正極から再び電池に戻る。この過程は化学物質が使い尽くされるまで続く。

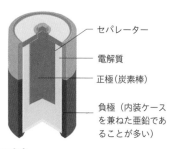

充電のしくみ

電池を充電器につなぐと、放電時とは逆の向きに電流が流れる。電子は最初にあった場所に戻され、充電が行われる。

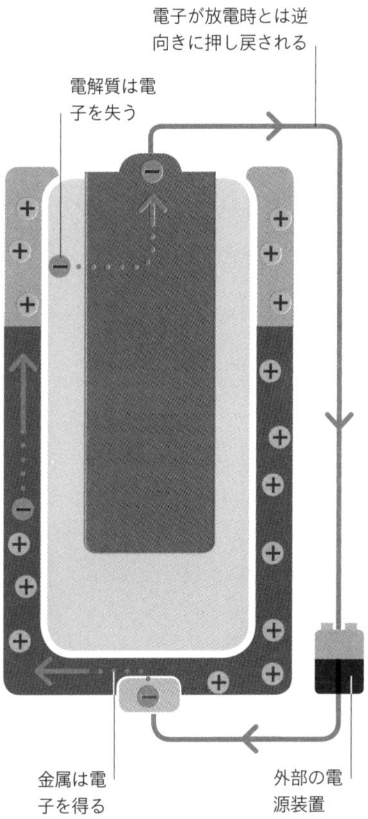
電子が放電時とは逆向きに押し戻される
電解質は電子を失う
金属は電子を得る
外部の電源装置

世界最大の電池は？

テスラ社がオーストラリアに設置した巨大なリチウムイオン電池は1ヘクタール（ha）の大きさがあり、129MWh（10頁参照）の電力を供給する。

リチウムイオン電池

スマートフォンをはじめさまざまな機器や電気自動車などの機械で使われているのは、リチウムという反応性の高い金属を用いたリチウムイオン電池である。リチウムは軽量でエネルギー密度が大きいため電池としては重量出力比が良好なうえ、何百回もの放電・充電サイクルに耐えることができる。

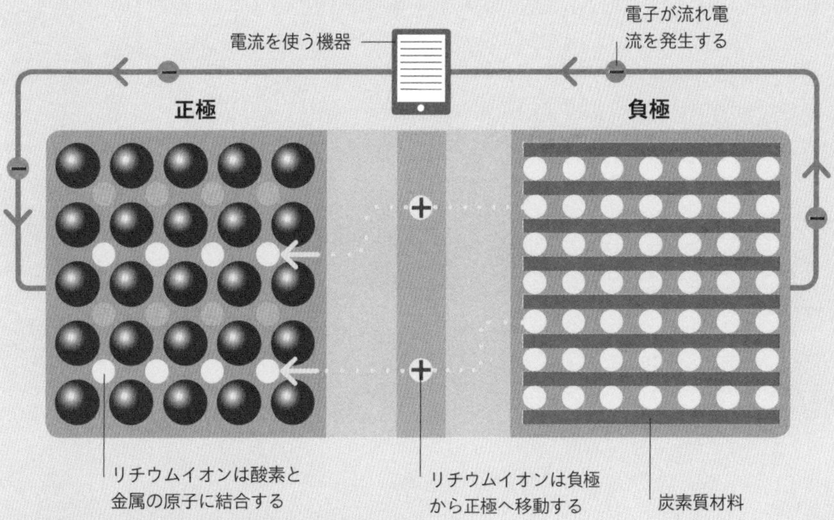
電流を使う機器
電子が流れ電流を発生する
正極
負極
リチウムイオンは酸素と金属の原子に結合する
リチウムイオンは負極から正極へ移動する
炭素質材料

リチウムイオン電池のしくみ

放電時はリチウムイオンが電解質中を正極に向けて移動し、自由電子が回路を流れて電力を発生する。充電時にはリチウムイオンと電子が元の場所へ戻る。

凡例
金属
酸素
リチウム

未来の電池

新しい電池の開発を目指して精力的な研究が行われている。より急速に充電でき、長寿命な電池を実現する技術として、リチウムイオン電池のように液体やゲル状物質を使うのではなく、固体のアルカリ金属を用いる方法が開発されている。スーパーキャパシタと呼ばれる素子を用いた柔らかい電池は数秒で充電することができ、ウェアラブル端末やモバイル機器に革命をもたらすといわれている。

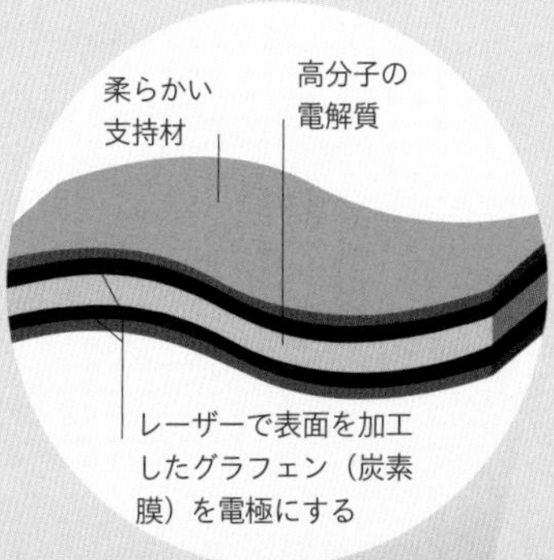
柔らかい支持材
高分子の電解質
レーザーで表面を加工したグラフェン（炭素膜）を電極にする

曲げられるスマートフォン

スーパーキャパシタ（電気二重層コンデンサー）

電荷はスーパーキャパシタの電極層に蓄積したイオンの形で蓄えられ、電極は柔軟な高分子材料によって隔てられている。

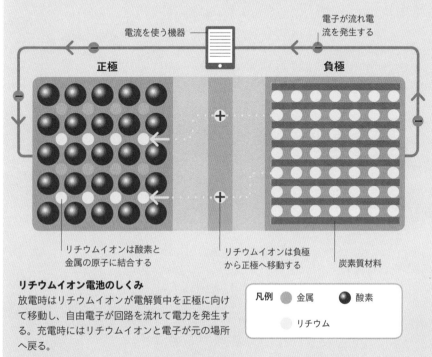

燃料電池

燃料電池は、燃料と酸素が起こす化学反応によって電気を発生させる。さまざまな種類があり、自動車や電子機器では水素を使う燃料電池の利用が増えている。

燃料電池セルの内部
燃料電池セルは電池（32-33頁参照）と似た構造をしている。セルはセルの負極から出て正極へ戻る電子の流れを作り出す。この外部に生じる電流が自動車の動力源となる。

燃料電池のしくみ

燃料電池は電気化学反応を用いてモーターや電子機器に電流を供給する化学電池の一種である。水素を用いる燃料電池は化学反応によって発電し、副産物として水を排出する。自動車の例では、空気中から取り入れた酸素とタンクに貯蔵した水素を使用し、モーターを駆動して480km程度走ることができる。

水素を用いる燃料電池車
燃料電池はたくさんのセル（電池の一単位）をつなげる形式が多い。生み出された電力は昇圧コンバーターで電圧を上げてモーターへ供給される。

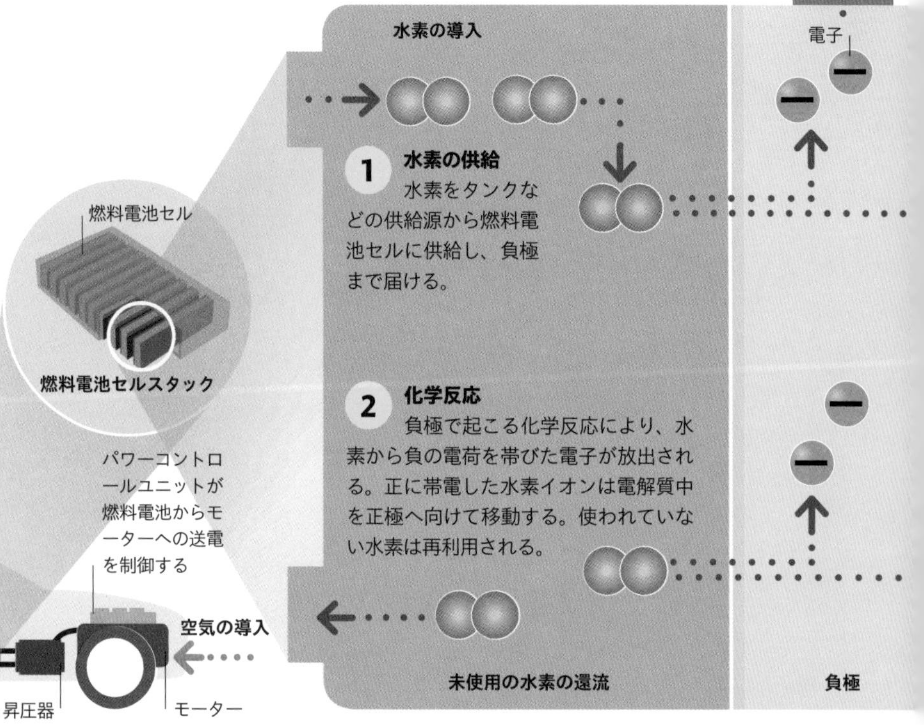

燃料電池セル
燃料電池セルスタック
水素の導入
電子
1 水素の供給
水素をタンクなどの供給源から燃料電池セルに供給し、負極まで届ける。
2 化学反応
負極で起こる化学反応により、水素から負の電荷を帯びた電子が放出される。正に帯電した水素イオンは電解質中を正極へ向けて移動する。使われていない水素は再利用される。
未使用の水素の還流
負極

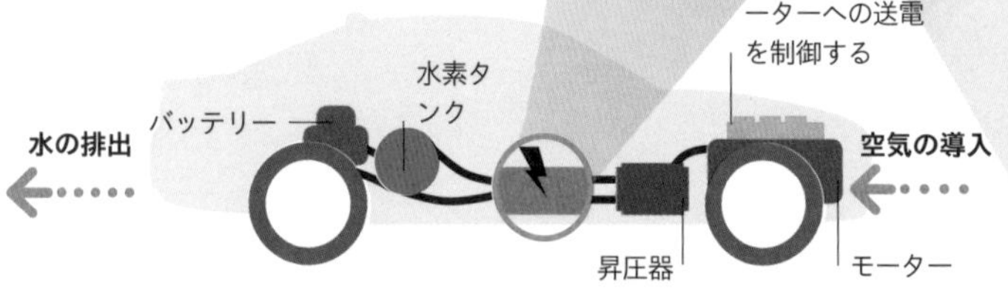

パワーコントロールユニットが燃料電池からモーターへの送電を制御する
水素タンク
バッテリー
水の排出
空気の導入
昇圧器
モーター

水素はどこから来るか

水素の大部分は化石燃料、とりわけ天然ガスから生産される。広く用いられているのは水蒸気改質と呼ばれる手法で、この工程では若干の二酸化炭素が排出される。電気分解などほかの方法では有害な排出物はないものの、多くのエネルギーを必要とする。

水蒸気改質
メタンと水蒸気が反応して水素を含む混合気を生成する。混合気はシフト反応管へ送られ、さらに水素と二酸化炭素を生成する。これを精製することで純粋な水素が得られる。

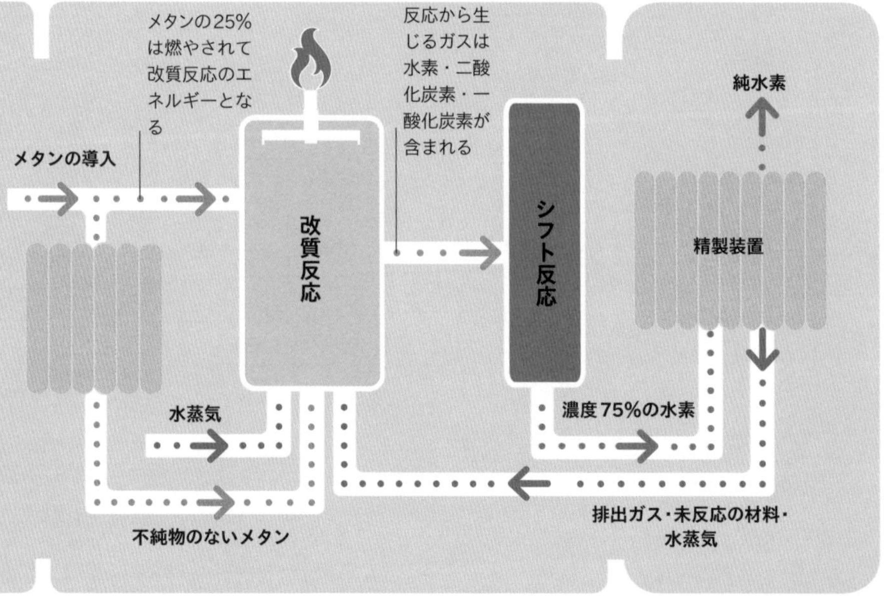

メタンの25%は燃やされて改質反応のエネルギーとなる
反応から生じるガスは水素・二酸化炭素・一酸化炭素が含まれる
純水素
メタンの導入
改質反応
シフト反応
精製装置
水蒸気
濃度75%の水素
不純物のないメタン
排出ガス・未反応の材料・水蒸気

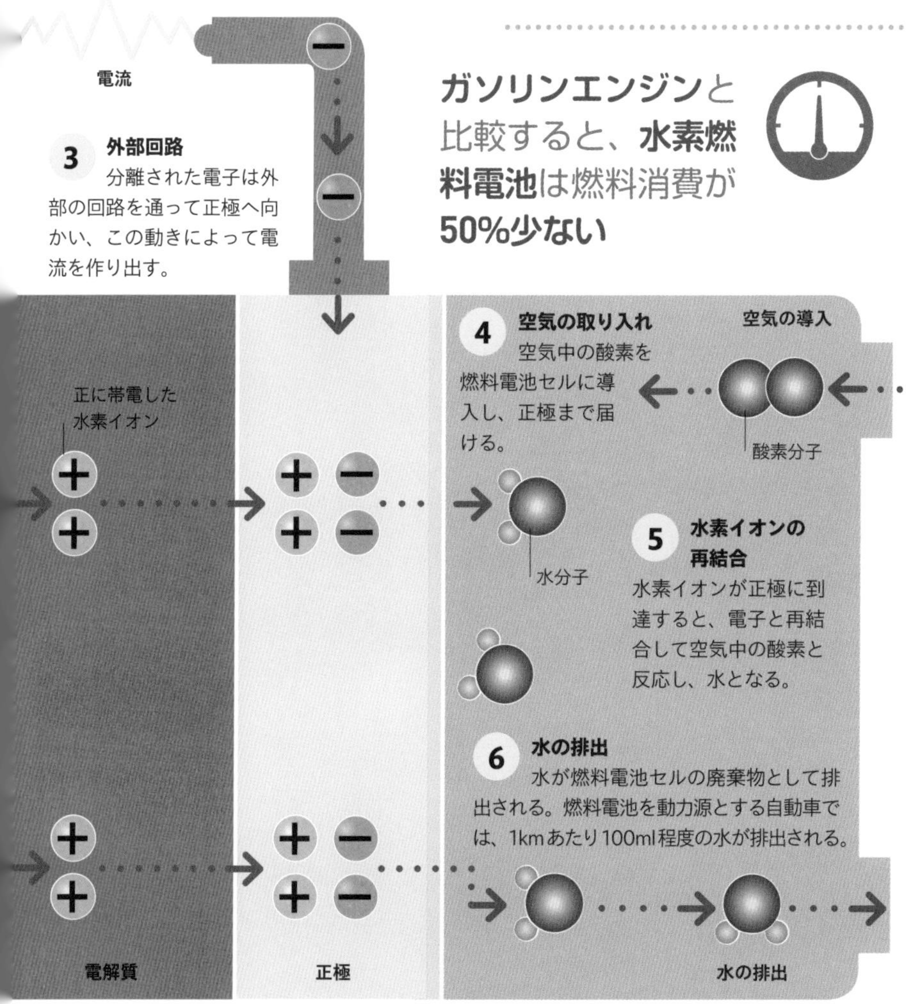
電流
正に帯電した水素イオン
空気の導入
酸素分子
水分子
電解質
正極
水の排出

3 外部回路
分離された電子は外部の回路を通って正極へ向かい、この動きによって電流を作り出す。

ガソリンエンジンと比較すると、**水素燃料電池**は燃料消費が**50%少ない**

4 空気の取り入れ
空気中の酸素を燃料電池セルに導入し、正極まで届ける。

5 水素イオンの再結合
水素イオンが正極に到達すると、電子と再結合して空気中の酸素と反応し、水となる。

6 水の排出
水が燃料電池セルの廃棄物として排出される。燃料電池を動力源とする自動車では、1kmあたり100ml程度の水が排出される。

燃料電池の利用

燃料電池は発展途上の技術ではあるが、コンパクトで、排気がなく利便性の高い電力源として応用の可能性は幅広い。

乗り物：フォークリフトやゼロ・エミッションバス、路面電車などでの使用は増えており、一部の自動車も燃料電池を使用している。

軍事：小さな燃料電池は兵士が使用する電子機器の電源として、大型のものはドローンの対空時間を伸ばすための使用が考えられる。

携帯電子機器：スマートフォンやタブレットなどの携帯電子機器を充電するためのきわめて小さな燃料電池が開発されている。

宇宙：宇宙船の電源は燃料電池を使うことが多い。有人宇宙船では副産物の水も利用される。

航空機：燃料電池を使う実験的な航空機があるが、旅客機では予備の電力源としての利用が有力である。

宇宙で使われる燃料電池

燃料電池は1965年から1966年にかけてのNASAのジェミニ計画ではじめて宇宙へ送られた。月面を目指したアポロ有人ミッション（1969～72年）においても、機械船に設置された3つの水素燃料電池による電力が使用された。アポロ計画の各燃料電池には直列接続された31のセルが内蔵されており、通常電池よりもコンパクトなうえ太陽電池より効率がよく、順調に機能して最大2,300Wの電力を供給した。

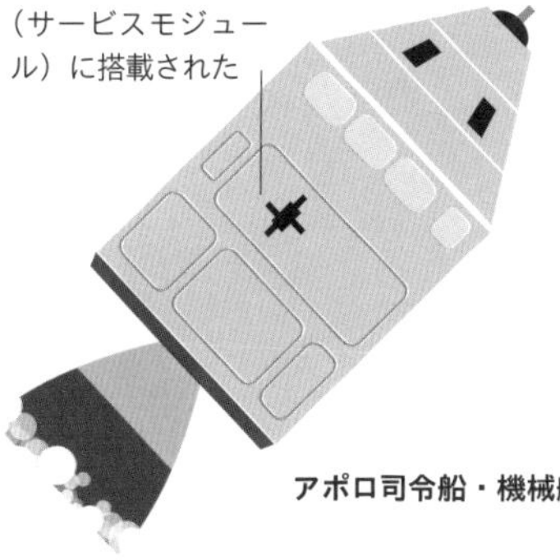
燃料電池は機械船（サービスモジュール）に搭載された
アポロ司令船・機械船

水素燃料電池は安全か？

水素は非常に燃えやすく危険な印象を持たれるが、燃料電池は厳密な安全装置を備えている。自動車に搭載される水素タンクはきわめて丈夫で、衝突にも耐えるように設計されている。

第2章

移動と輸送の技術

輸送機械

商工業やレジャーや観光にとって、人や物資を長距離間、速い速度で輸送する手段は欠かせない。輸送技術は、エネルギーを利用し、さまざまな力を用いて運動を作り出す技術である。

車輪

車輪は史上最も重要な発明の1つである。車輪と車軸は回転する梃子《てこ》のようにはたらき、円周方向の力を伝達する。車軸で車輪を回転させると、外輪は少ない力で長い周長を移動する。逆に外輪を回転させると車軸に大きな力を加えることができる。

リムは車軸より長い距離を大きな速度で動く
車輪は車軸の周りを回る
車軸

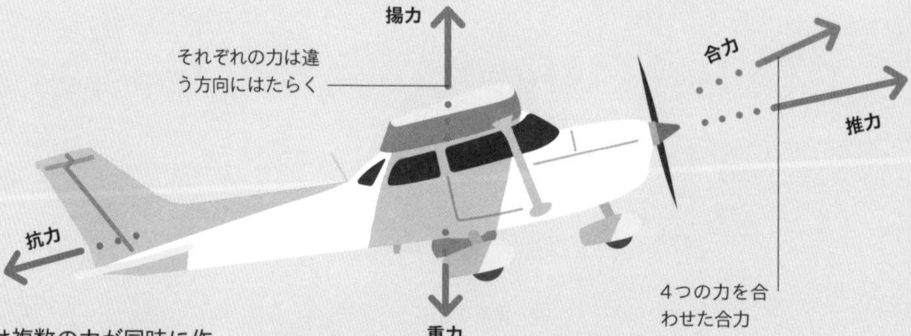
揚力
それぞれの力は違う方向にはたらく
合力
推力
抗力
重力
4つの力を合わせた合力

力の合成

乗り物などの物体は単一の、あるいは複数の力が作用するときに運動する。力が作用するとエネルギーの伝達が行われ、乗り物は動き出すか、速度や移動の方向が変化する。通常、乗り物には複数の力が同時に作用している。足し合わされる力もあれば互いに打ち消し合う力もあり、それらを合計したものは合力という1つの力として示すことができる。

飛行に関わる力

飛行機が飛んでいるときには4つの力が作用している。下方に引っ張る重力、翼が上へ持ち上げる揚力、回転するプロペラが生む推力、および後ろへ引き戻す抗力である。飛行機が加速して上昇するときには合力が上へ作用している。

摩擦

摩擦は、互いに接触している表面が滑る際の抵抗力である。摩擦は必要不可欠な場合もあり、たとえばゴムタイヤの制動力は摩擦力に依存している。一方、摩擦は摩耗の原因となり熱も発するため、動く部分のある機械に害を与える。摩擦の程度は、接触する表面の滑らかさと、押し付ける力の大きさによって決まる。潤滑剤を使用すると、表面と表面の間に薄い膜を作って互いに引き離すことができるため、摩擦を軽減することができる。

推力
摩擦力
表面が粗いと2つの面は滑りにくい

世界には**10億台**以上の**自転車**があり、年々**1億台も増加**している

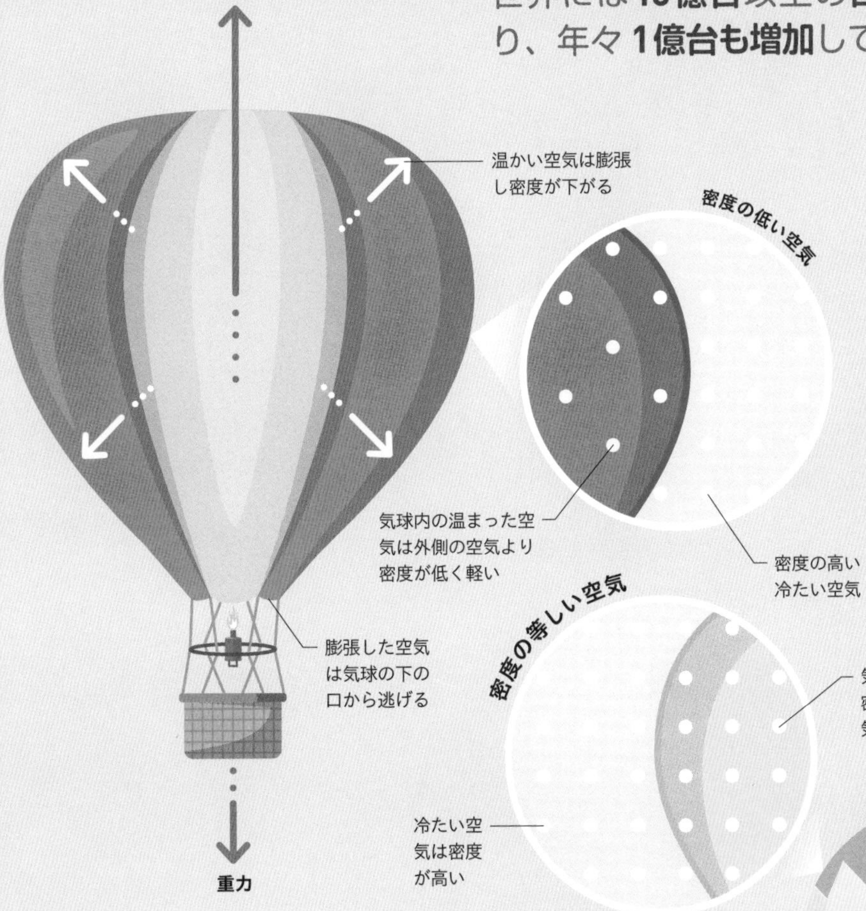
揚力
温かい空気は膨張し密度が下がる
密度の低い空気
気球内の温まった空気は外側の空気より密度が低く軽い
密度の高い冷たい空気
膨張した空気は気球の下の口から逃げる
密度の等しい空気
気球の内外で空気の密度が同じならば、気球は上昇しない
冷たい空気は密度が高い
重力

世界で一番人気のある旅客機は？

ボーイング737は世界一普及した旅客機で、1967年以来、1万機以上が生産されている。

気体の力

多くの輸送機械は、気体は温めると膨らむという単純な原理を利用している。ガソリンエンジン、ディーゼルエンジン、ガスタービンエンジン、ロケットエンジンの原動力はいずれも気体の膨張である。エンジンの内部で気体が膨張すると大きな力が発生し、車輪やプロペラの回転に利用したり、強力な噴出ジェットを生み出したりすることができる。多くの場合この気体は空気であり、燃料を燃やした熱によって空気を膨張させている。軍艦や潜水艦や砕氷船にはエネルギー源として原子力を利用するものがあり、これらはウラン等の放射性物質が生む熱によって蒸気を生み、その膨張する力を推進力へと変換している。

熱を活用する

熱気球は上昇するために空気の膨張を利用している。気球の中の空気を温めて膨張させると、空気の密度は低くなり（つまり「軽く」なり）、周囲の空気の中で浮力を得る。気球は内部の空気の密度が外側の空気と等しくなるまで上昇を続ける。

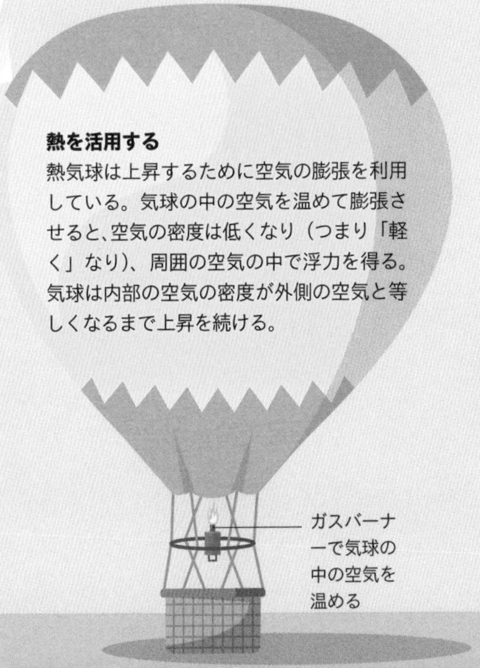
ガスバーナーで気球の中の空気を温める

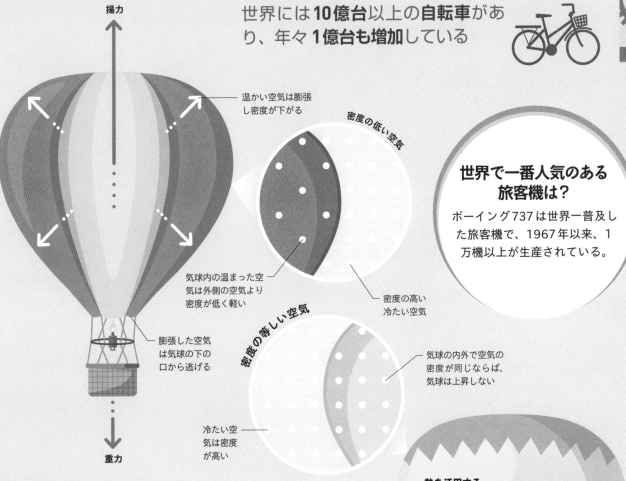

自転車

自転車の発明は、個人の移動方法としては馬の家畜化以来の大きな革新をもたらした。現在でも自転車はエネルギー効率の最も優れた交通手段の１つである。

力の伝達

自転車の乗り手の筋肉が発生する力は、ペダルを介してクランクと呼ばれる梃子《てこ》に伝わり、チェーンによって後輪へと伝達される。人間が効率よくペダルを回せる速度の範囲は限定されているため、変速機によって後輪の回転速度を調整してペダルの回転数を一定に保てるようにする。

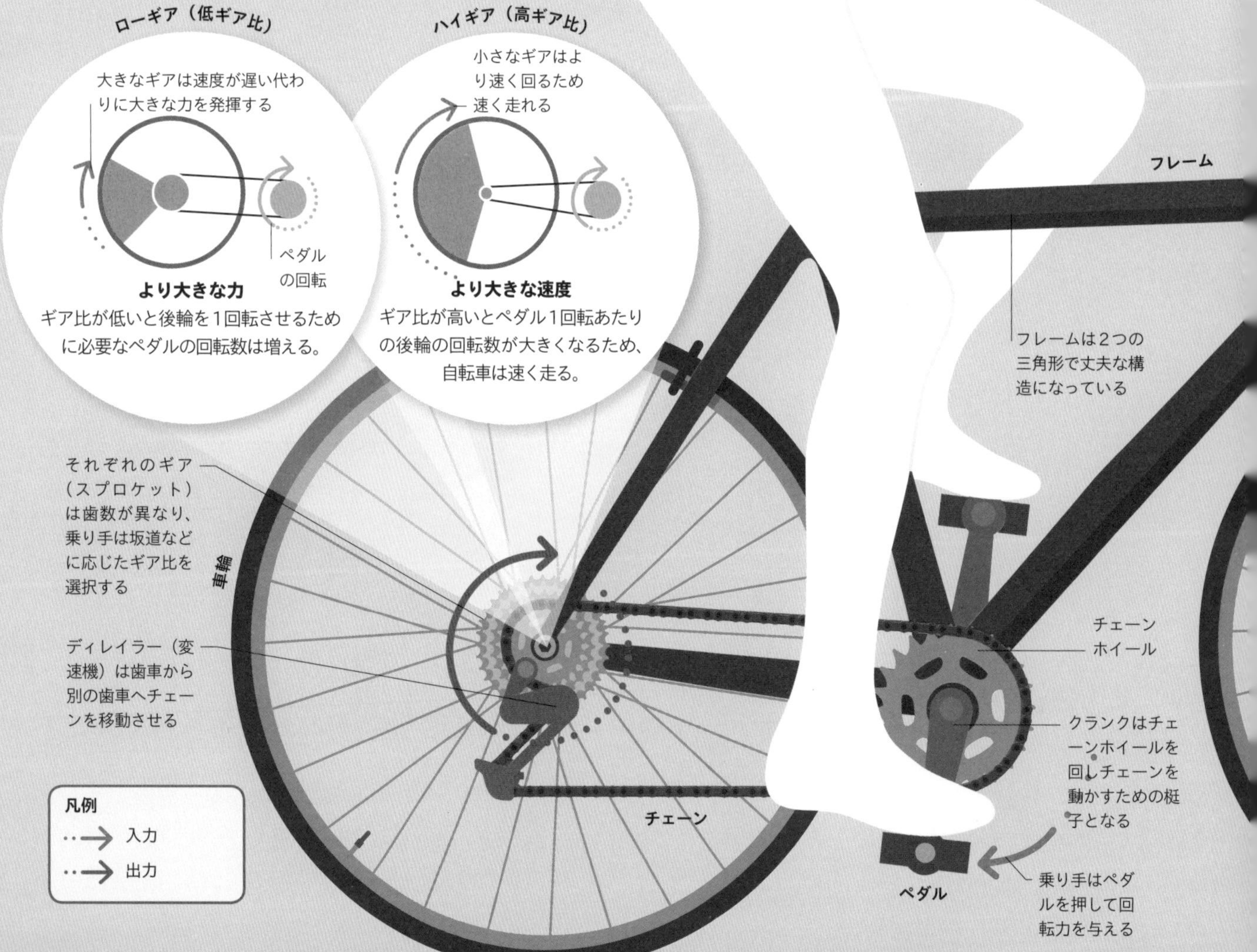

ローギア（低ギア比）
大きなギアは速度が遅い代わりに大きな力を発揮する
ペダルの回転
より大きな力
ギア比が低いと後輪を1回転させるために必要なペダルの回転数は増える。
ハイギア（高ギア比）
小さなギアはより速く回るため速く走れる
より大きな速度
ギア比が高いとペダル1回転あたりの後輪の回転数が大きくなるため、自転車は速く走る。
フレーム
フレームは2つの三角形で丈夫な構造になっている
それぞれのギア（スプロケット）は歯数が異なり、乗り手は坂道などに応じたギア比を選択する
車輪
ディレイラー（変速機）は歯車から別の歯車へチェーンを移動させる
チェーンホイール
クランクはチェーンホイールを回しチェーンを動かすための梃子となる
チェーン
凡例
入力
出力
ペダル
乗り手はペダルを押して回転力を与える

バランスを保つ

自転車で倒れないためには乗り手が重心をコントロールしなければならない。まっすぐ走っているときは傾いた方向へハンドルを操作し、常に重心が車輪の作る支持基底面から外れないようにする。

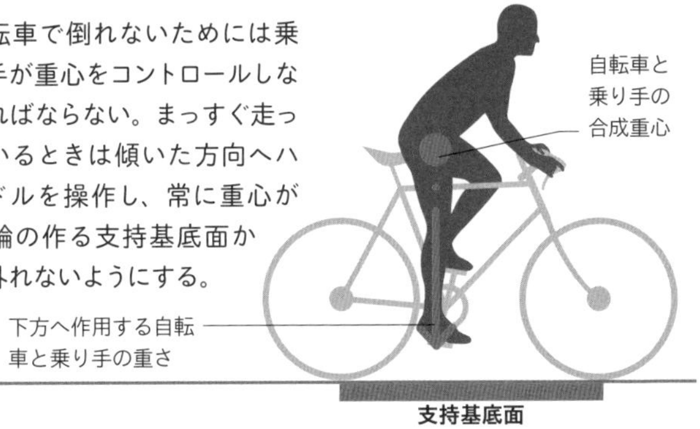
自転車と
乗り手の
合成重心
下方へ作用する自転
車と乗り手の重さ
支持基底面

ヘッドセット
ハンドルバー
ハンドルバーはヘッドセットを介して前輪を左右へ回転させる
ブレーキ
ブレーキレバーを引くとケーブルは上へ引っ張られる
ブレーキが操作されるとブレーキパッドが内側へ動く

ハンドルバーは梃子の原理で前輪を左右へ回転させる。ドロップハンドルと呼ばれるハンドルバーを用いると乗り手はより深く前傾して空気力学的に有利な姿勢をとることができる。

キャリパー・ブレーキでは車輪の左右にブレーキパッドがあり、ブレーキレバーを握るとブレーキパッドが車輪を挟み、摩擦力によって車輪を減速させる。

倒れずに走る

自転車が倒れない理由は、基本的にジャイロ効果とキャスター角という２つの原理で説明できる。最近の研究によれば、自転車前部の重心が後部よりも低く、ステアリング軸の前にあることも重要であると指摘されている。倒れかかると前部が後部より早く倒れるので前輪は倒れる方向へ向き、自転車を立て直すのである。

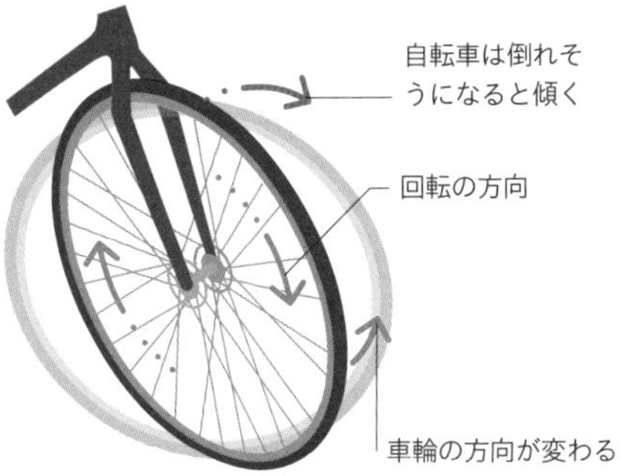
自転車は倒れそうになると傾く
回転の方向
車輪の方向が変わる

ジャイロ効果

前輪はジャイロスコープのようにはたらく。もし自転車が片方に倒れかかると、ジャイロ効果によって車輪が同じ側を向き、自転車を立て直す。

ステアリング軸（フォークから地面への仮想的な直線）
接地点

キャスター角

前輪が接地している点は、手押し車の車輪のようにステアリング軸の後ろにある。そのため、自転車の車輪は常に進行方向と同じ向きへ向く。

内燃機関

内燃機関は自動車から動力工具まで、数多くの機械の動力源として使われている。自動車のエンジンは燃料の化学エネルギーを熱エネルギーに変え、さらに運動エネルギーに変えて車輪を回転させる。

ディーゼルエンジンのしくみは？

ディーゼルエンジンはガソリンエンジンと似ているが、スパークプラグではなく高温高圧の空気によって燃料に点火している。

4ストロークエンジン

内燃機関は燃料（通常はガソリンか軽油）と空気の混合気をシリンダー内部で燃やす。4ストロークエンジンは、吸気・圧縮・燃焼・排気の4つの行程を繰り返すことで動力を発生している。燃料と空気の混合気がスパークプラグで点火されて高温となり、シリンダー内のピストンを押し下げ、クランクシャフトを回転させる。自動車の変速機が車輪に伝えるのはこの回転である。複数のシリンダーをタイミングをずらせて点火すると、より滑らかな出力を得ることができる。

ルドルフ・ディーゼルが発明した初期の**エンジン**の中には**ピーナツ油**で作動するものもあった

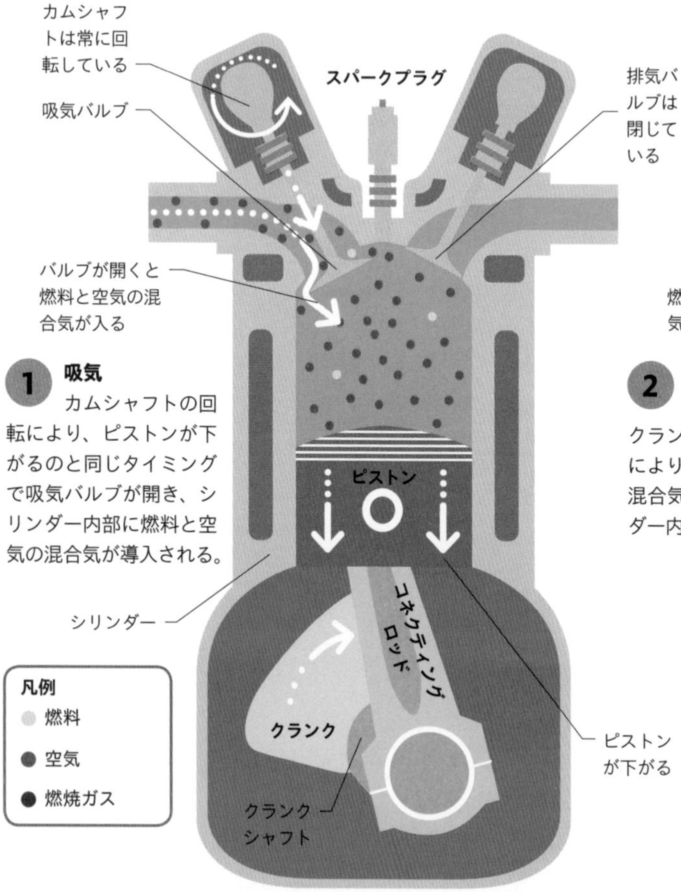

カムシャフトは常に回転している
スパークプラグ
吸気バルブ
排気バルブは閉じている
バルブが開くと燃料と空気の混合気が入る
ピストン
コネクティングロッド
シリンダー
クランク
クランクシャフト
ピストンが下がる
凡例
燃料
空気
燃焼ガス

1 吸気
カムシャフトの回転により、ピストンが下がるのと同じタイミングで吸気バルブが開き、シリンダー内部に燃料と空気の混合気が導入される。

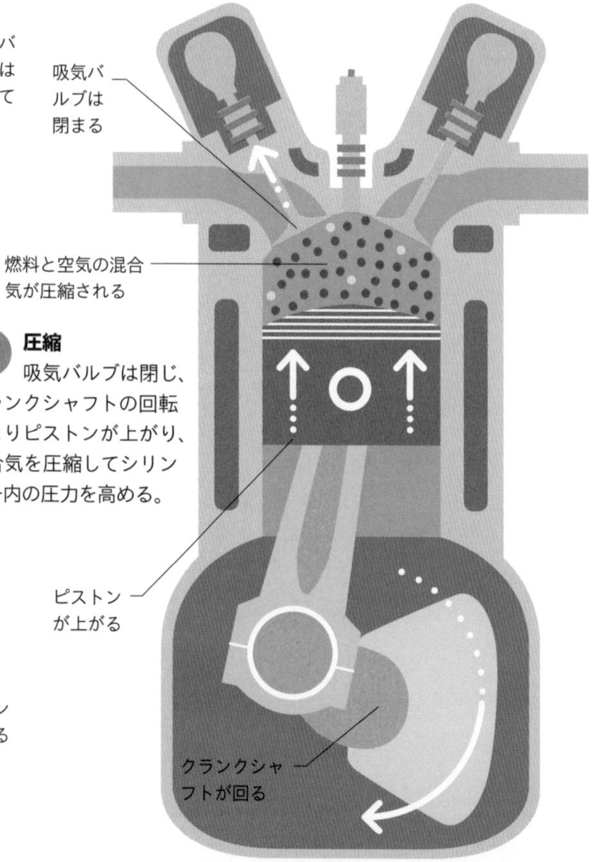

吸気バルブは閉まる
燃料と空気の混合気が圧縮される
ピストンが上がる
クランクシャフトが回る

2 圧縮
吸気バルブは閉じ、クランクシャフトの回転によりピストンが上がり、混合気を圧縮してシリンダー内の圧力を高める。

2ストロークエンジン

4ストロークエンジンは重量があるため、チェーンソーや柴刈り機のような用途には向かない。こうした機械ではより小さな2ストロークエンジンを使う。4ストロークではクランクシャフトが2回転するごとにスパークプラグで点火されるが、2ストロークでは1回転ごとに点火される。

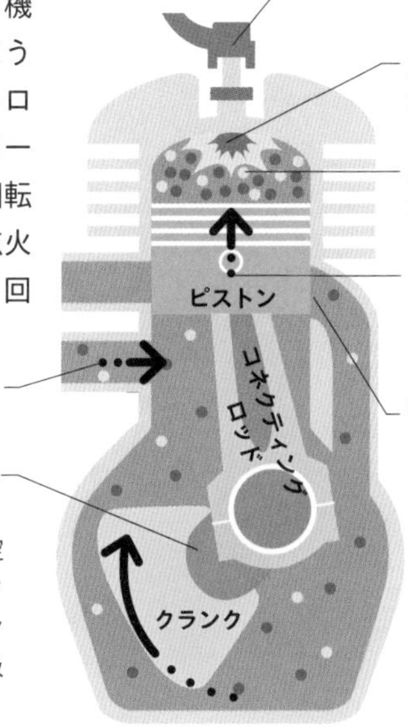
スパークプラグ
火花により混合気に点火する
圧縮された混合気
ピストンが上昇する
ピストン
コネクティングロッド
吸気口が開き、燃料と空気の混合気が導入される
掃気口はピストンで塞がれている
クランクシャフト
クランク

1　上昇行程
ピストンが上昇し、燃料と空気の混合気を圧縮した後にスパークプラグで点火する。同時にピストンは逆側の負圧により吸気も行い、吸気口から燃料と空気を導入する。

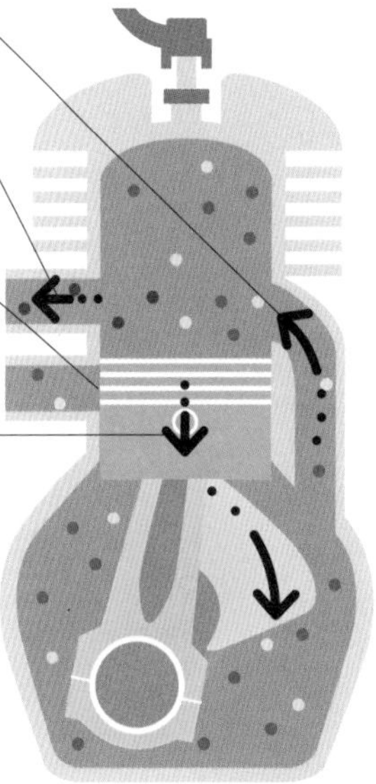
掃気口が開き、混合気が上部へ導かれる
燃焼ガスが排出される
吸気口は塞がれている
ピストンが下がり、混合気を圧縮（一次圧縮）する

2　下降行程
点火された燃料がピストンを押し下げ、クランクシャフトを回す。ピストンが動くと掃気口が開き、燃料をシリンダー上部へ導く。

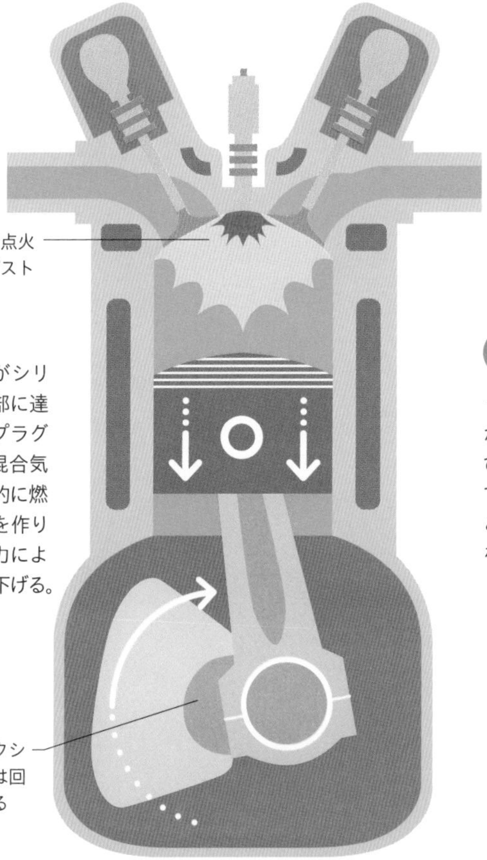
スパークプラグに点火された混合気がピストンを押し下げる
クランクシャフトは回り続ける

3　燃焼
ピストンがシリンダー内で最上部に達するとスパークプラグが火花を発し、混合気中の燃料が爆発的に燃焼して高温ガスを作り出し、膨張する力によりピストンを押し下げる。

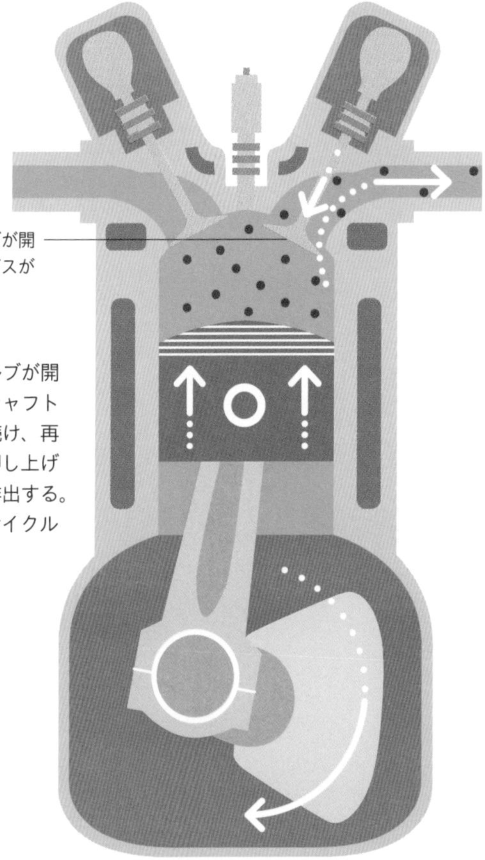
排気バルブが開き、燃焼ガスが排出される

4　排気
排気バルブが開く。クランクシャフトが惰性で回り続け、再びピストンを押し上げて燃焼ガスを排出する。この後も同じサイクルを繰り返す。

自動車のしくみ

自動車はエンジンで動力を生み出し、それを車輪へ伝えるための一連の機構で構成されている。また車輪の向きを変えて進行方向を変えるしくみや、ブレーキを操作して減速や停止を行うしくみも搭載されている。

自動変速を採用した最初の大量生産車は？

最初の完全な自動変速装置は、アメリカ製1940年型オールズモビルのオプション装備として販売された。

力を伝達する

自動車のエンジンは車軸や歯車を介して車輪につながっている。これらはエンジンの動力を効率よく使うためのもので、全体として動力伝達機構（ドライブトレイン）と呼ばれる。多くの自動車は二輪駆動の形式を採用し、前輪もしくは後輪のみをエンジンで駆動している。オフロード車では不整地で路面をとらえる必要があるため、四輪駆動、つまり4つすべての車輪をエンジンで駆動する方式もある。

車体の内部

エンジンと変速装置およびドライブシャフト（回転軸）は自動車の部品の中で一番重い。そのため、特にコーナリング時の安定性を高めるために車体の低い部分に設置される。

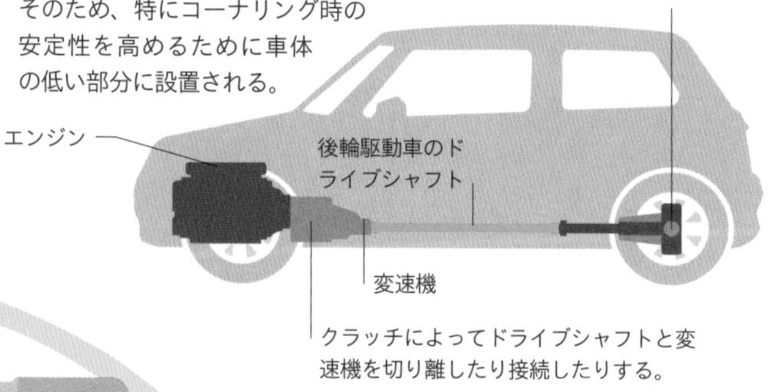

旋回を助ける差動歯車（ディファレンシャルギア）
エンジン
後輪駆動車のドライブシャフト
変速機
クラッチによってドライブシャフトと変速機を切り離したり接続したりする。

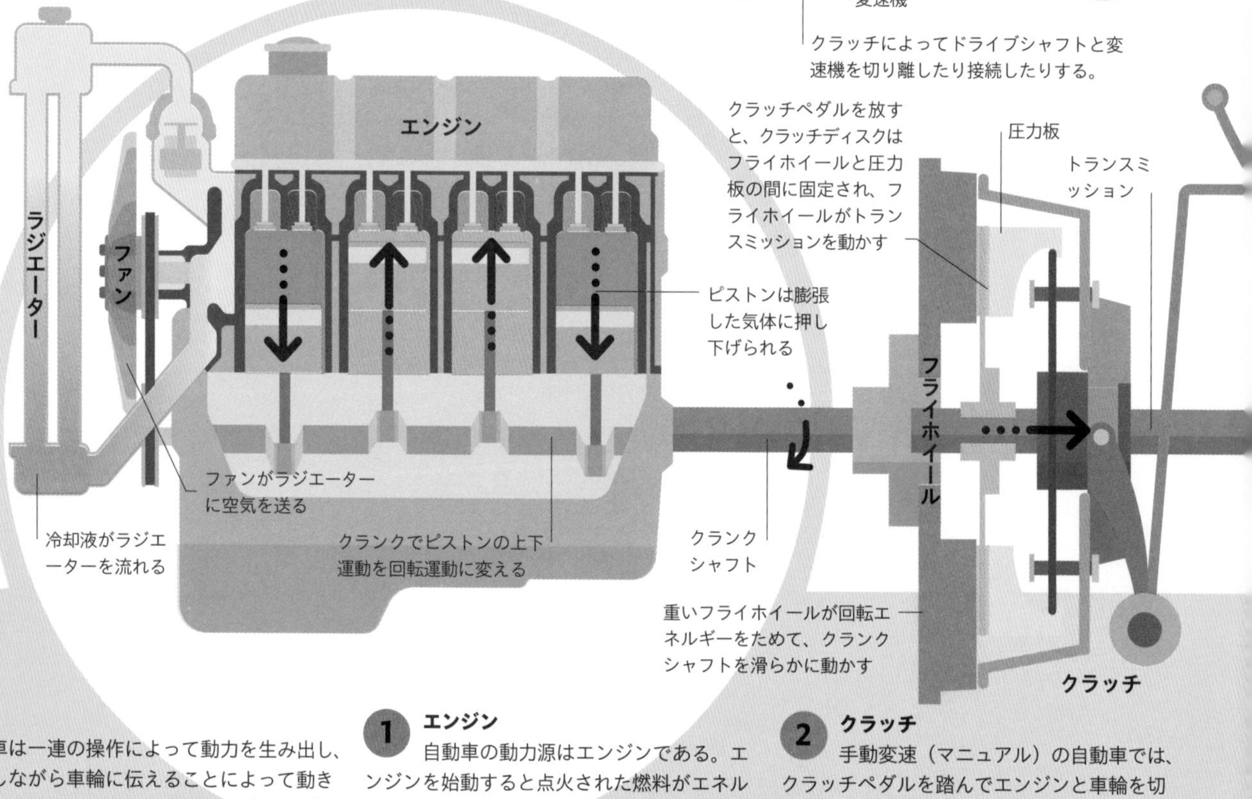

エンジン
ラジエーター
ファン
ピストンは膨張した気体に押し下げられる
クラッチペダルを放すと、クラッチディスクはフライホイールと圧力板の間に固定され、フライホイールがトランスミッションを動かす
圧力板
トランスミッション
フライホイール
ファンがラジエーターに空気を送る
冷却液がラジエーターを流れる
クランクでピストンの上下運動を回転運動に変える
クランクシャフト
重いフライホイールが回転エネルギーをためて、クランクシャフトを滑らかに動かす
クラッチ

始動

自動車は一連の操作によって動力を生み出し、制御しながら車輪に伝えることによって動き出す。自動車のピストンエンジン（レシプロエンジン）は、イグニッションキーやボタンの操作によって小さな電動モーターを回して始動する。

1 エンジン

自動車の動力源はエンジンである。エンジンを始動すると点火された燃料がエネルギーを生み（42-43頁参照）、ピストンを動かし、クランクシャフトを回す。フライホイールはピストンから伝わる力を滑らかにする。

2 クラッチ

手動変速（マニュアル）の自動車では、クラッチペダルを踏んでエンジンと車輪を切り離した状態でエンジンを始動し、その後クラッチを緩めて車輪に動力を伝える（そうしないと意図せず車が走りだしてしまうため）。

向きを変える

最も単純な操舵装置はラック・アンド・ピニオンと呼ばれる機構を用いるものである。ステアリングホイールを回すとピニオン（小さな円形歯車）が回転し、歯切りされた直線状のラックへ力を伝える。ピニオンの回転はラックの左右への動きとなって車輪の向きを変える。パワーステアリングを採用している自動車では油圧装置や電動モーターがラックの動きを助けるようになっている。

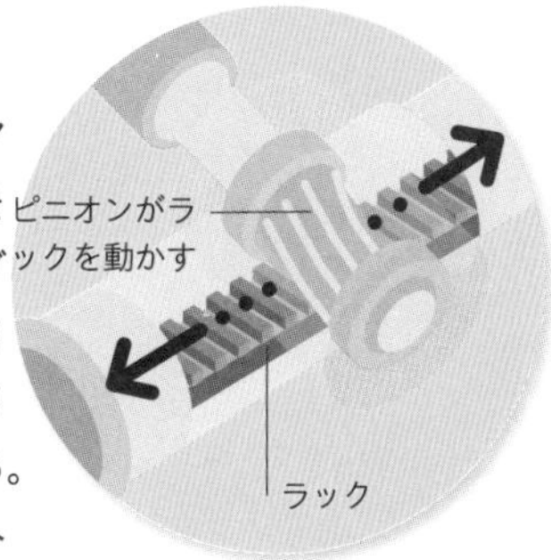
ピニオンがラックを動かす
ラック

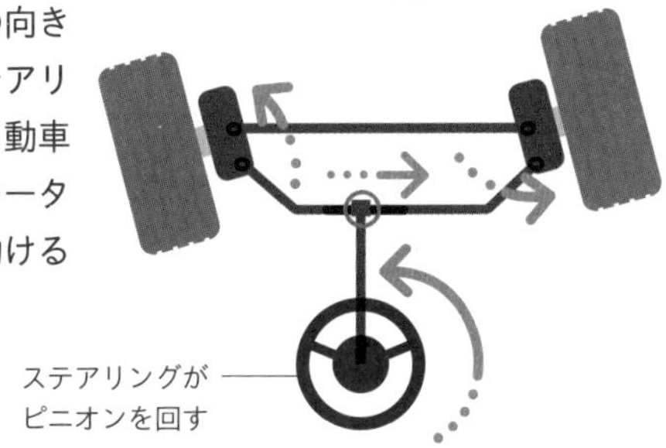
ステアリングがピニオンを回す

停止する

ほとんどの自動車にはディスクブレーキが搭載されている。車輪にはディスクが固定され、ディスクは車輪とともに回転する。運転者がブレーキペダルを踏むと、この力が油圧を介してキャリパーに内蔵されたブレーキパッドに伝わり、ディスクにパッドを押しつけて車輪を減速させる。

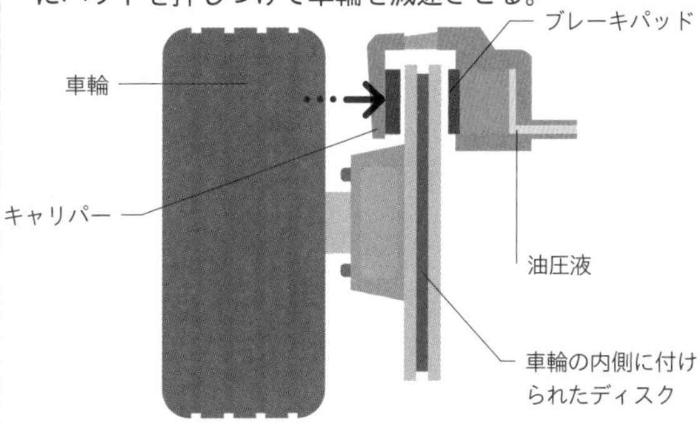
ブレーキパッド
車輪
キャリパー
油圧液
車輪の内側に付けられたディスク

5　差動装置（ディファレンシャル）

旋回時に外側になる車輪は内側の車輪よりも長い距離を移動するため、より速く回転する必要がある。これを可能にするために左右の車輪の間には差動装置が設置されている。

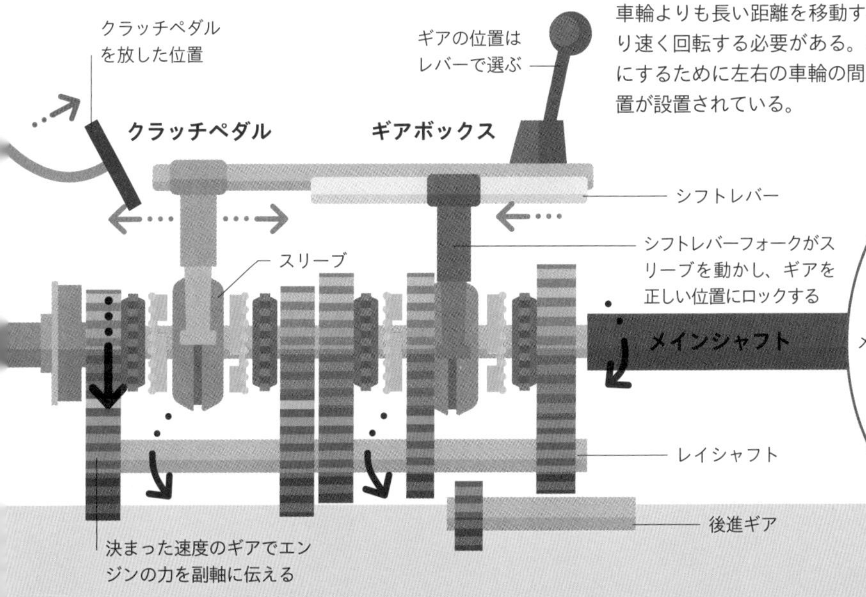
クラッチペダルを放した位置
ギアの位置はレバーで選ぶ
クラッチペダル
ギアボックス
シフトレバー
スリーブ
シフトレバーフォークがスリーブを動かし、ギアを正しい位置にロックする
メインシャフト
レイシャフト
後進ギア
決まった速度のギアでエンジンの力を副軸に伝える

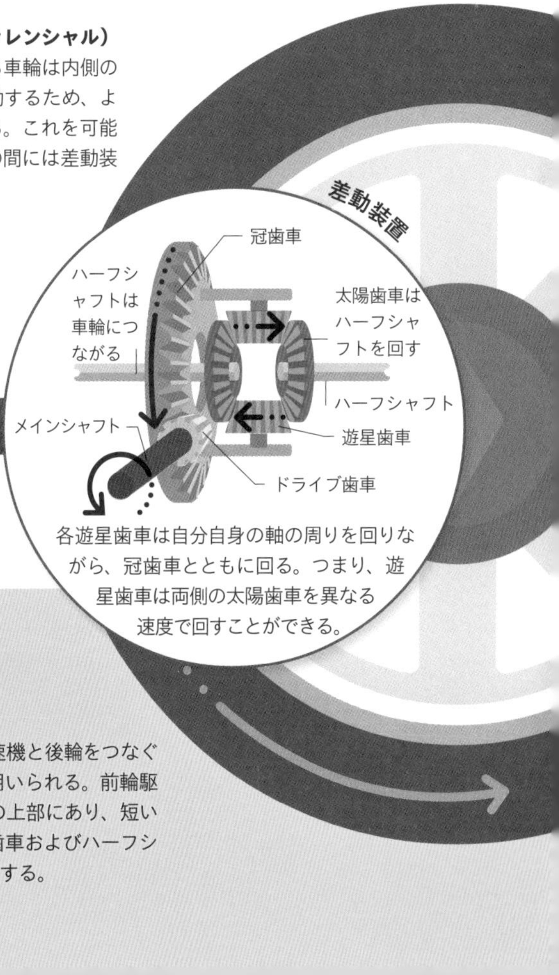
差動装置
冠歯車
ハーフシャフトは車輪につながる
太陽歯車はハーフシャフトを回す
ハーフシャフト
メインシャフト
遊星歯車
ドライブ歯車
各遊星歯車は自分自身の軸の周りを回りながら、冠歯車とともに回る。つまり、遊星歯車は両側の太陽歯車を異なる速度で回すことができる。

3　変速機

ピストンエンジンの効率は比較的高回転時に最大となるため、車輪を回すのに適した速度まで減速する歯車が必要となる。速度域ごとに異なる歯車の組み合わせが使用され、走り始めには通常ローギア（一速、最も低速のギア）が使用される。

4　ドライブシャフト

後輪駆動車では変速機と後輪をつなぐ長いドライブシャフトが用いられる。前輪駆動車ではエンジンは前輪の上部にあり、短いドライブシャフトと差動歯車およびハーフシャフトを介して車輪を駆動する。

電気自動車とハイブリッド車

多くの自動車はガソリンや軽油を燃やす内燃機関によって動力を得ている。しかし、こうしたエンジンのもたらす大気汚染の害などが懸念されるようになり、より汚染の少ない電気自動車やハイブリッド車が開発されるようになった。

最初のハイブリッド車はいつ作られたか？

技術者フェルディナンド・ポルシェが1900年に最初のハイブリッド車を作製し、これをローナーポルシェ「センパー・ヴィヴス」（常に生きているの意）と名付けた。

電気自動車

電気自動車は1つもしくは複数の電気モーターで駆動される。モーターは充電池に接続されている。電気自動車では燃料供給、点火、水冷、潤滑オイルなどの機構が不要となるため、通常のレシプロエンジン車よりも単純な構造をしている。内燃機関と異なり電気モーターではすべての速度域で最大トルク（回転力）を発揮できるため、変速機も不要である。

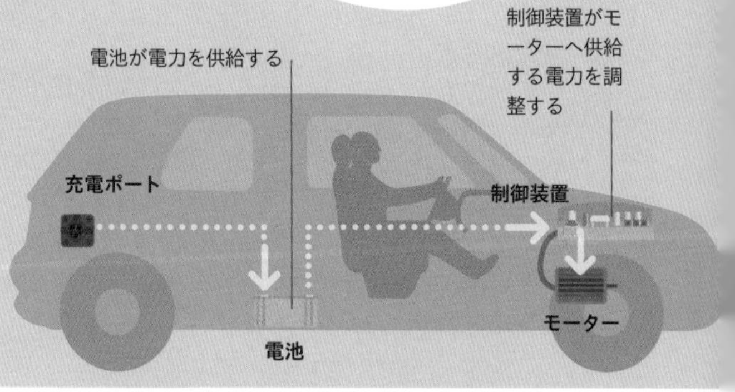
電池が電力を供給する
制御装置がモーターへ供給する電力を調整する
充電ポート
制御装置
モーター
電池

ハイブリッド車

ハイブリッド車には内燃機関と電気モーターなど、車輪を回すために種類の異なる動力源が搭載されている。ハイブリッド車は主に2種類あり、1つはシリーズ方式と呼ばれるもので動力としては電気モーターのみを使用し、内燃機関は発電機を回して電気モーターや充電池に電気を供給するために使用される。もう1つはより普及しているパラレル方式と呼ばれるもので、動力源の1つもしくは両方（高出力や加速の必要な場合）を動力源として使用することができる（右図参照）。

凡例

- 電気による動力
- エンジンの動力

走り始め

多くのハイブリッド車は始動時に内燃機関は使用せず、充電池によるモーターの動力のみを用いる。短距離の低速移動であれば電力のみで移動することもできる。

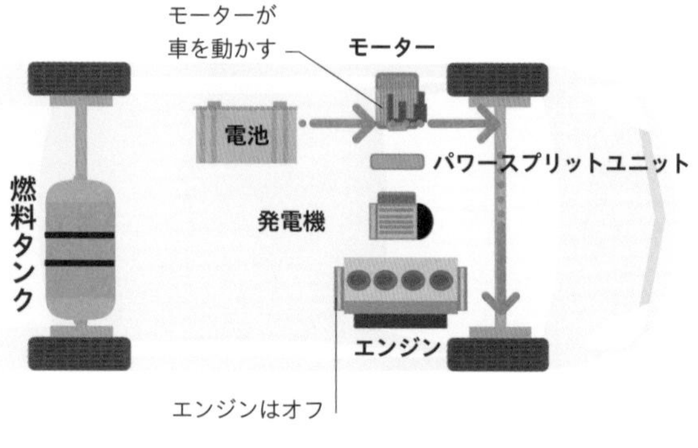
モーターが車を動かす
モーター
電池
パワースプリットユニット
燃料タンク
発電機
エンジン
エンジンはオフ

加速

急加速が必要な場合には内燃機関が使用され、エンジンとモーターの両方の力で車輪を回す。エンジンはモーターを回す電池を充電するためにも使用される。

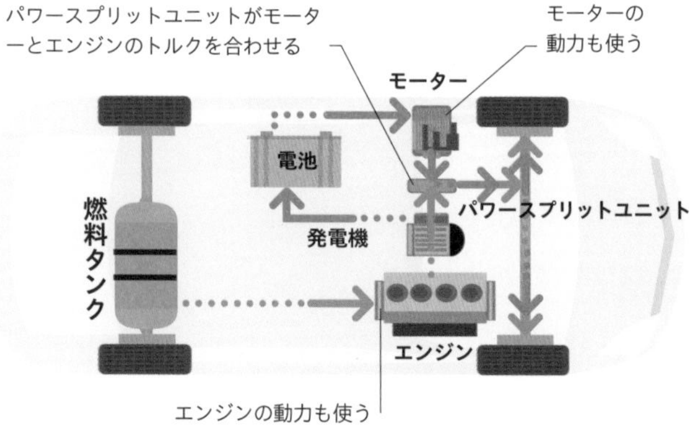
パワースプリットユニットがモーターとエンジンのトルクを合わせる
モーターの動力も使う
モーター
電池
パワースプリットユニット
燃料タンク
発電機
エンジン
エンジンの動力も使う

回生ブレーキ

多くの自動車のブレーキはブレーキパッドの摩擦力を利用し（45頁参照）、車輪の運動エネルギーを熱エネルギーに変換して捨てている。電気自動車やハイブリッド車では車輪の運動エネルギーを電池の充電に利用する。

最初の電気自動車は**1830年代**に発明家**ロバート・アンダーソン**によって作られた

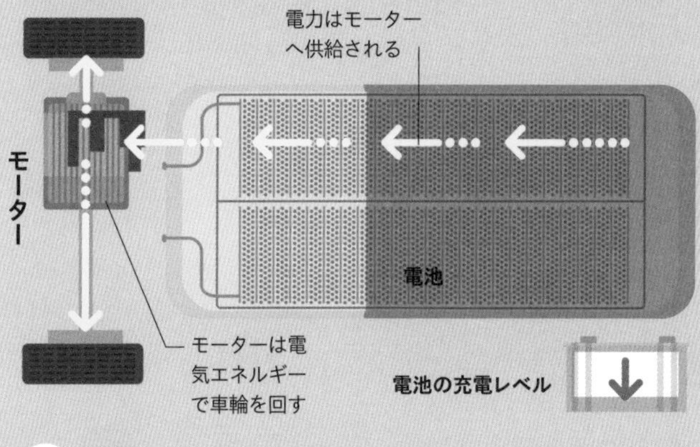
電力はモーターへ供給される
モーター
電池
モーターは電気エネルギーで車輪を回す
電池の充電レベル

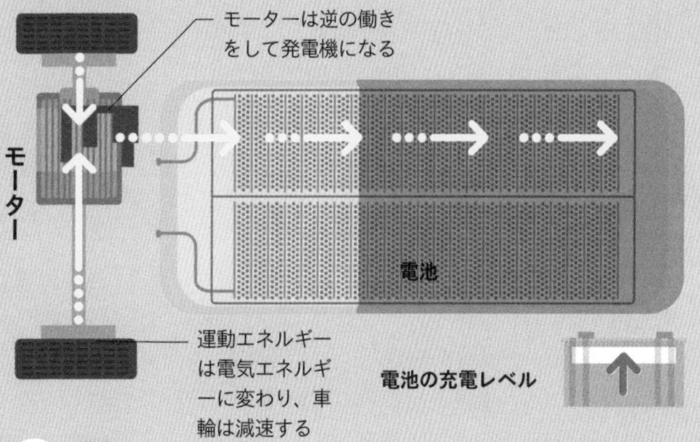
モーターは逆の働きをして発電機になる
モーター
電池
運動エネルギーは電気エネルギーに変わり、車輪は減速する
電池の充電レベル

1　加速

電気自動車やハイブリッド車が加速する際には電池から必要なエネルギーを引き出す。モーターは電池の電気エネルギーを車体の運動エネルギーに変換する。エネルギーを使用するにつれて電池の充電量は減ってゆく。

2　減速

運転手がブレーキを使用すると電気モーターは発電機としてはたらき、電池からエネルギーを引き出すのではなく、回転する車輪の運動エネルギーを電気エネルギーへ変換して電池の充電に使用する。

巡航

長距離を高速で移動しているときには内燃機関のみが使用され、電気モーターは使われない。

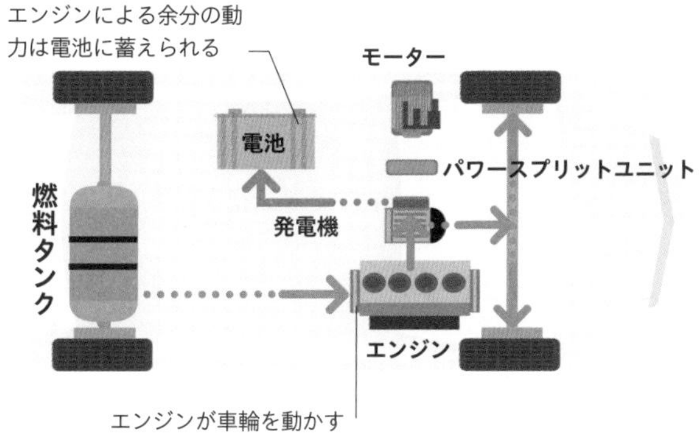
エンジンによる余分の動力は電池に蓄えられる
モーター
電池
パワースプリットユニット
燃料タンク
発電機
エンジン
エンジンが車輪を動かす

減速

減速を始めると内燃機関と電気モーターはどちらも停止する。ブレーキ中は、自動車の余った運動エネルギーは電力へ変換されて電池の充電に使用される。

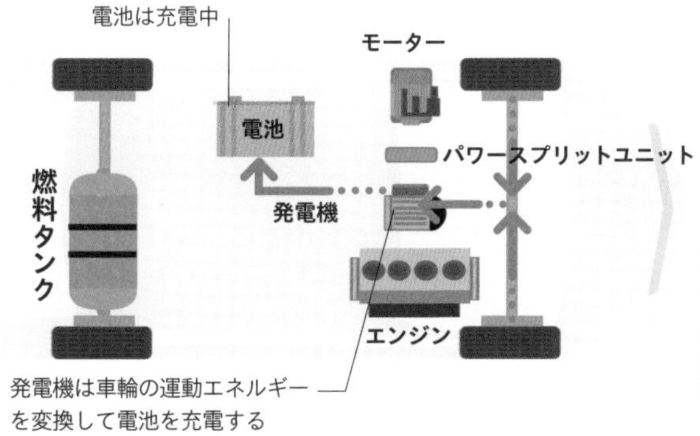
電池は充電中
モーター
電池
パワースプリットユニット
燃料タンク
発電機
エンジン
発電機は車輪の運動エネルギーを変換して電池を充電する

自動運転

自動運転車には、周囲の状況を常に把握するための多くのカメラやレーザー、レーダーなどが搭載されているほか、コンピューター、人工衛星を利用したナビゲーション、人工知能（AI）なども利用される。

レーダー

レーダーは周波数の高い電波（180-81頁参照）を発信し、その反射波を観測することで遠くの物体の位置を知るための装置である。航空交通管制に欠かせない技術であり、飛んでいる航空機の位置を追跡し、安全な空の交通を実現するために使用されている。

航空交通管制とレーダー

航空管制では一次レーダーと二次レーダーと呼ばれる2種のレーダーが使用される。一次レーダーは電波を発射してその反射波を観測し、航空機の位置を知る。二次レーダーは航空機に搭載されているトランスポンダ（応答装置）から送信される信号を利用して、航空機の種別や高度を知るために用いられる。

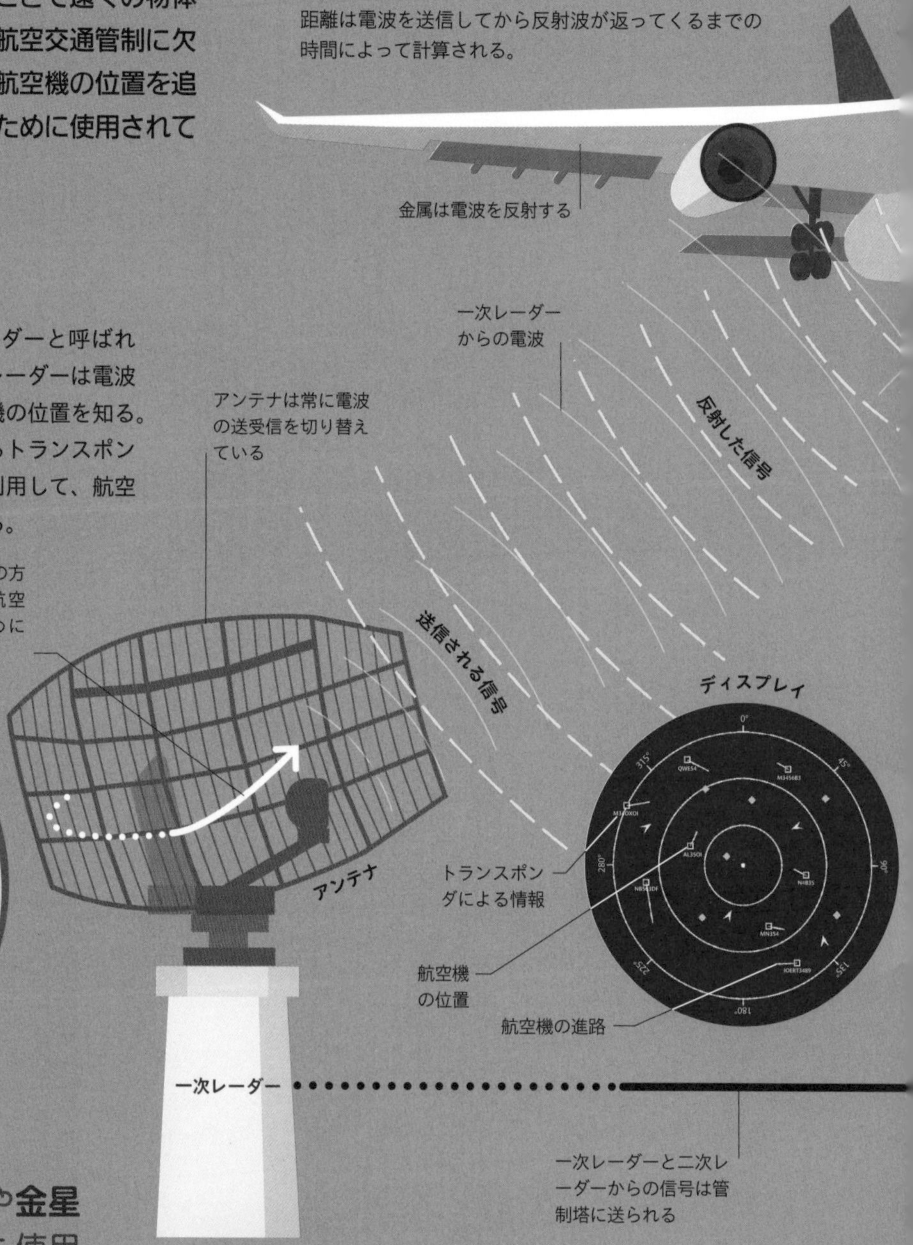

金属は電波を反射する
一次レーダーからの電波
反射した信号
アンテナは常に電波の送受信を切り替えている
アンテナはすべての方向を飛んでいる航空機を検知するために360°回転している
送信される信号
ディスプレイ
アンテナ
トランスポンダによる情報
航空機の位置
航空機の進路
一次レーダー
一次レーダーと二次レーダーからの信号は管制塔に送られる

2 電波の反射
飛行機のような金属の大きな物体は電波を反射し、その一部がアンテナに戻ってくる。飛行機までの距離は電波を送信してから反射波が返ってくるまでの時間によって計算される。

1 一次レーダー
回転するアンテナによって全方向に電波のパルス信号を送信する。電波信号は光の速度で直進する。アンテナは受信・送信の両方に用いられる。

ほかにレーダーを使っている分野は？

レーダーの技術は海洋観測や地質調査、測量、天文学、防犯装置やカメラなどにも使用されている。

レーダーは**水星**や**金星**の**表面の測量**にも使用された

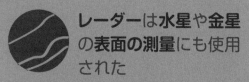

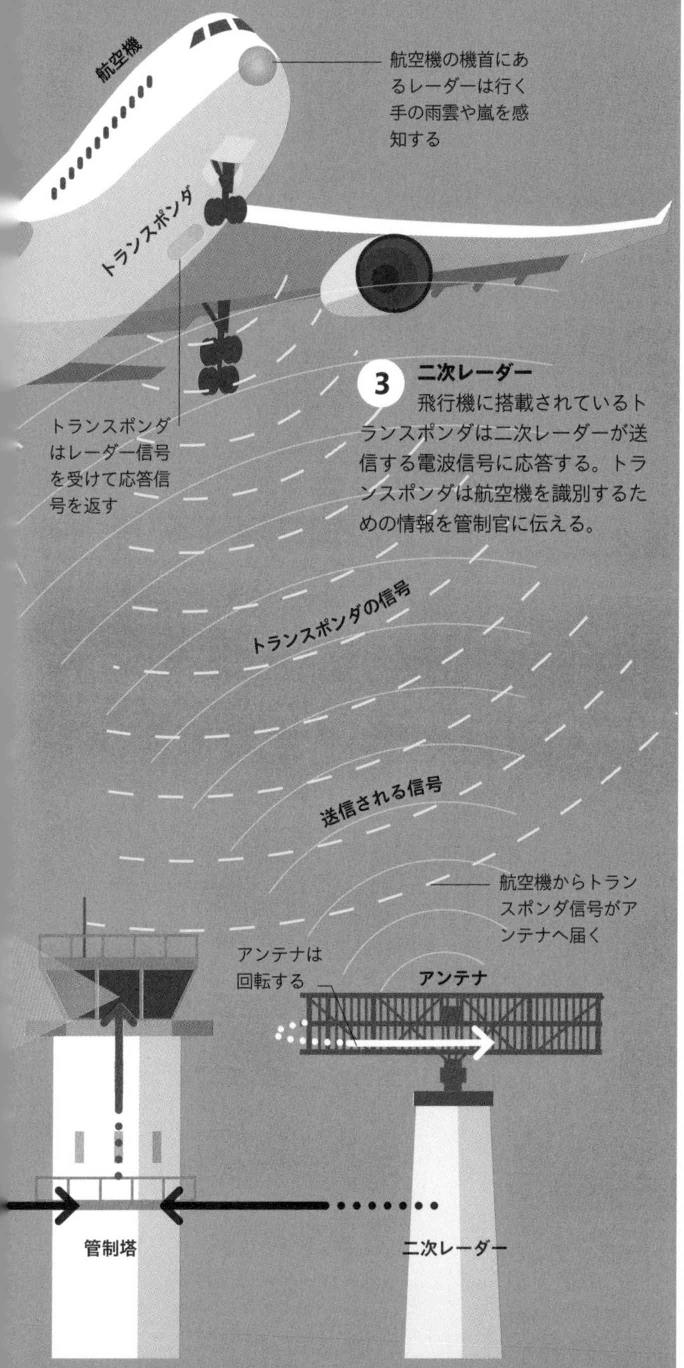
航空機
航空機の機首にあるレーダーは行く手の雨雲や嵐を感知する
トランスポンダ
トランスポンダはレーダー信号を受けて応答信号を返す
トランスポンダの信号
送信される信号
航空機からトランスポンダ信号がアンテナへ届く
アンテナは回転する
アンテナ
管制塔
二次レーダー

3 二次レーダー

飛行機に搭載されているトランスポンダは二次レーダーが送信する電波信号に応答する。トランスポンダは航空機を識別するための情報を管制官に伝える。

4 管制塔

二種類のレーダーからの信号を処理して画面に表示する。航空機は画面上の点や線として表示される。

レーダーから隠れる

軍用機の中には、B-2爆撃機のように敵のレーダーに見つからないように設計されているものがある。この飛行機は電波を送信側に反射しないように特殊な形状をしている。また反射波を減らしてより見つかりにくくするためにレーダー波を吸収する素材で覆われている。こうした技術はステルス技術と呼ばれる。

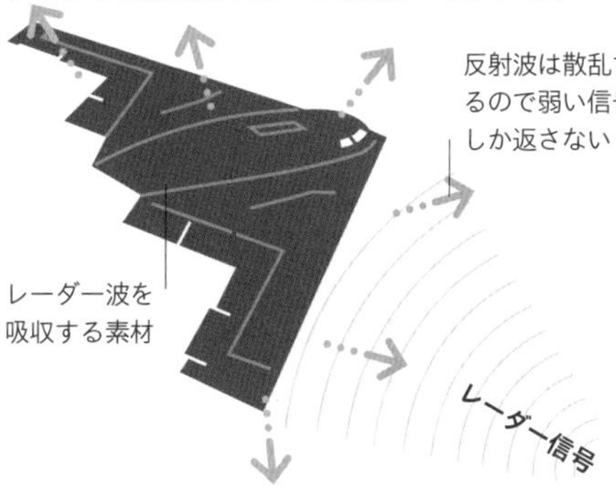
反射波は散乱するので弱い信号しか返さない
レーダー波を吸収する素材
レーダー信号

地中レーダー

レーダーは地面の下を探るためにも使用される。地中レーダー（GPR）は地中の物体や障害物で反射した電波をコンピューターで処理して地中の地図を作成する。この技術は考古学や土木工事、軍事活動などで使用されている。

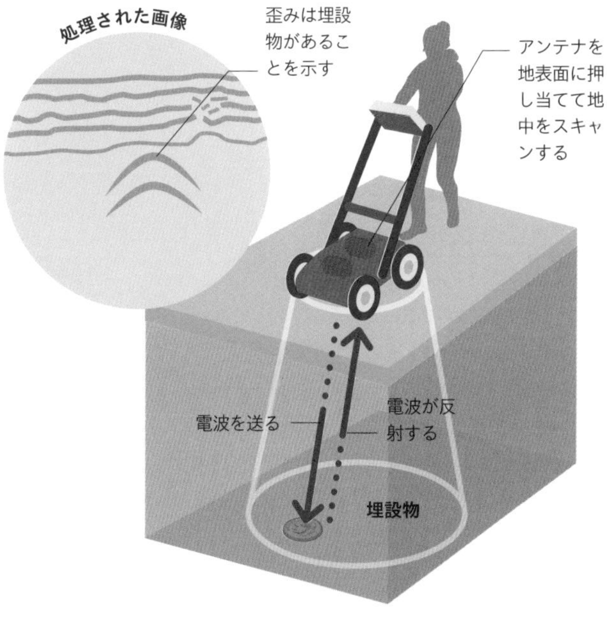
処理された画像
歪みは埋設物があることを示す
アンテナを地表面に押し当てて地中をスキャンする
電波を送る
電波が反射する
埋設物

速度違反取り締まり装置

速度違反取り締まり装置の多くはレーダー（48-49頁参照）を用いて自動車の速度を測定している。自動車へ向けて電波を発射し、反射されて返ってくる電波から速度を計算する。

さまざまな国で行われた35通りの研究によると、速度取り締まり装置は平均速度を最大15%抑制している

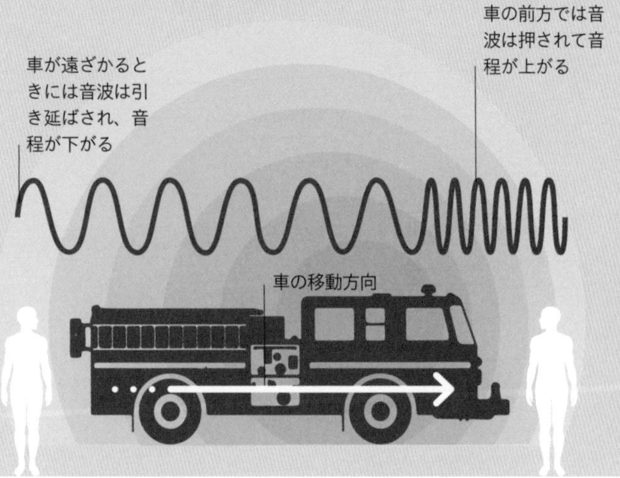

車が遠ざかるときには音波は引き延ばされ、音程が下がる
車の前方では音波は押されて音程が上がる
車の移動方向

ドップラー効果

速度違反取り締まり装置などの送信機に対して近づいたり遠ざかったりしている自動車に電波がぶつかると、自動車の運動によって反射波の波長が変化する。この変化はドップラー効果と呼ばれる。これは、消防車などのサイレンが近づいてくるときには高く、遠ざかるときには低く聞こえるのと同じ効果である。

速度違反取り締まり装置のしくみ

速度違反取り締まり装置から電波を照射し、走っている自動車からの反射波を測定する。ドップラー効果により生じる送信波と反射波の変化から自動車の速度を算定する。この装置が使用するのはマイクロ波と呼ばれる非常に波長の短い電波で、波長はおよそ1cmで、光と同じ速度で伝わる。

1 照射
装置のレーダーからマイクロ波のビームを送信する。マイクロ波は扇型に道路上に広がり、1マイクロ秒（100万分の1秒）以下の時間で走っている自動車の後部に到達する。

2 反射
光が鏡で反射するようにマイクロ波は自動車のボディで反射する。自動車は曲面をしているので、反射波はあらゆる方向へ伝わる。

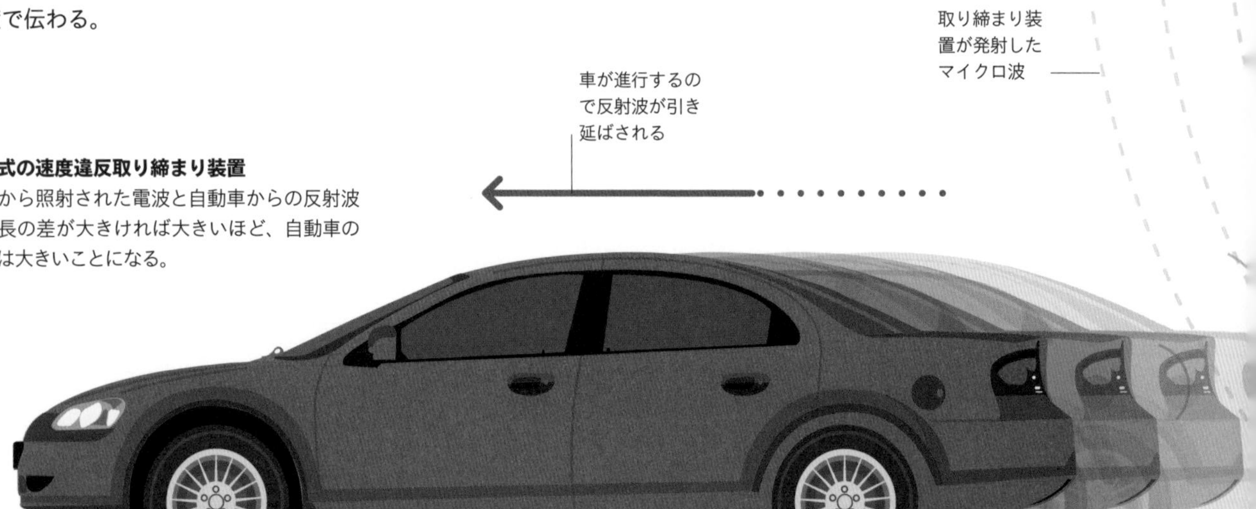

取り締まり装置が発射したマイクロ波
車が進行するので反射波が引き延ばされる

固定式の速度違反取り締まり装置
装置から照射された電波と自動車からの反射波の波長の差が大きければ大きいほど、自動車の速度は大きいことになる。

速度違反取り締まり装置の内部

装置にはレーダー、カメラ、電源、制御装置が内蔵されている。撮影時にフラッシュが運転手を眩惑しないように、通常は自動車の後部へ向けるように設置される。

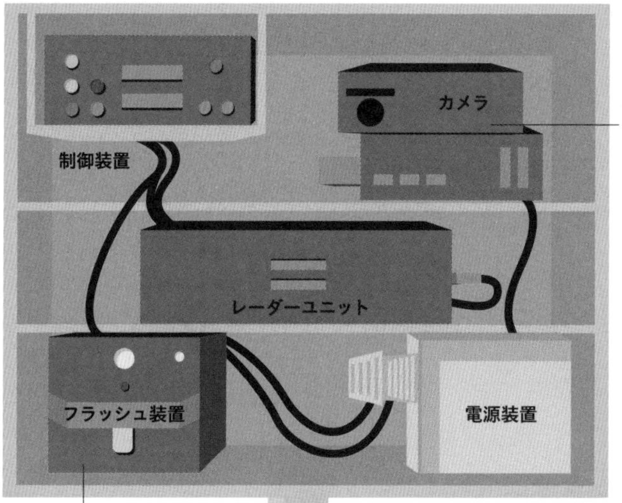
制御装置
カメラ
速度違反車を撮影するデジタルカメラ
レーダーユニット
フラッシュ装置
電源装置
車の識別のためにフラッシュでナンバープレートを照らす

LiDAR

手持ち式の速度測定装置として、自動車へ向けてレーザーパルスを発射し、反射光の到達時間によって自動車までの距離と速度を測定するものがある。これはLiDAR《ライダー》(「光による検出と測距」の意）と呼ばれる技術である。

3　受信

反射波の一部をレーダーが受信する。反射波の波長の変化から自動車の速度が制限を超えると算定されると、デジタルカメラによって車の写真を撮影する。

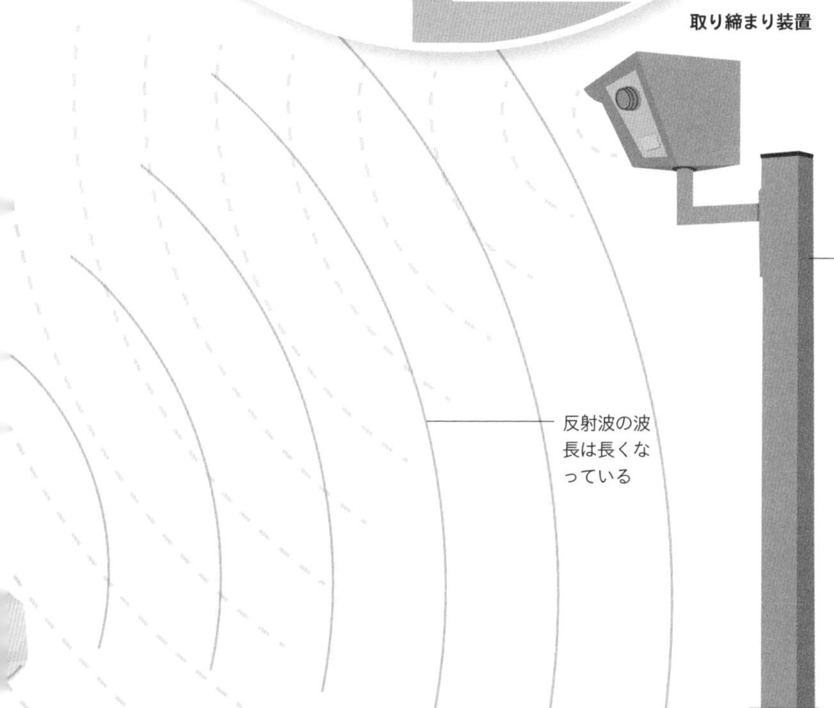
取り締まり装置
カメラの角度や高さを加減できる支柱
反射波の波長は長くなっている

速度取り締まり装置はいつ発明されたか？

すでに1900年代初頭には同じようなアイデアが考案されていたが、最初のレーダー式速度測定装置は第二次世界大戦中のアメリカで作られた軍事用のものだった。

列車

列車は最も輸送効率のよい長距離輸送手段である。現代の列車の多くはディーゼルエンジンもしくは外部の電源から動力を得ている。

電車

電車は架線や給電用レールから電力を得る。電車自体に発電装置を積む必要がないため、電気機関車はディーゼル機関車に比べて軽量で、急加速が可能である。

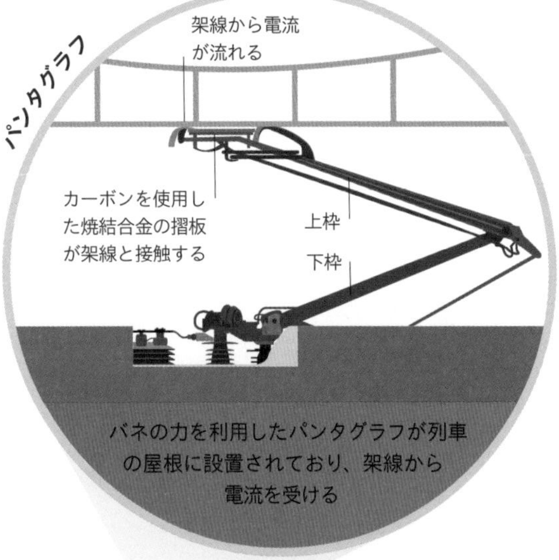

パンタグラフ
架線から電流が流れる
カーボンを使用した焼結合金の摺板が架線と接触する
上枠
下枠
バネの力を利用したパンタグラフが列車の屋根に設置されており、架線から電流を受ける

変圧

現代の電気機関車の多くは、高圧の交流電流を、車軸を回すモーターが必要とする低圧の交流電流へ変換している。

最初の機関車を発明したのは？

1804年、イギリスの技術者リチャード・トレビシックが初めて鉄道用機関車を建造した。これはウェールズのペナダレン製鉄所から鉄を搬出するために用いられた。

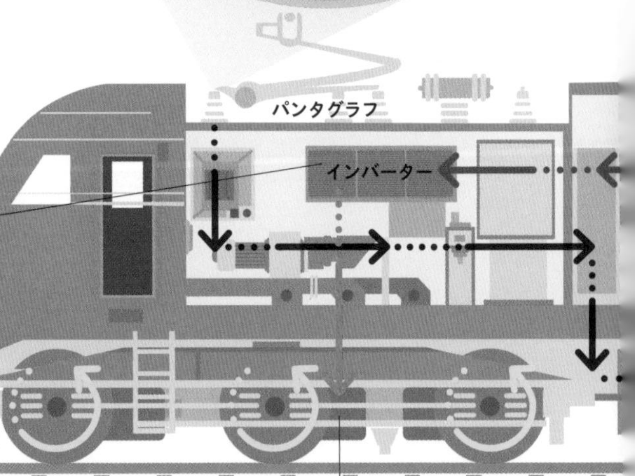

パンタグラフ
インバーター
インバーターが電圧は低いまま直流を交流に戻す
交流で駆動されたトラクションモーターが車輪を回す

凡例

→ 高圧交流　→ 低圧直流　→ 低圧交流　→ 燃料

電気式ディーゼル機関車

現代の多くのディーゼル列車の機関車はディーゼル・エレクトリック方式を採用している。ディーゼルエンジンで車輪を直接動かすのではなく、発電機やオルタネーター（16-17頁参照）を駆動して発電し、この電力で列車の電気系統や牽引モーターを動かしている。ディーゼル・エレクトリック方式は外部動力が不要なため、電化コストがかさむ線区などで使用されている。

エンジンの動力

エンジンが駆動するオルタネーター（交流発電機）の生む交流電流は整流器によって直流へ変換される。これがさらにインバーターによって交流へ変換されモーターへ供給される。

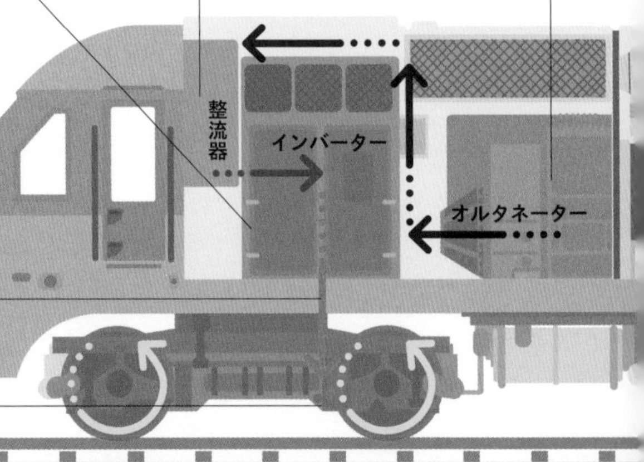

整流器で交流を低圧直流に変える
オルタネーターはドライブシャフトの回転運動を高圧交流に変える
インバーターで直流を低圧交流に変える
整流器
インバーター
オルタネーター
低圧交流でトラクションモーターを動かす
トラクションモーターはオルタネーターの発電した電流で列車を動かす

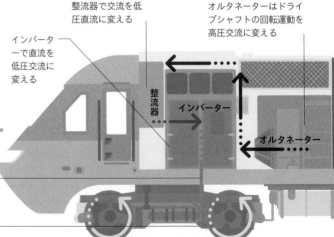

ハイパーループ

ハイパーループとはジェット旅客機よりも高速で走る実験的な列車である。客車が走るチューブは減圧されており、これによってピストン効果（列車の前で空気が圧縮されること）や摩擦を低減して高速移動を可能にしている。列車下部と軌道に設置された電磁石の反発力・吸引力によって浮上効果や推力を得る。

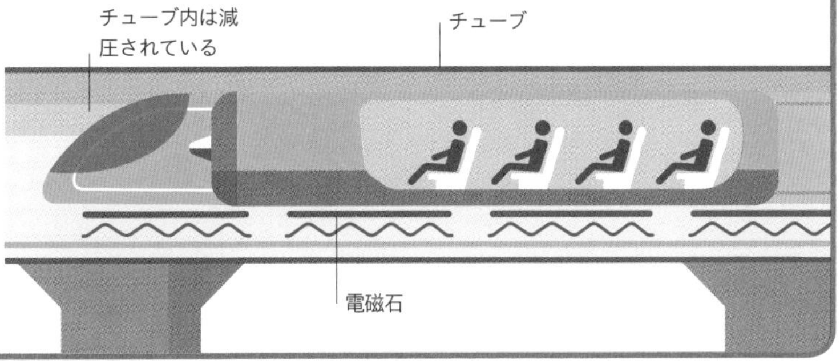
チューブ内は減圧されている
チューブ
電磁石

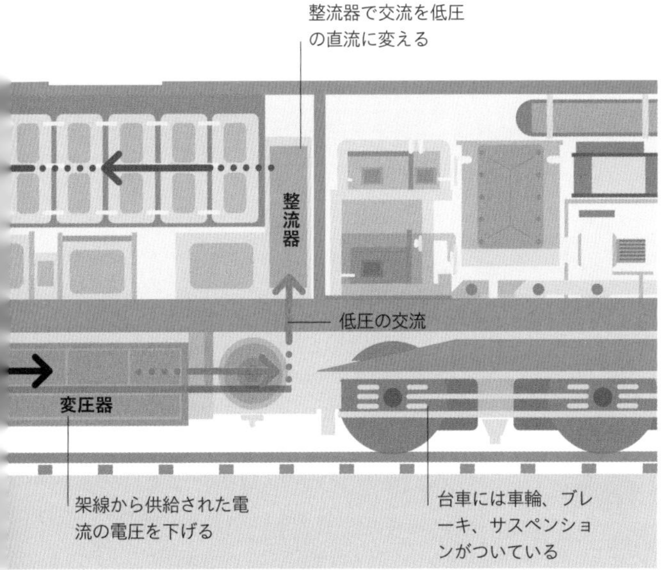
整流器で交流を低圧の直流に変える
整流器
低圧の交流
変圧器
架線から供給された電流の電圧を下げる
台車には車輪、ブレーキ、サスペンションがついている

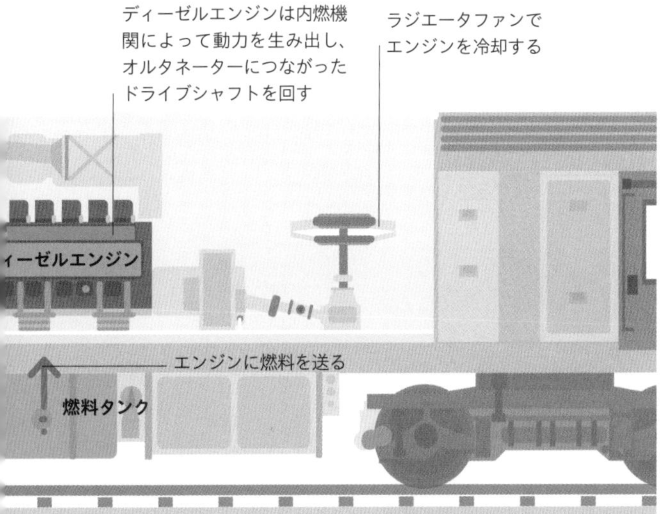
ディーゼルエンジンは内燃機関によって動力を生み出し、オルタネーターにつながったドライブシャフトを回す
ラジエータファンでエンジンを冷却する
ィーゼルエンジン
エンジンに燃料を送る
燃料タンク

台車と車輪

列車の各車両の両端には輪軸（車輪と車軸）が設けられた台車と呼ばれる装置が設置されている。レールのカーブに沿って回転する台車もある。車輪とレールは転がり抵抗を抑えるために鋼鉄で作られている。車輪は片側に凸部（フランジ）があり、脱輪を防止している。

振動を抑える

台車にはサスペンション装置が内蔵されており、コイルバネやダンパーや空気ばねを利用してレールから伝わる上下動や振動を抑える。これにより車輪をレールと常に接触させつつ、上部の機関車や客車を滑らかに走らせる。

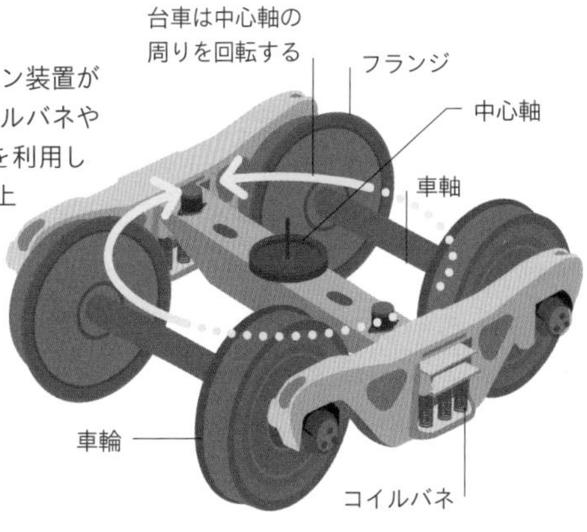
台車は中心軸の周りを回転する
フランジ
中心軸
車軸
車輪
コイルバネ

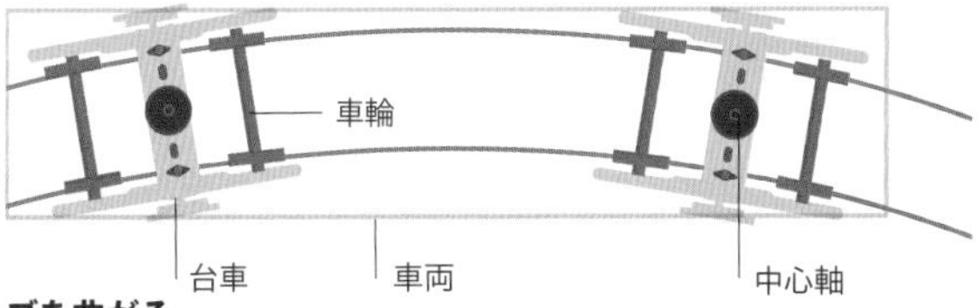
車輪
台車
車両
中心軸

カーブを曲がる

鋼鉄製の輪軸を使用して鋼鉄のレールを走る車両は基本的に曲がる部分を持たない。列車がカーブに沿って走るために、現代の台車には操舵機構が内蔵されたものがある。これは操舵梃子《てこ》と操舵リンクを設けて輪軸の回転を可能にしたものである。

帆船

帆船はエンジンを使わずに風と水の動きを利用して進む。かつては運送や戦争に使われていたが、現在では主にスポーツやレジャーで活躍している。

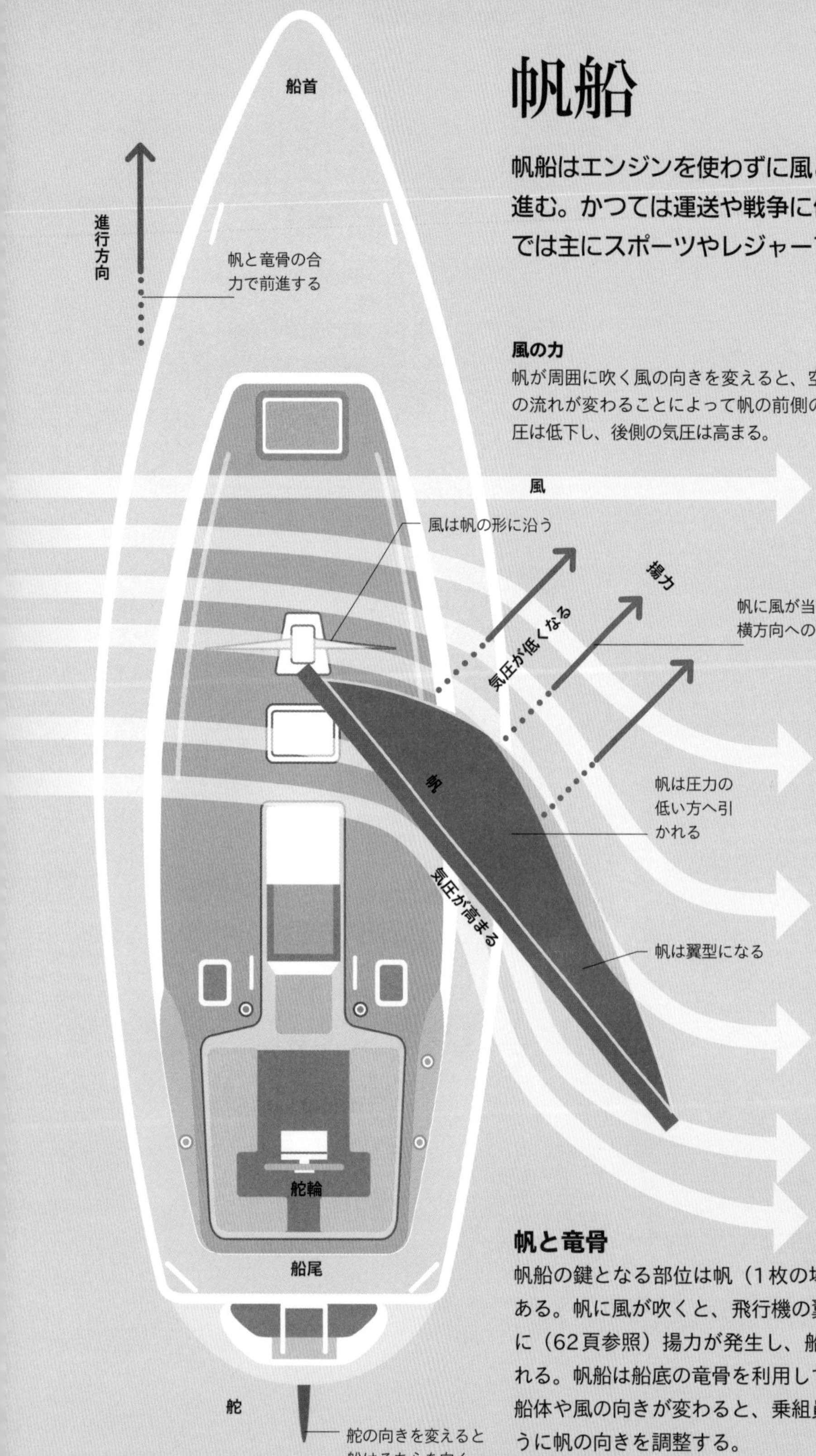

船首
進行方向
帆と竜骨の合力で前進する
風
風は帆の形に沿う
揚力
気圧が低くなる
帆に風が当たり、前方と横方向への揚力を生じる
帆
帆は圧力の低い方へ引かれる
気圧が高まる
帆は翼型になる
舵輪
船尾
舵
舵の向きを変えると船はそちらを向く

風の力

帆が周囲に吹く風の向きを変えると、空気の流れが変わることによって帆の前側の気圧は低下し、後側の気圧は高まる。

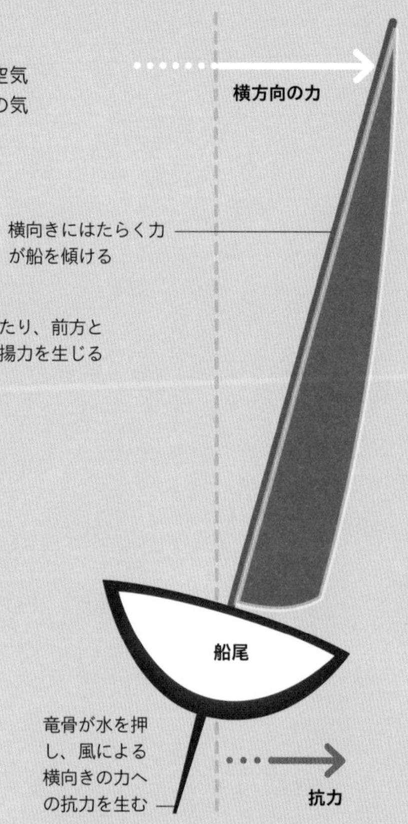

横方向の力
横向きにはたらく力が船を傾ける
船尾
竜骨が水を押し、風による横向きの力への抗力を生む
抗力

前へ進む

竜骨は水の抵抗によってヒール（風の力による船体の横方向の傾き）を打ち消すようにはたらき、船を前へ進める。横方向の力は完全に打ち消されることはない。

帆と竜骨

帆船の鍵となる部位は帆（1枚の場合も複数の場合もある）と竜骨である。帆に風が吹くと、飛行機の翼の上面に風が流れる際と同じように（62頁参照）揚力が発生し、船体に対して横向きの力が生み出される。帆船は船底の竜骨を利用して横向きの力を前への動きに変える。船体や風の向きが変わると、乗組員は風から最大の揚力が得られるように帆の向きを調整する。

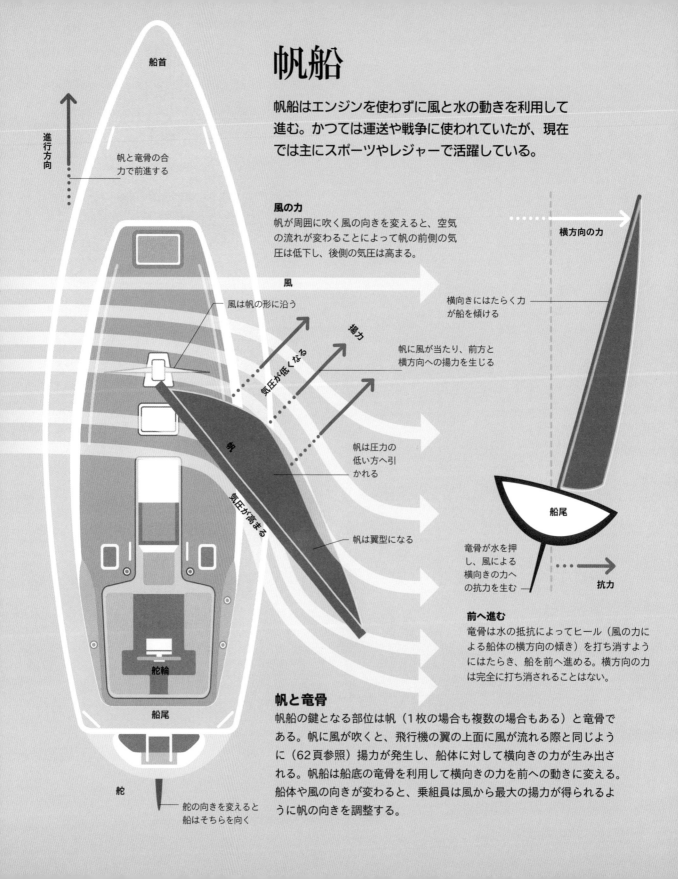

浮力と安定性

どんな船も、船はそれ自身の重量に相当する量の水を押し退けている。船に作用する重力は浮力と呼ばれる上向きの力によって釣り合いのとれた状態になる。船の密度が水以下に保たれている限り、船は水面に浮いているのに十分な浮力を受けることができる。水面にまっすぐに浮くためには、船の重心（質量中心）は浮力の中心（すべての浮力の合力の作用点）の真上になければならない。船がヒールすると（左頁参照）、船体の重心位置は変化しない一方、浮力の中心は傾きの方向へずれる。船をまっすぐに立て直すためには重心と浮力の軸を再び一致させなければならない。

浮力

物体の密度は質量を体積で除することで求められる。右に示した船と鉄の錘《おもり》はどちらも同じ質量であるが、錘は水よりも密度が大きいので沈み、船は水よりも密度が小さいので浮く。

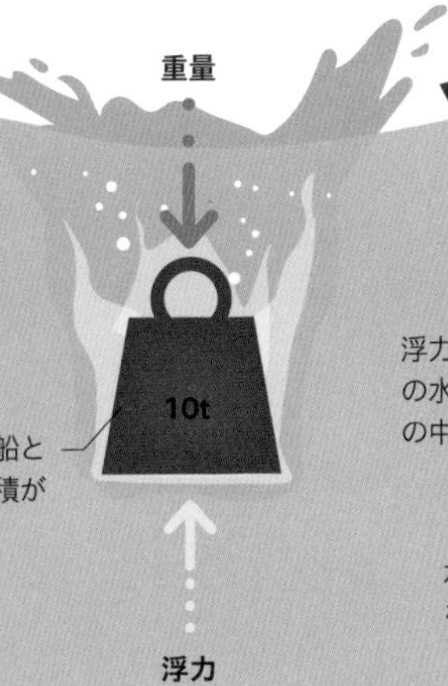
重量
10t
錘の重量は船と同じだが体積が小さい
浮力

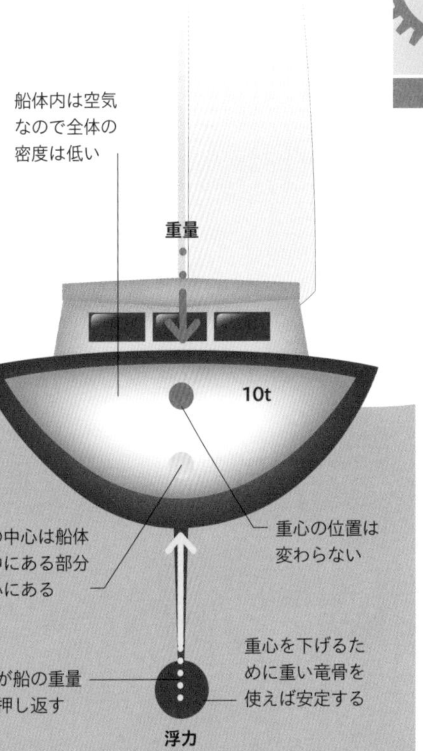
船体内は空気なので全体の密度は低い
重量
10t
浮力の中心は船体の水中にある部分の中心にある
重心の位置は変わらない
重心を下げるために重い竜骨を使えば安定する
水が船の重量を押し返す
浮力

世界最速の帆船は？

帆船の速度記録はヴェスタス・セールロケット２号が打ち立てた時速121.1kmである。

40日23時間30分
帆船による**世界一周**航海の**最速記録**

船体の形式

船の主要部分を船体（ハル）と呼ぶ。帆船では1つ（単胴船）もしくは複数（多胴船）の船体を持つ形式がある。多胴船は単胴船よりも軽量な竜骨で安定性を保つことができるため船体が軽く、セーリング競技で多用されている。多胴船でよく見られるのは2つの船体を用いる双胴船、および3つの船体を用いる三胴船である。

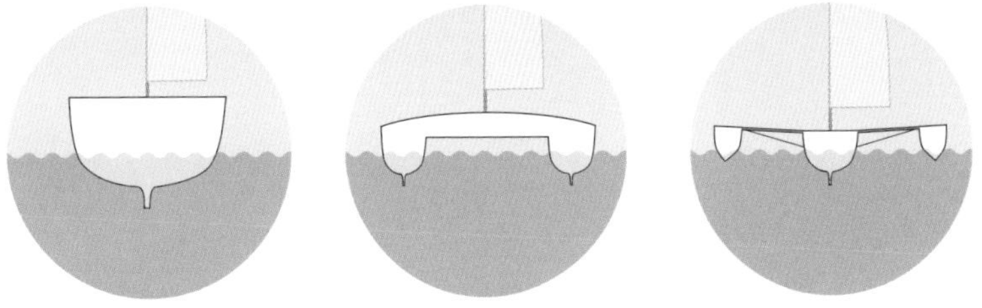

単胴船
単胴船では甲板の下に大きな空間を確保することができる。

双胴船
双胴船は船幅が大きく、単胴船より安定している。

三胴船
三胴船は中心の船体および左右の小さな船体《アウトリガー》を用いる。

プロペラ

内燃機船のエンジンが生む動力は、通常1つあるいは複数のプロペラによって船を動かす力へと変換される。回転するプロペラは斜めに取り付けられた羽根によって水を後ろへ押しやる。水がプロペラの羽根を押し返す力が船を動かす推力となる。羽根の動いた後の空間には水が流れ込み、羽根の前側では圧力が高く、後ろ側では圧力が低いという圧力の差が生まれる。このため羽根の前面を船の進む方向へ引っ張る力が生まれる。プロペラは水中でネジ（スクリュー）のような動きをしているため、スクリューとも呼ばれる。

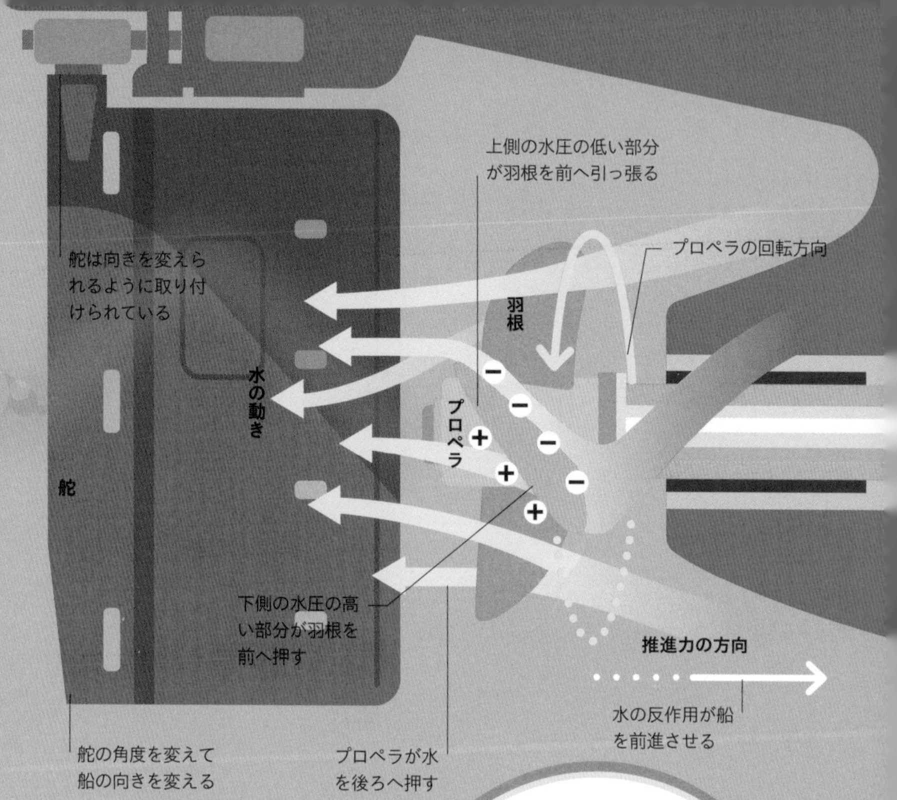

上側の水圧の低い部分が羽根を前へ引っ張る
プロペラの回転方向
舵は向きを変えられるように取り付けられている
羽根
水の動き
プロペラ
舵
下側の水圧の高い部分が羽根を前へ押す
推進力の方向
水の反作用が船を前進させる
舵の角度を変えて船の向きを変える
プロペラが水を後ろへ押す

内燃機船

内燃機船は、搭載したエンジンの動力によって風頼みの帆走から解放された。エンジンは船上の装置を動かすための電力や油圧装置の動力源にもなる。

一番速いモーターボートは?

1978年、オーストラリアのモーターボートレーサー、ケン・ワービーはジェット推進のパワーボートによって時速511kmという記録を樹立した。

エンジン

内燃機船の動力源は何種類かある。多くの船ではディーゼルエンジン（42-43頁参照）でプロペラにつながるプロペラシャフトを回している。遠洋定期船などでは蒸気タービンを動力源にするものもあり、軍艦ではジェットエンジン（60-61頁参照）に似たガスタービンエンジンを使うものが多い。ごく一部の大型船舶では原子力が使用されている。小さな船では船体の外にエンジンを設置していることが多いが、大型船では船内にエンジンを備えるのが一般的である。

安定性

内燃機船の船内エンジンは、複数のプロペラや操船を補助するバウスラスター（右頁参照）の動力としても使用される。船体を安定させるために、エンジンなどの重い装置は船体下部に設置される。

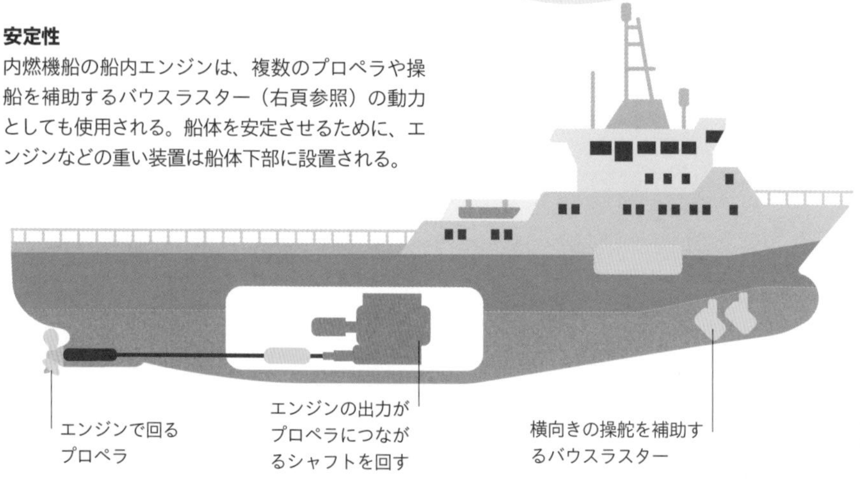

エンジンで回るプロペラ
エンジンの出力がプロペラにつながるシャフトを回す
横向きの操舵を補助するバウスラスター

実用的な船舶用**プロペラ**は**1830年代**に**初めて開発**された

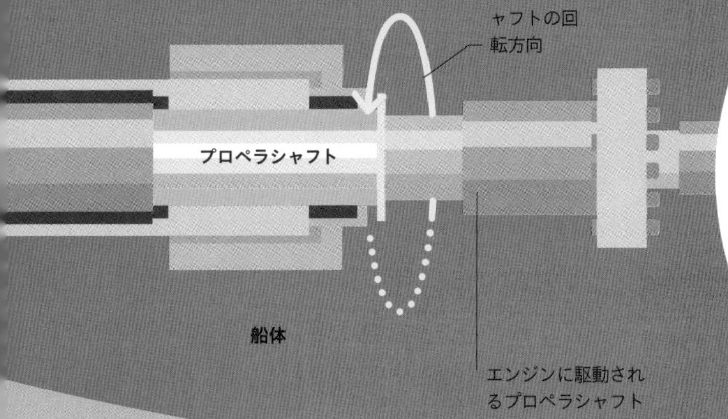
プロペラシャフトの回転方向
プロペラシャフト
船体
エンジンに駆動されるプロペラシャフト

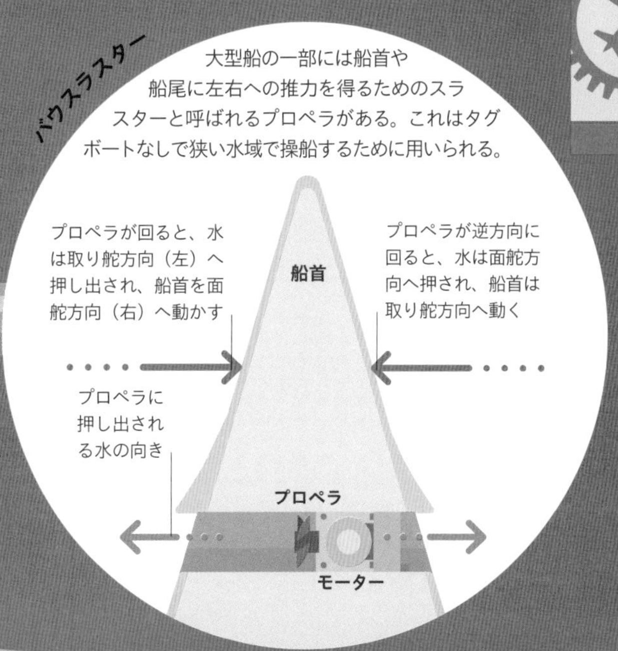
バウスラスター
大型船の一部には船首や船尾に左右への推力を得るためのスラスターと呼ばれるプロペラがある。これはタグボートなしで狭い水域で操船するために用いられる。
プロペラが回ると、水は取り舵方向（左）へ押し出され、船首を面舵方向（右）へ動かす
船首
プロペラが逆方向に回ると、水は面舵方向へ押され、船首は取り舵方向へ動く
プロペラに押し出される水の向き
プロペラ
モーター

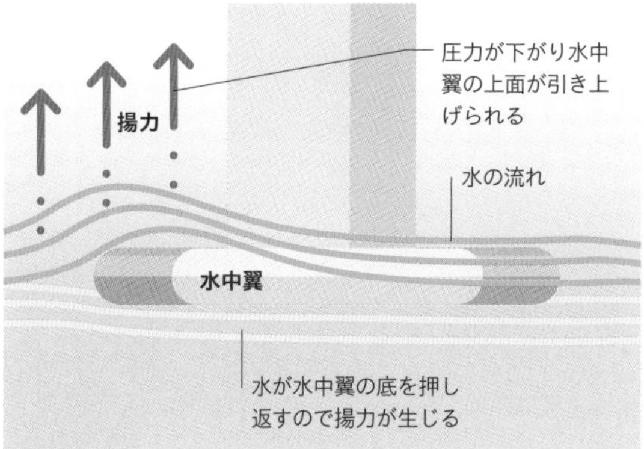
揚力
圧力が下がり水中翼の上面が引き上げられる
水の流れ
水中翼
水が水中翼の底を押し返すので揚力が生じる

水中翼船

船が水を押し分けて進むと抵抗力が生じるため、船の速度は落ち、エンジンには抵抗に打ち勝つための負荷がかかる。水中翼船は水中翼と呼ばれる翼を用いることで水の抵抗を減らしている。水中翼は飛行機の翼（62頁参照）と同じしくみで船体を水の上に持ち上げる。水は空気よりも密度が大きいため、飛行機の翼に比べると水中翼は低速で大きな揚力を得ることができる。

水中翼の種類

半没翼型の水中翼は水面を切るように進み、全没翼型の水中翼は完全に水面下を進む。

半没翼型

全没翼型

ポッド推進装置

現代の大型船舶はアジマススラスターと呼ばれる機器によって推進や舵取りを行うのが通常になっている。これは電動モーターでプロペラを回すもので、どの方向へも推力が得られるようにポッド全体が回るようになっている。

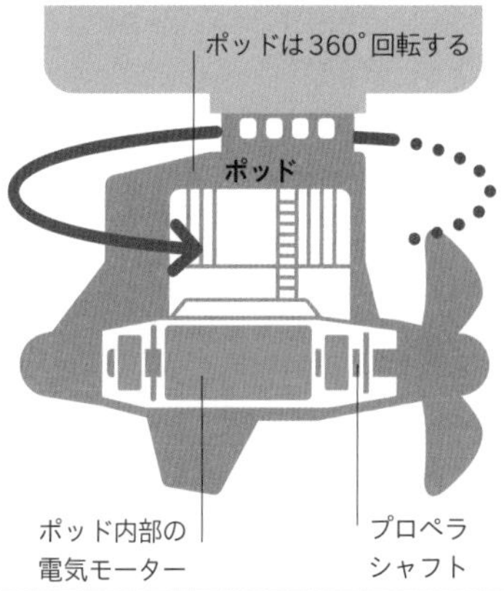
ポッドは360°回転する
ポッド
ポッド内部の電気モーター
プロペラシャフト

潜水艦

潜水艦は水中で運用される船舶である。軍事用途のものが多い。バラストタンクを使うことにより沈んだり浮いたりすることができる。原子炉やディーゼル発電機を利用するものが多く、高度な航法装置や通信装置を備え、一度の潜行で何ヶ月も水中を行動することができる。

水中の移動

潜水艦は強力なエンジンで水中を航行する。乗組員はバウプレーン（潜舵）、スターンプレーン（横舵）、および縦舵の3種類の舵によって潜水艦を操縦する。水中での上昇や下降はバウプレーンを傾けることで操作する。スターンプレーンによって潜水艦を水平に保ち、縦舵によって面舵・取り舵（右・左）への旋回を行う。

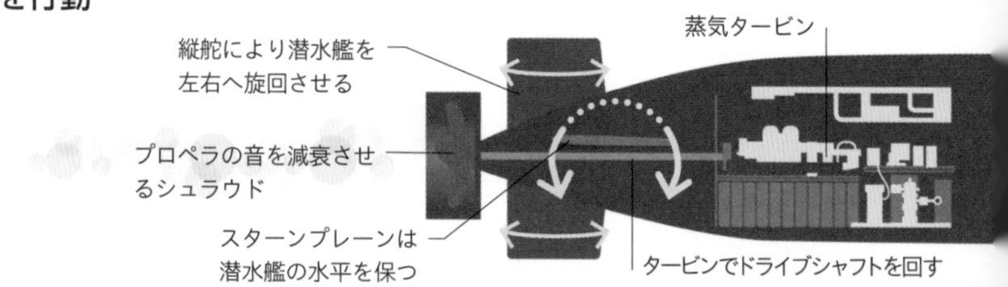
縦舵により潜水艦を左右へ旋回させる
蒸気タービン
プロペラの音を減衰させるシュラウド
スターンプレーンは潜水艦の水平を保つ
タービンでドライブシャフトを回す

1　海面

バラストタンクが空気で満たされているときは潜水艦は海面に浮かぶ。バラストタンクのバルブは水が入らないように閉められている。

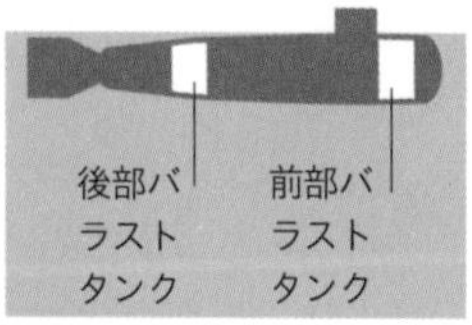
後部バラストタンク
前部バラストタンク

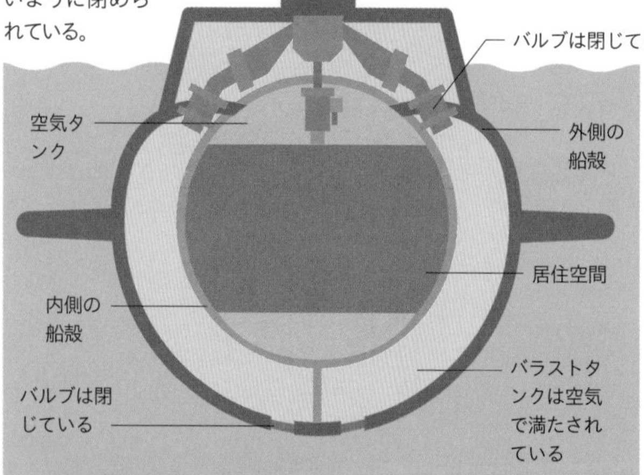
バルブは閉じている
空気タンク
外側の船殻
居住空間
内側の船殻
バラストタンクは空気で満たされている
バルブは閉じている

潜水艦が潜ったり浮いたりするしくみ

潜水艦が水中深く潜ったり海面に戻ったりできるのは、周囲の水に対する比重を変化させられるからである。周囲の水より比重が大きいときには沈降し、比重が小さいときには浮力を得て海面に上昇する。潜水艦の外殻と内殻の間にはバラストタンクが設けられており、乗組員はバラストタンクを海水や空気で満たすことで潜水艦の比重を変える。

2　潜行

潜行する時はバラストタンクのバルブを開いて海水を入れる。潜水艦は同じ体積の水より重いため沈んでゆく。取り込む海水を増やすと潜水艦はより深く潜行する。

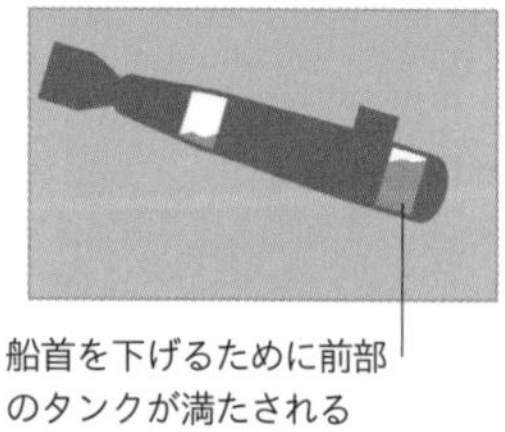
船首を下げるために前部のタンクが満たされる

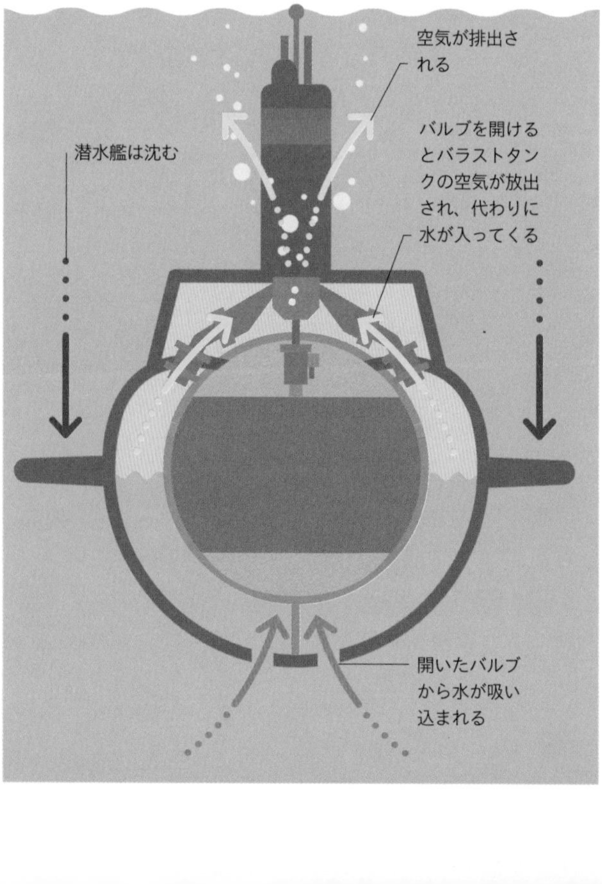
空気が排出される
潜水艦は沈む
バルブを開けるとバラストタンクの空気が放出され、代わりに水が入ってくる
開いたバルブから水が吸い込まれる

軍用潜水艦

探知されるのを防ぐために、軍用潜水艦では機械類を船殻から浮かせて設置して振動が外部へ漏れることを防いだり、スクリューに騒音を抑えるための覆い（シュラウド）を設けたりする。

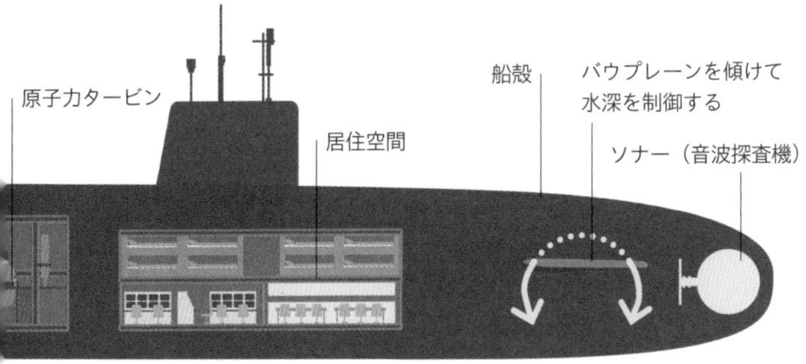
原子力タービン
居住空間
船殻
バウプレーンを傾けて
水深を制御する
ソナー（音波探査機）

3 浮上

浮上するときはバラストタンクに圧縮空気を注入して水を抜いてゆく。気蓄器の空気は海面で補充される。

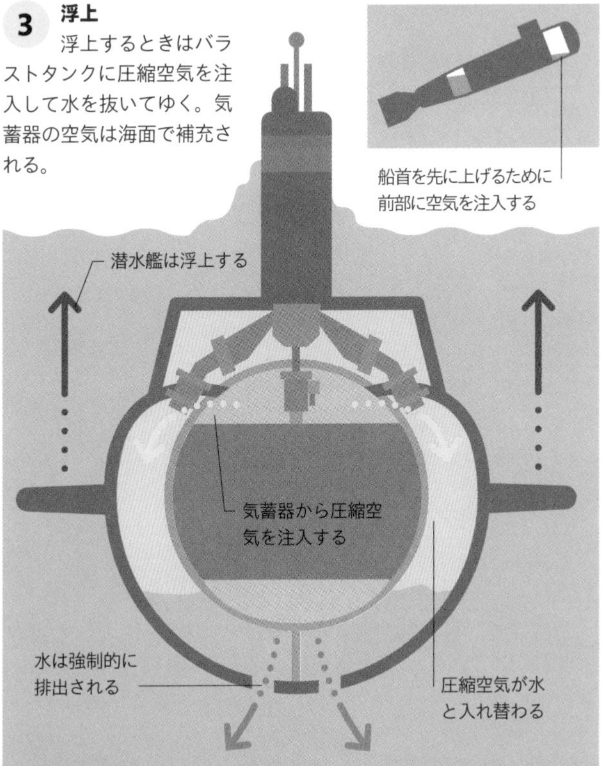
船首を先に上げるために
前部に空気を注入する
潜水艦は浮上する
気蓄器から圧縮空
気を注入する
水は強制的に
排出される
圧縮空気が水
と入れ替わる

初の実用的な**潜水艦**は**コルネリス・ドレベル**によって**1620年**に建造された

さまざまな潜水艇

潜水艇は潜水艦よりは小さな有人、または無人の水に潜る船である。潜水艦は単独で航行するが、潜水艇は潜水地点まで船で運ばれる。大深度の大きな水圧に耐えるために、潜水艇には丈夫な球面状の船室がある。潜水艇の操船には電力スラスターが使われる。

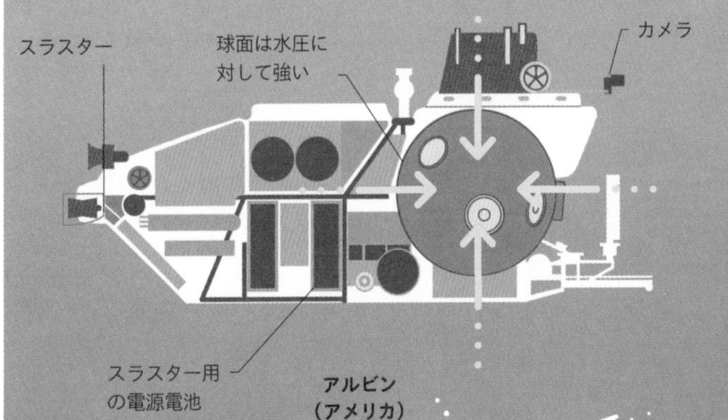
スラスター
球面は水圧に
対して強い
カメラ
スラスター用
の電源電池

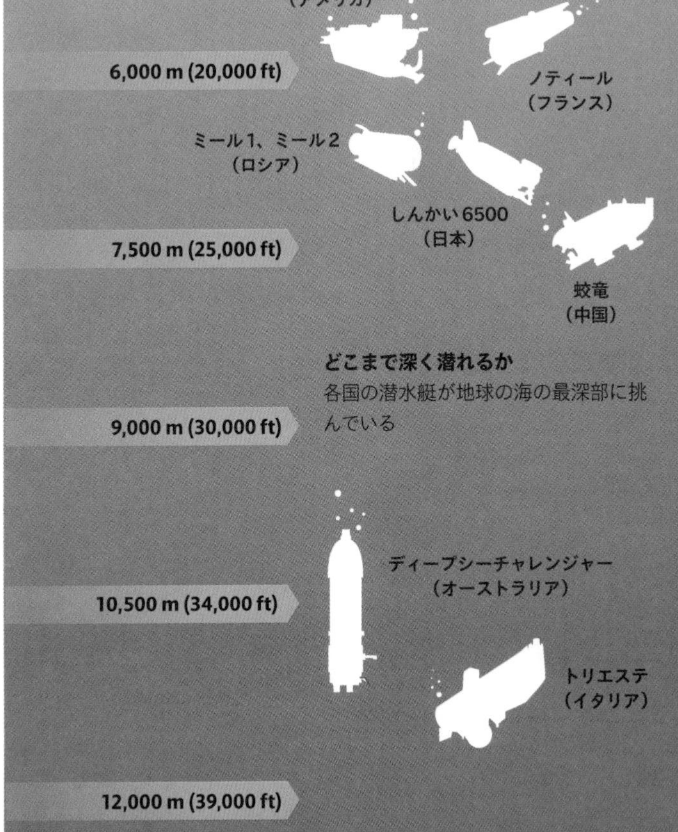
アルビン
（アメリカ）
6,000 m (20,000 ft)
ノティール
（フランス）
ミール１、ミール２
（ロシア）
しんかい6500
（日本）
7,500 m (25,000 ft)
蛟竜
（中国）
9,000 m (30,000 ft)
ディープシーチャレンジャー
（オーストラリア）
10,500 m (34,000 ft)
トリエステ
（イタリア）
12,000 m (39,000 ft)

どこまで深く潜れるか

各国の潜水艇が地球の海の最深部に挑んでいる

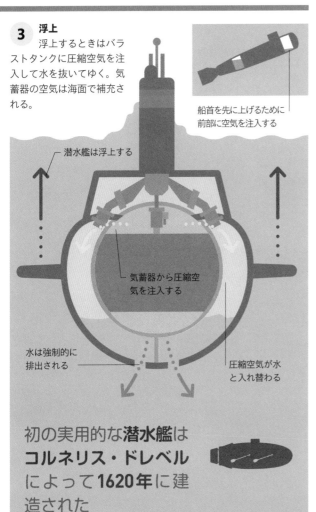

ジェットエンジンとロケット

ジェットエンジンやロケットは前進や上昇をするための推力を生み出す反動推進エンジンである。気体を高速で噴出することで、その逆方向への推力を得る。

ターボファンエンジン

旅客機で最も一般的に使用されているのは、前部に大型のファンを備えたターボファンエンジンと呼ばれるタイプである。このタイプでは推力の大部分はコアエンジンを迂回する空気の流れによって生み出されている。

航空機のエンジン

ジェットエンジンを用いる飛行機はそれまでのプロペラ機と比較して高速で高効率であり、飛行機の歴史に革命をもたらした。商業旅客機・軍用機とも現代ではほとんどがジェットエンジンを動力源としている。ジェットエンジンにはいくつか種類があるが原理はすべて同じである。外部から取り入れた空気に燃料を混合して燃焼させ、そこで爆発的に発生する排気をジェット推進力として利用する。

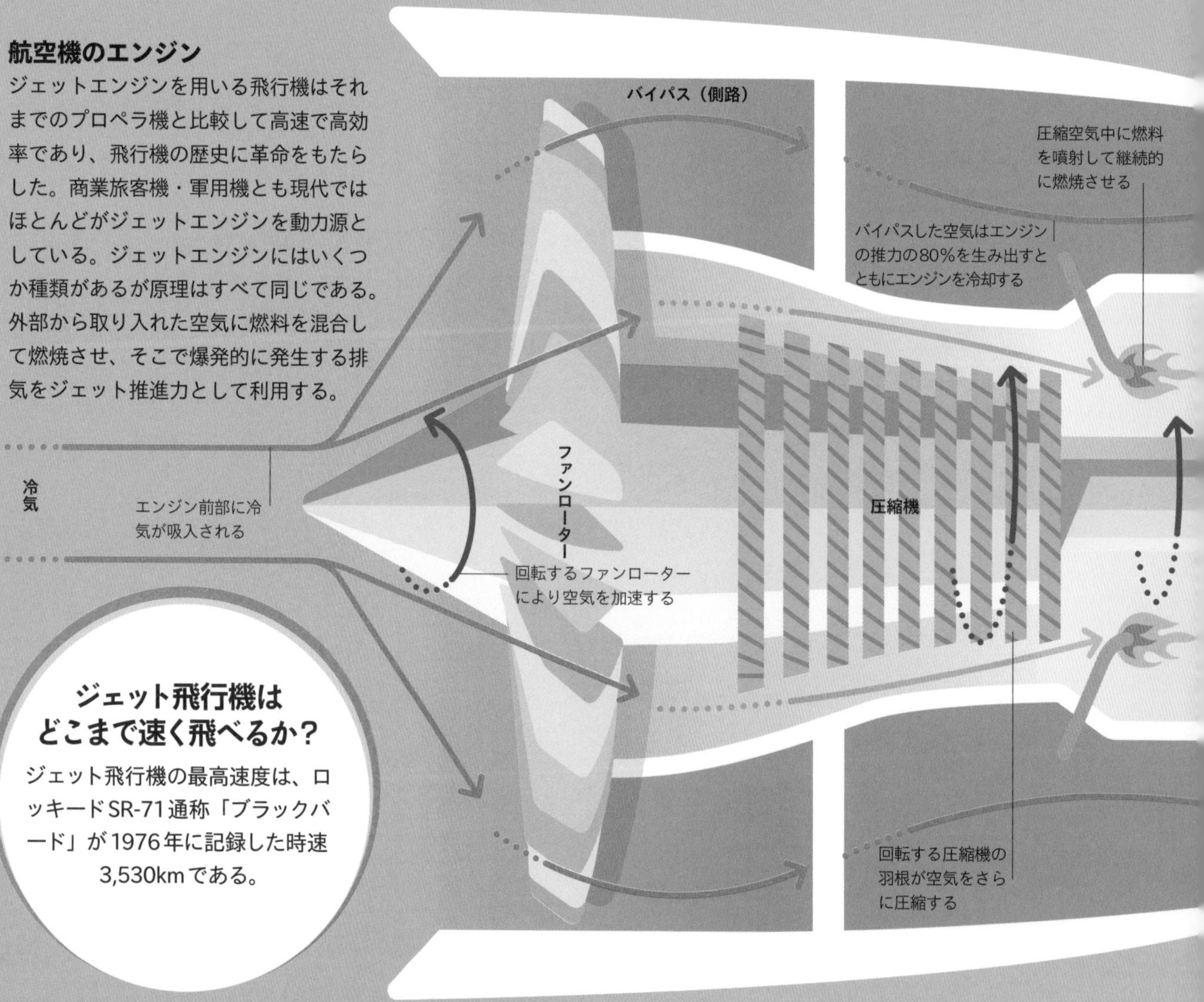

バイパス（側路）
圧縮空気中に燃料を噴射して継続的に燃焼させる
バイパスした空気はエンジンの推力の80%を生み出すとともにエンジンを冷却する
冷気
エンジン前部に冷気が吸入される
ファンローター
回転するファンローターにより空気を加速する
圧縮機
回転する圧縮機の羽根が空気をさらに圧縮する

ジェット飛行機はどこまで速く飛べるか？

ジェット飛行機の最高速度は、ロッキードSR-71通称「ブラックバード」が1976年に記録した時速3,530kmである。

1 吸気
エンジン前部のファンにより空気を導入する。導入した空気の大部分は側路（バイパス）を通ってエンジン後部へ送られ、一部の空気がエンジンの中核部（コアエンジン）に送られる。

2 圧縮
空気は何重ものブレードで構成される圧縮機に入る。ここで空気は急激に圧縮され、高温高圧となる。

3 燃焼室
圧縮された空気は燃焼室を通過する。ここでノズルから燃料が噴射され、空気と燃料の混合気が高温で燃焼する。

音速の壁

超音速で飛行する飛行機は前方の空気を圧縮して高圧の衝撃波を作り出し、これが地上に届くと大きな衝撃音として聞こえる。

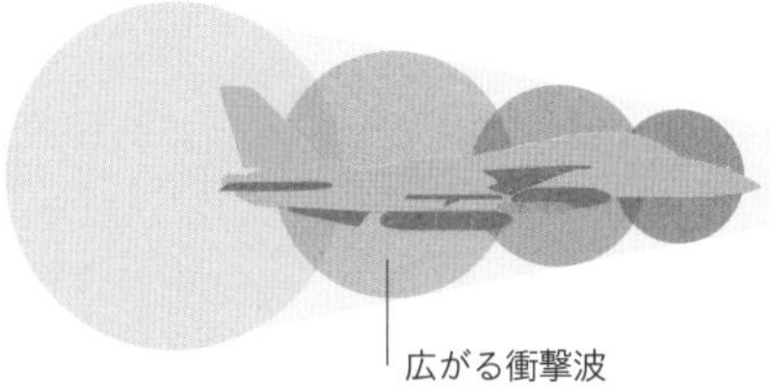
広がる衝撃波

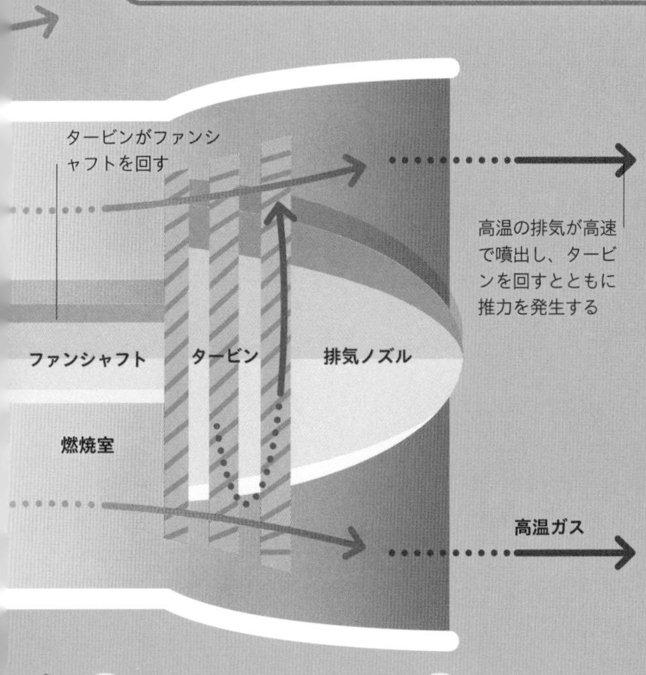
タービンがファンシャフトを回す
高温の排気が高速で噴出し、タービンを回すとともに推力を発生する
ファンシャフト
タービン
排気ノズル
燃焼室
高温ガス

4　タービン
高温のガスは爆発的に膨張し、エンジンから排出される際にタービンブレードを回す。ファンと圧縮機はこの回転力によって駆動されている。

5　排気ノズル
高温の排気はバイパスした低温の空気と一緒にエンジンから噴出し、その反作用としてエンジンを前方に押して推力を生み出す。

超音速旅客機**コンコルド**は**ニューヨークからロンドンまで2時間52分**で飛行した

ロケットエンジン

大気中の酸素を利用して燃料を燃やすジェットエンジンと異なり、ロケットエンジンはそれ自体に酸素の供給源を備えている。そのため空気のない宇宙でも運用することができる。酸素源（酸化剤）としては液体酸素や酸素を多く含んだ化合物が用いられる。

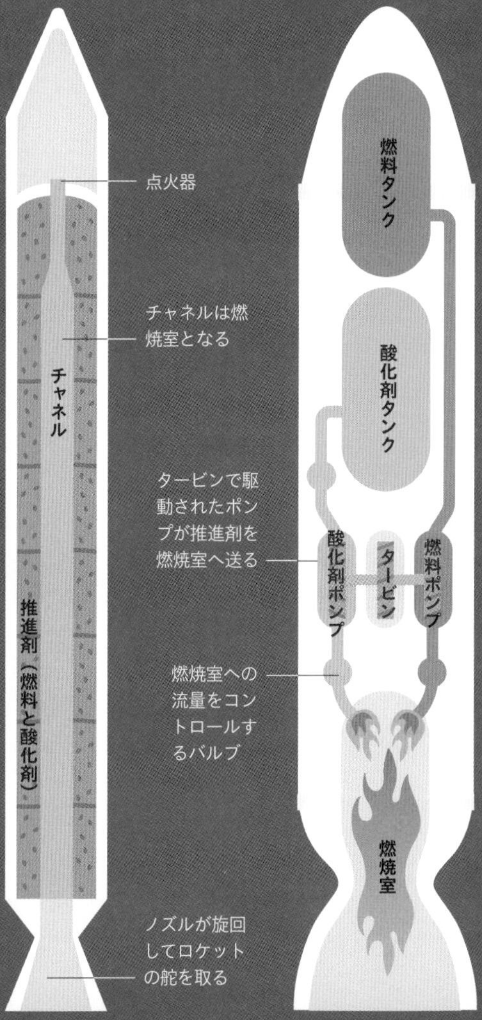
点火器
チャネルは燃焼室となる
チャネル
推進剤（燃料と酸化剤）
ノズルが旋回してロケットの舵を取る
燃料タンク
酸化剤タンク
タービンで駆動されたポンプが推進剤を燃焼室へ送る
酸化剤ポンプ
タービン
燃料ポンプ
燃焼室への流量をコントロールするバルブ
燃焼室

固体燃料ロケット
燃料と酸化剤を混合し、中心に空洞のある筒状の固形燃料として充填する。点火装置によって点火されると燃料は空洞の表面から燃焼し、なくなるまで燃焼し続ける。

液体燃料ロケット
燃料と酸化剤を液体として貯蔵する。固体燃料ロケットと異なり、液体燃料ロケットはいったん停止して再着火することが可能である。また燃料と酸化剤の供給量を調節することにより推力を変化させることもできる。

飛行機

飛行機にはいろいろな大きさや形があるが、飛ぶ原理はすべて同じである。プロペラやエンジンによる推力で前へ進み、翼が発生する揚力で上昇する。

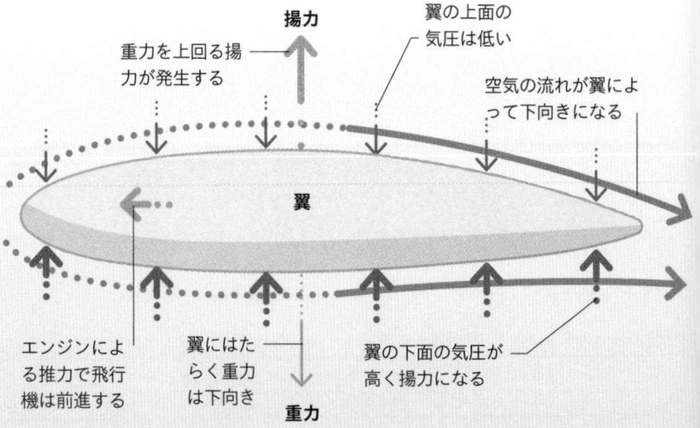

揚力
重力を上回る揚力が発生する
翼の上面の気圧は低い
空気の流れが翼によって下向きになる
翼
エンジンによる推力で飛行機は前進する
翼にはたらく重力は下向き
翼の下面の気圧が高く揚力になる
重力

飛行機が飛ぶしくみ

飛行機がエンジンによって前進すると（60-61頁参照）、翼は空気を横切って移動する。翼は翼型《よくがた》と呼ばれる形状をしており、空気の流れを下向きに変える。翼が空気を下方へ押しやると、空気は運動の第三法則（作用・反作用の法則）により翼を上に押し返す。これが揚力である。翼の上下の気圧は上側が低く、下側が高くなり、これも揚力に寄与する。

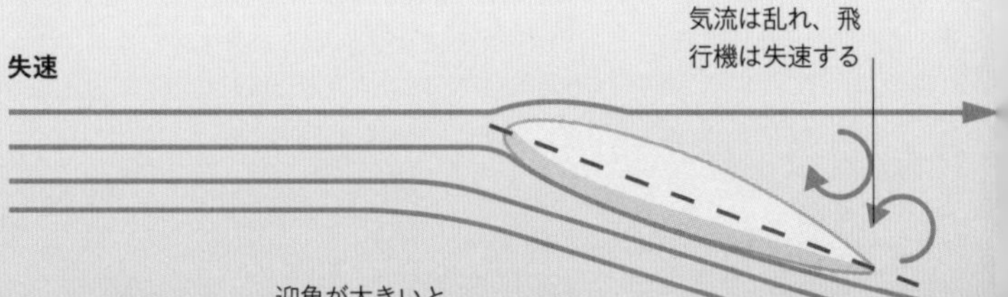

失速
気流は乱れ、飛行機は失速する

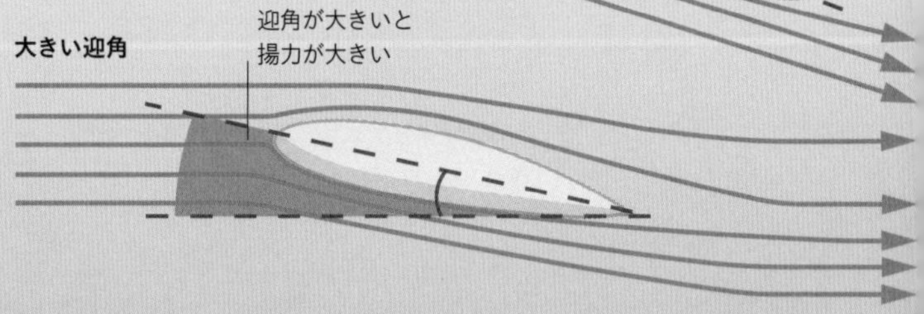

大きい迎角
迎角が大きいと揚力が大きい

迎角

翼と、相対する気流のなす角度を迎角と呼ぶ。迎角が大きいほど揚力は大きくなるが、角度が大きくなりすぎると気流が翼から離れてしまい、揚力は低下、飛行機は失速する。

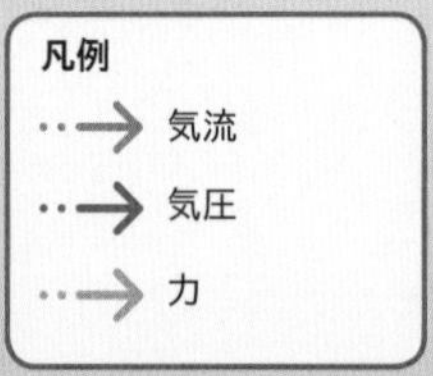

凡例
気流
気圧
力

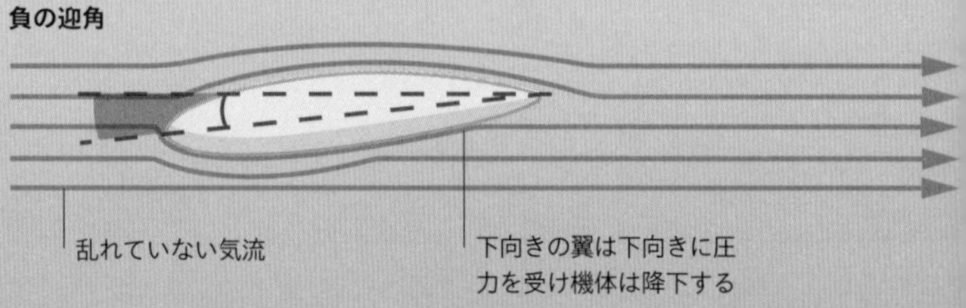

負の迎角
乱れていない気流
下向きの翼は下向きに圧力を受け機体は降下する

世界最大の旅客機エアバスA380は**400万点もの部品**で作られている

飛行機の操縦

飛行機は操縦翼面と呼ばれる翼の可動部分を動かして操縦する。これには昇降舵、補助翼、方向舵の3種がある。パイロットが操縦装置を操作するとこれらの動翼が気流に干渉するように動き、飛行機に対してロール、ピッチ、ヨーという3種類の回転運動を発生させる。

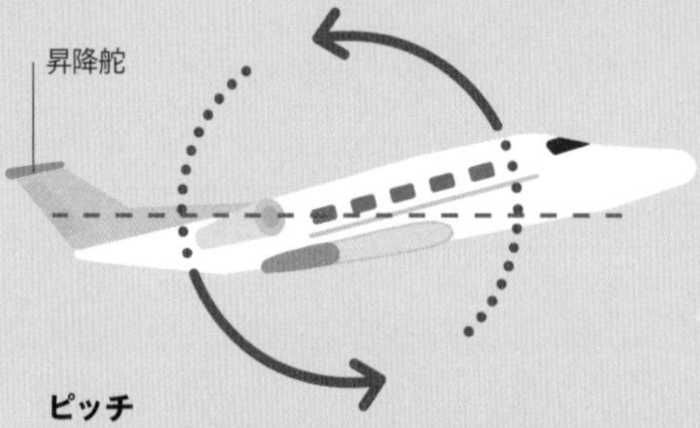

昇降舵

ピッチ

後部の水平尾翼に設けられた昇降舵を上下に傾ける。上に傾けると飛行機の後部が下がり、飛行機は機首を上げて上昇する。下に傾けると飛行機は機首を下げて下降する。

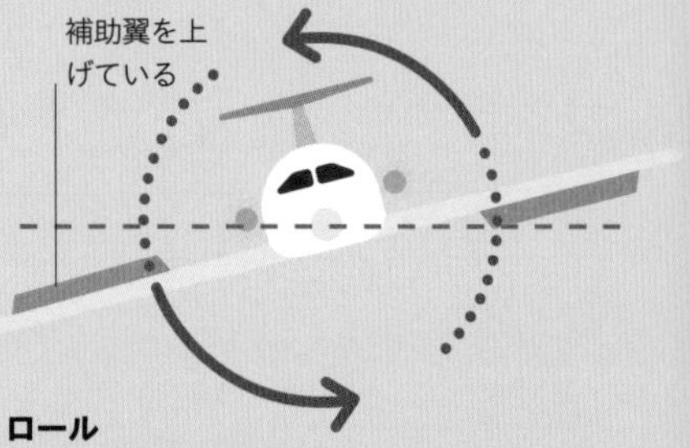

補助翼を上げている

ロール

左右の主翼の補助翼（エルロン）をそれぞれ上下反対方向へ動かす。飛行機は補助翼を上げた側が下がり、下げた側が上がるように傾く。

気圧

地上では頭上の空気の重さによる気圧を受ける。飛行機が地上にあるときは内外の気圧は同じである。巡航高度に上昇すると機外の気圧は低下するが、機内の気圧はエンジンから空気を取り入れることで機外よりも高く保たれる。これによって、機内の人は十分な酸素を呼吸することができる。

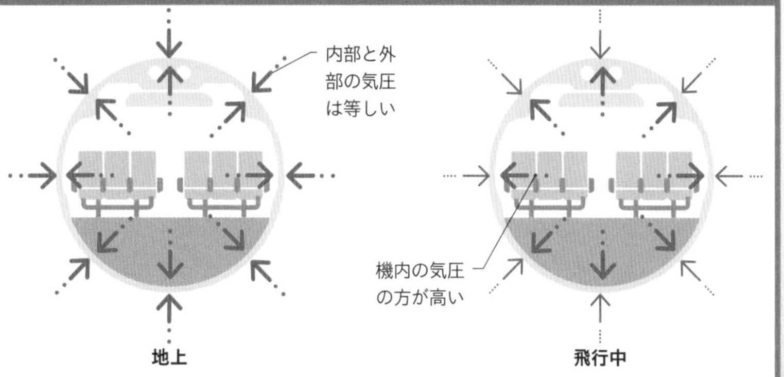
内部と外部の気圧は等しい
機内の気圧の方が高い
地上
飛行中

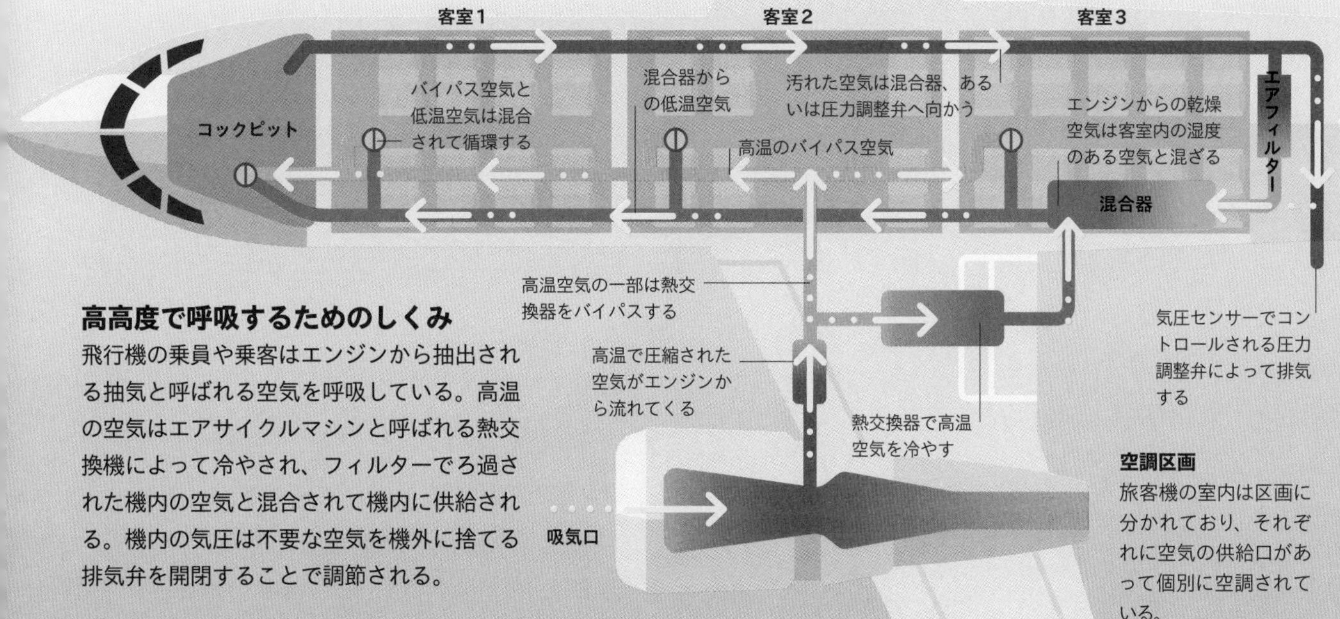
客室１
客室２
客室３
コックピット
バイパス空気と低温空気は混合されて循環する
混合器からの低温空気
汚れた空気は混合器、あるいは圧力調整弁へ向かう
高温のバイパス空気
エンジンからの乾燥空気は客室内の湿度のある空気と混ざる
エアフィルター
混合器
高温空気の一部は熱交換器をバイパスする
高温で圧縮された空気がエンジンから流れてくる
熱交換器で高温空気を冷やす
気圧センサーでコントロールされる圧力調整弁によって排気する
吸気口

高高度で呼吸するためのしくみ

飛行機の乗員や乗客はエンジンから抽出される抽気と呼ばれる空気を呼吸している。高温の空気はエアサイクルマシンと呼ばれる熱交換機によって冷やされ、フィルターでろ過された機内の空気と混合されて機内に供給される。機内の気圧は不要な空気を機外に捨てる排気弁を開閉することで調節される。

空調区画
旅客機の室内は区画に分かれており、それぞれに空気の供給口があって個別に空調されている。

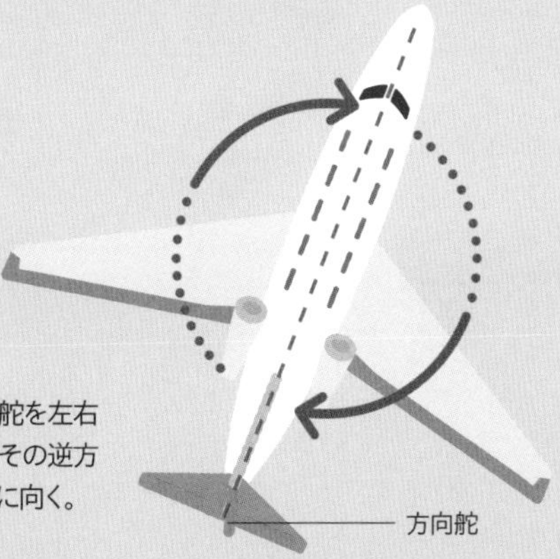
方向舵

ヨー
垂直尾翼に設けられた方向舵を左右に傾けると飛行機の後部はその逆方向に押され、機首が右や左に向く。

最長の定期便航路は?

シンガポールからニューヨークへの直行便は15,341kmを17時間25分で結ぶ。

ヘリコプター

ヘリコプターの細長いブレードは飛行機の翼（62頁参照）と同じ原理で揚力を生み出す。ブレードは1分あたり何百回転もの速度で回転し、垂直離陸に必要な揚力を発生する。

ヘリコプターの各部位

ヘリコプターは軽量アルミ合金か合成素材製の胴体、上部に設けられた1つもしくは複数の回転翼（メインローター）、1つもしくは複数のエンジン、および変速機構から成る。多くの機体では尾部に小さな回転翼（テールローター）を備えている。これは機体がメインローターと逆方向に回るのを防止するためである。

スワッシュプレート

揚力と旋回はスワッシュプレートによって制御される。固定された下部スワッシュプレートとローターとともに回転する上部スワッシュプレートから構成され、下部スワッシュプレートを上下に動かしたり傾けたりすることでブレードの角度をコントロールしている。

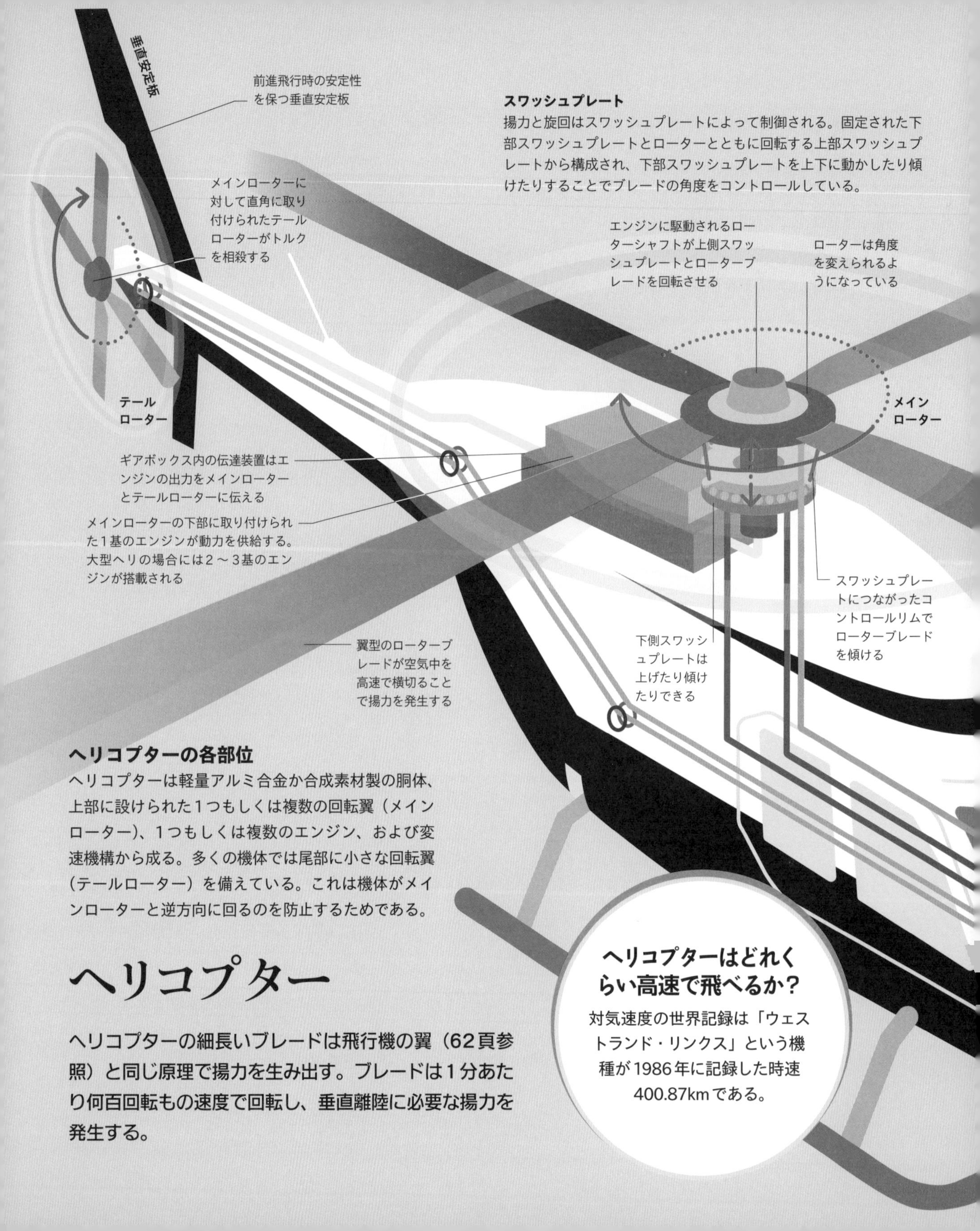

垂直安定板
前進飛行時の安定性を保つ垂直安定板
メインローターに対して直角に取り付けられたテールローターがトルクを相殺する
テールローター
エンジンに駆動されるローターシャフトが上側スワッシュプレートとローターブレードを回転させる
ローターは角度を変えられるようになっている
メインローター
ギアボックス内の伝達装置はエンジンの出力をメインローターとテールローターに伝える
メインローターの下部に取り付けられた1基のエンジンが動力を供給する。大型ヘリの場合には2～3基のエンジンが搭載される
スワッシュプレートにつながったコントロールリムでローターブレードを傾ける
下側スワッシュプレートは上げたり傾けたりできる
翼型のローターブレードが空気中を高速で横切ることで揚力を発生する

ヘリコプターはどれくらい高速で飛べるか？

対気速度の世界記録は「ウェストランド・リンクス」という機種が1986年に記録した時速400.87kmである。

コレクティブ・コントロールとサイクリック・コントロール

揚力を発生し、飛ぶ方向を制御するためにパイロットはコレクティブ・コントロールとサイクリック・コントロールを使用する。揚力を増減する際にはコレクティブ・レバーを介してスワッシュプレートを上下に動かし、すべてのブレードのピッチ（角度）を同時に変化させる。旋回の際にはサイクリック・スティックを用いてスワッシュプレートを傾け、これによってそれぞれのブレードに対してローターシャフトの前後で異なるピッチを与える。

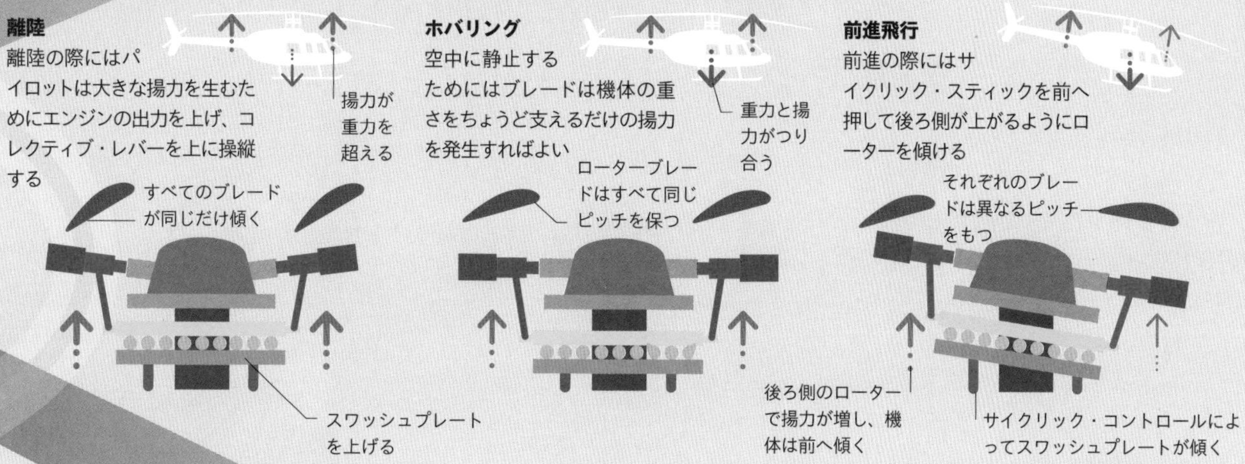
凡例
揚力
重力
離陸
離陸の際にはパイロットは大きな揚力を生むためにエンジンの出力を上げ、コレクティブ・レバーを上に操縦する
揚力が重力を超える
すべてのブレードが同じだけ傾く
スワッシュプレートを上げる
ホバリング
空中に静止するためにはブレードは機体の重さをちょうど支えるだけの揚力を発生すればよい
重力と揚力がつり合う
ローターブレードはすべて同じピッチを保つ
前進飛行
前進の際にはサイクリック・スティックを前へ押して後ろ側が上がるようにローターを傾ける
それぞれのブレードは異なるピッチをもつ
後ろ側のローターで揚力が増し、機体は前へ傾く
サイクリック・コントロールによってスワッシュプレートが傾く

1480年、レオナルド・ダ・ヴィンチは垂直に上昇する飛行体のアイデアをスケッチした

パイロットがサイクリック・スティックを使ってスワッシュプレートを傾けるとメインローターの片側の揚力が増す
コレクティブ・レバーによってスワッシュプレートを上げ下げすると、すべてのローターのピッチが同じように変化する
ペダルによってテールローターのブレードのピッチを変えると機体が旋回する

タンデムローター機

テールローターによって回転力を打ち消す代わりに、一部のヘリコプターでは互いに逆回転する2枚のローターを備えている。旋回の際には前後のローターをそれぞれ逆方向に傾ける。

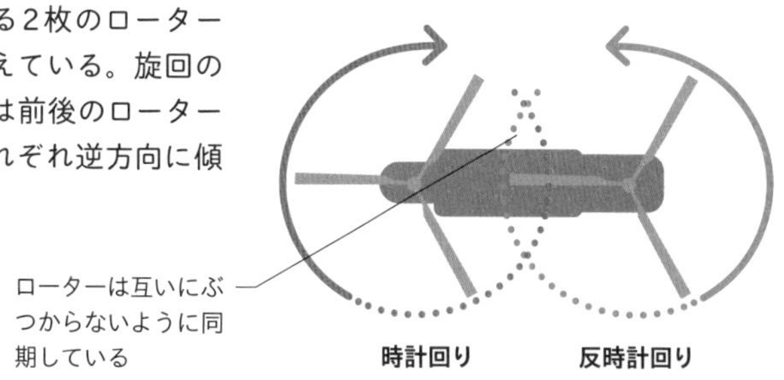
ローターは互いにぶつからないように同期している
時計回り
反時計回り

ドローン

ドローンは空を飛ぶロボットの一種である。娯楽用途で用いられるものが多いが、商業、軍事そのほかの重要な用途にも用いられている。

ドローンとは何か？

ドローンは無人航空機を意味する。遠隔操縦されるものが多いが、プログラムにより自律飛行ができるものもある。軽量化のために機体は樹脂や合成素材やアルミニウムなどの軽い材料でできている。写真や映像の撮影に使用されるものも多く、その場合はカメラを備えている。

ドローンの飛ぶしくみ

ドローンは電気モーターで駆動される回転翼によって飛行する。飛行のしくみはヘリコプター（64-65頁参照）と同様だが、多くのものは揚力と推力を発生するプロペラを複数備えている。最も普及しているのは4つのプロペラを用いる「クワッドコプター」である。

時計回りのプロペラを速く回す
すべてのプロペラは同じ速度で回っている

ホバリング

クワッドコプターのプロペラは2枚ずつ時計回りと反時計回りに回転し、トルク（回転しようとする力）を打ち消している。空中に静止しているときは4つのプロペラがすべて同じ速度で回転している。

左へ旋回する

ドローンを左へ旋回（ヨーイング）させるためには、時計回りのプロペラをより速く回転させる。右へ旋回する際には反時計回りのプロペラを増速する。

2014年には、飛行中のドローンが**鷹に捕獲**される様子が**そのドローンによって撮影**された

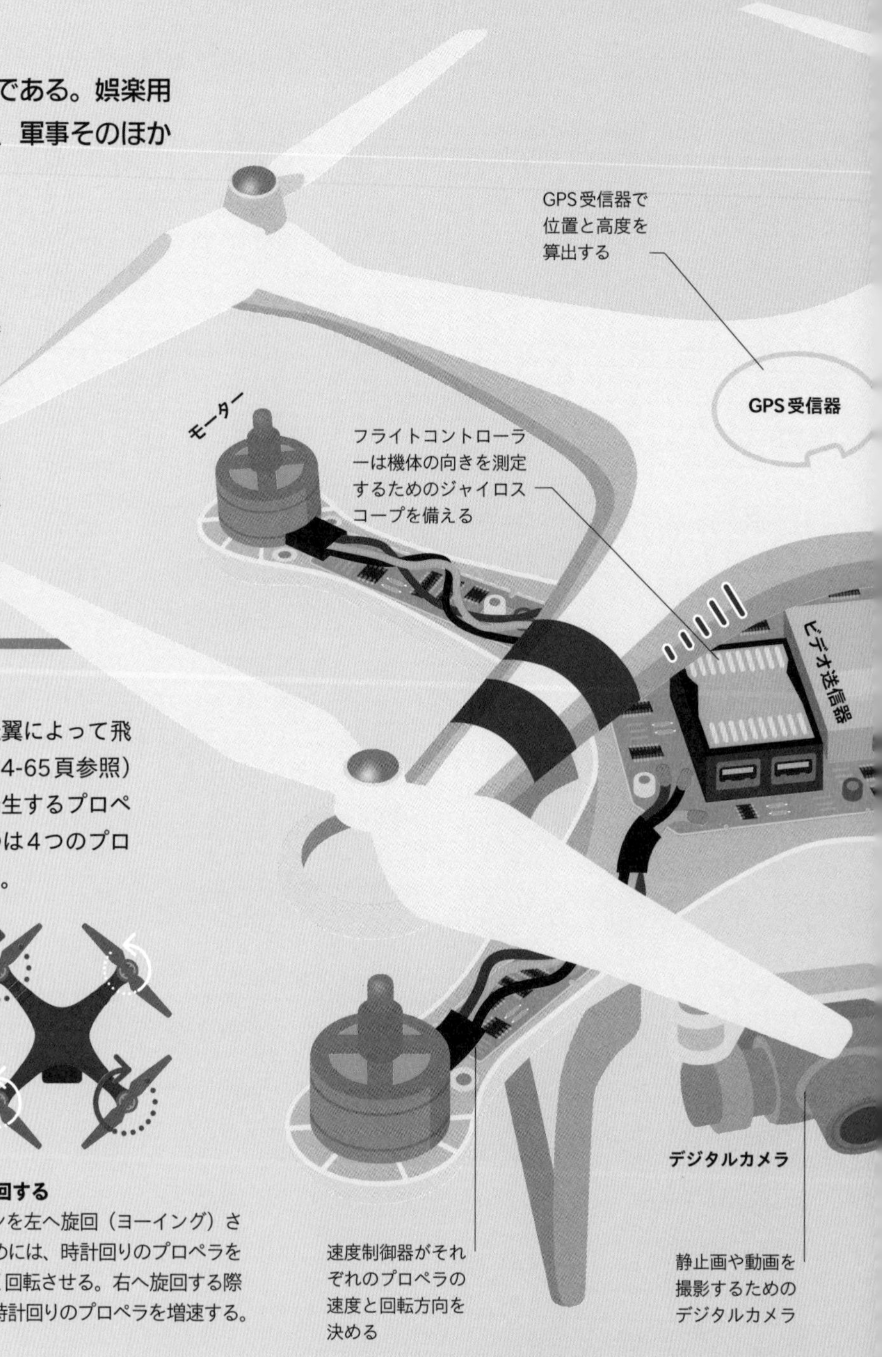

GPS受信器で位置と高度を算出する
GPS受信器
モーター
フライトコントローラーは機体の向きを測定するためのジャイロスコープを備える
ビデオ送信器
デジタルカメラ
速度制御器がそれぞれのプロペラの速度と回転方向を決める
静止画や動画を撮影するためのデジタルカメラ

クワッドコプター

クワッドコプターにはGPS（全地球測位システム）とフライトコントローラー、速度コントローラー、および制御信号を受信しデータを送信するための送受信システムが搭載されている。

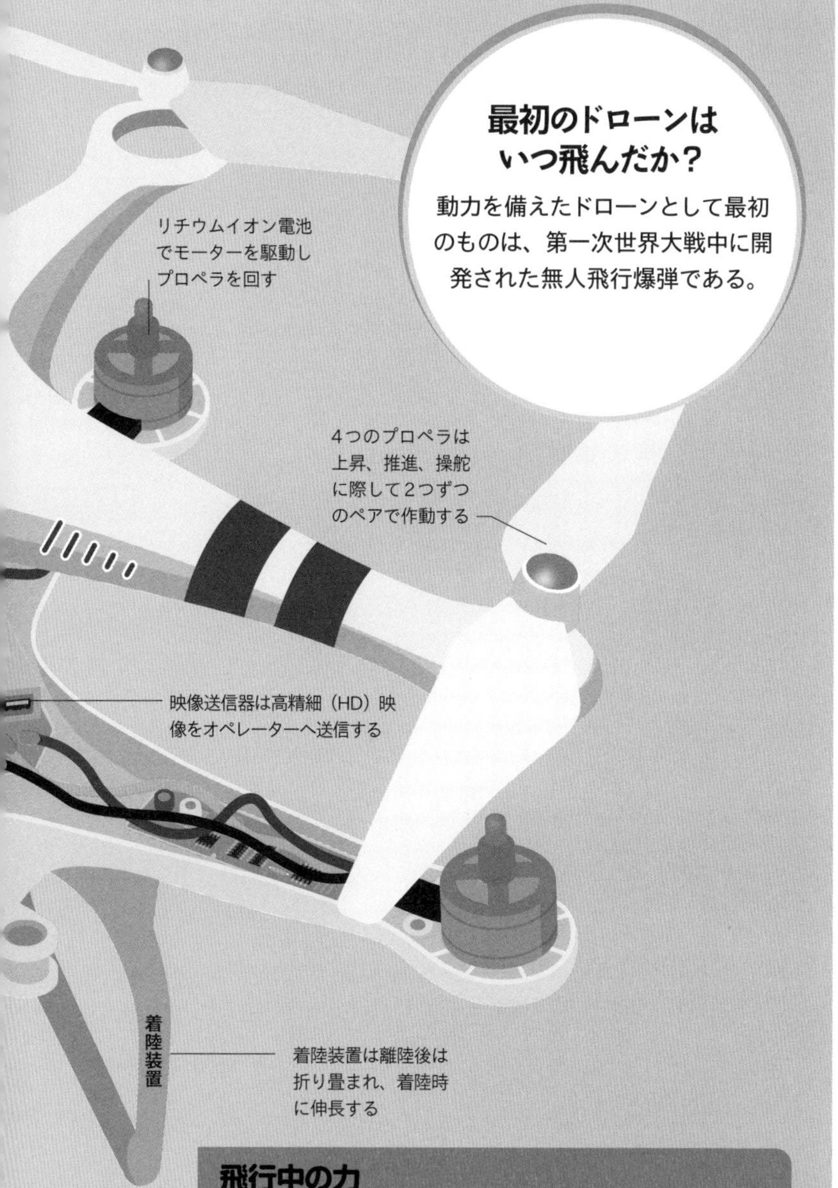
リチウムイオン電池
でモーターを駆動し
プロペラを回す
4つのプロペラは
上昇、推進、操舵
に際して2つずつ
のペアで作動する
映像送信器は高精細（HD）映
像をオペレーターへ送信する
着陸装置
着陸装置は離陸後は
折り畳まれ、着陸時
に伸長する

最初のドローンはいつ飛んだか？

動力を備えたドローンとして最初のものは、第一次世界大戦中に開発された無人飛行爆弾である。

飛行中の力

ドローンは飛行に関わる4つの力（38頁参照）のバランスによって飛行する。プロペラの生み出す揚力と推力がそれぞれ重力と抗力に打ち克つことで、垂直および水平方向への運動を実現している。

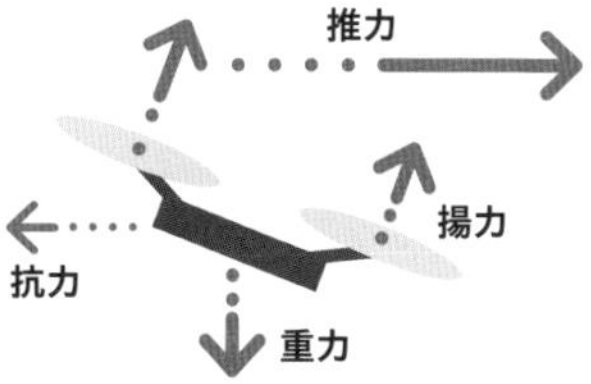
推力
揚力
抗力
重力

ドローンの用途

ほとんどどんな場所でも離着陸が可能で、空中に静止することもできるドローンは監視や空中写真、科学調査、地図作成、映像撮影など幅広い用途に活用されている。放送局では空中映像の撮影に使用され、農家では作物の状態を把握するために使われている（220頁参照）。考古学者は発掘現場を記録し、測量し、保全するために使う。野生動物保護団体は密猟者から動物を守るために使っている。

測量
ドローンによる空中写真は従来の地上測量よりも迅速な測量を可能にする。

軍事用途
長距離飛行するドローンを用いることで、パイロットを危険に曝すことなく監視や情報収集や攻撃を行うことができる。

災害救助
ドローンを使えば、地上輸送が不可能な場所にも医療器具や医薬品を届けることができる。

捜索救難
捜索や救難にもドローンが用いられる。到達の難しい場所にも物資を運ぶことができる。

配送
運輸会社では重量2kgまでの荷物をドローンで配達する実験を開始している。

水中調査
ドローンの多くは航空機だが、調査用途の無人潜水艇もドローンと呼ばれることがある。

無人宇宙探査機

無人宇宙探査機は太陽系を探査するための無人宇宙船である。これまでにさまざまな探査機が太陽系のすべての惑星や、一部の彗星や衛星などの小さな天体を訪れ、撮影した画像やデータを地球へ送り届けている。

地球から最も遠くへ到達した探査機は？

1977年に打ち上げられたボイジャー1号は地球から最も遠ざかった人工物であり、すでに宇宙を210億km以上も旅している。

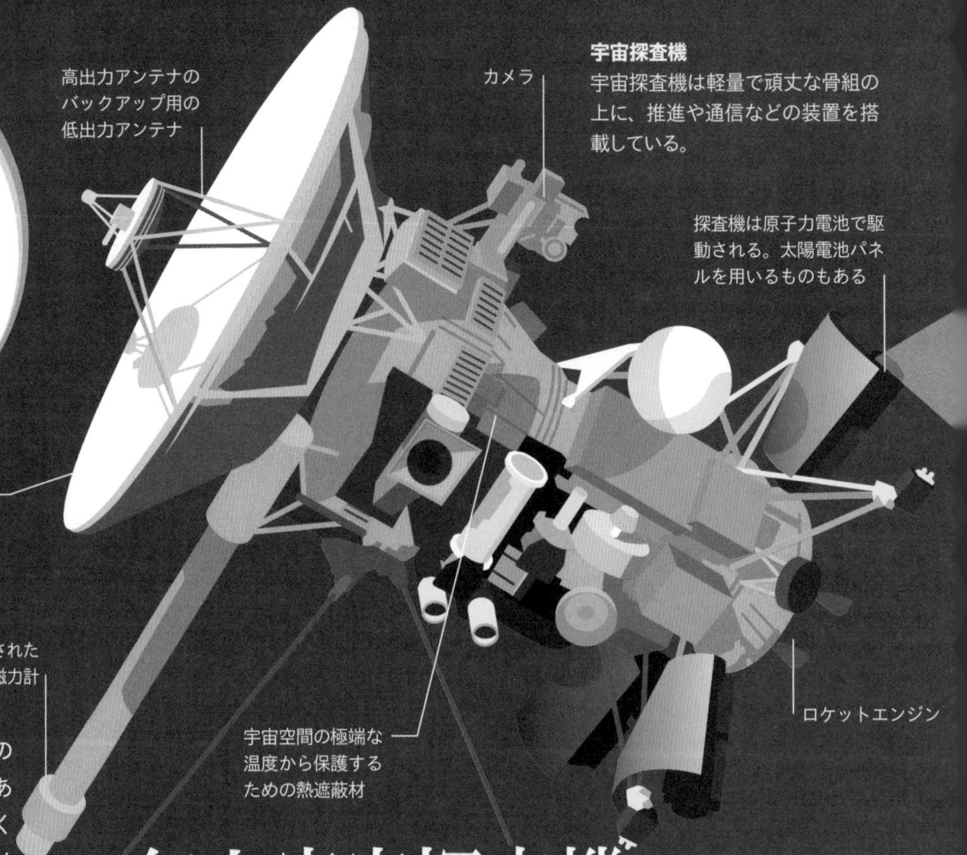

高出力アンテナのバックアップ用の低出力アンテナ
カメラ
宇宙探査機
宇宙探査機は軽量で頑丈な骨組の上に、推進や通信などの装置を搭載している。
探査機は原子力電池で駆動される。太陽電池パネルを用いるものもある
地球との電波の送受信用の高出力アンテナ
ブームに搭載された磁場測定用の磁力計
宇宙空間の極端な温度から保護するための熱遮蔽材
ロケットエンジン

宇宙を探索する

宇宙探査機の主な役割は、太陽系の遠い場所へ科学装置を運ぶことである。目的地点まで到達すると、多くの場合は軌道上を周回しながらカメラで写真を撮影したり、さまざまな装置によって磁場や放射線の強さ、塵の密度、温度などを測定したりする。こうしたデータは電波（180-81頁参照）によって地球へ送られる。

探査機の種類

宇宙探査機には、天体の近くを通過しながら観測するもの、天体を周回する軌道を回るものなどいくつかの種類がある。天体の大気圏へ小型の探査機を送り込むものや、地表まで着陸機を降下させるもの、天体の表面を移動できるような探査車を搭載するものもある。

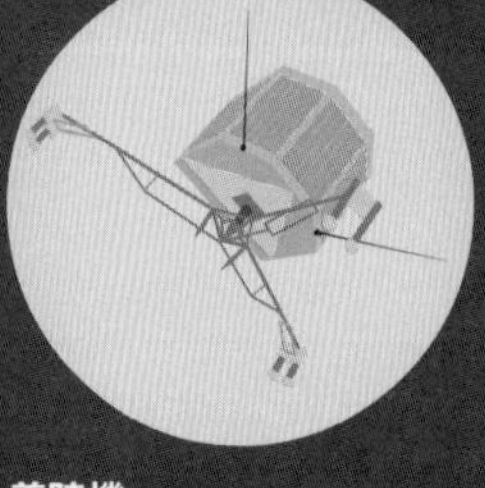

着陸機
着陸機は探査機から降下して観測対象となる天体の表面に到達する。着陸地点に留まり、そこから地球へデータを送信する。

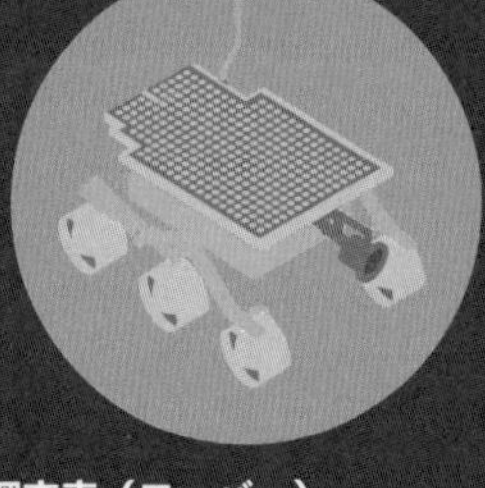

探査車（ローバー）
着陸機と異なり、探査車は天体の表面を移動する。自律制御型と半自律制御型のものがある。

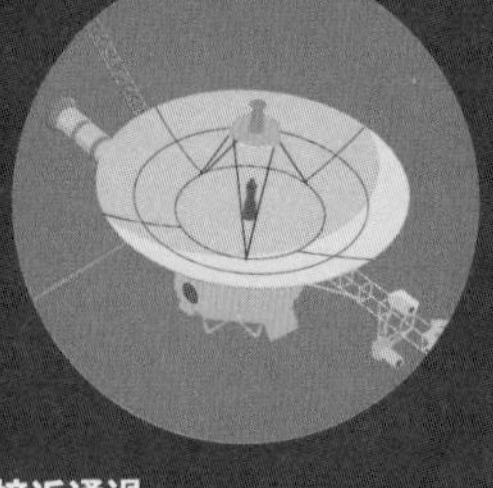

接近通過
接近通過型の探査機は天体などの付近を通過しながらデータを収集する。対象となる天体の重力圏に囚われてしまわない程度の距離を保って飛行する。

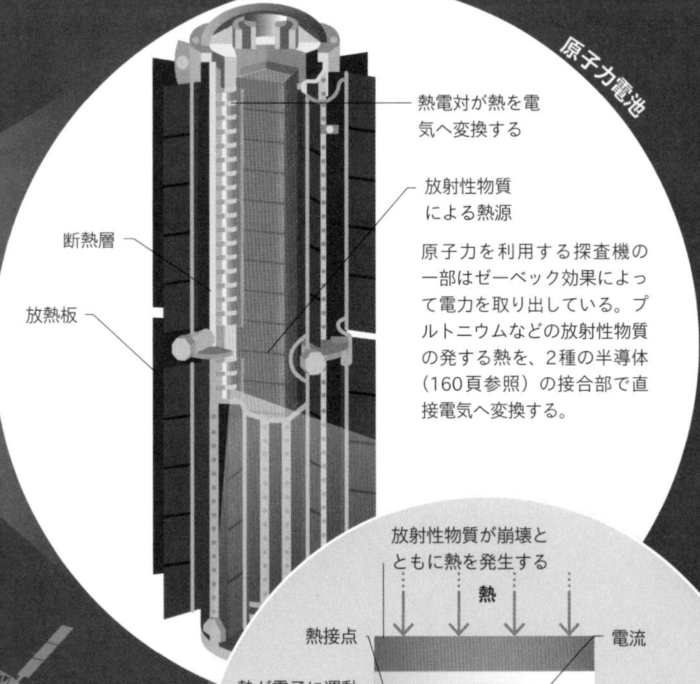
原子力電池
熱電対が熱を電気へ変換する
放射性物質による熱源
断熱層
放熱板

原子力を利用する探査機の一部はゼーベック効果によって電力を取り出している。プルトニウムなどの放射性物質の発する熱を、２種の半導体（160頁参照）の接合部で直接電気へ変換する。

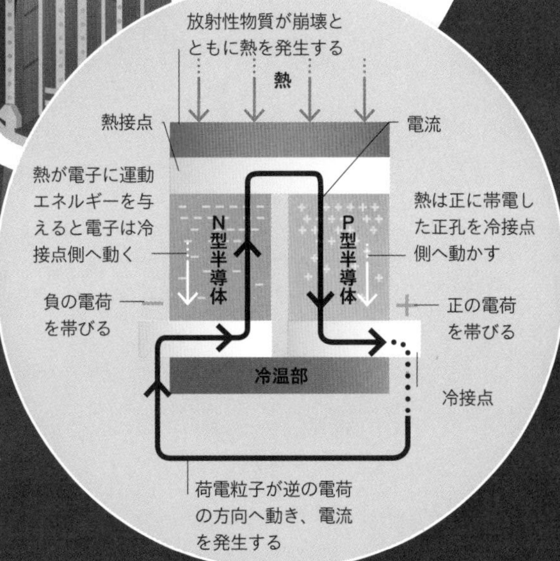
放射性物質が崩壊とともに熱を発生する
熱
熱接点
電流
熱が電子に運動エネルギーを与えると電子は冷接点側へ動く
N型半導体
P型半導体
熱は正に帯電した正孔を冷接点側へ動かす
負の電荷を帯びる
正の電荷を帯びる
冷温部
冷接点
荷電粒子が逆の電荷の方向へ動き、電流を発生する

1962年、**マリナー2号**が**初めて地球以外の太陽系惑星である金星に到達**した

探査機を着陸させる

着陸機はさまざまな方法で惑星などの天体に着陸する。典型的なものでは、大気中を降下しながらパラシュートで減速し、逆推進ロケットでさらに速度を落とす。着陸の衝撃はエアバッグなどで吸収する。

1　大気圏突入
大気に突入すると小さな誘導パラシュートを開き、続いてメインパラシュートを開いて減速する。

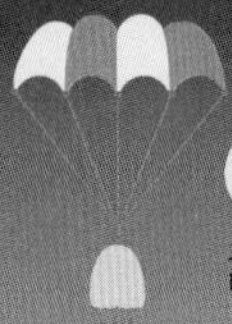

2　レーダー
レーダーによって高度を計測し、それに従って制御を行う。

3　エアバッグを展開
熱シールドを外し、着陸機を包み込むように大きなエアバッグを膨らませる。

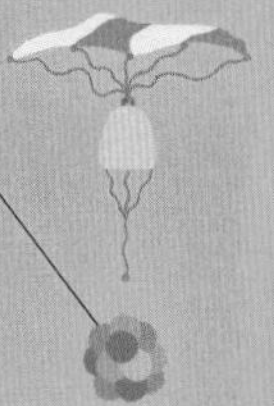
エアバッグごと切り離される

4　着陸
逆推進ロケットに点火し、着陸機を吊っていたケーブルを切り離して地表へ降下させる。

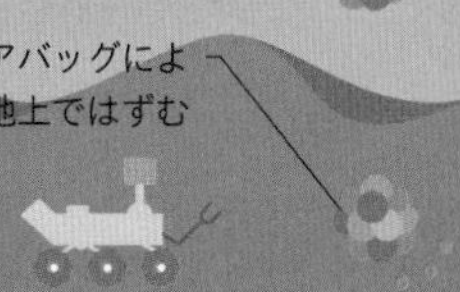
エアバッグにより地上ではずむ

5　地表に到達
着陸機は地面を転がった後、静止してエアバッグをしぼませ、体勢を垂直に立て直す。大気圏突入から着陸まではわずか数分間で完了する。

宇宙探査機の推進力
化学ロケット 化学燃料を燃やすロケット（61頁参照）は大きな推力を発生することができ、地上からの打ち上げや軌道修正に用いられる。微妙な姿勢制御にはガススラスターが用いられる。
イオンエンジン イオンエンジン（イオンスラスター）は小量の荷電粒子（イオン）を電気的に加速して放出することで推力を得る。電気を発生するためのエネルギー源が必要である。
太陽帆 太陽帆（光帆、ソーラーセイル）は燃料を必要とせず、大きな鏡のような帆で太陽の放射圧を受けることで推力を得る。太陽光の光子が帆で反射し、その反作用が逆側への力を生む。

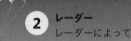

第3章

材料と建設の技術

金属

純粋な金属や、金属をほかの元素と混合した合金は何千年も前から使われている。装身具や食器から、橋や宇宙船まで、金属はありとあらゆるものの原料として使われている。

光沢
金属表面には光を吸収し再放出する自由電子が多く分布し、光沢のある外観を呈する。

熱伝導性
金属中の電子は自由に運動できるため、受け取った熱エネルギーを伝達する速度が速い。

強さ
金属の原子は規則的に並んでおり、自由電子によって強く結びついているので丈夫である。

電気伝導性がよい
金属中の電子が電荷を帯びて自由に移動するため、電流が流れやすい。

融点が高い
金属原子は強く結合しているのでばらばらにするためには多くの熱が必要になる。

変形しやすい
金属は構成する原子の層がずれやすい構造をしており、塑性変形が容易である。

金属の性質

金属は強靭である一方で可鍛性(形を変えることができる)があり、熱や電気の伝導性がよく、融点が高い。純粋な金属は柔らかすぎたり脆すぎたりして使いにくいものが多いが、ほかの物質と組み合わせて合金にすることで改善できる場合も多い。日常生活に登場する金属のほとんどは合金であり、そのうち最も多いのは鋼鉄である。

製鉄

鋼は鉄と小量の炭素の合金である(炭素が約2%を超えるものは鋳鉄と呼ばれる)。鋼を製造する方法は主に2種類あり、1つは転炉(塩基性酸素転炉、BOC)を用いて高炉で製造された鉄から鋼を作る方法である。もう1つは電気製鋼炉(EAF)を用いて屑鉄から鋼を作る方法である。鋼はさらに合金成分を加えることで品質を改善される。

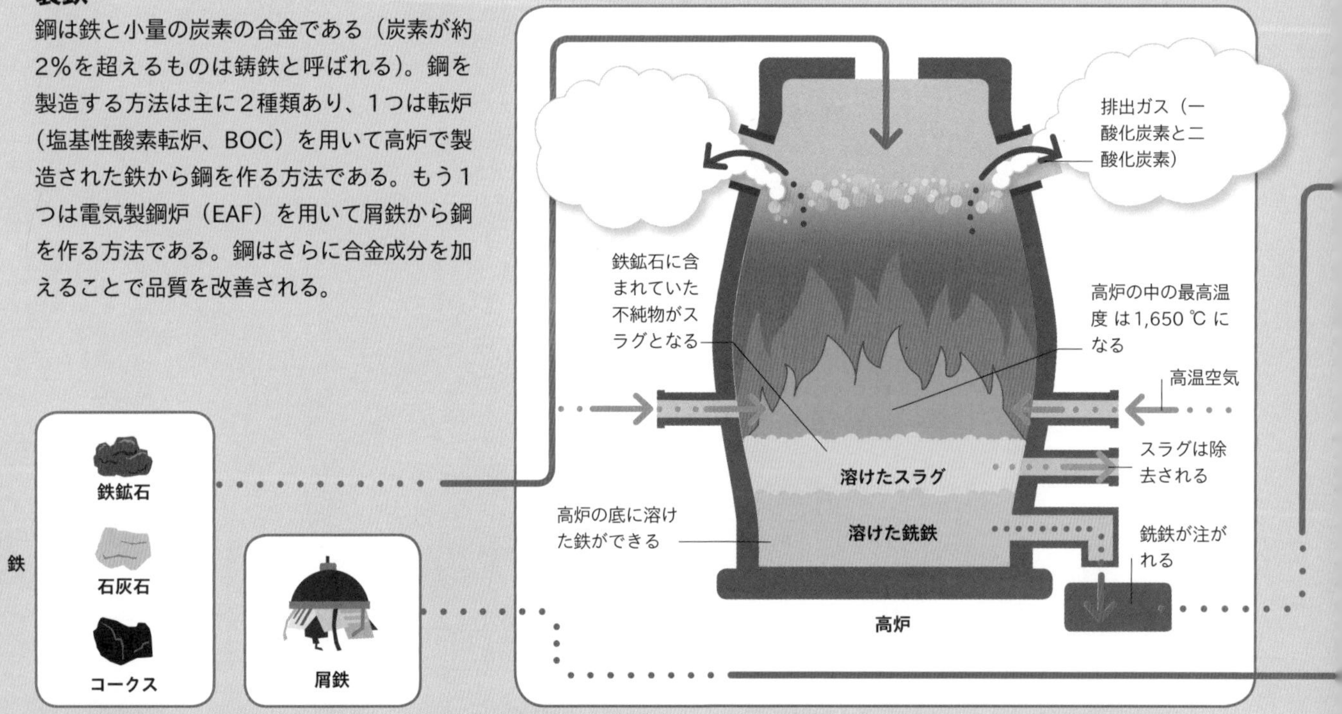

鉄
鉄鉱石
石灰石
コークス
屑鉄
排出ガス(一酸化炭素と二酸化炭素)
鉄鉱石に含まれていた不純物がスラグとなる
高炉の中の最高温度は1,650℃になる
高温空気
溶けたスラグ
スラグは除去される
高炉の底に溶けた鉄ができる
溶けた銑鉄
銑鉄が注がれる
高炉

1 原材料
銑鉄の原材料は鉄鉱石(不純物を含む酸化鉄)、石灰石(炭酸カルシウム)、コークス(炭素)である。鋼の原料となるのは高炉で製造された鉄やそれに屑鉄を加えたもの、あるいは屑鉄そのものである。

2 製鉄
高炉ではコークスと高温の空気が反応して一酸化炭素が発生し、これが鉄鉱石と反応することで銑鉄(高濃度の炭素を含む鉄)が作られる。鉄鉱石中の不純物の大部分は石灰石の作用で除去される。不純物は溶融した銑鉄の上部にスラグ(鋼滓)を形成する。

青銅
約5,000年前に人類が初めて作った合金であり、銅と錫《スズ》を溶かし混ぜることで作られる。青銅は大気による腐食への耐性があり、とても丈夫である。

スターリングシルバー
92.5%の銀とそのほかの金属（多くは銅）による合金をスターリングシルバーと呼ぶ。そのほかの金属を加えることで純銀よりも堅く丈夫になる。

はんだ
もともと錫《スズ》と鉛の合金だが、最近では錫、銅、銀から作られている。180℃から190℃くらいで融解するものが多い。

鋳鉄
鋳鉄は鉄に約2%以上の炭素を加えた合金である。鋳造しやすく腐食に強いほか、圧縮強度に優れる。

真鍮
銅と亜鉛の合金であり、融点が比較的低い（約900℃）ため鋳造しやすい。真鍮は耐久性があり、青銅よりも造形が容易で、磨くと金に似た輝きを呈する。

ステンレススチール
ステンレススチールにはさまざまな種類があるが、74%の鉄、18%のクロム、8%のニッケルを含むものが普通である、クロムは合金の耐食性を高める。

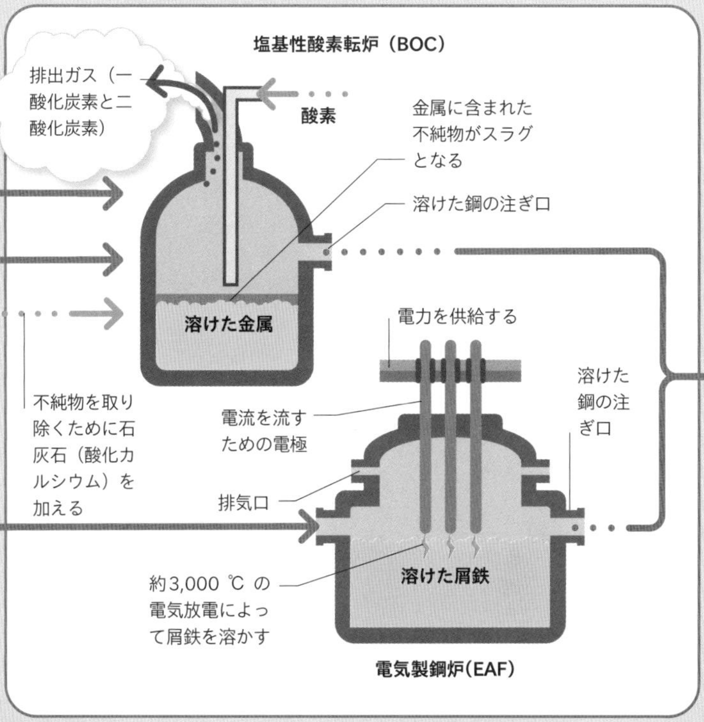

純粋な鉄はナイフで切れるくらい柔らかい

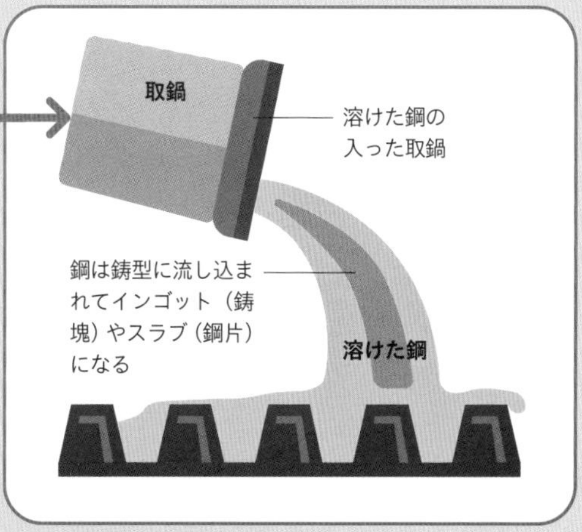

3 製鋼
転炉では吹き込まれた酸素によって銑鉄中の炭素分が除去され、鋼ができる。不純物を取り除くために石灰も加えられ、不純物は溶けたスラグの層を形成する。転炉に屑鉄が加えられる場合もある。電気製鋼炉の場合は単に屑鉄を溶かすだけである。

4 溶鉱の鋳造や圧延
溶けた鋼は取鍋《とりべ》で運び、鋳型に流し込んだり圧延ローラーにかけたりして成形される。作られた鋼はそのまま製品となるほか、さらに別の工程で成分元素を添加されて高品質や特殊な鋼へ加工される。

金属加工

多くの金属はインゴット（塊）や薄板や棒状の形で生産されるため、これで製品を作るには成形やほかの部材との接合が必要となる。また、加工性や耐食性など金属自体の性質を改良することが必要になる場合もある。

金属の成形

金属の結晶構造は加熱によって微細化する。これにより金属はまず柔らかくなり、さらには融解して成形しやすい状態となる。冷えると金属は再結晶化して再び固くなる。こうした性質を利用した処理工程を熱間加工と呼び、鋳造、押し出し、鍛造、圧延などの加工法がある。また、金属は加熱せずに加工することもでき、これを冷間加工と呼ぶ。冷間加工においては熱ではなく機械的な力によって金属に変化が加えられる。

熱間加工

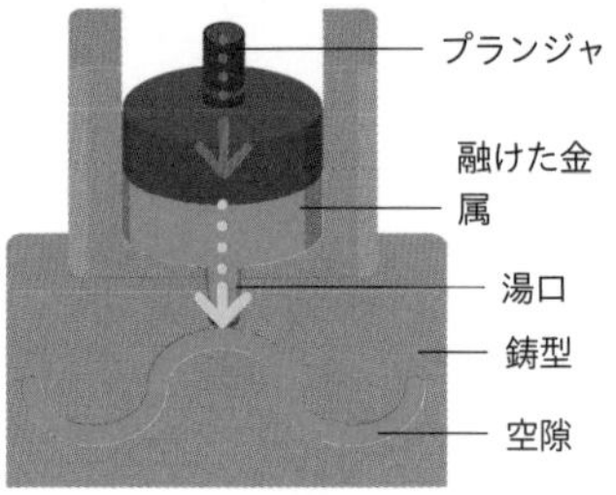

鋳造

溶融した金属を湯口から流し込み、冷えてから取り出す。立体的で複雑な形状の成形に用いられることが多い。

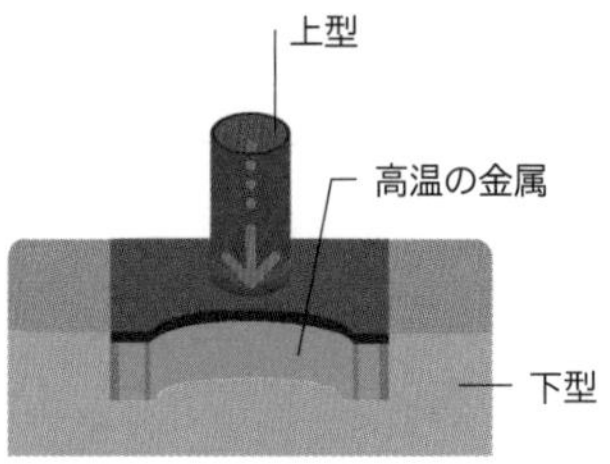

鍛造

鍛造は、鍛冶《かじ》職人のハンマーと鉄床を近代的な機械に置き換えたものである。高温の金属を2つの金型で挟んで圧力をかけ、求める形に成形する。金型の片方は固定されている。

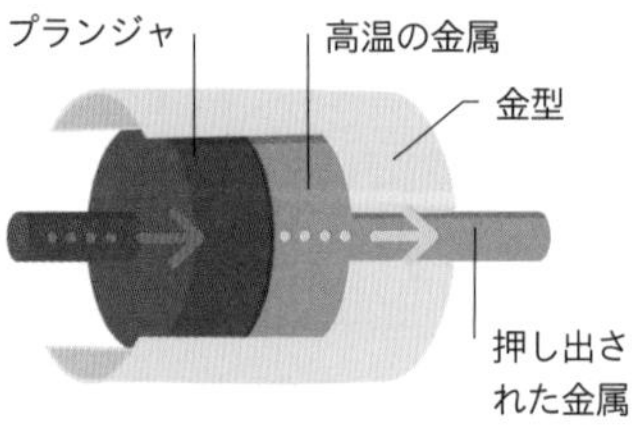

押し出し

金属を加熱して柔らかくし、型を通じて押し出す。棒や管など、単純で一定の断面形状の成形に用いられることが多い。

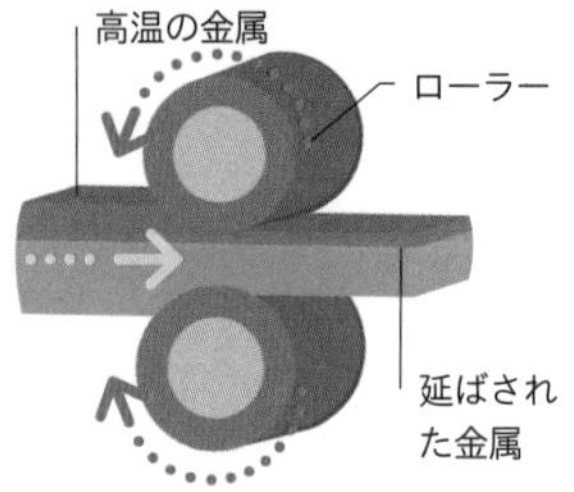

圧延

圧延ではスラブ状の高温金属をローラーの間に通し、薄く延ばすように加工する。板金などの構造部材を作るために用いられる。

金属の接合

金属同士を接合する方法として主に用いられるのはろう付け（はんだ付け）、溶接、リベット留めなどである。ろう付けと溶接は、金属は加熱すると軟化し冷やすと再び固化するという性質を利用している。ろう付け（はんだ付け）では融点が低く柔らかい金属を接着剤のように使うため接合の強度は小さい。溶接では2つの金属が溶けて融合するため強固に接合できる。リベットも接合の強度は大きく、熱による膨張や収縮にも強い。また溶接より安価である。ただしリベットは溶接に比較して仕上がりの見た目が劣るため、構造物の内部や産業用途の製品に用いられることが多い。

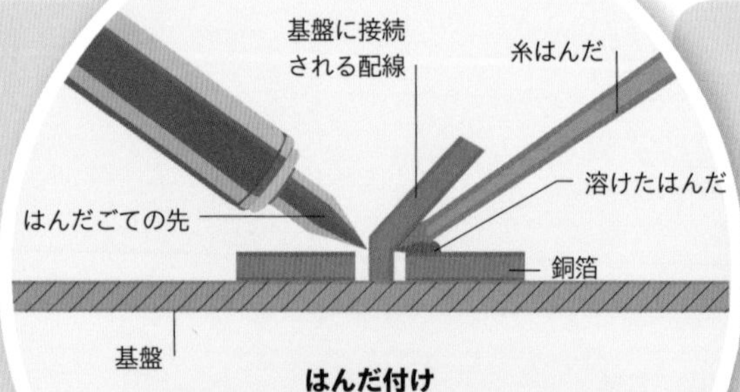

はんだ付け

はんだ付けは電子機器内部の接合や配線に用いられる。柔らかい金属であるはんだを溶かして金属の間に流し込み、冷やして接合する。

冷間加工

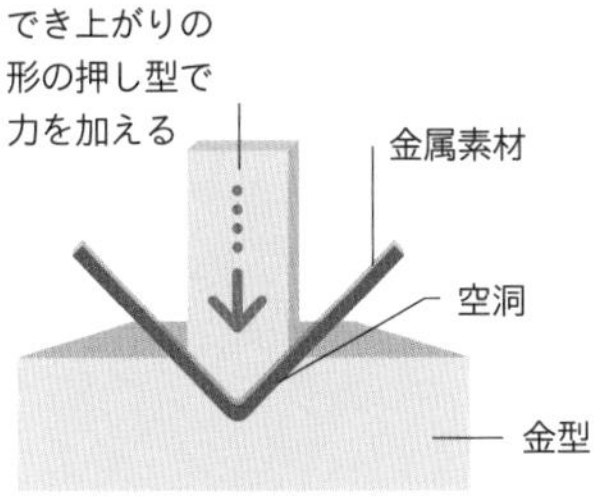

プレス

金属素材を金型のでき上がりの形の空洞に押し付けて成形する。この工程は冷間鍛造とも呼ばれる。

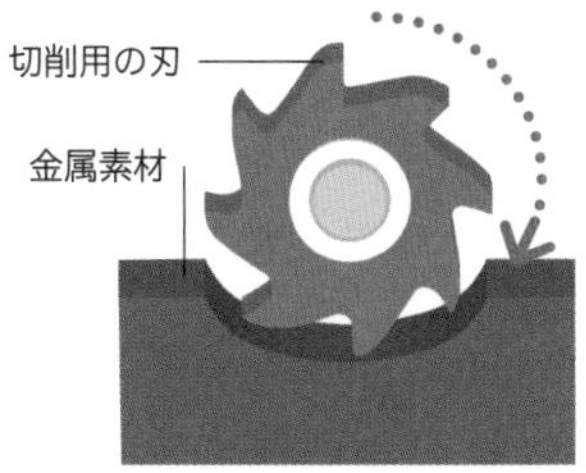

切削

フライス盤などの機械を用いて、刃で金属素材を削ることで成形する。加工中には素材と刃先に冷却液を散布する。

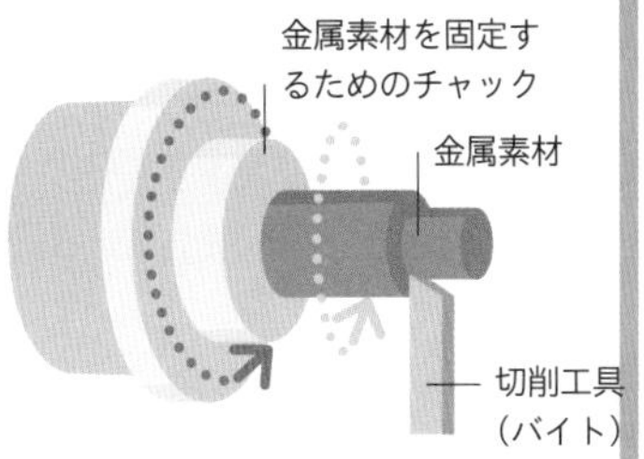

旋盤加工

素材を旋盤で回転させ、固定された切削工具によって成形する。旋盤による加工品は必ず回転軸に対して対称形になる。

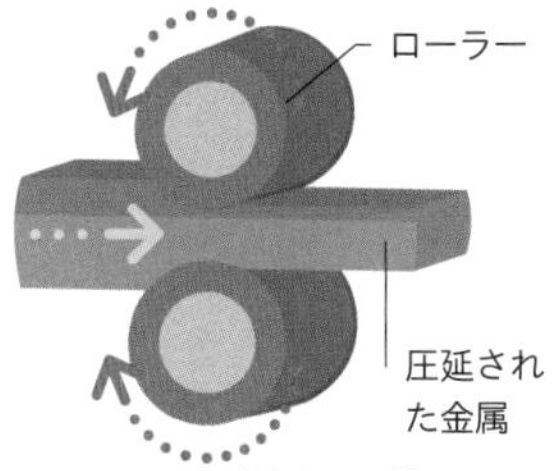

圧延（冷間圧延）

ロールによって金属を成形する。冷間圧延は板金や棒状、線状の素材を表面が滑らかで正確な寸法の製品へ加工する際に使用される。

3,150℃

ガス溶接の炎が達しうる温度

金属の処理

金属は性質を変化させるためにさまざまな方法で処理される。一般的な処理として金属の脆性（もろさ）を低減するものや、錆や腐食を防止するものがある。

焼戻し

特定の温度まで加熱して徐々に冷ますと、金属は柔らかく、粘り強くなる。

酸化皮膜加工

金属を電解液に浸して電流を流すと表面に酸化金属の皮膜が形成され、耐食性が向上する。

亜鉛めっき（溶融亜鉛めっき）

溶融した亜鉛に金属を浸し、防錆性のある亜鉛の皮膜を形成する。

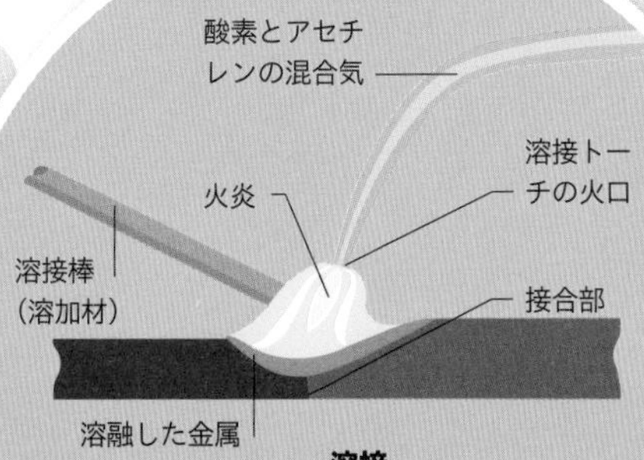

溶接

溶接では局所的な加熱により接合部付近の2つの金属部材を溶かす。接合強度を上げるために、融点の近い金属を溶加材として加える場合がある。

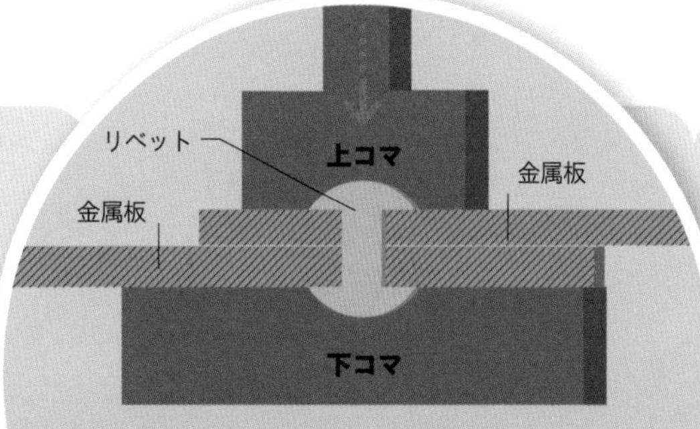

リベット留め

あらかじめ開けた孔にリベットと呼ばれる円柱状の金属を通し、型を用いて端部をドーム状にかしめる（成形する）。大規模な構造物ではリベットの代わりにボルトを用いる方が一般的である。

コンクリート

人工の石材といえるコンクリートは建造物の材料としてさまざまな用途に広く使用されている。比較的安価で製造も容易く、建設材料に適した性質をもつ。丈夫で（特に圧縮強度が高い）、耐久性、耐火性、耐食性に優れ、あまりメンテナンスを必要とせず、型に流すことでどんな形にでも成形できる。

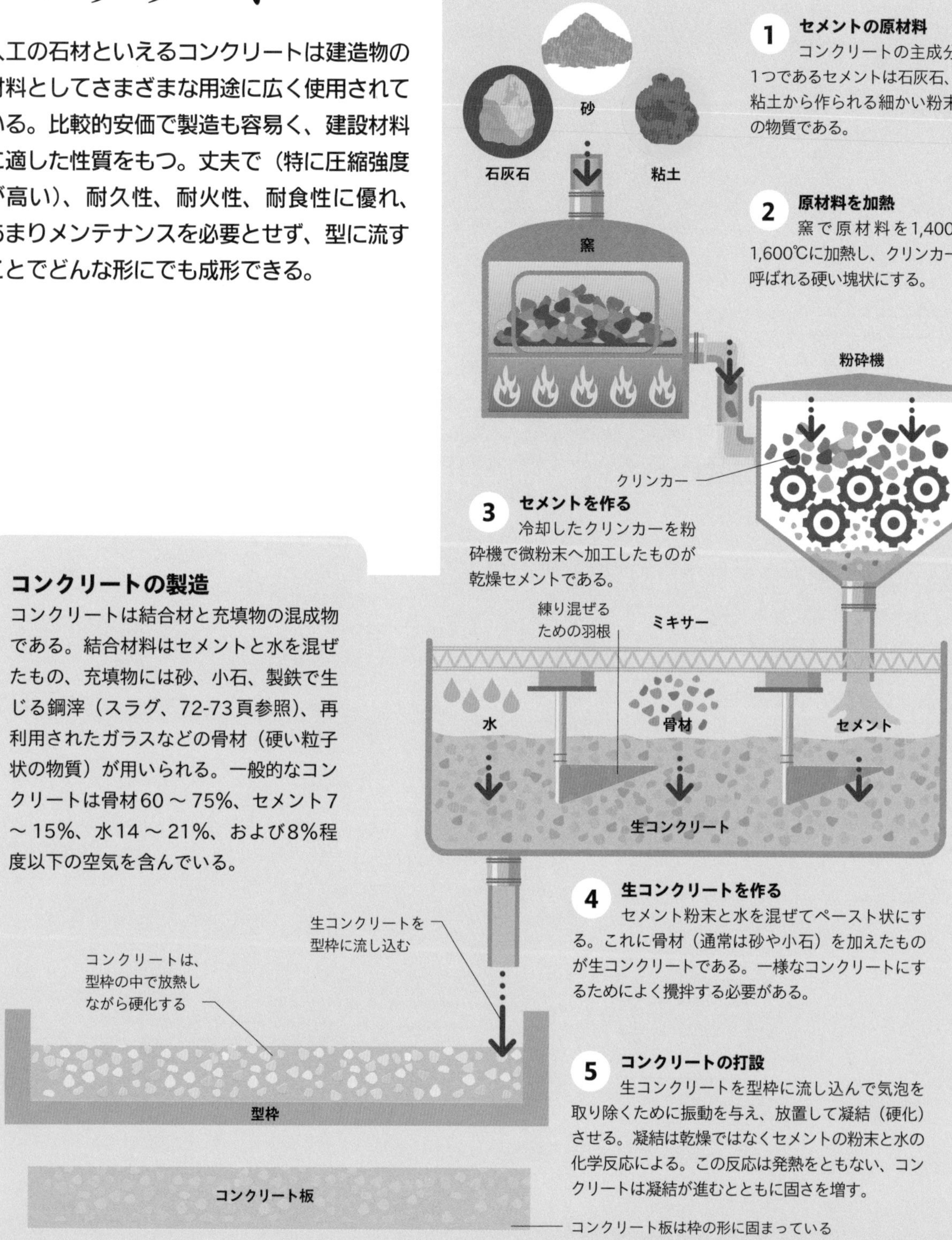

砂
石灰石
粘土
窯
粉砕機
クリンカー
練り混ぜるための羽根
ミキサー
水
骨材
セメント
生コンクリート
生コンクリートを型枠に流し込む
コンクリートは、型枠の中で放熱しながら硬化する
型枠
コンクリート板
コンクリート板は枠の形に固まっている

1 セメントの原材料

コンクリートの主成分の1つであるセメントは石灰石、砂、粘土から作られる細かい粉末状の物質である。

2 原材料を加熱

窯で原材料を1,400～1,600℃に加熱し、クリンカーと呼ばれる硬い塊状にする。

3 セメントを作る

冷却したクリンカーを粉砕機で微粉末へ加工したものが乾燥セメントである。

コンクリートの製造

コンクリートは結合材と充填物の混成物である。結合材料はセメントと水を混ぜたもの、充填物には砂、小石、製鉄で生じる鋼滓（スラグ、72-73頁参照）、再利用されたガラスなどの骨材（硬い粒子状の物質）が用いられる。一般的なコンクリートは骨材60～75%、セメント7～15%、水14～21%、および8%程度以下の空気を含んでいる。

4 生コンクリートを作る

セメント粉末と水を混ぜてペースト状にする。これに骨材（通常は砂や小石）を加えたものが生コンクリートである。一様なコンクリートにするためによく攪拌する必要がある。

5 コンクリートの打設

生コンクリートを型枠に流し込んで気泡を取り除くために振動を与え、放置して凝結（硬化）させる。凝結は乾燥ではなくセメントの粉末と水の化学反応による。この反応は発熱をともない、コンクリートは凝結が進むとともに固さを増す。

コンクリートを強くする

大きな構造物では、メッシュ状や棒状の鋼鉄（鉄筋）で補強したコンクリートを用いることが多い。さらに強度を増すためにプレストレスをかける（完全に凝結する前に鉄筋に張力をかけ、圧縮応力を加える）こともある。

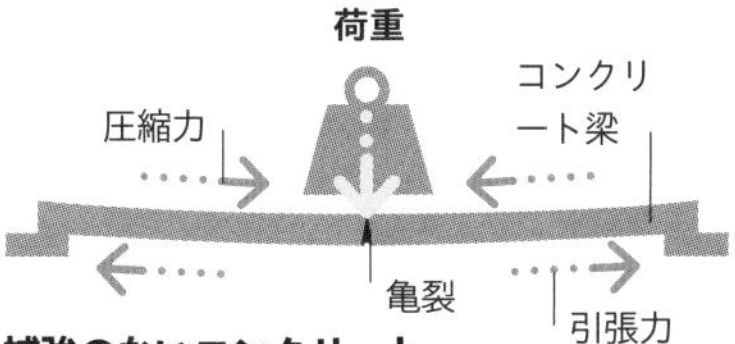

補強のないコンクリート
コンクリートは圧縮には強いが引っ張りには弱い。大きな荷重がかかるとコンクリートは撓み、亀裂を生じる場合がある。

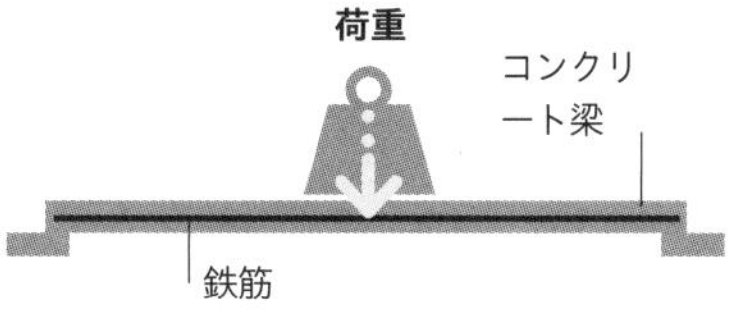

鉄筋コンクリート
コンクリート内部に鉄筋を配置すると、大きな荷重に対しても撓みと亀裂を防止することができる。

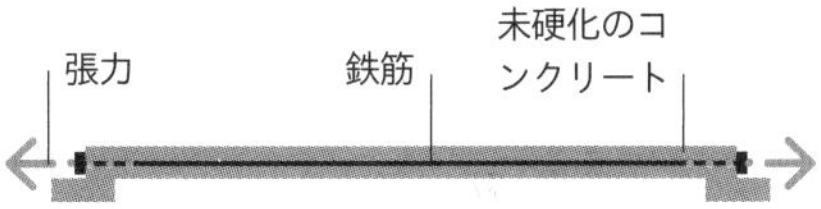

プレストレストコンクリートの製法
鉄筋に張力をかけてコンクリートを打設する。硬化すると鉄筋とコンクリートは一体化する。

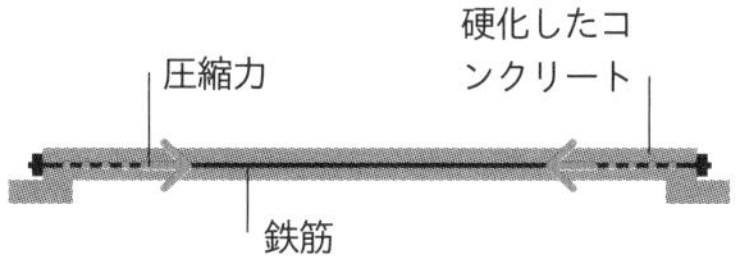

硬化したプレストレストコンクリート
硬化した後に鉄筋への張力を除くと、鉄筋はコンクリートに圧縮力を与えて強度を増す。

コンリートの癌とは何か？

コンクリート内部の鉄筋が錆びて膨張すると鉄筋コンクリートには変色や亀裂が生じ、最終的に内部から破壊されることがある。この現象はコンクリートの癌と呼ばれている。

（訳注：日本ではアルカリ骨材反応という別の劣化現象を「コンクリートの癌」と呼ぶことも多い）

古代ローマ人は**ポッツォラーナ**と呼ばれる**火山灰**を用いて**コンクリート**を作っていた

コンクリートによる巨大構造物

最大級の建造物の多くはコンクリート製である。世界最大のコンクリート構造物は中国の三峡ダムで、7,200万ｔのコンクリートが使用されている。建物ではペトロナスツインタワーが最大である。

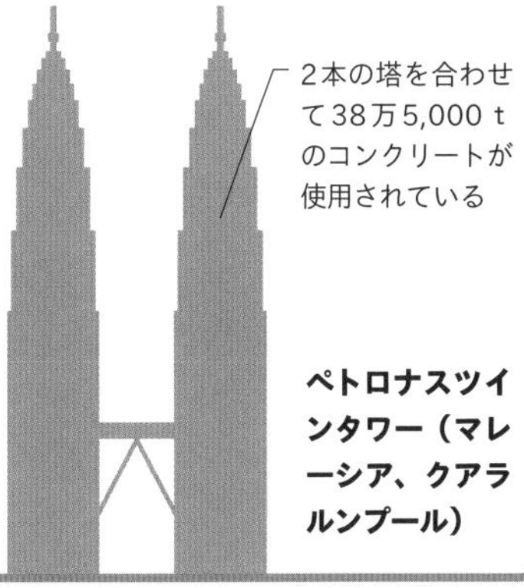

ペトロナスツインタワー（マレーシア、クアラルンプール）

コンクリートの種類

種類	特徴
プレキャストコンクリート	建設現場で打設・養生される通常のコンクリートと異なり、工場などであらかじめ打設と養生を済ませ、現場へ輸送して据えつけるもの。
重量コンクリート	鉄・鉛・硫化バリウムなど特殊な骨材を用いた、単位体積あたりの質量の大きなコンクリート。放射線の遮蔽に用いられる。
吹き付けコンクリート	金網などの芯に高圧で吹き付けられるコンクリート。擁壁やトンネルの内壁、プールを造る際などに用いられる。
ポーラスコンクリート	粗い骨材を用いるなどして製造される空隙の多いコンクリートで、水を透過する。
速硬コンクリート	塩化カルシウムなどの添加剤を加えて硬化を速め、数時間で耐力を獲得することのできるコンクリート。
再生ガラスコンクリート	再利用したガラスを骨材に用いるコンクリート。一般的なコンクリートに比較して強度が高く、断熱性がよい。外観は大理石に似る。

プラスチック

プラスチック（樹脂）はポリマー（モノマーと呼ばれる単位が繰り返し鎖状に連なったもの）からなる人工の材料である。安価かつ生産が容易で使途も多く、現代世界で最も広く使われている材料の1つである。

熱可塑性樹脂
樹脂中の高分子同士の架橋結合力が弱いため、加熱すると容易にバラバラになって形を変えることができ、冷えると再び固まる。

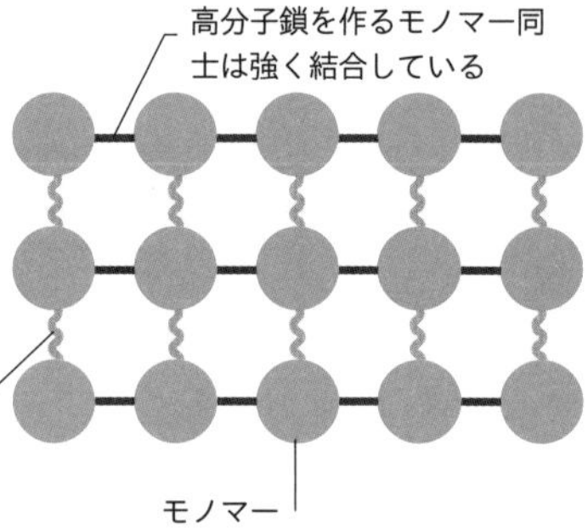

高分子鎖を作るモノマー同士は強く結合している
架橋結合は弱い
モノマー

プラスチックの種類

プラスチックには2種に大別できる。ポリエチレン、ポリスチレン、ポリ塩化ビニルなどは熱可塑性樹脂と呼ばれ、容易に融けるので再利用することも可能である。ポリウレタン、メラミン、エポキシ樹脂など加熱により硬化するものは熱硬化性樹脂と呼ばれ、一度硬化すると再び融かすことはできない。熱可塑性樹脂に比較すると使われる場面は限られている。

熱硬化性樹脂
熱硬化性樹脂で架橋結合力が強い。低温では柔らかいが加熱すると恒久的に固まる（硬化する）。

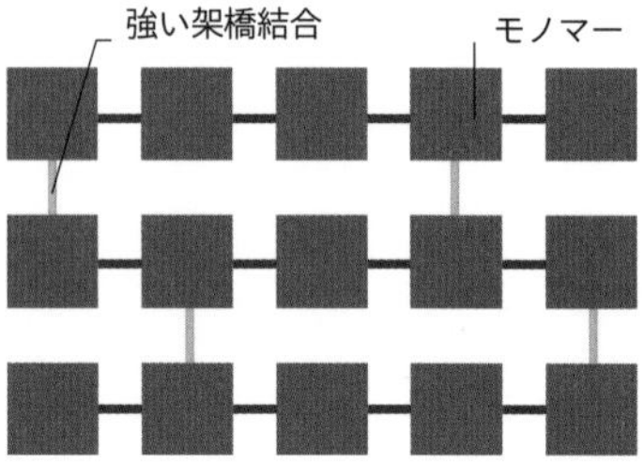

強い架橋結合
モノマー

ポリエチレンの製造
ポリエチレンはエチレンの重合体である。エチレンは常温で気体の無色の炭化水素であり、原油から精製される。ポリエチレンは大別してプラスチックバッグなどの薄いシートとして使われる低密度ポリエチレン（LDPE）、固い樹脂製品に使われる高密度ポリエチレン（HDPE）の2種が生産される。ここに示したのはスラリー法と呼ばれる高密度ポリエチレンの製法である。

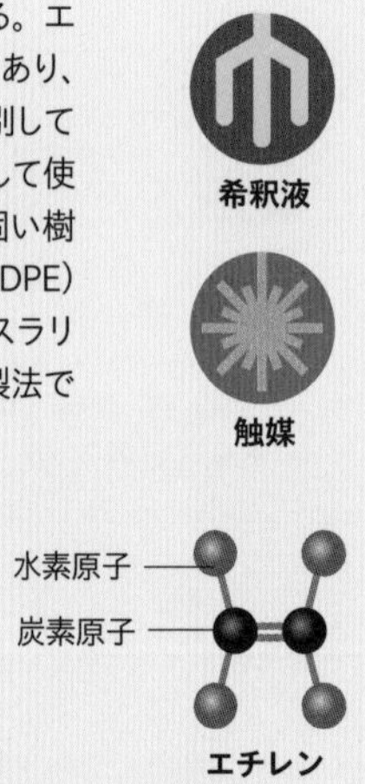

希釈液
触媒
水素原子
炭素原子
エチレン

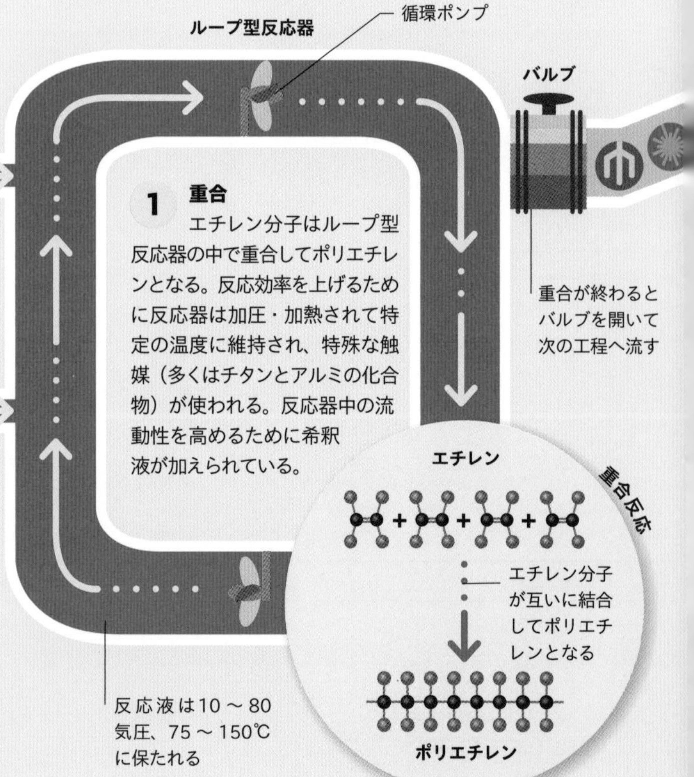

ループ型反応器
循環ポンプ
バルブ
1 重合
エチレン分子はループ型反応器の中で重合してポリエチレンとなる。反応効率を上げるために反応器は加圧・加熱されて特定の温度に維持され、特殊な触媒（多くはチタンとアルミの化合物）が使われる。反応器中の流動性を高めるために希釈液が加えられている。
重合が終わるとバルブを開いて次の工程へ流す
エチレン
重合反応
エチレン分子が互いに結合してポリエチレンとなる
ポリエチレン
反応液は10～80気圧、75～150℃に保たれる

プラスチックの製造

プラスチックの大半は原油の分留（14-15頁参照）によって得られる石油化学製品を原料としている。ポリエチレンの場合は石油化学製品を処理して作られたエチレン（エテン）などのモノマーを重合させる。重合反応ではモノマー同士が反応して長い高分《こうぶん》子《し》鎖《さ》（ポリマー）を作る。物性を変えるためにポリマーにほかの化学物質を加えることもある。こうして作られたポリマー樹脂はさまざまな製品に成形することができる。

最初のプラスチックは？

1856年に発明され、発明者アレクサンダー・パークスの名をとってパーケシンと命名されたものが最初のプラスチックである。これは現在ではセルロイドとして知られているもので、当初はビリヤードの球の材料として使われた。

5000億

世界中で**一年に**使われる**ポリ袋の数**

プラスチックの主な種類

名称	特徴
PET ポリエチレンテレフタレート	最も一般的なプラスチックで、柔らかいものは衣料繊維に、固いものは飲料ボトルなどに使われる。
PVC ポリ塩化ビニル	硬質で丈夫であり、クレジットカードや配管、ドアや窓の枠として使用される。柔らかいものは皮革やゴムの代替品となる。
PP ポリプロピレン	PETに近いがさらに硬くて耐熱性があり、使用量は第2位。包装や電子レンジ用の容器やボトルキャップなどに使われる。
PC ポリカーボネイト	丈夫で、透明な製品もある。CDやDVD、サングラス、安全眼鏡や、建設関係では照明器具、平面・曲面の窓にも使われている。
PS ポリスチレン	透明で硬く、脆い。小さな製品の包装などに使われる。微細な気泡を混入して軽量な発泡スチロールにしたものは卵の容器や使い捨てカップなどに使われる。

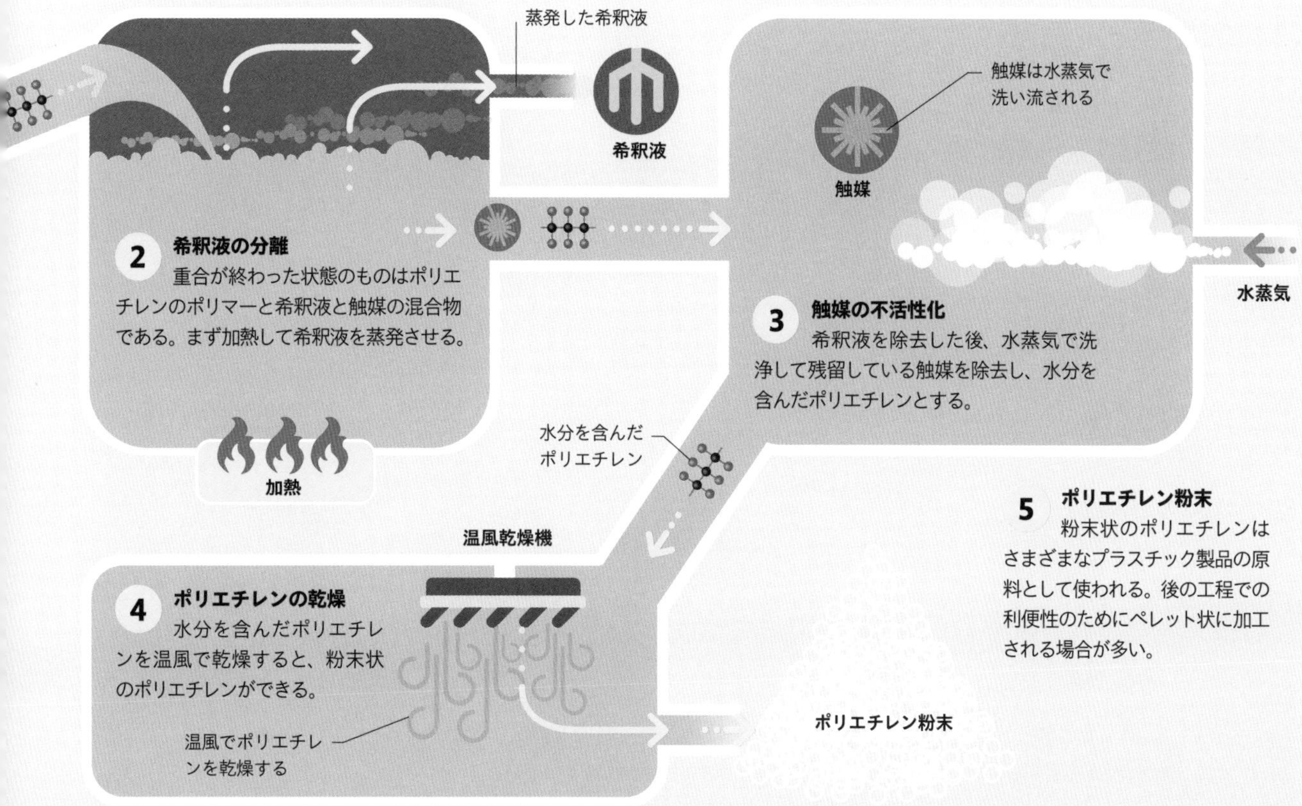
蒸発した希釈液
希釈液
加熱
触媒は水蒸気で洗い流される
触媒
水蒸気
水分を含んだポリエチレン
温風乾燥機
温風でポリエチレンを乾燥する
ポリエチレン粉末

2 希釈液の分離
重合が終わった状態のものはポリエチレンのポリマーと希釈液と触媒の混合物である。まず加熱して希釈液を蒸発させる。

3 触媒の不活性化
希釈液を除去した後、水蒸気で洗浄して残留している触媒を除去し、水分を含んだポリエチレンとする。

4 ポリエチレンの乾燥
水分を含んだポリエチレンを温風で乾燥すると、粉末状のポリエチレンができる。

5 ポリエチレン粉末
粉末状のポリエチレンはさまざまなプラスチック製品の原料として使われる。後の工程での利便性のためにペレット状に加工される場合が多い。

複合材料

複合材料は2種類以上の材料を組み合わせて品質を改善したものである。現代では多くの強くて軽い複合材料が作られている。

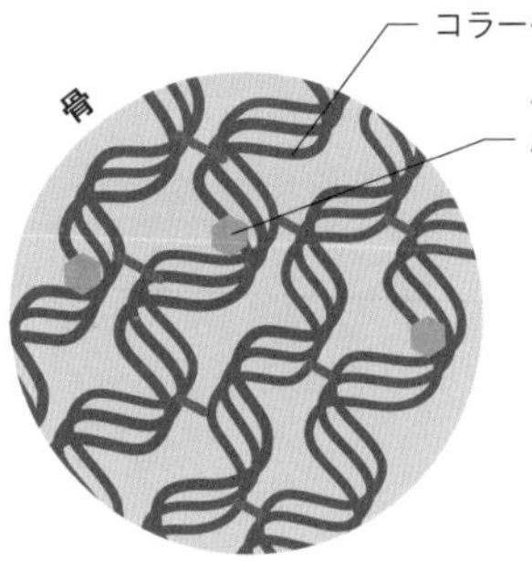

骨
コラーゲン分子
ハイドロキシア
パタイトの結晶

骨の構造
骨はハイドロキシアパタイトと呼ばれる硬いが脆い物質（主にリン酸カルシウムからなる）と、コラーゲンと呼ばれる柔らかい物質（これはタンパク質である）からできている。

自然の複合素材

木や岩石といった自然素材を含めて、身の回りにある物質のほとんどは複数の物質からできている。私たちの体内でも、たとえば骨や歯は外側の硬い物質と内側の柔らかい物質の複合体である。泥煉瓦や、編んだ枝に土や粘土を塗って壁を作る手法は、単純な自然の素材を組み合わせることでより強い複合材料を作り出す例である。

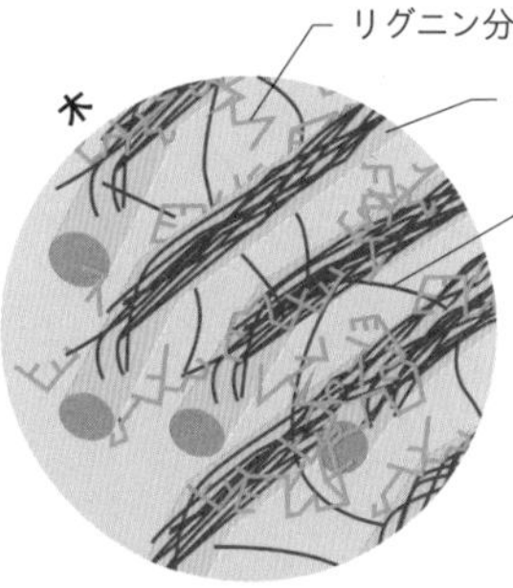

木
リグニン分子
セルロース繊維
ヘミセルロース分子

木の構造
木は細長いセルロース繊維がほかの物質によって束ねられた構造をしている。弱い物質が組み合わされることで強靭な複合体となっている。

人工複合材料

近代的な人工複合材料として最も古いものの1つは、プラスチックと細い繊維状のガラスを組み合わせた繊維強化ガラスである。現代ではガラスの代わりに炭素繊維を用いてより優れた複合材料が作られている。使われる繊維は髪の毛より細く、これを縒《よ》り合わせたもので布を作り、樹脂と一緒に鋳型で造形する。こうして作られる複合材料はきわめて強くて軽い。

炭素繊維ポリマーの製造
炭素繊維ポリマーはいろいろなガスや液体を使用する化学的・機械的工程によって製造される。詳しい組成にはさまざまなバリエーションがあり、企業秘密も多い。

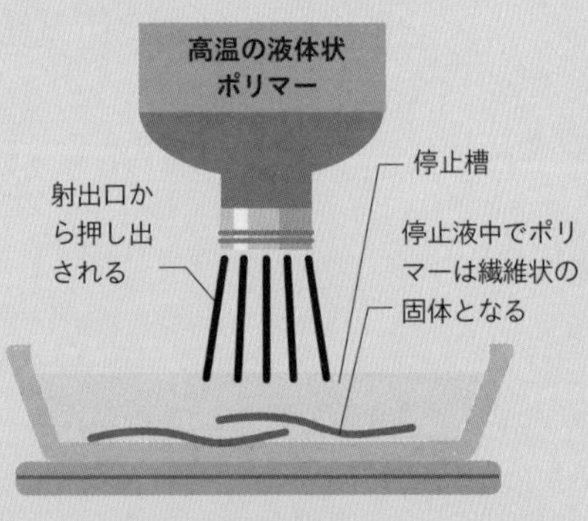

高温の液体状
ポリマー
射出口から押し出される
停止槽
停止液中でポリマーは繊維状の固体となる

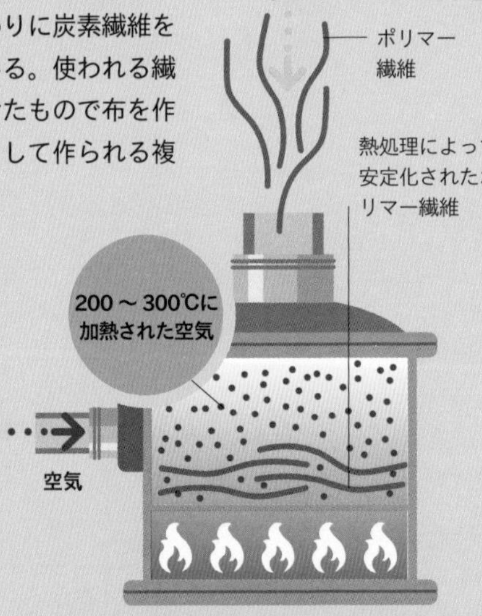

ポリマー
繊維
熱処理によって
安定化されたポリマー繊維
200～300℃に
加熱された空気
空気

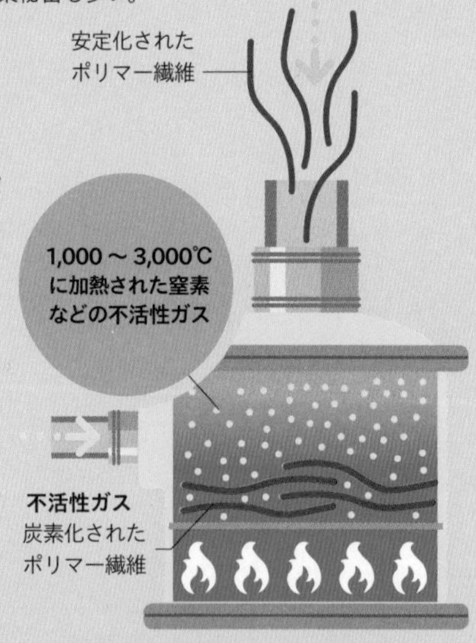

安定化された
ポリマー繊維
1,000～3,000℃
に加熱された窒素
などの不活性ガス
不活性ガス
炭素化された
ポリマー繊維

1 ポリマー繊維の製造
炭素繊維の材料はポリマーであり、炭素繊維の約90%はポリアクリロニトリル（PAN）から作られる。まずPANは長い繊維状に成形される。

2 繊維の安定化
熱処理によって繊維の化学的な結合状態を変化させ、熱に対して安定な構造に変える。この反応は導入される空気中の酸素分子によって促進される。

3 繊維の炭素化
不活性ガス中でさらに高温に加熱すると、繊維中の非炭素原子が除かれ炭素化される（酸素がないため燃焼はしない）。

複合材料の使われ方

透湿素材
従来の防水性衣類は汗が内側にこもるが、ナイロンとポリテトラフルオロエチレン（PTFE）の複合材料は雨を通さず汗による水蒸気を逃がすことができる。

ディスクブレーキ
一部のスポーツカーや重量のある自動車では炭素繊維で補強したセラミックをディスクブレーキに使用している。こうした材料は軽量で強靭であるだけではなく、耐熱性もきわめて高い。

自転車のフレーム
多くの競技用自転車のフレームには、部位に応じてさまざまな種類の炭素繊維素材が使われている。ホイールやハンドルバーといった部品にも炭素繊維が使われる。

船体
1950年代以降、船の建造には繊維強化ガラスが広く用いられている。最先端の造船現場では要所にアラミド繊維（とりわけ強靭で航空宇宙産業で用いられる）を用いている。

ケブラー
ケブラーは鋼鉄の約五倍の強度を持つ複合繊維材料であり、布のように織ったものを防弾チョッキに用いたり、船の係留索の材料としたりする。さらにポリマーを加えたものは競技ヨットの帆や自転車タイヤの裏打ち材としても使われる。

鉄筋コンクリート
最も古くからある複合材料の1つはコンクリートである。セメント、水、砂や小石からなる（76-77頁参照）。引張り力に弱いという欠点は鉄筋を埋め込むことで改善することができる。

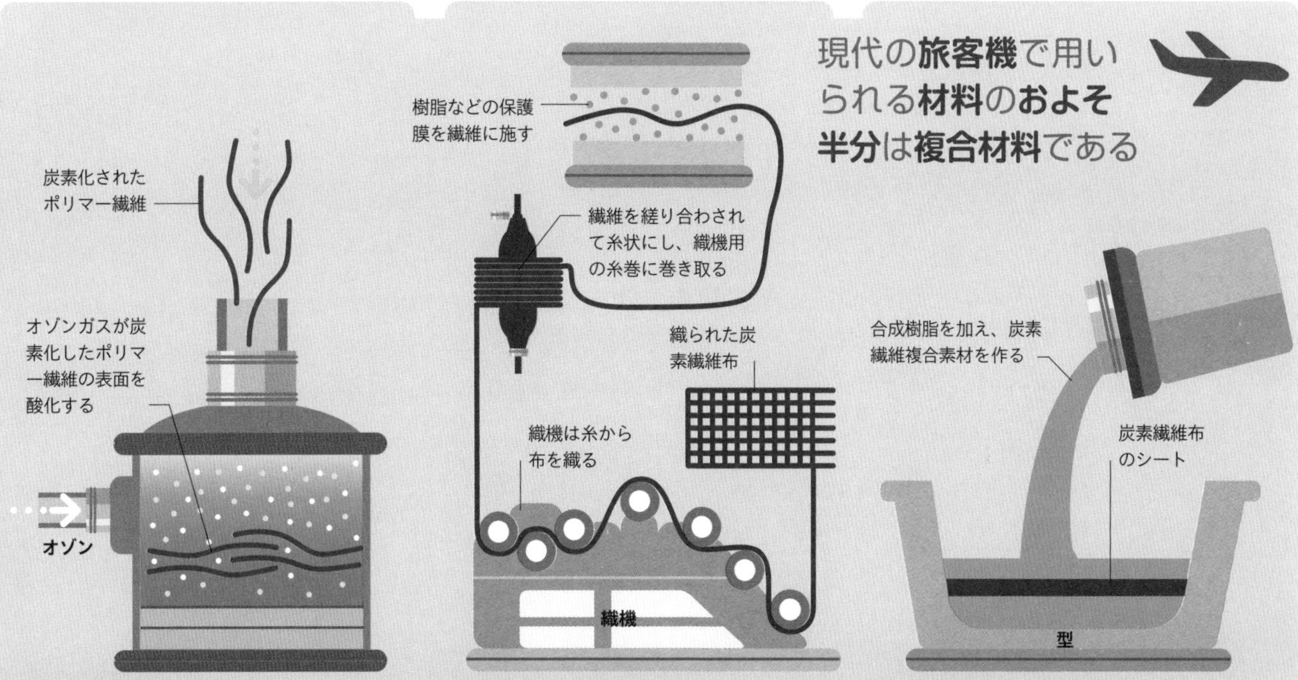
現代の旅客機で用いられる材料のおよそ半分は複合材料である
炭素化されたポリマー繊維
オゾンガスが炭素化したポリマー繊維の表面を酸化する
オゾン
樹脂などの保護膜を繊維に施す
繊維を縒り合わされて糸状にし、織機用の糸巻に巻き取る
織られた炭素繊維布
織機は糸から布を織る
織機
合成樹脂を加え、炭素繊維複合素材を作る
炭素繊維布のシート
型

4　繊維表面の酸化処理
炭素化後の繊維の表面は接着性が悪いため、これを改善するためにオゾンの酸素原子によって表面をわずかに酸化させる。

5　コーティングと織り
表面処理の後、保護コーティングを施し糸状に縒って糸巻に巻き取る。これを織機にかけて布状の織物とする。

6　炭素繊維強化樹脂の製作
炭素繊維布は使用される場所へ運ばれ、さまざまな使途に用いられる。型を用いて樹脂を含ませ、複合材料とするのはその一例である。

1 手作業による分類
廃棄物を再利用可能なものとそうでないものに分けるのは手作業で行われることも多い。再利用できないものは埋め立てや焼却の対象となる。

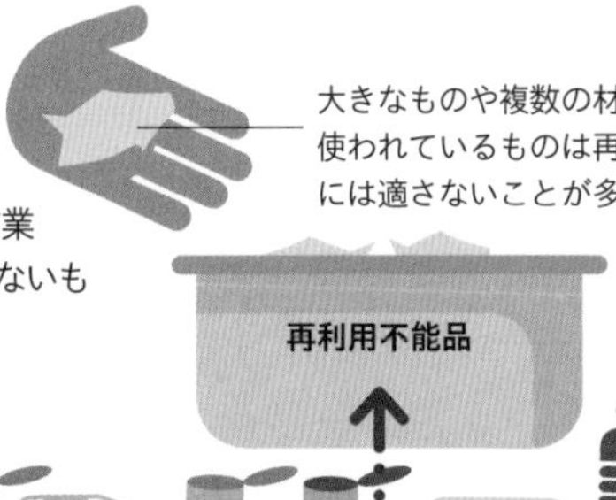
大きなものや複数の材料が使われているものは再利用には適さないことが多い
再利用不能品

2 紙・厚紙類の回収
紙や厚紙はほかのより重い材料から分別されて回収され、再生工場へ送られる。

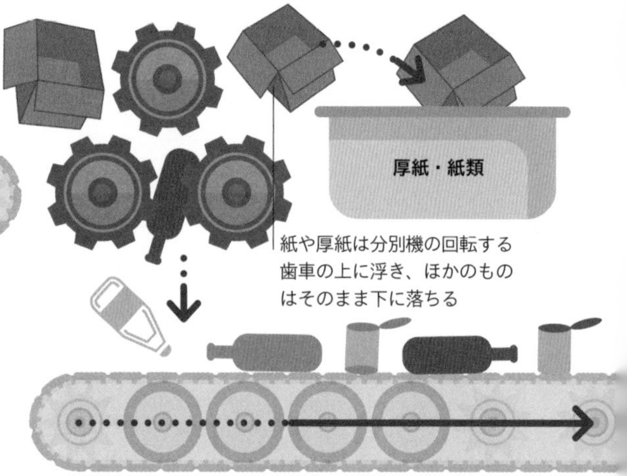
厚紙・紙類
紙や厚紙は分別機の回転する歯車の上に浮き、ほかのものはそのまま下に落ちる

資源を回収する

再利用可能な資源の分別と洗浄は資源回収施設（MRF）で行われる。MRFでは、施設ごとに異なるさまざまな工程によって資源を篩《ふる》い分け、種類ごとに別々の工程へ送り出す。再利用可能な資源としては、たとえば紙類は再生紙や厚紙類の原料となり、ガラス類は新しい瓶の材料となる。電気製品のように複雑な構造で部品の種類が多いものは特別な再利用施設で処理される。

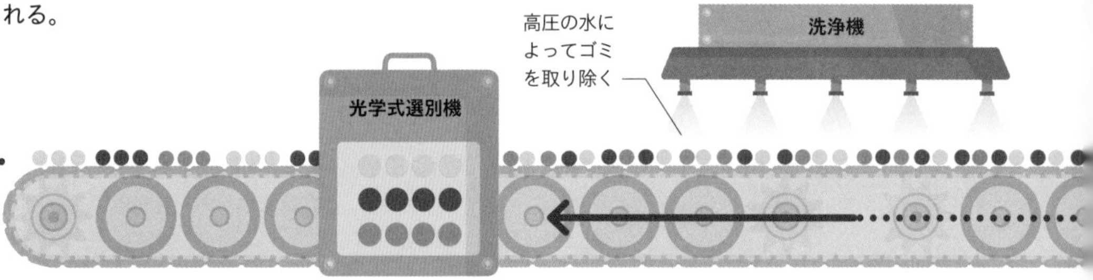
高圧の水によってゴミを取り除く
洗浄機
光学式選別機

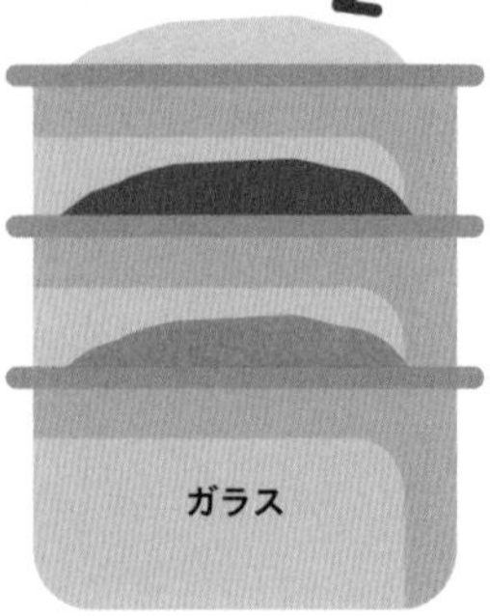
ガラス

9 ガラスの回収
この後、分別されたガラスは融かされ、それぞれの色をした新しい瓶などのガラス製品に生まれ変わる。

8 ガラスの分別
ガラスの選別工場には、光学式の機械を使って色味でガラスの破片を分けるものもある。

7 ガラスの洗浄
破砕されたガラスを洗浄して不純物を取り除く。洗浄されたガラスは色によって選別されたり、そのまま路盤の材料に用いられたりする。

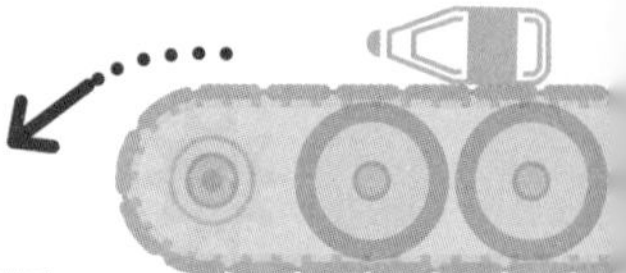

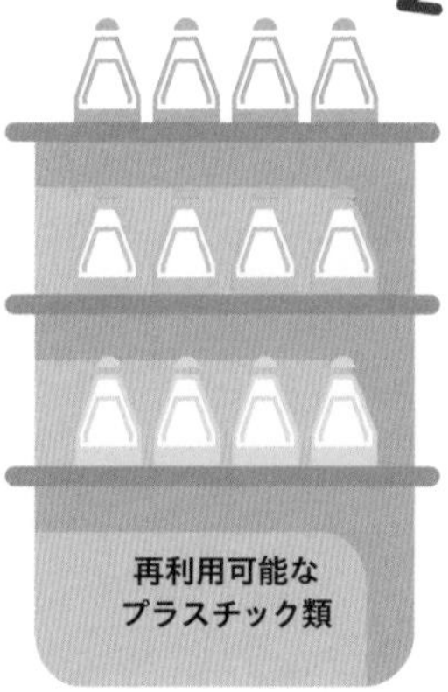
再利用可能なプラスチック類

11 プラスチックの回収
ボトル類に用いられているポリエチレンテレフタレート（PET）などのプラスチックは融かして再成形することができる。その他のものはほかの材料と混ぜて再利用される。

リサイクル

廃棄物を集め、分別し、新しい製品の材料にすることをリサイクル（再利用）という。種類に応じた特有の再生工程があるため、ガラスやプラスチックなどの資源を分別する作業が重要である。

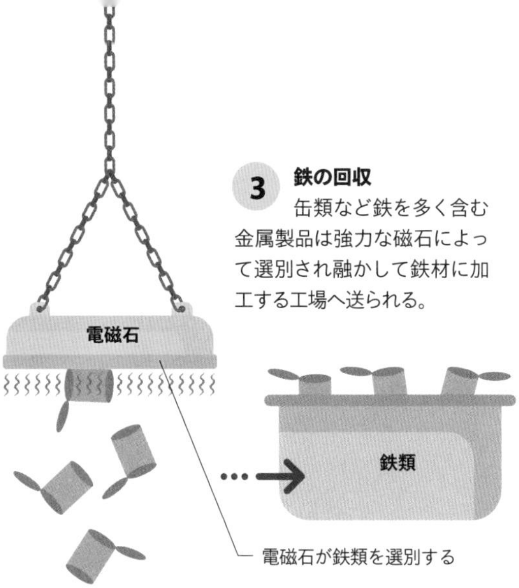

電磁石
鉄類
電磁石が鉄類を選別する

3 鉄の回収

缶類など鉄を多く含む金属製品は強力な磁石によって選別され融かして鉄材に加工する工場へ送られる。

渦電流分離機のしくみ

渦電流分離機は複数の回転する磁石を使い、非鉄金属には誘導電流によって一時的に磁場が発生することを利用して選別を行う。この磁場は分離機の磁場から反発力を受け、金属は外側に押し出される。

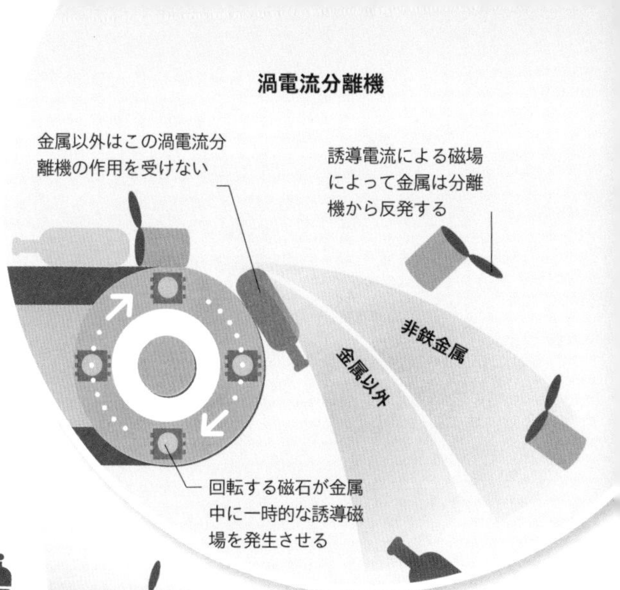

渦電流分離機
金属以外はこの渦電流分離機の作用を受けない
誘導電流による磁場によって金属は分離機から反発する
非鉄金属
金属以外
回転する磁石が金属中に一時的な誘導磁場を発生させる

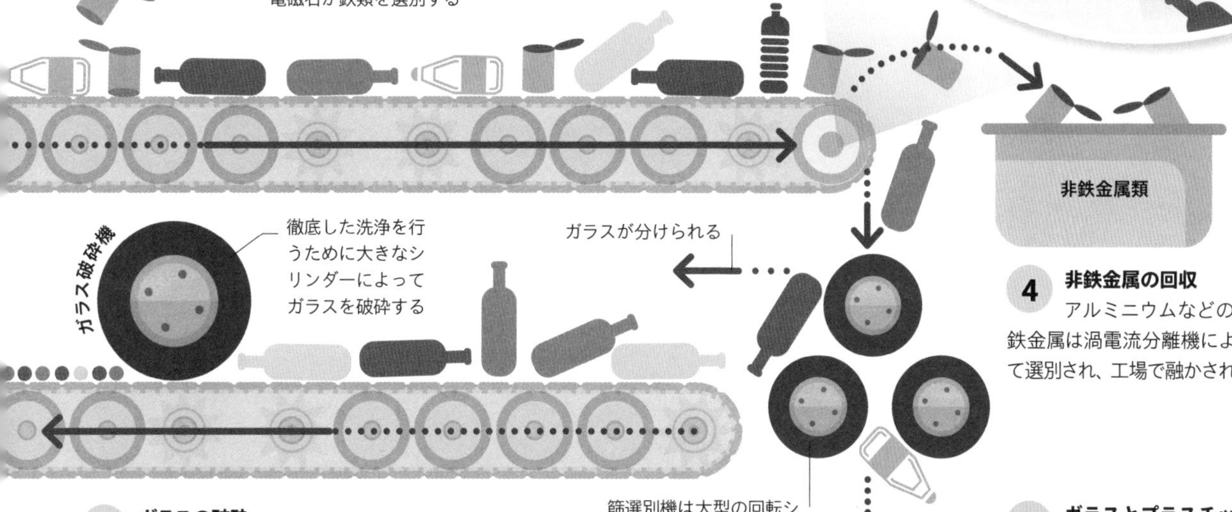

非鉄金属類
ガラスが分けられる
ガラス破砕機
徹底した洗浄を行うために大きなシリンダーによってガラスを破砕する
篩選別機は大型の回転シリンダーによってガラスとプラスチックを分ける
分けられたプラスチック類

4 非鉄金属の回収

アルミニウムなどの非鉄金属は渦電流分離機によって選別され、工場で融かされる。

5 ガラスとプラスチックの分離

篩《ふるい》選別機によってガラス製品とプラスチック製品を選別する。ガラスは破砕機へ、プラスチックは光学式選別機へ送られる。

6 ガラスの破砕

通常、ガラス製品はそれ以上分別せずに破砕し、洗浄・分別の工程へ送られる。ガラスの色で選別した後に破砕している施設もある。

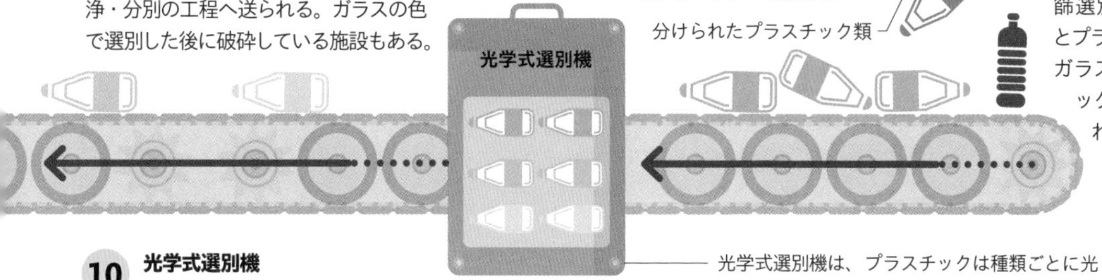

光学式選別機
光学式選別機は、プラスチックは種類ごとに光への反応が異なることを利用して分別を行う

10 光学式選別機

手作業や光学式選別機（222頁参照）によってプラスチックを種類ごとに分ける。再利用できないプラスチック製品は埋め立て場へ送られる。

再利用できないプラスチック類
一部の熱硬化性樹脂などのプラスチックは再利用できない

再生紙が原因で排出される大気**汚染物質**は自然の原料から作られる紙より**70%**程度**少ない**

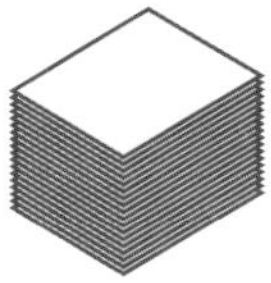

ナノテクノロジー

ナノテクノロジーは、ナノスケールと呼ばれるきわめて小さなスケールの材料や部品を製造し、操作する技術である。

ナノスケール

ナノメートルで計測される範囲をナノスケールという。1ナノメートル(nm)は10億分の1m。ブドウ糖や抗体などの分子（大型タンパク質分子）やウイルスの大きさはナノスケールである。

ナノマテリアル

長さ・幅・高さの少なくとも1つが100nm未満の物質をナノマテリアルという。自然界にもナノマテリアルは存在するが（煙の粒子、クモの糸、一部の蝶の羽の鱗粉など）、それ以外は特別な性質を持つ素材として開発されたものである。たとえば、癌細胞を殺すという目的のために、光を照射すると熱を発する性質を持つ金のナノ粒子が作られている。

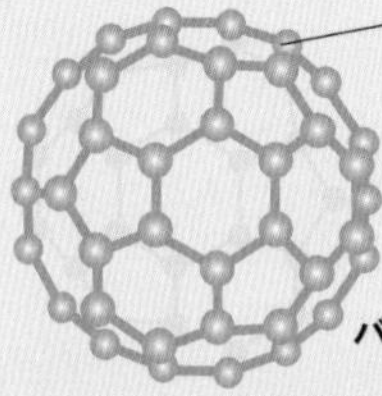
炭素原子が六角形と五角形の環状に並び、球を形成する
バックミンスターフラーレン

ナノ粒子

縦・横・高さがいずれもナノスケールの物質をナノ粒子という。多くのナノ粒子はその大きさと形状ゆえに特別な性質を帯びるものが多い。たとえば球面状のバックミンスターフラーレンの内部には別の分子を入れることができる。

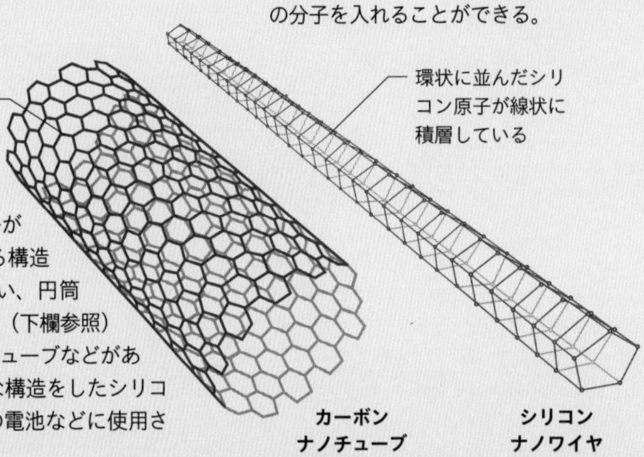
炭素の6員環が円筒状に連なっている
環状に並んだシリコン原子が線状に積層している
カーボンナノチューブ
シリコンナノワイヤ

ナノチューブとナノワイヤ

網のように並んだ原子が細長いチューブを作る構造をナノチューブといい、円筒状になったグラフェン（下欄参照）によるカーボンナノチューブなどがある。筒ではなく密実な構造をしたシリコンナノワイヤは一部の電池などに使用されている。

グラフェン

炭素原子が原子1つ分の厚みで六角形の網（ハチの巣）のように並んだものをグラフェンという。あらゆる方向への力に強く、強度試験がされた物質の中では最も強い。また熱や電気の伝導性がとてもよい。

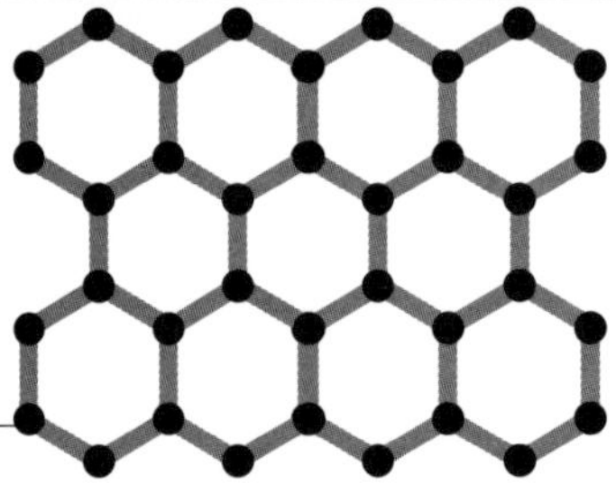
グラフェンのシートは炭素原子の単原子膜からなる

量子ドットディスプレイ

このディスプレイではナノ粒子である量子ドットを活用し、輝度や精細性や色の再現性を改善している。LEDと液晶の層の前面に並べられた量子ドットに青色LEDの光が届くと、量子ドットはそれぞれの大きさに応じて赤や緑の光を放出する。それぞれの画素から出る赤・緑・青の光の組合せは、人間には1つの色として感じられる。

テレビの画面は薄い層が何枚も重ねられた構造をしている
ケーブルやWi-Fiによって映す画面のデータを入力する

量子ドットの大きさは**人間の髪の毛**の太さの**1万分の1**である

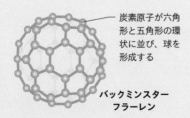

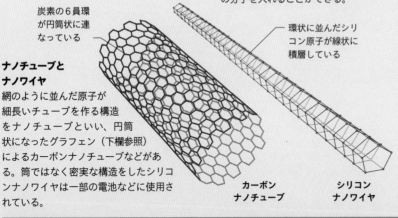

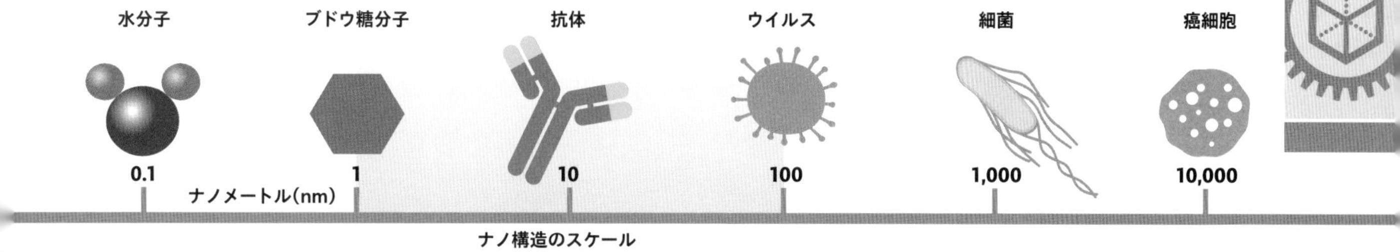
水分子
ブドウ糖分子
抗体
ウイルス
細菌
癌細胞
0.1
1
10
100
1,000
10,000
ナノメートル（nm）
ナノ構造のスケール

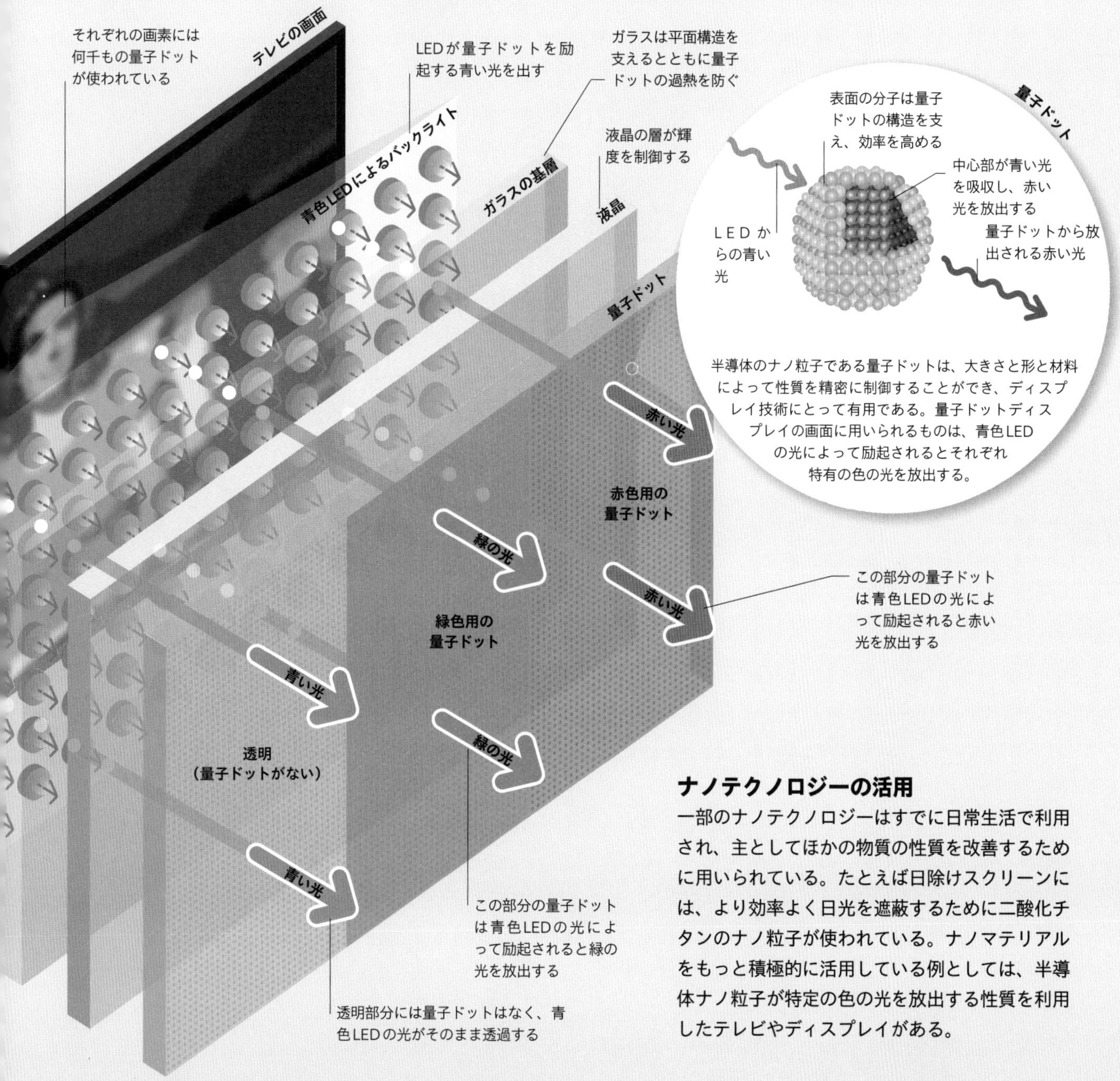
それぞれの画素には何千もの量子ドットが使われている
テレビの画面
LEDが量子ドットを励起する青い光を出す
ガラスは平面構造を支えるとともに量子ドットの過熱を防ぐ
液晶の層が輝度を制御する
青色LEDによるバックライト
ガラスの基層
液晶
量子ドット
量子ドット
表面の分子は量子ドットの構造を支え、効率を高める
中心部が青い光を吸収し、赤い光を放出する
LEDからの青い光
量子ドットから放出される赤い光
半導体のナノ粒子である量子ドットは、大きさと形と材料によって性質を精密に制御することができ、ディスプレイ技術にとって有用である。量子ドットディスプレイの画面に用いられるものは、青色LEDの光によって励起されるとそれぞれ特有の色の光を放出する。
赤い光
赤色用の量子ドット
緑の光
赤い光
この部分の量子ドットは青色LEDの光によって励起されると赤い光を放出する
緑色用の量子ドット
青い光
緑の光
透明（量子ドットがない）
青い光
この部分の量子ドットは青色LEDの光によって励起されると緑の光を放出する
透明部分には量子ドットはなく、青色LEDの光がそのまま透過する

ナノテクノロジーの活用

一部のナノテクノロジーはすでに日常生活で利用され、主としてほかの物質の性質を改善するために用いられている。たとえば日除けスクリーンには、より効率よく日光を遮蔽するために二酸化チタンのナノ粒子が使われている。ナノマテリアルをもっと積極的に活用している例としては、半導体ナノ粒子が特定の色の光を放出する性質を利用したテレビやディスプレイがある。

3D プリンティング

私たちが使う物の多くは複雑な製造工程によって作られている。3D プリンティング技術は、デジタルファイルから「印刷」するだけでさまざまな形の物体を作り出せるようになる可能性を秘めている。

3D プリンティングのしくみ

従来の印刷は紙にインクの層を配置する技術である。基本的には同じしくみで、3D プリンターは複数の層を積み重ねて３次元の物体を作り出す。通常、インクの代わりに樹脂を用いるが、そのほかの素材も使用される。従来の製法に比較して3D プリンティングで作られるものは仕上がりが劣る場合もあるが、より早く、安価に作ることができる。

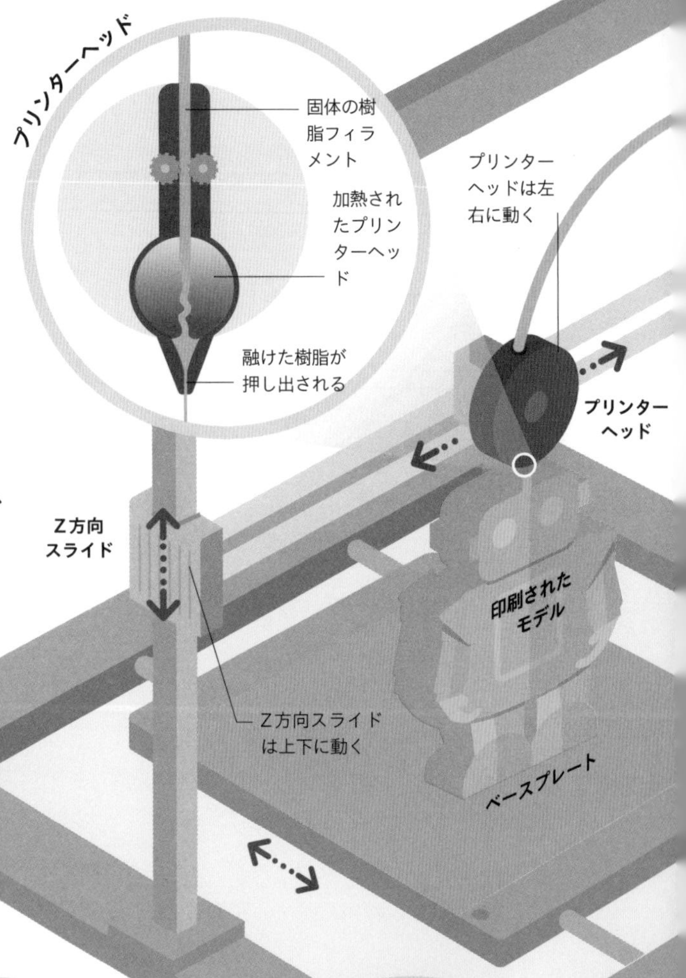

プリンターヘッド
固体の樹脂フィラメント
加熱されたプリンターヘッド
融けた樹脂が押し出される
プリンターヘッドは左右に動く
プリンターヘッド
Z方向スライド
印刷されたモデル
Z方向スライドは上下に動く
ベースプレート
コンピューターからのデータ

多くの**3D プリンター**では**トウモロコシのデンプン**から作られた**樹脂**が使用されている

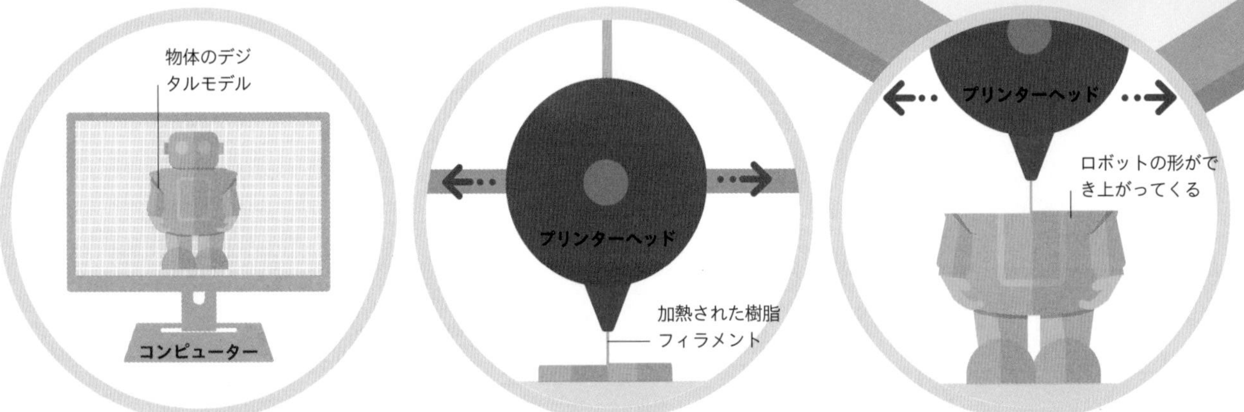

物体のデジタルモデル
コンピューター
プリンターヘッド
加熱された樹脂フィラメント
プリンターヘッド
ロボットの形ができ上がってくる

1 コンピューターによる設計

3D プリンティングはコンピューターで３次元デジタルモデルを作ることから始まる。モデルは専用のソフトウェアや、レーザースキャナーによるスキャニングデータを処理することで作成する。

2 プリンティングを始める

プリンターヘッドに樹脂フィラメントを供給し、ヘッドに内蔵されているヒーターで樹脂を融かす。コンピューターから受信したデータに従って、プリンターヘッドを左右に、Z方向スライドを上下に、ベースプレートを前後に動かす。

3 積層する

融けた樹脂は１層加わるごとに冷えて固化し、底部から順に１層ずつ積み重ねられてモデルが印刷されてゆく。印刷する物の大きさと複雑さによっては印刷に数時間かかる。

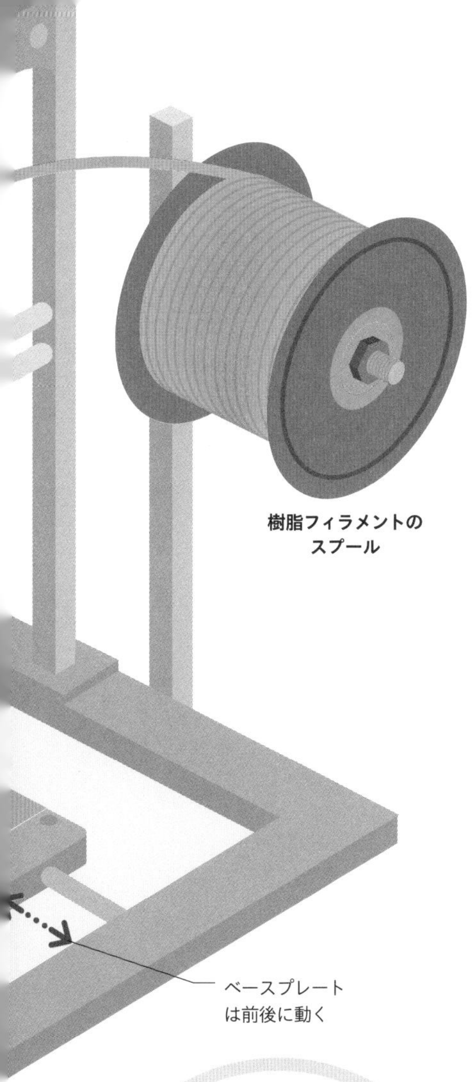

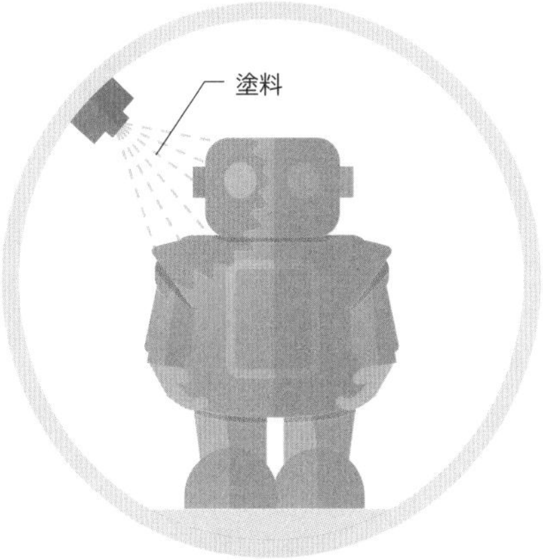

4 仕上げ

一層ずつ積層するしくみのため、3Dプリンターで印刷された物は粗い表面をしている。このため化学薬品や機械的な方法で表面を仕上げるのが一般的である。塗装を施す場合もある。

3Dプリンターの活用

3Dプリントの技術は新しく、日用品の大量生産にはまだ用いられていない。医療分野における薬剤や義肢、あるいは楽器や試作品など、特注品や特別な製品の製造に使われている。

薬剤

製薬業者は、3Dプリント技術によって従来の製法よりも繊細に薬の組成を調整できるようになった。きわめて溶けやすい錠剤を作ることも可能になった。

人工血管

科学者は3Dプリント技術によって生体細胞を用いた人工血管を作成している。すでにマウスへの移植実験は成功しており、将来は人間でも傷んだ血管の代替物として利用が期待されている。

スポーツシューズ

一部のスポーツウェアメーカーは3Dプリントによって靴を製造している。これらは世界大会レベルの選手が使用しており、供給数は限られている。

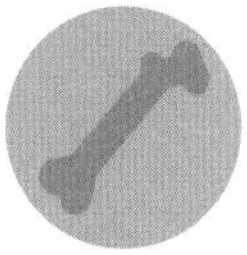

人工骨

癌治療などのために骨の一部を除去した患者のために、チタンや合成素材の3Dプリントによって必要な形状を正確に再現した人工骨が作られている。

義肢

3Dプリント技術により、従来の製品より軽量な義肢が作られている。3Dプリントを用いた義肢は安価に製造でき、カスタマイズも容易である。

楽器

さまざまな楽器が3Dプリントで試作され、フルート、ギター、バイオリンなど一部の管・弦楽器は市販されているものもある。

宇宙での利用

2014年、国際宇宙ステーションの宇宙飛行士が地上から送信された設計データを使ってラチェットスパナを製作した。3Dプリント技術によって、使うかどうか分からない器具を運んだり、高いコストをかけて部品を送ることを回避できた。

アーチとドーム

多くの伝統的な建造物では、開口部や大空間を実現するためにアーチやドームが使われている。これらは最小限の支持構造で大きな空間を覆うことを可能にする。

アーチ

壁に開口部を開ける最も単純な方法は、2本の柱と水平の梁（楣《まぐさ》）によって上からの荷重を受け止めることである。しかしこの方式では大きな荷重に耐えることはできないため、開口部の大きさが限定される。アーチでは下向きの荷重がアーチの構成部材を圧縮する力となるためレンガや石材の圧縮強度を利用でき、より大きな開口を実現できる。建造する際には、要石を設置して構造を固めるまでの間、仮設の支保工によって支える必要がある。

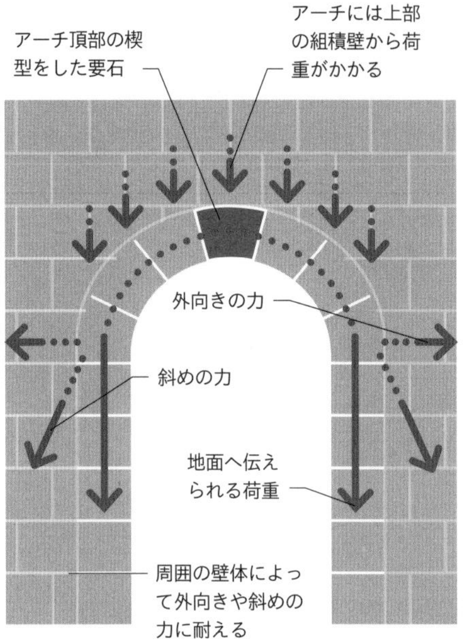

アーチに作用する力
アーチに加わる荷重は弧に沿って下方に伝えられ、外向きの力を含む斜めの力を生じる。外向きの力は周囲の壁体や控え壁が支える。

ドーム

ドームはアーチを水平に回転させたような3次元形状をしている。アーチと同様に自重を下部に伝える自己支持構造であるが、アーチのような要石は必要とせず、それぞれの高さで環状の構造が完結していれば構築中でも安定している。ドームの自重は外向きの力を発生するので、これを相殺するために樽のたがのようなテンションリングをドームの外周に巡らせたりする。

世界最初のジオデシックドーム（右頁参照）は**1926年**にドイツで建造された。**直径25m**であった

ローマのパンテオン

ローマのパンテオンは内径43.3m、重量は4,535tあり、建造から2000年を経た今でも世界最大の無筋コンクリート製ドームである。重量を抑えるために、ドームの上部は薄く、基部は厚く造られている。さらに内面に穿たれた格《ごう》間《ま》と呼ばれる窪みや頂部に設けられた直径8mの円窓も軽量化に寄与している。

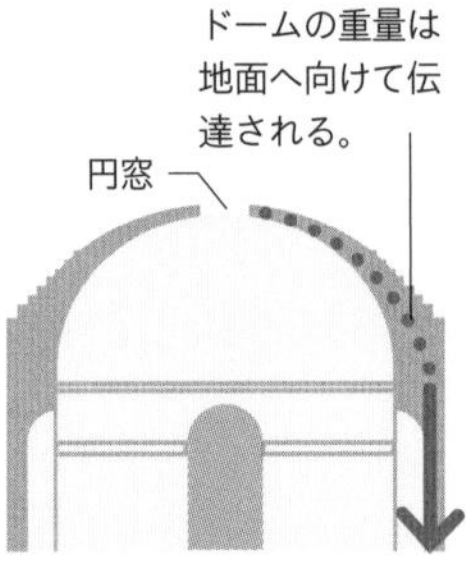

ブルネレスキのドーム
フィレンツェのドゥオーモ（サンタ・マリア・デル・フィオーレ大聖堂）のドームは設計者にちなんでブルネレスキのドームとも呼ばれている。史上最大の組積造ドームで、ドームの直径は45m、地上からの高さは114.5mである。八角形平面の二重構造をしており、大聖堂内部から見える内側のドームと外側のより大きなドームからなる。

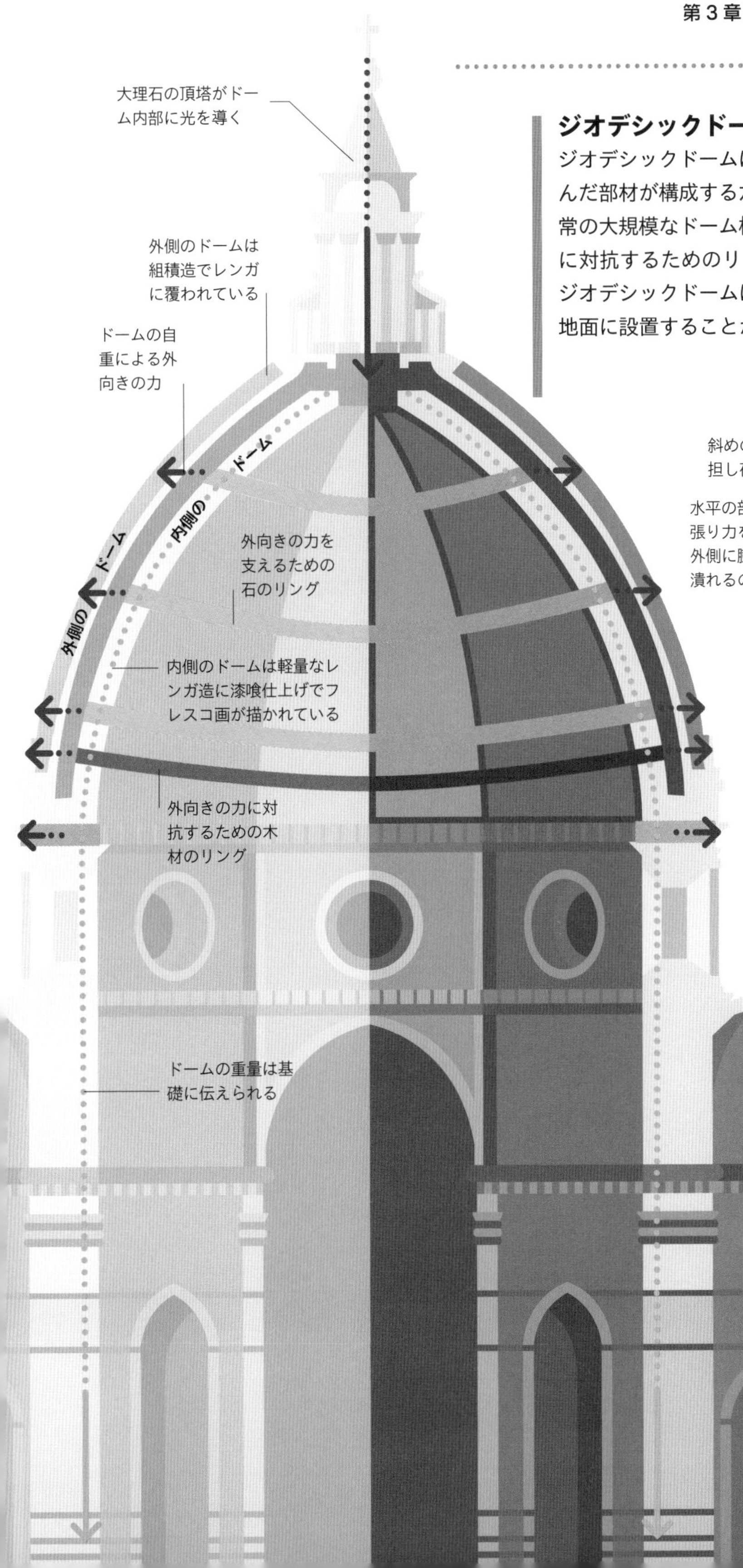
大理石の頂塔がドーム内部に光を導く
外側のドームは組積造でレンガに覆われている
ドームの自重による外向きの力
内側のドーム
外向きの力を支えるための石のリング
外側のドーム
内側のドームは軽量なレンガ造に漆喰仕上げでフレスコ画が描かれている
外向きの力に対抗するための木材のリング
ドームの重量は基礎に伝えられる

ジオデシックドーム

ジオデシックドームは軽量な球体状の構造である。三角形に組んだ部材が構成する六角形と五角形によって丸い形を作る。通常の大規模なドーム構造物では重量を支える土台と外向きの力に対抗するためのリングや控え壁などの構造が必要となるが、ジオデシックドームはそれだけで完結しているので、そのまま地面に設置することができる。

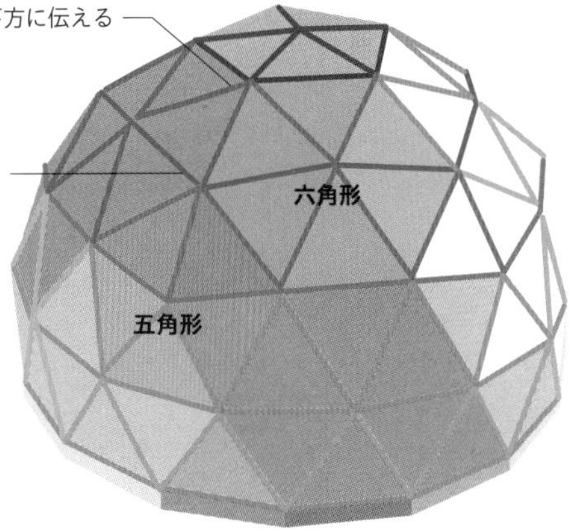
斜めの部材が圧縮力を負担し荷重を下方に伝える
水平の部材が引張り力を負担し外側に膨らんで潰れるのを防ぐ
六角形
五角形

ジオデシックドームに作用する力
三角形の構造要素が圧縮力を負担して荷重を地面に伝え、同時に自重による外向きの力による引張り力に耐える。

大規模ドームの重さは？

大きなドームは何千ｔもの重量がある。たとえばロンドンのセントポール大聖堂のドームは約６万6,000ｔである。

掘削

地中深く穴を掘ることで水や石油やガスなどの資源を利用することが可能になる。また、過去の環境を調べるために氷床コアを掘り出して分析するなど、科学研究のための掘削《くっさく》も行われる。

石油のための掘削

石油は液体の状態で地中に埋蔵されている自然の有機物である。油井《ゆせい》の掘削装置はドリルとそれを支持するやぐらと呼ばれる構造からなる。ドリルが地中へ掘り進むのに合わせて穴にケーシングと呼ばれる鋼鉄の管を設置する。また、掘削装置（ドリルビット）の効率を高めるために泥水《でいすい》と呼ばれる混合液を穴に送り込む。ドリルが石油に到達するとやぐらと掘削装置を取り外し、ポンプを設置する。

氷床コアを掘り出す

氷は降り積った雪からできているため、下の層ほど古く、氷床コアを分析することで過去の気象条件を知ることができる。氷床コアを掘るために用いる管は長いもので深さ3kmに到達する。

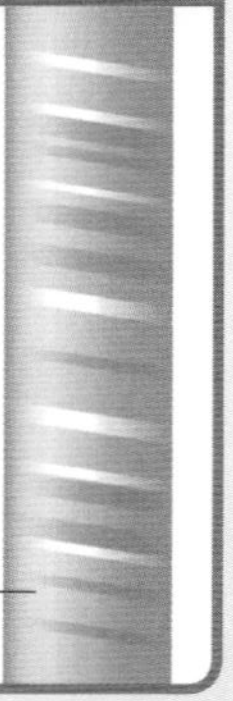

1年ごとに積み上がった氷の層

掘削装置を支えるやぐら
スタンドパイプが泥水をドリルビットへ運ぶ
スタンドパイプ

海洋掘削

石油企業は、海底に埋蔵された石油を掘削するために移動式海洋掘削装置（MODU）と呼ばれる装置を使用する。MODUの中には油田の発見後に石油生産装置として使われるものもあるが、多くの場合は石油を掘り当てた後により恒久的な石油生産プラットフォームを設置する。

ジャッキアップ式
ジャッキアップ式は海底まで到達する脚部を備え、潮流や波に対して安全なMODUである。

半潜水式
半潜水式プラットフォームは海中に浮いたフロート上に構築されている。石油を掘り当てた後に石油生産プラットフォームとして用いられるものもある。

ドリルシップ
甲板上に掘削装置を備えた特殊な船。船体の穴を通してドリルを運用する。ドリルシップは大水深でも使用できる。

掘削バージ
船上に掘削装置を備えた小規模な平底船。穏やかで水深の浅い海域でのみ用いられる。

陸上掘削リグ

陸上の石油掘削装置は掘削深度によってさまざまな高さのものがある。メインプラットフォームに設置した回転駆動装置でドリルビットを回し、巻上装置によって上げ下げする。

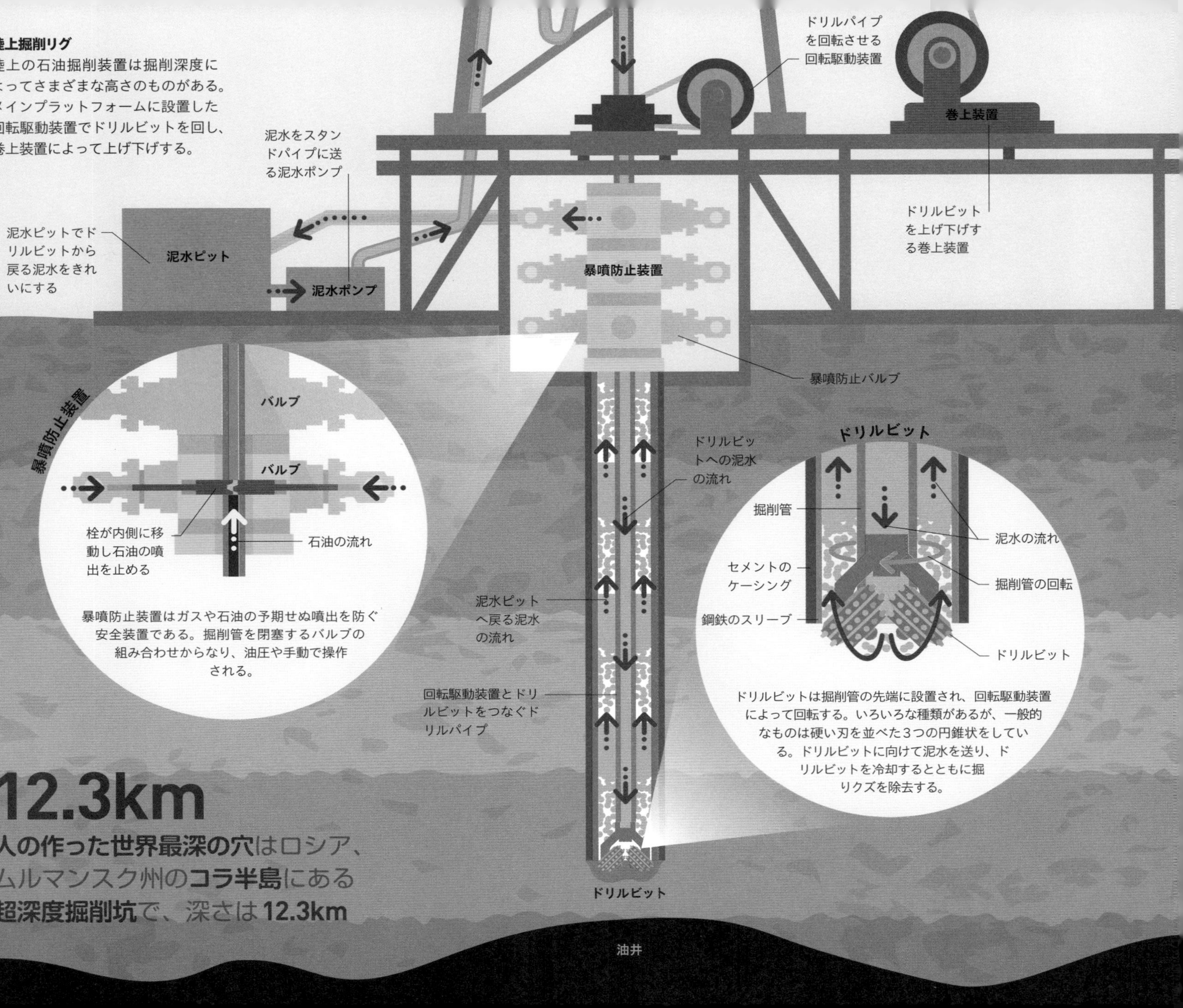

ドリルパイプを回転させる回転駆動装置
巻上装置
ドリルビットを上げ下げする巻上装置
泥水をスタンドパイプに送る泥水ポンプ
泥水ピットでドリルビットから戻る泥水をきれいにする
泥水ピット
泥水ポンプ
暴噴防止装置
暴噴防止バルブ
暴噴防止装置
バルブ
バルブ
栓が内側に移動し石油の噴出を止める
石油の流れ
暴噴防止装置はガスや石油の予期せぬ噴出を防ぐ安全装置である。掘削管を閉塞するバルブの組み合わせからなり、油圧や手動で操作される。
ドリルビットへの泥水の流れ
泥水ピットへ戻る泥水の流れ
回転駆動装置とドリルビットをつなぐドリルパイプ
ドリルビット
掘削管
泥水の流れ
セメントのケーシング
掘削管の回転
鋼鉄のスリーブ
ドリルビット
ドリルビットは掘削管の先端に設置され、回転駆動装置によって回転する。いろいろな種類があるが、一般的なものは硬い刃を並べた3つの円錐状をしている。ドリルビットに向けて泥水を送り、ドリルビットを冷却するとともに掘りクズを除去する。
ドリルビット
油井

12.3km

人の作った世界最深の穴はロシア、ムルマンスク州の**コラ半島**にある**超深度掘削坑**で、深さは**12.3km**

油圧ショベル

掘削《くっさく》する、ならす、埋めるといった作業を行う土工は建設工事の鍵となる工程である。油圧ショベルの操縦には梃子《てこ》の原理と油圧が利用されている。

油圧ショベルのしくみ

油圧ショベルのキャタピラはエンジンルームに搭載されたディーゼルエンジンによって駆動される。アームやバケットを動かす油圧系統のためのポンプもエンジンルームに搭載されており、同じエンジンから動力を得る。

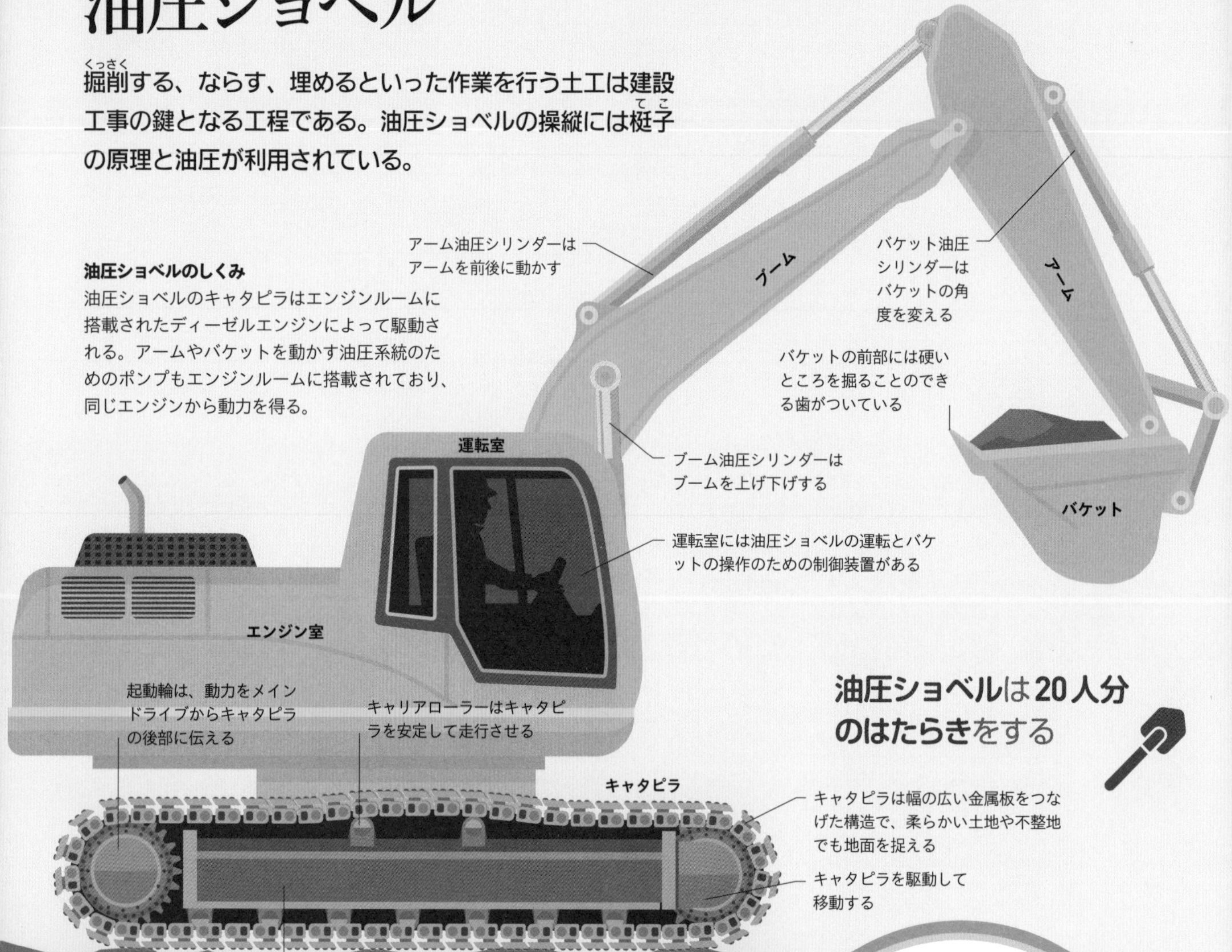

アーム油圧シリンダーは
アームを前後に動かす
ブーム
アーム
バケット油圧
シリンダーは
バケットの角
度を変える
バケットの前部には硬い
ところを掘ることのでき
る歯がついている
運転室
ブーム油圧シリンダーは
ブームを上げ下げする
バケット
運転室には油圧ショベルの運転とバケットの操作のための制御装置がある
エンジン室
起動輪は、動力をメインドライブからキャタピラの後部に伝える
キャリアローラーはキャタピラを安定して走行させる
キャタピラ
キャタピラは幅の広い金属板をつなげた構造で、柔らかい土地や不整地でも地面を捉える
キャタピラを駆動して
移動する
トラックアジャスタはキャタピラの張力を調整する

油圧ショベルは20人分のはたらきをする

建設機械のいろいろ

建設現場で使用される重機にはいろいろな種類がある。油圧ショベル（掘削機）は土砂などを掘り、掬い上げ、運ぶための機械である。ブルドーザは前部に設けられた油圧駆動の大きなブレードによって土砂を押し運ぶことができる。フロントローダは前方に幅の大きなバケットを備えたトラクターの一種で、ものを掬い上げたり持ち上げたりできる。バケットの動力は油圧である。フロントローダと油圧ショベルを組み合わせたものはバックホーローダと呼ばれる。

世界最大の油圧ショベルは？

ビュサイラスRH400という油圧ショベルは建物の3階くらいの高さで980 t の重量があり、一度に45㎥の土砂を掬うことができる。

油圧

液体は気体とは異なり圧縮されにくいため、加えられた外力や圧力は液体のあらゆる部分へ伝達される。これを利用して、管やシリンダーに閉じ込めた液体の一端に圧力を加えると別の端まで力が伝わる、というのが基本的な油圧系統のしくみである。ピストンとシリンダーの断面積に差をつけることによって、小さな力を大きくすることもできる。

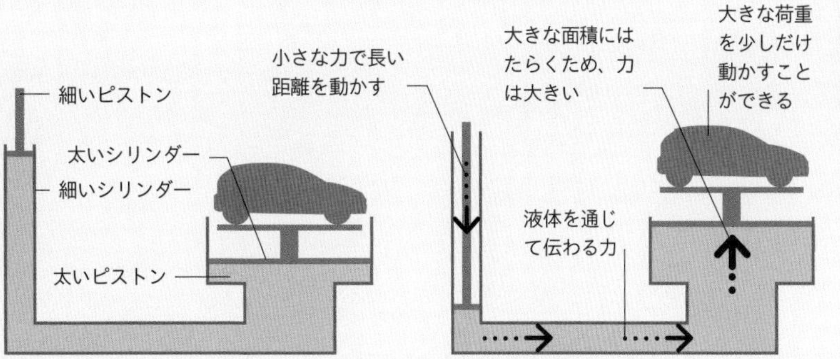

1　力を増幅する
細いシリンダーのピストンに加えられた力は他端の太いピストンでは増幅される。液体の圧力はどこでも一定である。

2　力は２倍、距離は半分
太い方のピストンが細いピストンの２倍の面積の場合、力は２倍になる。その代わりに、２倍の力で動かせる距離は半分になる。

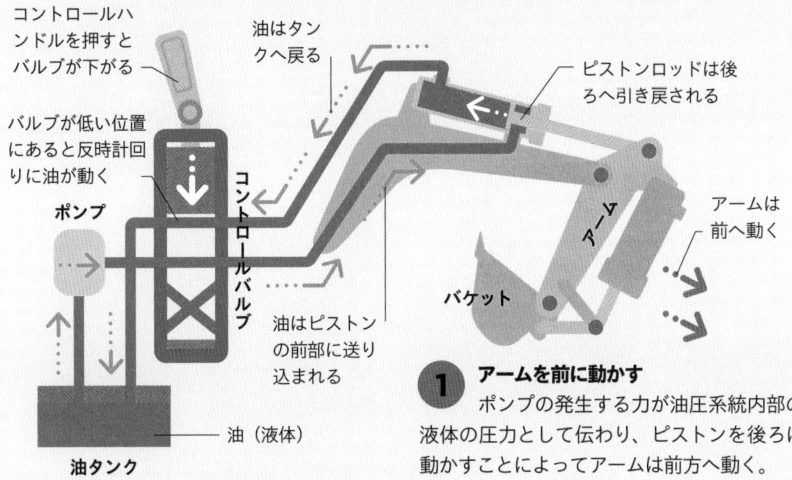

1　アームを前に動かす
ポンプの発生する力が油圧系統内部の液体の圧力として伝わり、ピストンを後ろに動かすことによってアームは前方へ動く。

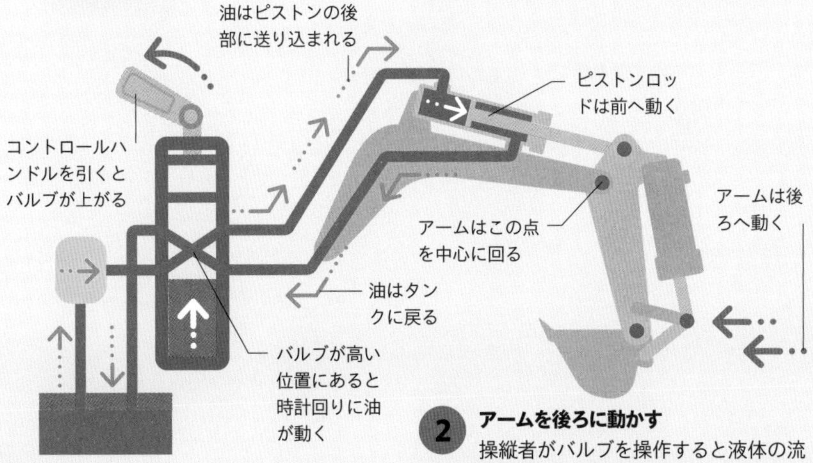

2　アームを後ろに動かす
操縦者がバルブを操作すると液体の流れる方向が逆転し、ピストンが逆方向に動くことによってアームも逆へ動く。

梃子

支点に対する力点と作用点の関係の違いによって、梃子には３つの種類がある。それぞれ力や移動距離を増すために用いられる。

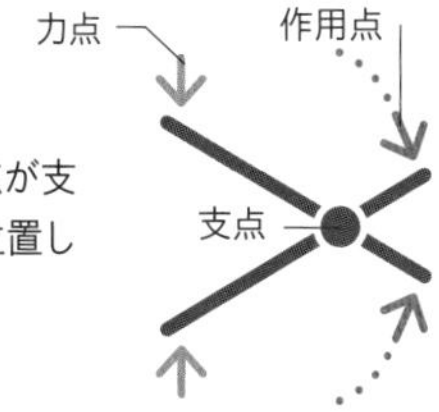

第一の梃子
力点と作用点が支点の両側に位置しているもの。
例：ハサミ

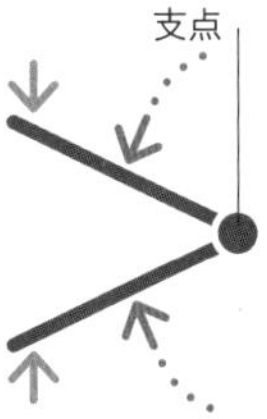

第二の梃子
作用点が力点と支点の間に位置しているもの。
例：クルミ割り器

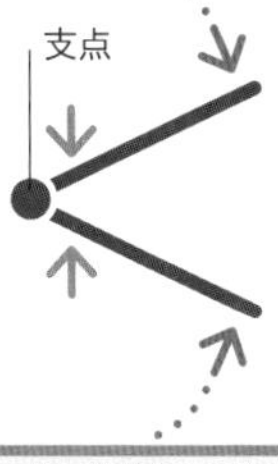

第三の梃子
力点が支点と作用点の間に位置しているもの。
例：トングやピンセット

橋

橋は引張り力や圧縮力に耐えつつ、自重と積載物の荷重を支えなければならない。これは小さな橋でも100kmを横断する橋でも同じである。

橋の種類

橋は形も規模も多様だが、そのほとんどはいくつかの基本形のバリエーションである。桁橋とトラス橋は木の棒を両岸にわたしたような最も単純な形式で、比較的短い支間（スパン）に用いられる。アーチ橋も短い支間に適した形式で、アーチを連ねる場合もある。斜張橋《しゃちょうきょう》および吊り橋は長い支間に活用される。

桁橋

桁橋では、水平に架けられた桁を両端の橋台や橋脚が支持する。橋桁は鋼鉄性の箱形桁などで構成される。

アーチ橋

橋の下部に構築されたアーチが路面を支持し、圧縮力を橋台に伝達する。

トラス橋

トラス橋の床板を支える桁では、各部材が圧縮力もしくは引張り力を負担している。

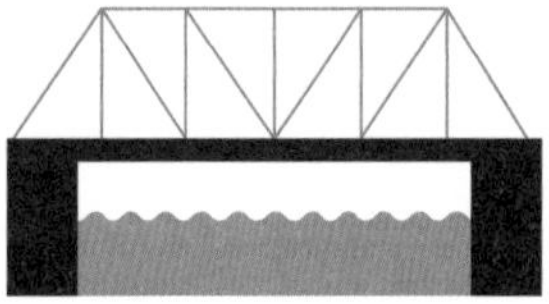

カンチレバー橋

右のものでは、両端で地面に固定され、中央で接合された2つのシーソー状の構造で橋が構成されている。

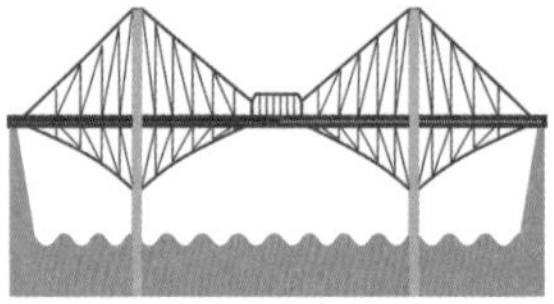

斜張橋

垂直の塔から張られた複数のケーブルによって床版を支持している。

吊り橋

斜張橋（左欄）では、ケーブルが床版と塔を直接接続している。吊り橋では、主塔と橋の両側の地面に埋め込まれたアンカーブロックをメインケーブルが結んでおり、床版はメインケーブルから垂らされた垂直のハンガーロープによって吊られている。このしくみは非常に大きなスパンの橋を架けることができる。

吊り橋の構造

床版およびそれに加わる荷重は、引張り力としてハンガーロープからメインケーブルへ伝えられ、メインケーブルから固定されたアンカーブロックおよび主塔に伝えられる。主塔には圧縮力が加わり、荷重は最終的に基礎へと伝達される。

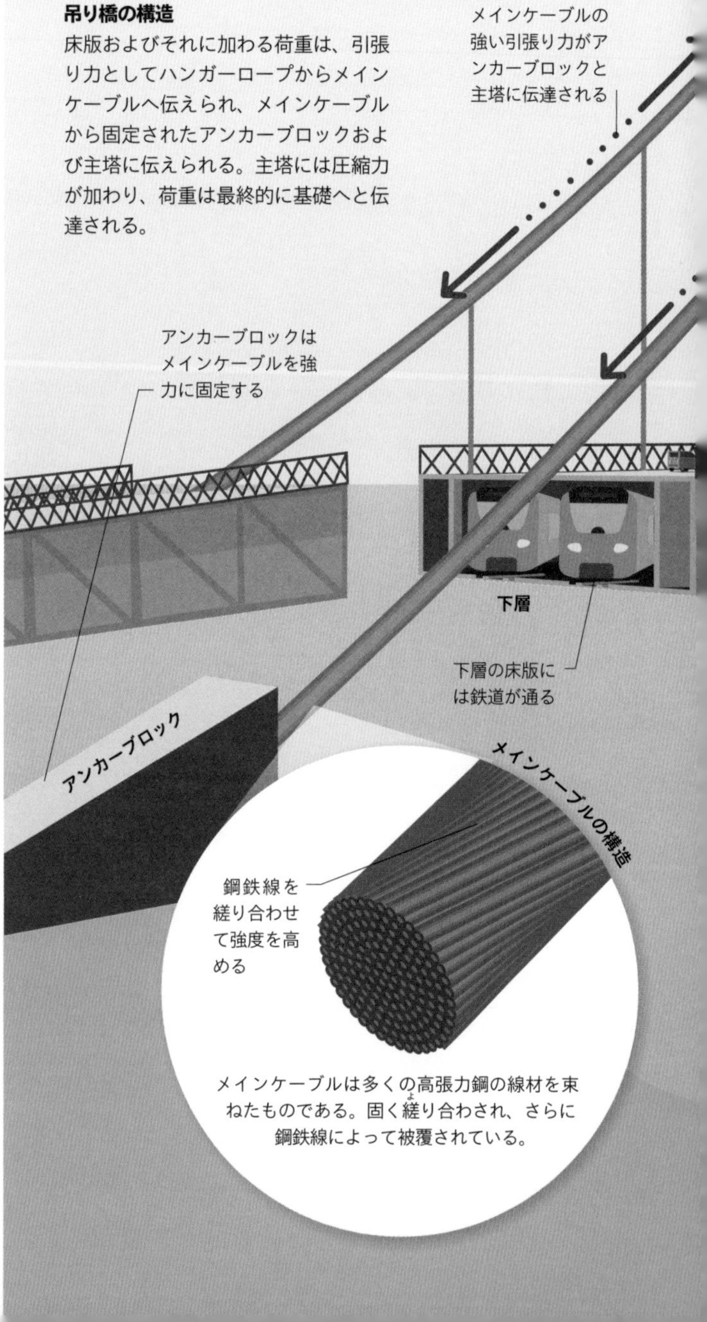
メインケーブルの強い引張り力がアンカーブロックと主塔に伝達される
アンカーブロックはメインケーブルを強力に固定する
下層
下層の床版には鉄道が通る
アンカーブロック
メインケーブルの構造
鋼鉄線を縫り合わせて強度を高める
メインケーブルは多くの高張力鋼の線材を束ねたものである。固く縫《よ》り合わされ、さらに鋼鉄線によって被覆されている。

シドニーのハーバーブリッジの高さは、気温の高い日に18cmほど高くなることがある

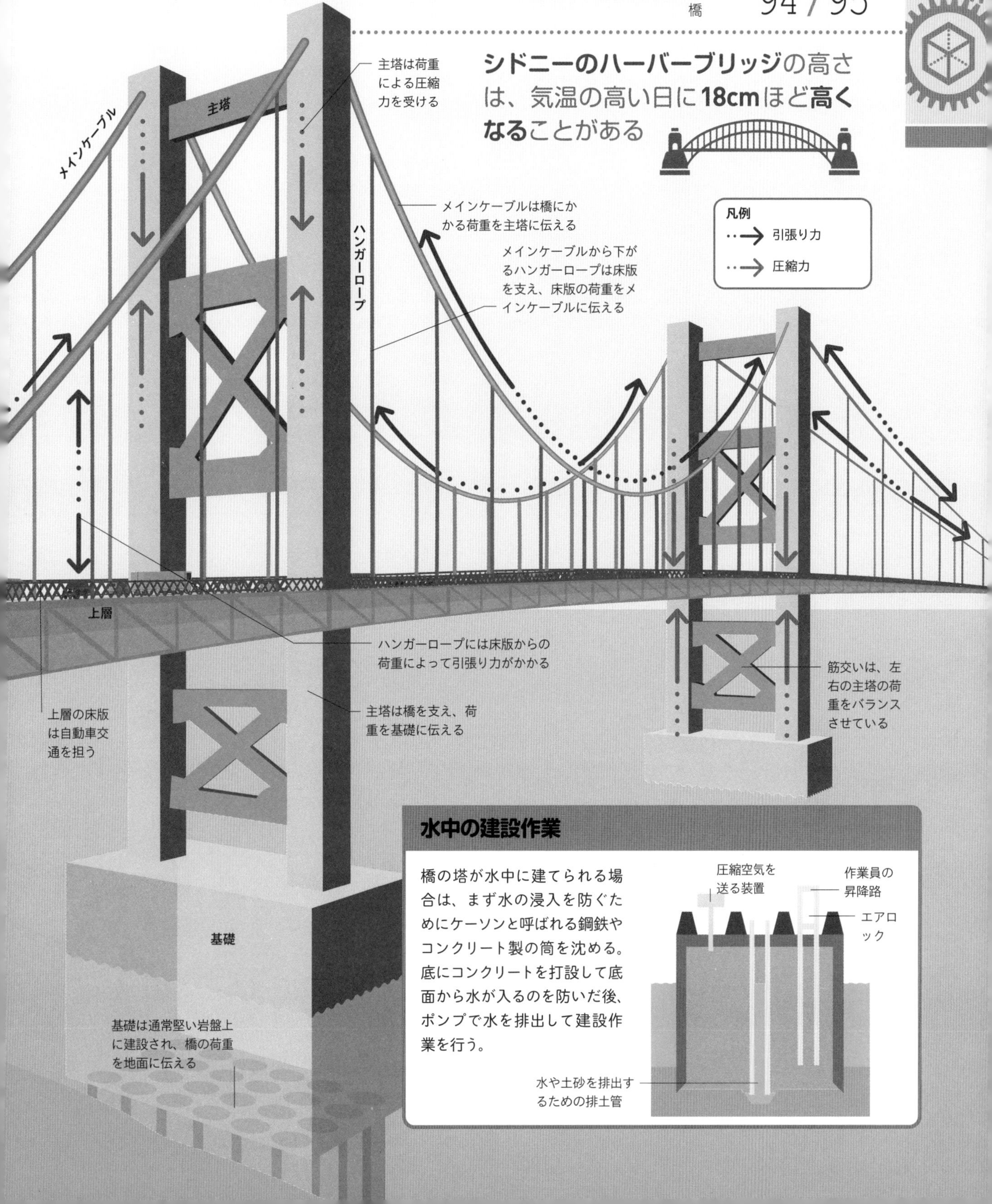
メインケーブル
主塔
ハンガーロープ
主塔は荷重による圧縮力を受ける
メインケーブルは橋にかかる荷重を主塔に伝える
メインケーブルから下がるハンガーロープは床版を支え、床版の荷重をメインケーブルに伝える
凡例
引張り力
圧縮力
上層
ハンガーロープには床版からの荷重によって引張り力がかかる
筋交いは、左右の主塔の荷重をバランスさせている
上層の床版は自動車交通を担う
主塔は橋を支え、荷重を基礎に伝える
基礎
基礎は通常堅い岩盤上に建設され、橋の荷重を地面に伝える
圧縮空気を送る装置
作業員の昇降路
エアロック
水や土砂を排出するための排土管

水中の建設作業

橋の塔が水中に建てられる場合は、まず水の浸入を防ぐためにケーソンと呼ばれる鋼鉄やコンクリート製の筒を沈める。底にコンクリートを打設して底面から水が入るのを防いだ後、ポンプで水を排出して建設作業を行う。

トンネル

トンネルは、基本的には土や岩の中に長い穴を掘り、崩壊を防ぐために補強を施したものである。一般的にトンネルの建設には特殊な機械が必要になる。

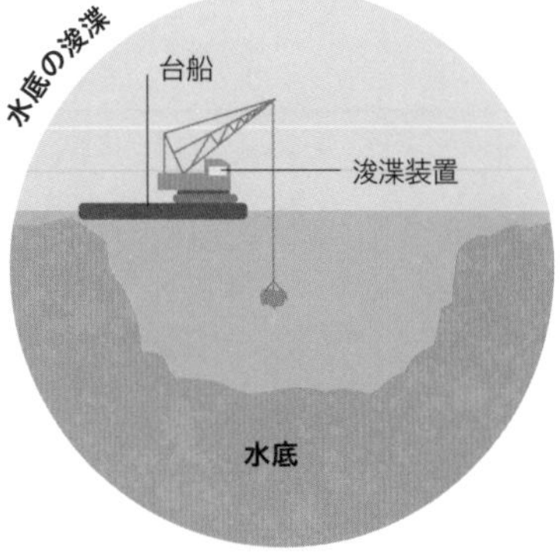

水底の浚渫
台船
浚渫装置
水底

1 トンネルが水上交通と干渉するのを防ぐために、浚渫船《しゅんせつせん》を用いて河川や湖や海の底に溝を掘る。

水中トンネル

トンネルボーリングマシン（下図）を用いると水中にトンネルを掘ることができる。掘削《くっさく》によって実現された水中トンネルの例としてはイギリスとフランスを結ぶ英仏海峡トンネルがある。ただし、水中トンネルの建設では沈埋工法を用いる方が工期やコストの面で有利な場合が多い。

沈埋トンネル

沈埋工法は、トンネルを区分して陸上で建設し、区間ごとに建設現場に運んで沈め、互いに連結する。

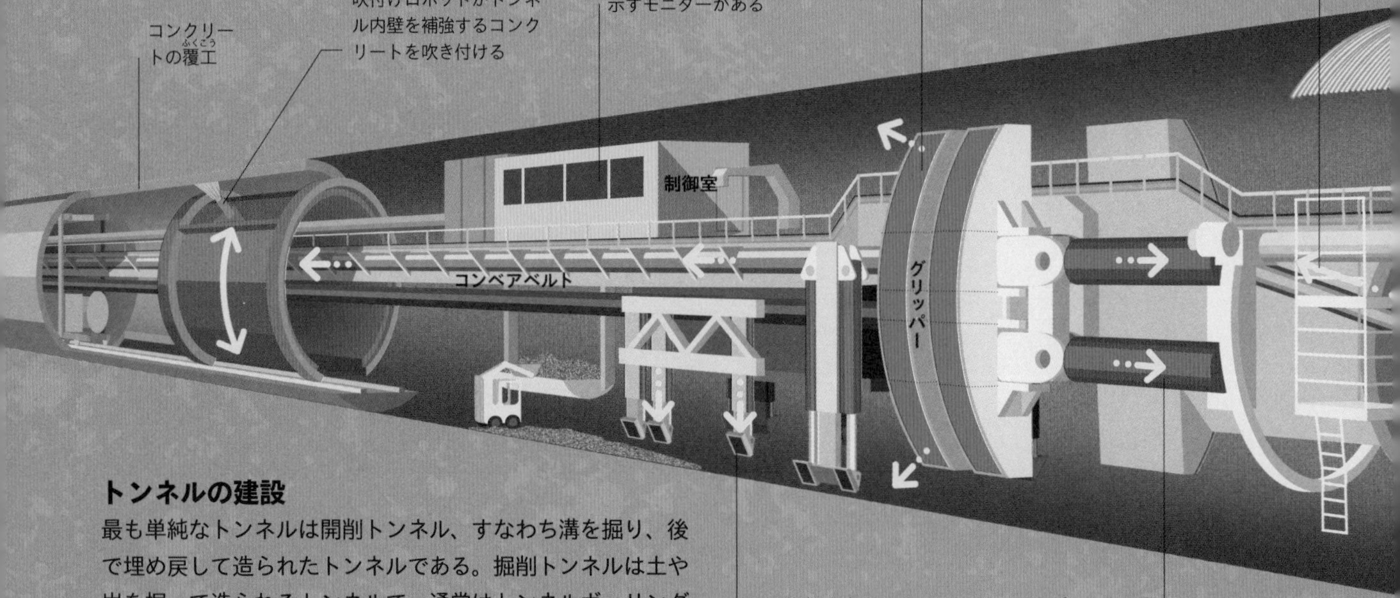

コンクリートの覆工《ふくこう》
吹付けロボットがトンネル内壁を補強するコンクリートを吹き付ける
制御室には操縦や掘削装置の制御のための装置、トンネルの状態を示すモニターがある
グリッパーはトンネルの壁に突っ張るようにしてスラストジャッキの支点を作る
カッターヘッドで掘削された土砂をベルトコンベアが運び出す
制御室
コンベアベルト
グリッパー
TBM後部を支える脚はマシンを持ち上げ、TBMが進むのに合わせて前進させる
スラストジャッキによってカッターヘッドを掘削面に押し当てる

トンネルの建設

最も単純なトンネルは開削トンネル、すなわち溝を掘り、後で埋め戻して造られたトンネルである。掘削トンネルは土や岩を掘って造られるトンネルで、通常はトンネルボーリングマシン（TBM、「モグラ」とも呼ばれる）が用いられる。長大なトンネルを建造する際には、しばしば緊急時の避難や有毒ガスの排気のために付随的なトンネルを掘る必要が生じる。

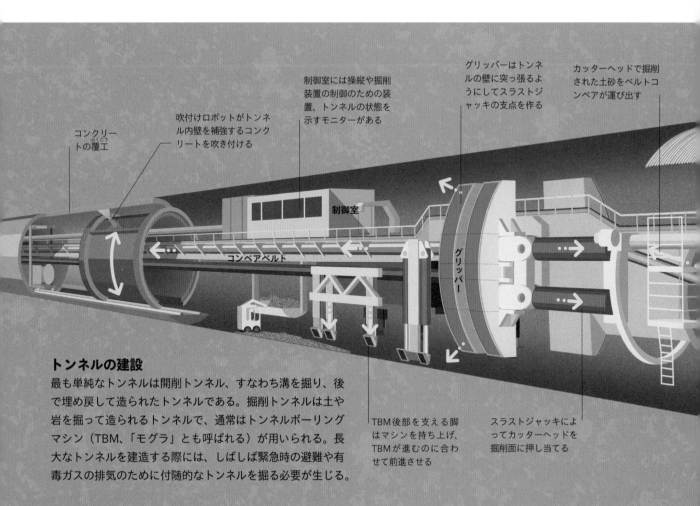

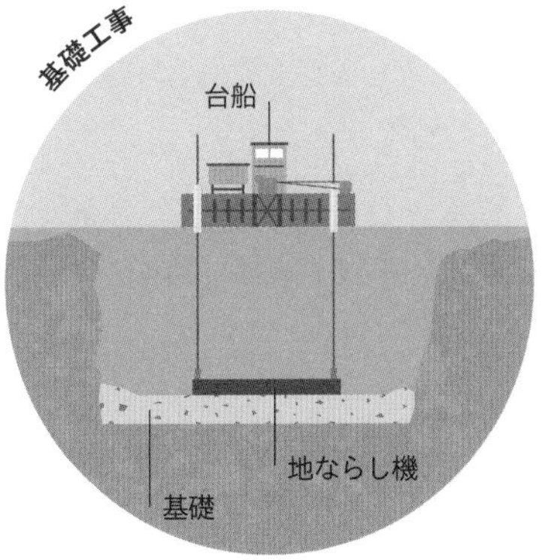
基礎工事
台船
地ならし機
基礎

2　溝の底に砂利や砂を敷き、地ならし機を用いて水平にならし、トンネルを設置する準備をする。

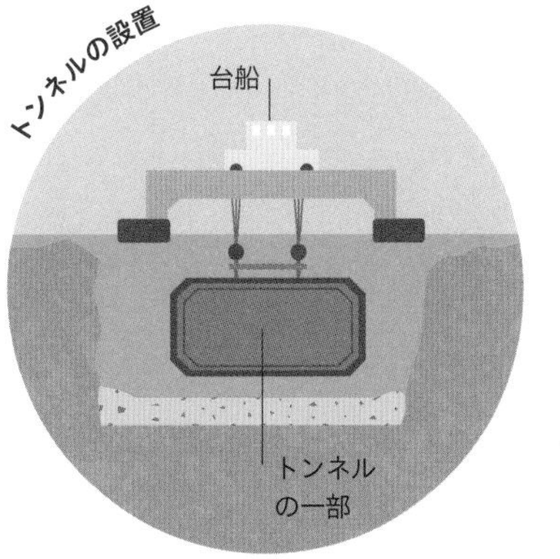
トンネルの設置
台船
トンネル
の一部

3　あらかじめ製造したコンクリート製のトンネルを区間ごとに設置場所へ曳航し、底へ沈める。水密な構造とするために、油圧装置によって各区間をぴったり接合させる。

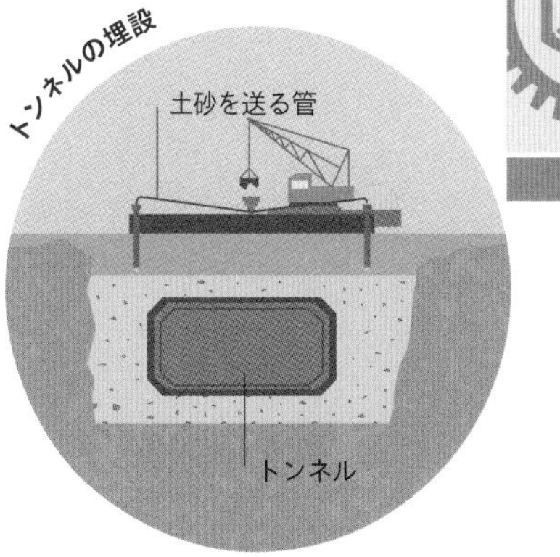
トンネルの埋設
土砂を送る管
トンネル

4　台船からさらに土砂を送り、完成したトンネルを埋め戻す。トンネル上部は船の錨によって傷つかないよう大きな砕石で保護される。

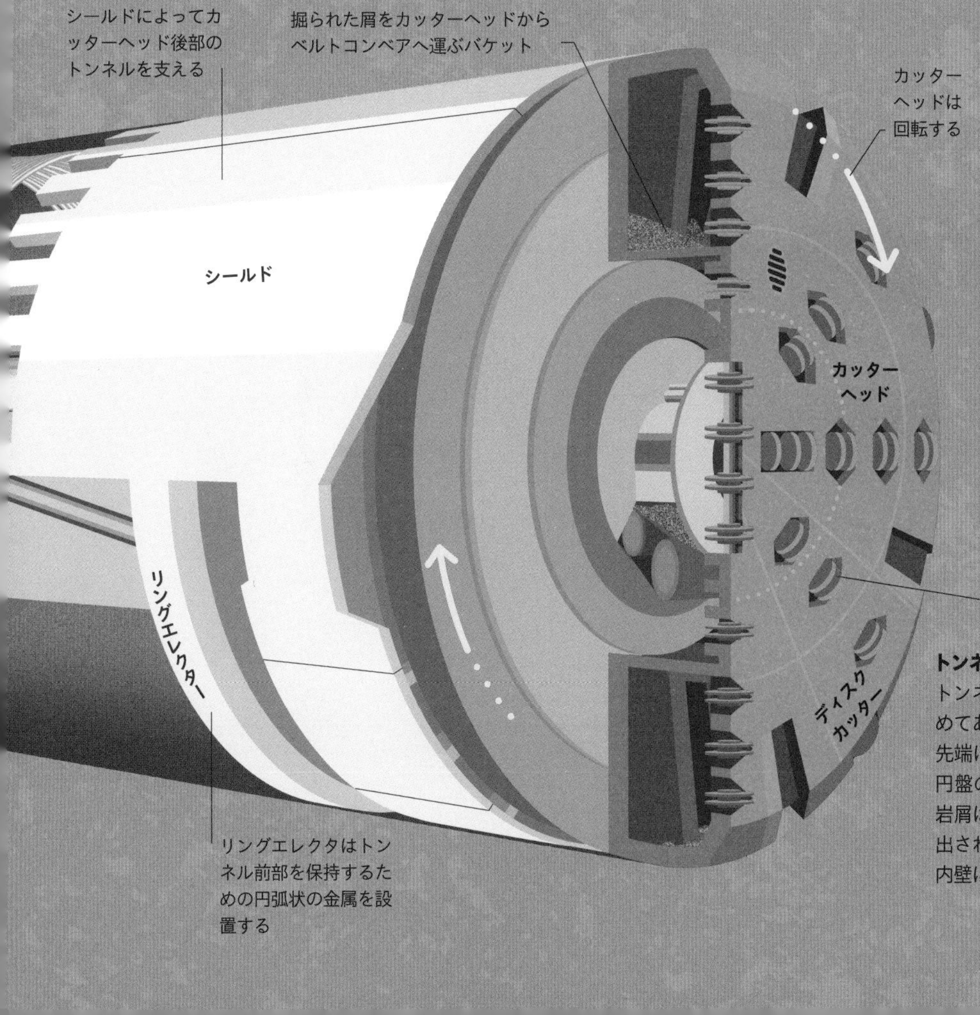
シールドによってカッターヘッド後部のトンネルを支える
掘られた屑をカッターヘッドからベルトコンベアへ運ぶバケット
カッターヘッドは回転する
シールド
カッターヘッド
リングエレクター
ディスクカッター
カッターヘッドの回転につれてディスクカッターがトンネル面から岩石を削り取る
リングエレクタはトンネル前部を保持するための円弧状の金属を設置する

57km

スイスのアルプス山脈の地下を通過する**ゴッタルドベーストンネル**は**世界最長の鉄道トンネル**であり、2本の平行するトンネルの長さは57kmある

トンネルボーリングマシン

トンネルボーリングマシンは堅い岩盤を含めてあらゆる地質を掘り進むことができる。先端には切刃のついた円盤が備わっており、円盤の回転とともに切刃が岩を掘削する。岩屑はコンベアによってマシンの後部へ排出される。マシンは前進しながらトンネル内壁にコンクリートの覆工を施してゆく。

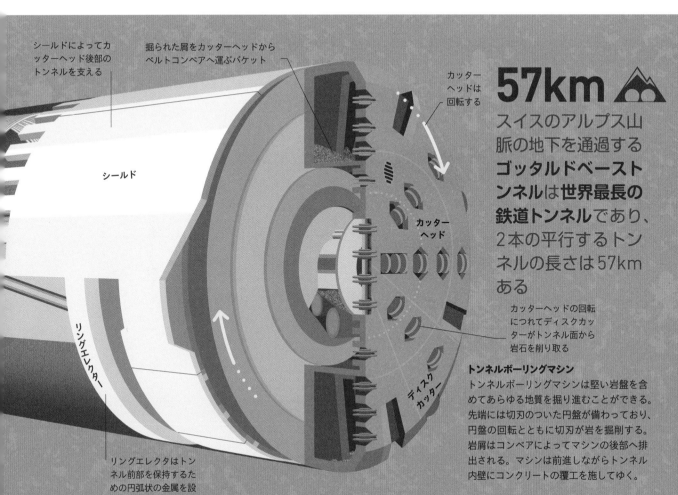

木造高層ビル

新しいエンジニアードウッド（工業的に二次加工された木質部材）の開発により、木の骨組を用いた高層ビルを建てることが可能になっている。木の薄板を積層接着した製品（集成材と呼ばれる）は鋼鉄に匹敵する強度を持つ。現在実現されている木構造高層ビルとしては、バンクーバーに建設された18階建の学生寮ブロックコモンズがある。

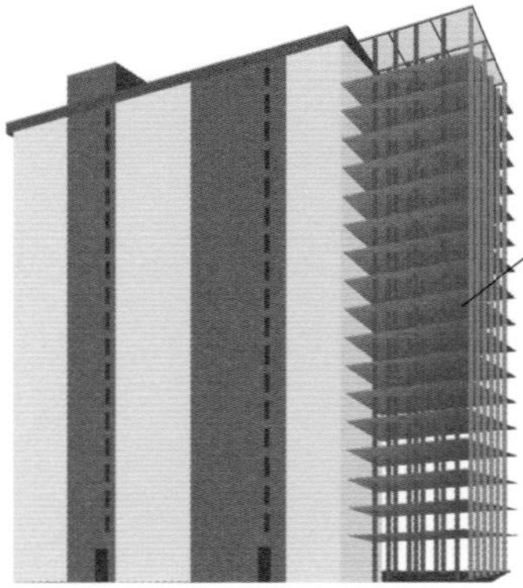
エンジニアードウッドの構造

ブロックコモンズ（バンクーバー）

カーテンウォール

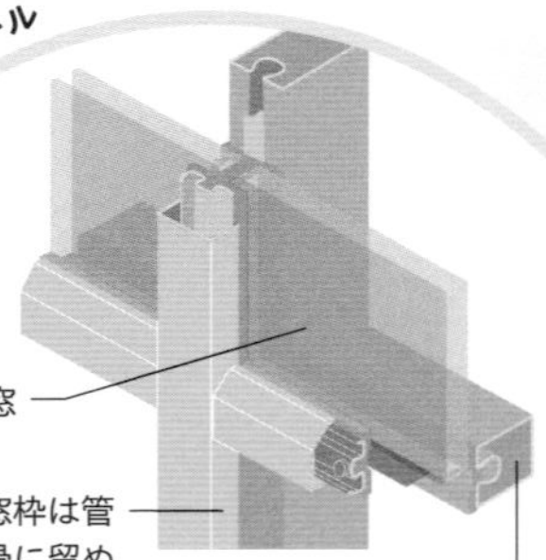
二重ガラス窓
外側の窓枠は管状の鉄骨に留めつけられている
管状の鉄骨構造

カーテンウォールと呼ばれる外壁は鉄骨構造に付加されており、自身の重量を支えるのみで建物の荷重は負担しない

超高層ビルの中身

一般的な超高層ビルでは、中央部にエレベーターや水道などの設備を配置したコンクリート製のコアがあり、その周囲に鉄骨の構造があり、さらにその周囲を荷重を負担しない外壁（カーテンウォール）が覆っている。

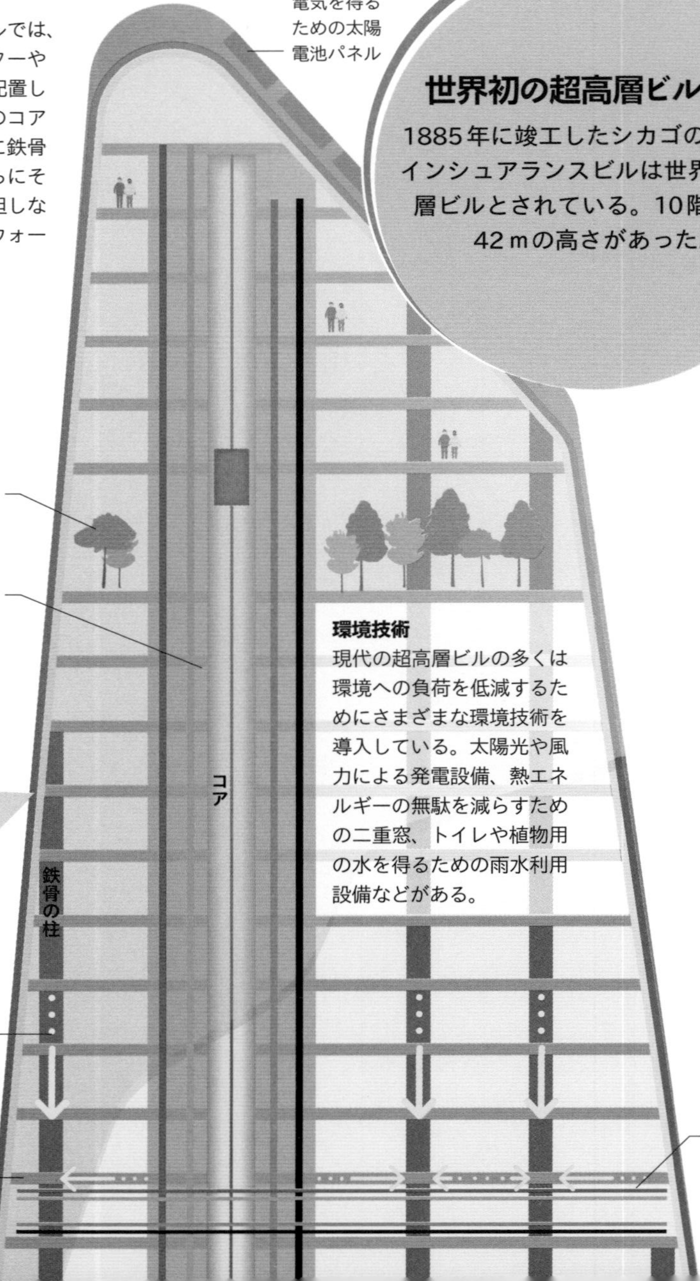
鉄骨の柱
コア

電気を得るための太陽電池パネル

憩いの空間を作り出す空中庭園

構造を安定させるとともに、エレベーターなどの設備や非常階段を収めたコンクリート造のコア

ビルの重量を基礎に伝達する鉄骨の柱

鉄骨の梁は各層の重量を柱に伝える

各層用の設備配管

環境技術

現代の超高層ビルの多くは環境への負荷を低減するためにさまざまな環境技術を導入している。太陽光や風力による発電設備、熱エネルギーの無駄を減らすための二重窓、トイレや植物用の水を得るための雨水利用設備などがある。

世界初の超高層ビルは？

1885年に竣工したシカゴのホームインシュアランスビルは世界初の高層ビルとされている。10階建で、42 mの高さがあった。

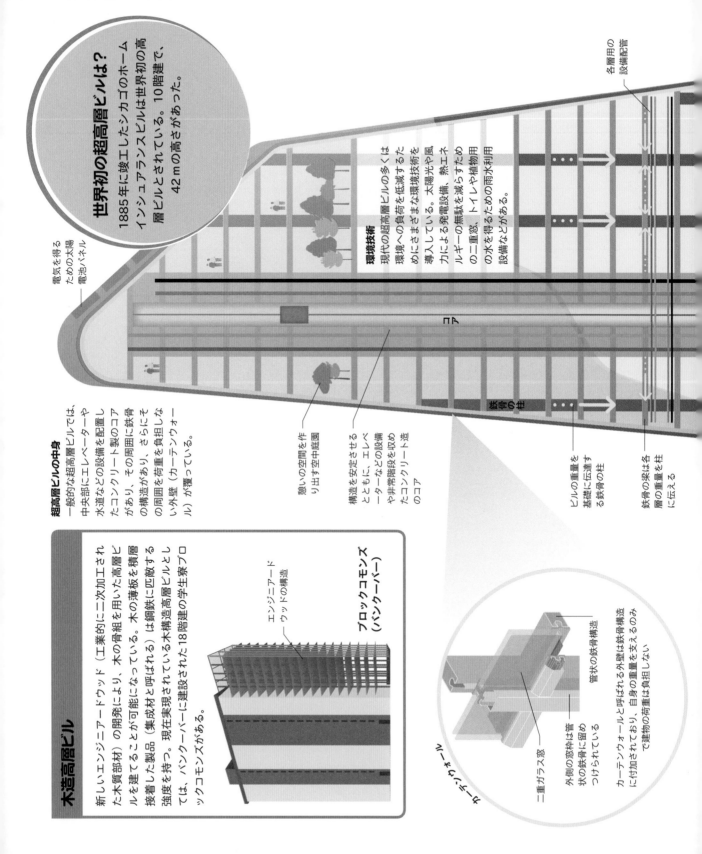

高層ビル

超高層ビルは小さな面積を有効活用できるため、多くの都市の風景を彩るようになっている。建設技術の進歩によってより高いビルが建設可能になり、現在では160階を越えるビルも建てられるようになっている。

超高層ビルの構造

レンガ造や石造の建物は壁が厚く重くなるため、5階から6階程度が限界である。超高層ビルは鋼鉄製で軽量な構造や壁を用いるため、それよりも高く建てることができる。ただし、ビルの揺れの原因となる上空の風に耐える必要があり、人々が効率的に昇降できるようなエレベーター（100-101頁参照）も備えなければならない。

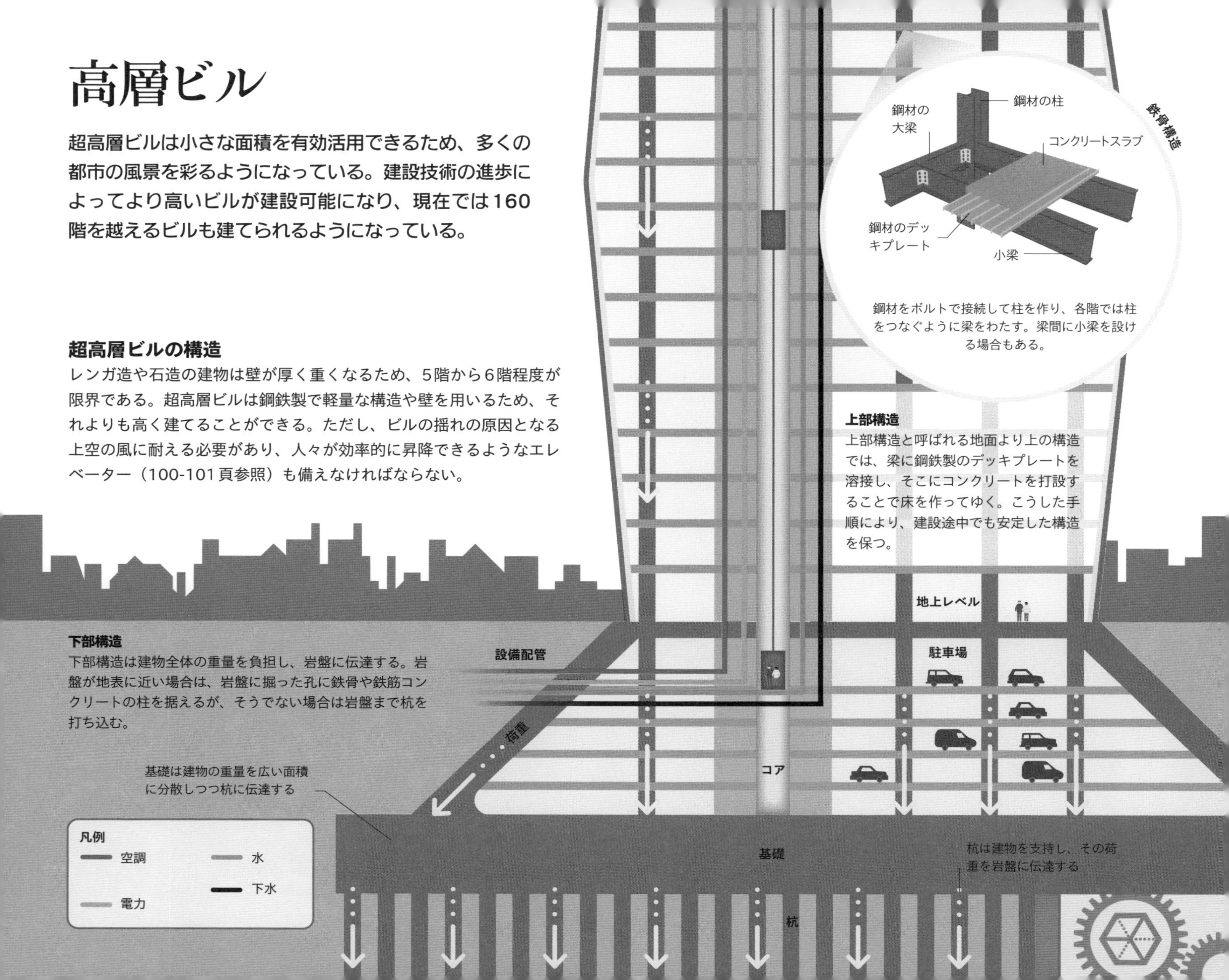

鉄骨構造
鋼材の柱
鋼材の大梁
コンクリートスラブ
鋼材のデッキプレート
小梁
鋼材をボルトで接続して柱を作り、各階では柱をつなぐように梁をわたす。梁間に小梁を設ける場合もある。
地上レベル
駐車場
設備配管
荷重
コア
基礎
杭
基礎は建物の重量を広い面積に分散しつつ杭に伝達する
杭は建物を支持し、その荷重を岩盤に伝達する
凡例
空調
水
電力
下水

上部構造

上部構造と呼ばれる地面より上の構造では、梁に鋼鉄製のデッキプレートを溶接し、そこにコンクリートを打設することで床を作ってゆく。こうした手順により、建設途中でも安定した構造を保つ。

下部構造

下部構造は建物全体の重量を負担し、岩盤に伝達する。岩盤が地表に近い場合は、岩盤に掘った孔に鉄骨や鉄筋コンクリートの柱を据えるが、そうでない場合は岩盤まで杭を打ち込む。

エレベーター

エレベーター（リフト）はモーター、釣合錘《つりあいおもり》、および丈夫なケーブルを用いて人や荷物を載せたかごを昇降させる装置である。1880年代に安全なエレベーターと鉄骨造が発明されたことにより、高層ビルの普及が進んだ（98-99頁参照）。

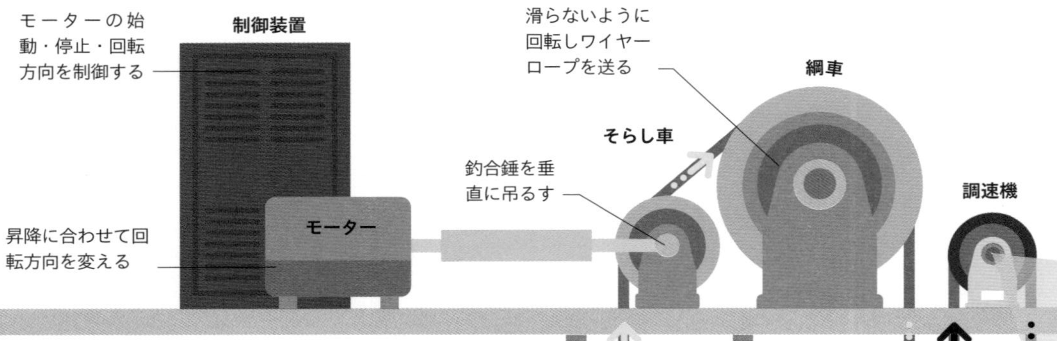

制御装置
モーターの始動・停止・回転方向を制御する
モーター
昇降に合わせて回転方向を変える
そらし車
釣合錘を垂直に吊るす
綱車
滑らないように回転しワイヤーロープを送る
調速機

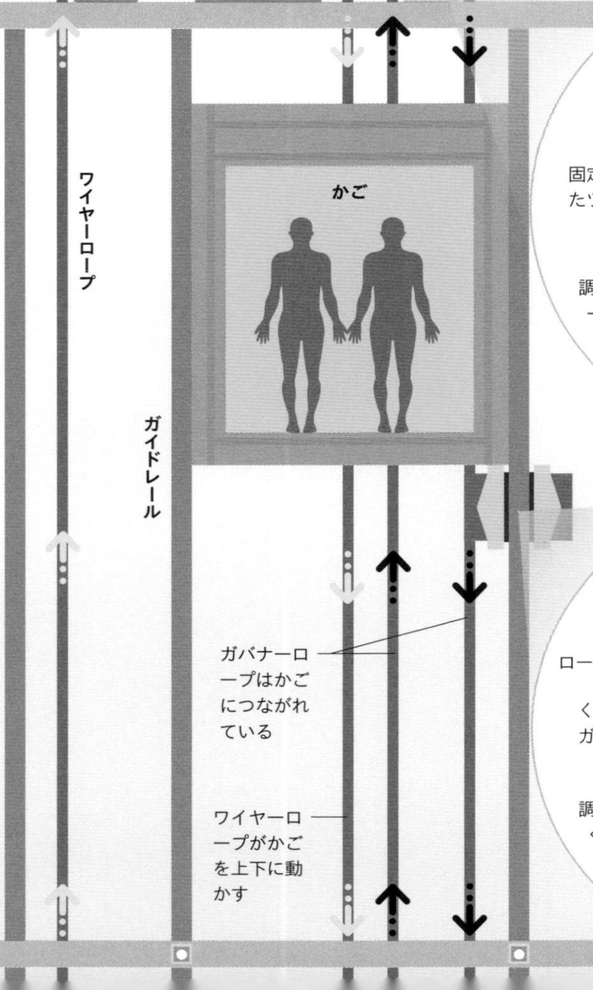

ワイヤーロープ
ガイドレール
かご
ガバナーロープはかごにつながれている
ワイヤーロープがかごを上下に動かす

エレベーターのしくみ

一般的なエレベーターは綱車《つなぐるま》と呼ばれる滑車にかけられた金属製のワイヤーロープによって上下に移動する。エレベーターを駆動するのは綱車に接続された電気モーターである。ケーブルの一端にはかご、逆の一端には釣合錘がつながれている。横揺れを防ぐために、かごはガイドレールに沿って昇降する。非常時には非常止め装置がガイドレールを挟んでかごの移動を停める。制御装置や電源装置はエレベーターシャフト上部の機械室に設置されることが多い。

安全装置

エレベーターには必ず安全装置が備わっており、かごが墜落するような事故はほとんど起こらないようになっている。1本でもかごを吊り下げる強度のある金属製ロープを複数使っているほか、調速機や非常止め装置なども備えている。

調速機

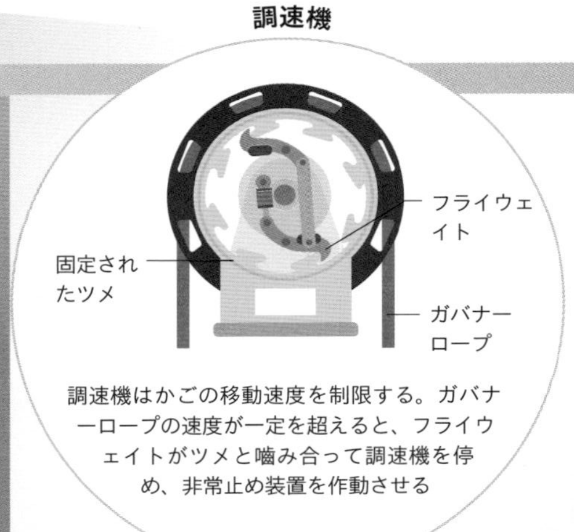

フライウェイト
固定されたツメ
ガバナーロープ
調速機はかごの移動速度を制限する。ガバナーロープの速度が一定を超えると、フライウェイトがツメと噛み合って調速機を停め、非常止め装置を作動させる

非常止め装置

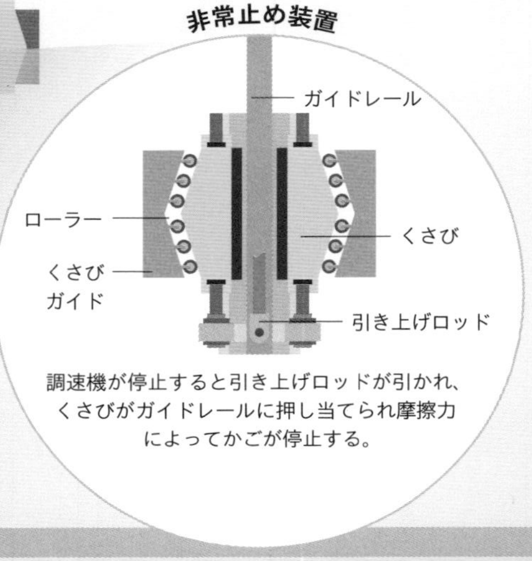

ガイドレール
ローラー
くさび
くさびガイド
引き上げロッド
調速機が停止すると引き上げロッドが引かれ、くさびがガイドレールに押し当てられ摩擦力によってかごが停止する。

ワイヤーロープ

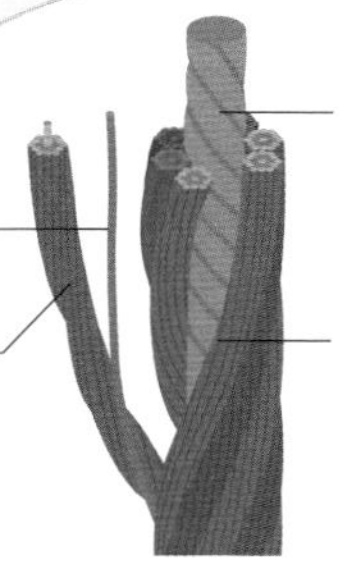

金属や複合素材の芯
金属線
芯に縒り線を巻き付けてケーブルを作る
金属線を縒り合わせた束

ロープは沢山の細いワイヤーを縒《よ》り合わせて作られており、1本でもかごの重さを吊り下げられる強度がある。通常のエレベーターでは4～8本のケーブルを使っている。

エレベーターは最も安全な移動手段であり、階段の50倍の安全性がある

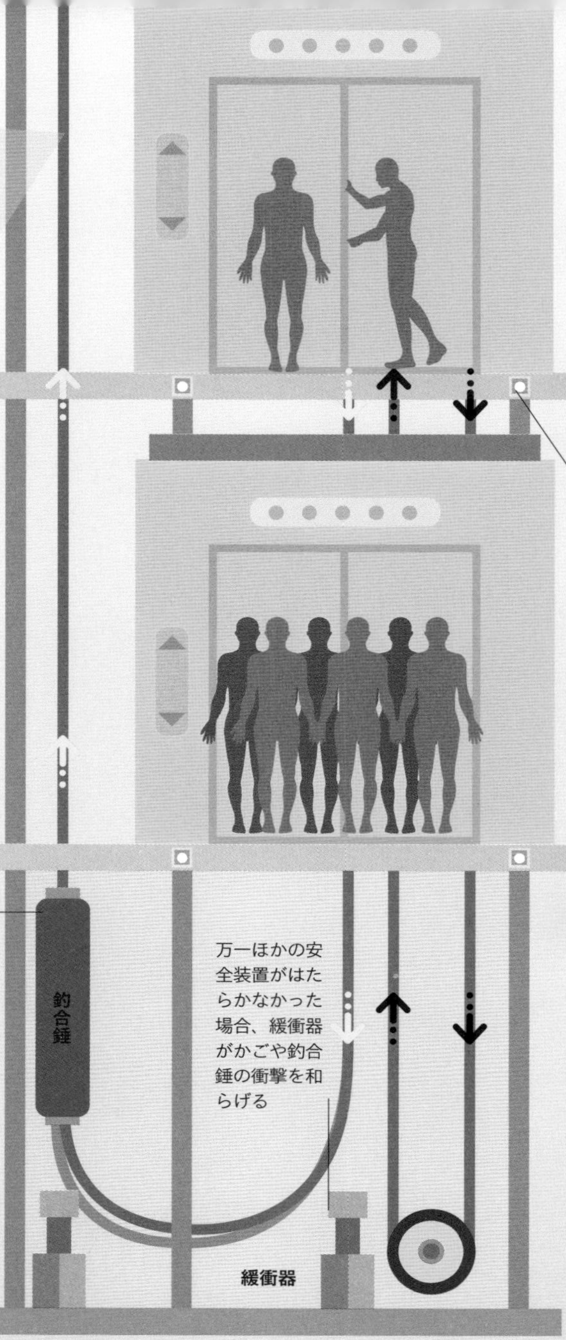

ガイドレールのセンサーによってかごと床がぴったり揃っているか確認する
かごを持ち上げるエネルギーを節約するために釣合錘を用いる
釣合錘
万一ほかの安全装置がはたらかなかった場合、緩衝器がかごや釣合錘の衝撃を和らげる
緩衝器

エレベーターはどれくらい速くできるか？

最も高速のエレベーターは秒速20.5 mで上昇できる。通常のエレベーターの下降時の最高速は秒速10 m程度。

ドアの安全性

エレベーターには内側のかご扉と外側の戸がある。かご扉はかごの一部であり、外側の戸はエレベーターシャフトに設置されている。かごには外側の戸の留め具を解除して開ける機構が備わっており、外側の戸はかごがその階にある時にしか開かない。

重量制限

エレベーターには必ず、大きさや機構に応じた重量制限があり、センサーが重量超過を検知すると戸を閉まらないようにする。荷物用エレベーターは人用のものよりも大きな重量を運搬できるように設計されている。

エレベーターのプログラム

エレベーターは効率的に運用するためにコンピュータープログラムによって制御されている。通常、上り方向のかごはすべての上りの呼び出しに応えるまで下りの呼び出しには応えないようになっている（逆も同じ）。先進的なシステムでは旅客量のパターンを考慮に入れ、需要に応じてかごを操作するものもある。

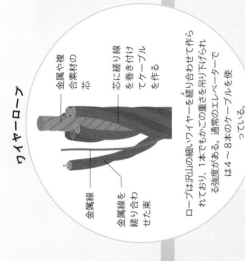

水平ジブクレーンの構造
タワーは地面に据えられた重量のある基礎から立ち上げられ、頂部にはジブを回転するための旋回リングがある。釣合錘は荷重の負担を助ける。吊り荷の上下およびジブに沿った移動にはワイヤーと滑車を用いた機構が用いられる。

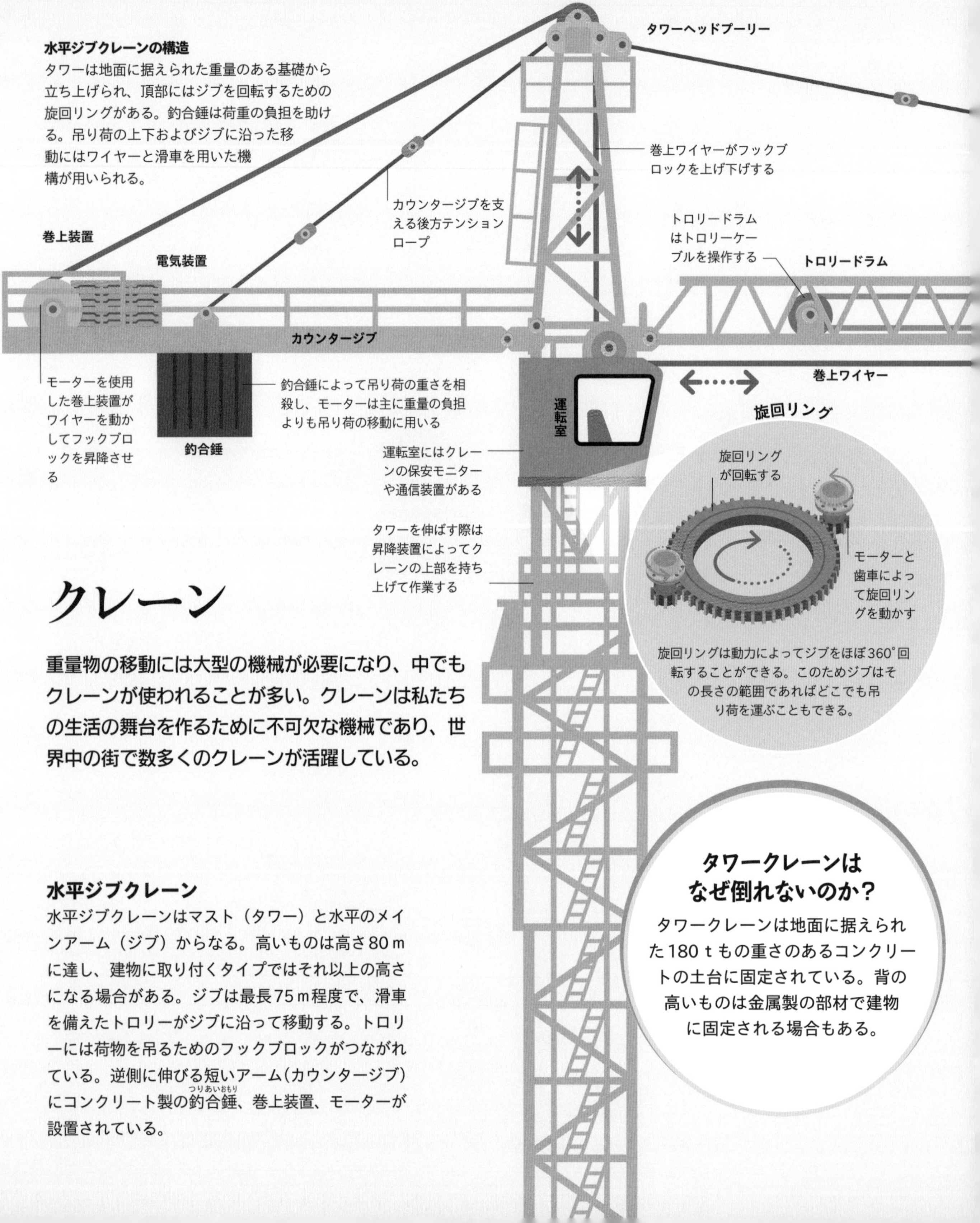

タワーヘッドプーリー
巻上ワイヤーがフックブロックを上げ下げする
カウンタージブを支える後方テンションロープ
巻上装置
電気装置
トロリードラムはトロリーケーブルを操作する
トロリードラム
カウンタージブ
巻上ワイヤー
モーターを使用した巻上装置がワイヤーを動かしてフックブロックを昇降させる
釣合錘によって吊り荷の重さを相殺し、モーターは主に重量の負担よりも吊り荷の移動に用いる
釣合錘
運転室
旋回リング
運転室にはクレーンの保安モニターや通信装置がある
旋回リングが回転する
タワーを伸ばす際は昇降装置によってクレーンの上部を持ち上げて作業する
モーターと歯車によって旋回リングを動かす
旋回リングは動力によってジブをほぼ360°回転することができる。このためジブはその長さの範囲であればどこでも吊り荷を運ぶこともできる。

クレーン

重量物の移動には大型の機械が必要になり、中でもクレーンが使われることが多い。クレーンは私たちの生活の舞台を作るために不可欠な機械であり、世界中の街で数多くのクレーンが活躍している。

水平ジブクレーン

水平ジブクレーンはマスト（タワー）と水平のメインアーム（ジブ）からなる。高いものは高さ80 mに達し、建物に取り付くタイプではそれ以上の高さになる場合がある。ジブは最長75 m程度で、滑車を備えたトロリーがジブに沿って移動する。トロリーには荷物を吊るためのフックブロックがつながれている。逆側に伸びる短いアーム(カウンタージブ)にコンクリート製の釣合錘《つりあいおもり》、巻上装置、モーターが設置されている。

タワークレーンはなぜ倒れないのか？

タワークレーンは地面に据えられた180 tもの重さのあるコンクリートの土台に固定されている。背の高いものは金属製の部材で建物に固定される場合もある。

特殊なクレーンの中には**1,600 t** も持ち上げられるものがある。これはほぼ**ゾウ400頭分**の重さ

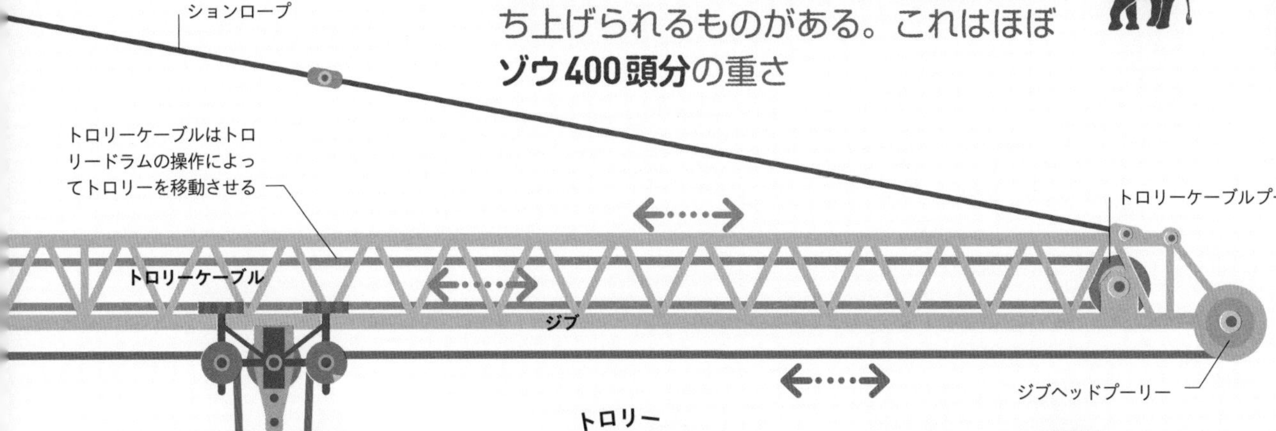
ジブを支える前方テンションロープ
トロリーケーブルはトロリードラムの操作によってトロリーを移動させる
トロリーケーブル
ジブ
トロリーケーブルプーリー
ジブヘッドプーリー

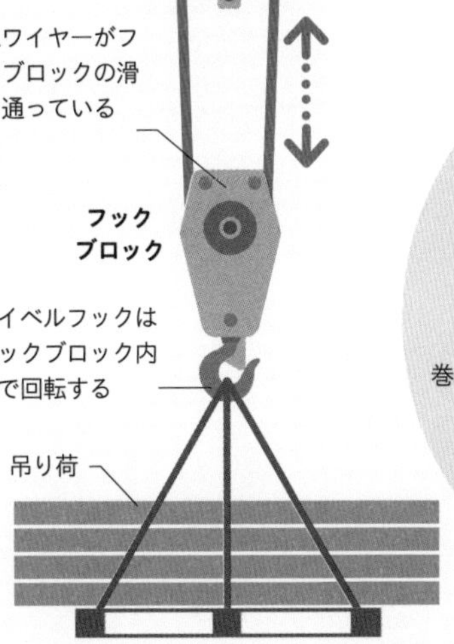
巻上ワイヤーがフックブロックの滑車を通っている
フックブロック
スイベルフックはフックブロック内部で回転する
吊り荷

トロリー

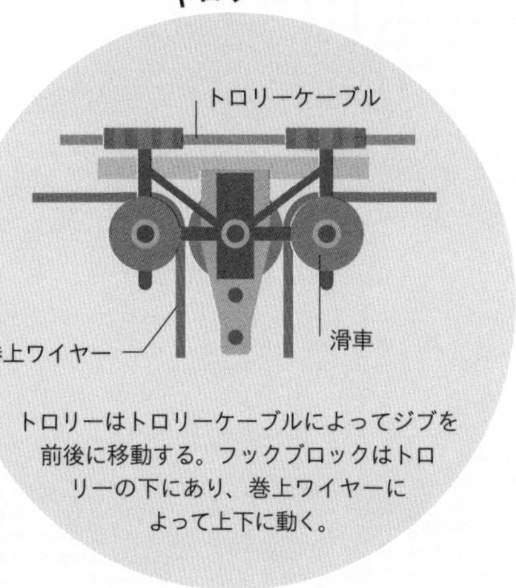
トロリーケーブル
巻上ワイヤー
滑車

トロリーはトロリーケーブルによってジブを前後に移動する。フックブロックはトロリーの下にあり、巻上ワイヤーによって上下に動く。

クレーンの種類

陸上で用いられるクレーンには、タワークレーン（カンチレバークレーンを含む）、オーバーヘッドクレーン（ガントリークレーンなど）、水平引込式クレーン、移動式クレーンの大きく4つの種類がある。

移動式クレーン
回転台に設置したクレーンをトラック用シャーシに架装したもの。クレーンは油圧で操作する。

水平引込式クレーン
ジブの上下とともにフックは前後に動き、フックを水平移動できるもの。

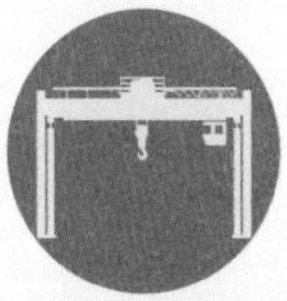

ガントリークレーン
物や作業場をまたぐように設置されるクレーン。造船やコンテナ倉庫で使用されることが多い。

カンチレバークレーン
水平ジブクレーンの前身にあたる低層のクレーン。鉄塔の上で釣合錘をのせたジブが旋回する。

荷を持ち上げる

バランスを失わないために重い吊り荷ほどタワーの近くで吊り上げる必要がある。水平ジブクレーンが扱えるのは最大18 t 程度で、定格を超えると安全装置によって作業は停止される。

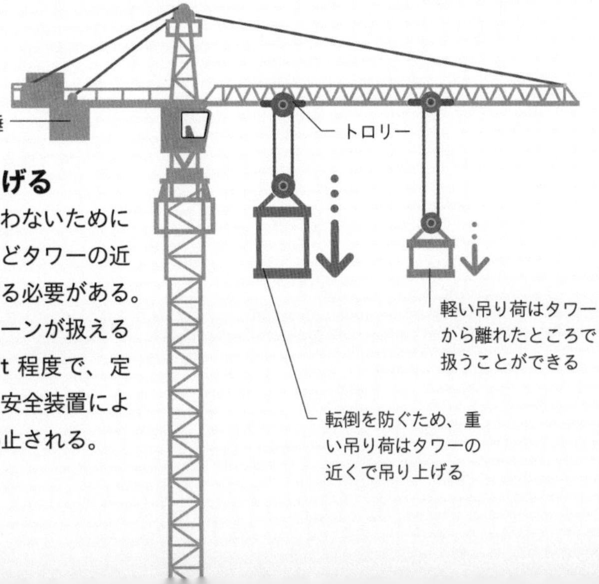
釣合錘
トロリー
軽い吊り荷はタワーから離れたところで扱うことができる
転倒を防ぐため、重い吊り荷はタワーの近くで吊り上げる

第4章

家庭の技術

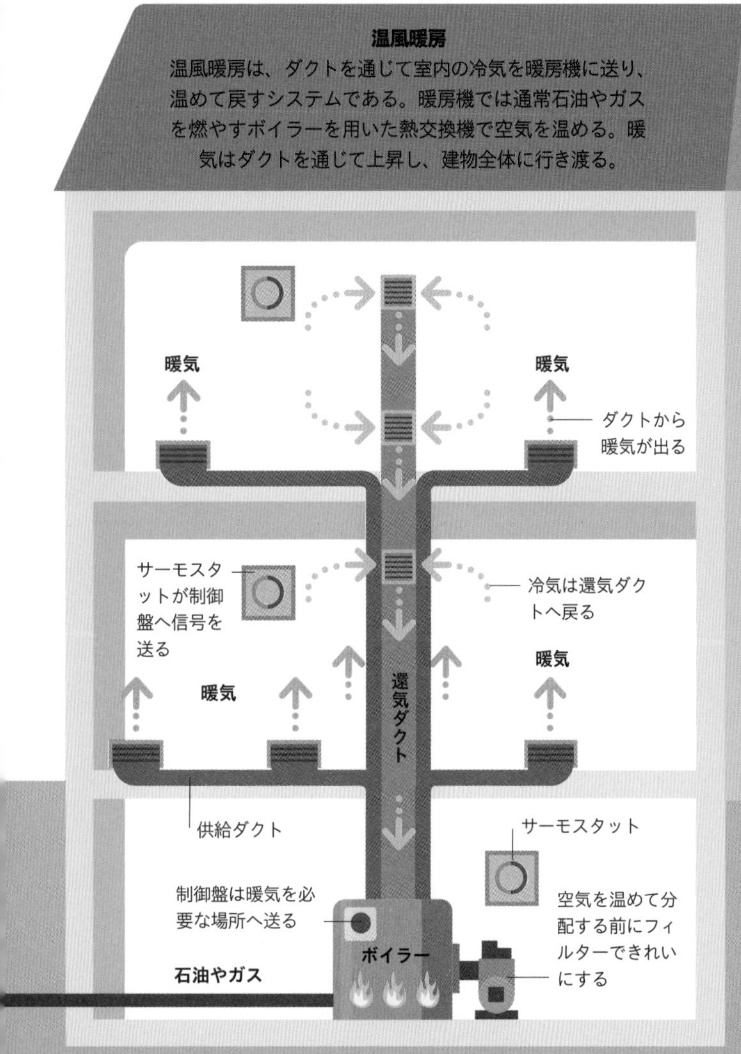
温風暖房
温風暖房は、ダクトを通じて室内の冷気を暖房機に送り、温めて戻すシステムである。暖房機では通常石油やガスを燃やすボイラーを用いた熱交換機で空気を温める。暖気はダクトを通じて上昇し、建物全体に行き渡る。
暖気
暖気
ダクトから暖気が出る
サーモスタットが制御盤へ信号を送る
冷気は還気ダクトへ戻る
暖気
暖気
還気ダクト
供給ダクト
サーモスタット
制御盤は暖気を必要な場所へ送る
ボイラー
石油やガス
空気を温めて分配する前にフィルターできれいにする

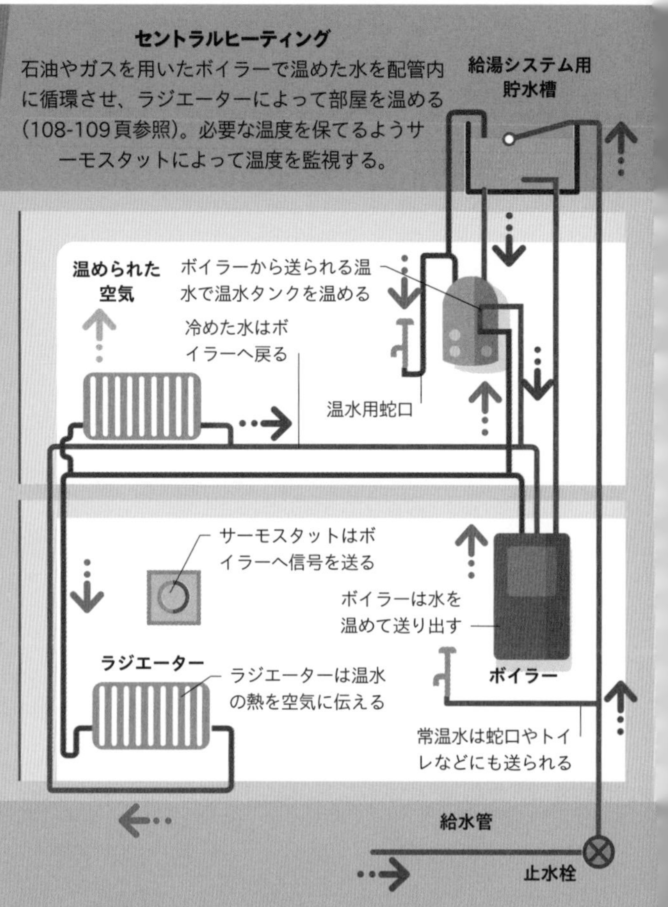
セントラルヒーティング
石油やガスを用いたボイラーで温めた水を配管内に循環させ、ラジエーターによって部屋を温める（108-109頁参照）。必要な温度を保てるようサーモスタットによって温度を監視する。
給湯システム用貯水槽
温められた空気
ボイラーから送られる温水で温水タンクを温める
冷めた水はボイラーへ戻る
温水用蛇口
サーモスタットはボイラーへ信号を送る
ボイラーは水を温めて送り出す
ボイラー
ラジエーター
ラジエーターは温水の熱を空気に伝える
常温水は蛇口やトイレなどにも送られる
給水管
止水栓

住宅の設備

多くの設備は配管を通じて外部から供給される天然ガスや水道を建物内部に取り入れ、分配している。これらは何か問題が起こった際や誰も住んでいない場合などのために遮断できるようになっている。

住宅の設備

住宅は電力、暖房、水、通信などの公共サービスを利用している。これらは通常、企業などにより外部から提供されているが、自前の水源や暖炉などの独立した熱源を備えた物件もある。

電気

電気は電力量計で使用量を計算され、分電盤によって住宅に引き込まれる。コンセントなどへは分電盤から屋内配線に供給される。照明などで使用される配線は１箇所から分岐する。

水道

給水管を通じてきれいな水が住宅に供給され、これを貯水槽に貯めたり蛇口から使用したりする。使用後の水は排水管を通じて排出され、下水処理場などへ送られる。

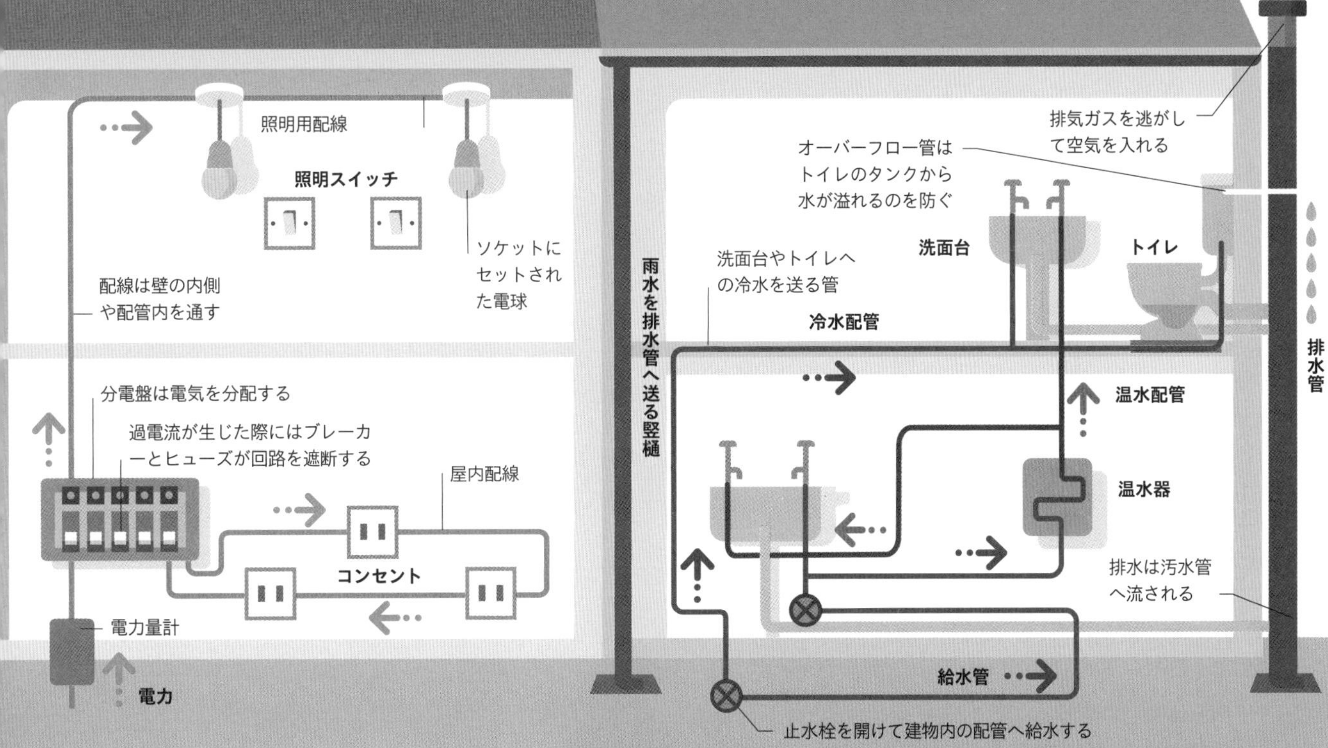
ベント
照明用配線
照明スイッチ
ソケットにセットされた電球
配線は壁の内側や配管内を通す
分電盤は電気を分配する
過電流が生じた際にはブレーカーとヒューズが回路を遮断する
屋内配線
コンセント
電力量計
電力
雨水を排水管へ送る竪樋
排気ガスを逃がして空気を入れる
オーバーフロー管はトイレのタンクから水が溢れるのを防ぐ
洗面台
トイレ
洗面台やトイレへの冷水を送る管
冷水配管
温水配管
温水器
排水は汚水管へ流される
排水管
給水管
止水栓を開けて建物内の配管へ給水する

凡例

- 暖気
- 冷気
- 温水
- 冷水
- 電気

電磁式ブレーカー

回路の過電流を防ぐための安全装置。電気回路はブレーカーを通るように配線され、電流が規定値を超えると電磁石が作動鉄片を引き寄せ、端子の接触を断って回路を遮断する。

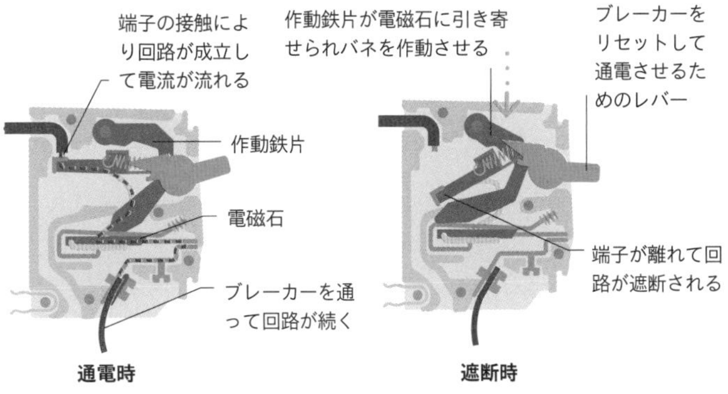
端子の接触により回路が成立して電流が流れる
作動鉄片が電磁石に引き寄せられバネを作動させる
ブレーカーをリセットして通電させるためのレバー
作動鉄片
電磁石
ブレーカーを通って回路が続く
端子が離れて回路が遮断される
通電時
遮断時

無臭の天然ガスはなぜ匂う？

メタンとプロパンにはもともと匂いはない。ガスの供給者はガス漏れに気がつきやすいように、腐った卵の匂いのするエタンチオールなどの気体を添加している。

暖房

一般住宅における大きなエネルギー消費の1つが暖房によるものである。居住地域や使用できるエネルギー源によって、ファンヒーターや小型暖房機からセントラルヒーティング（全館集中暖房）まで、家を温めるにはさまざまな方法がある。

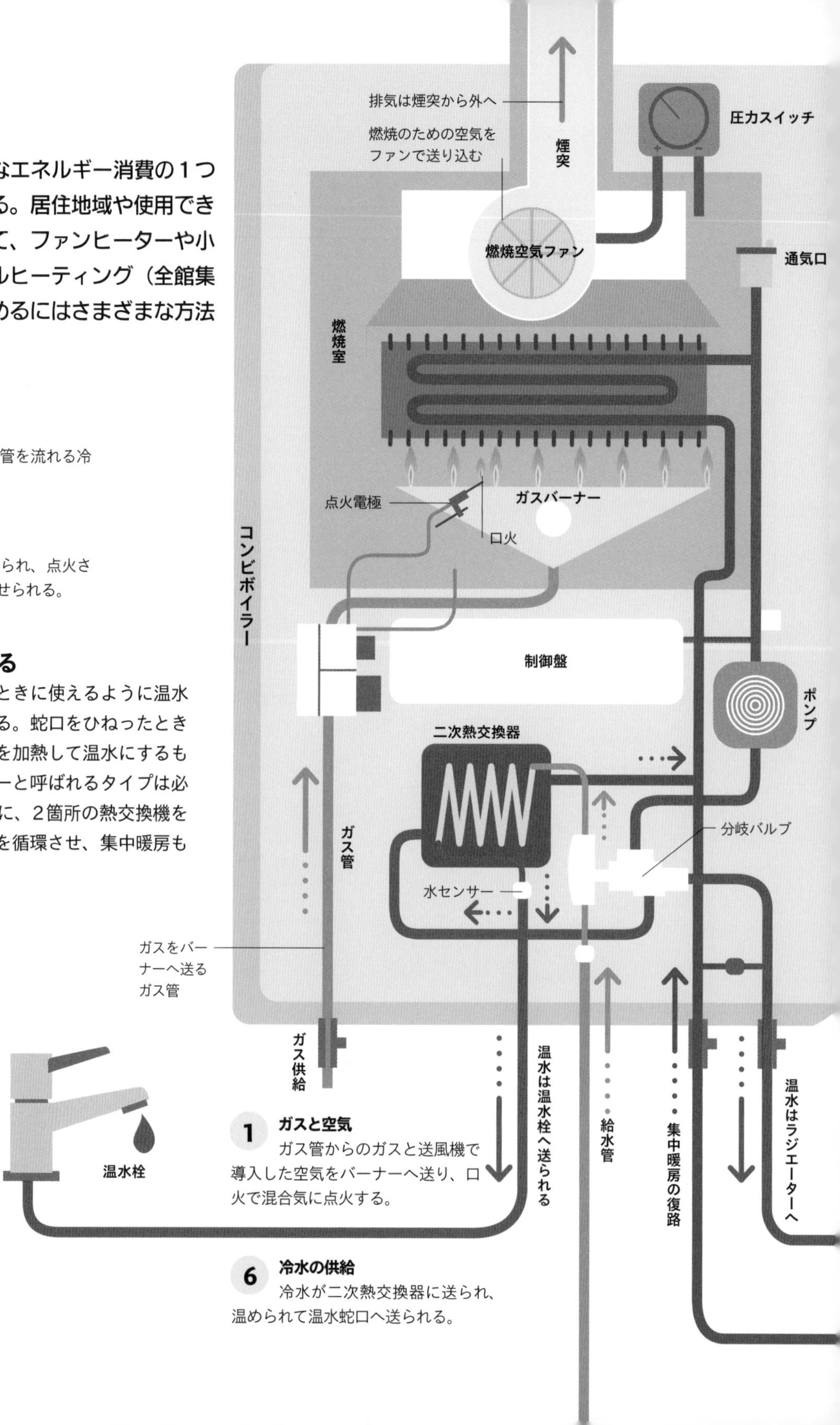

排気は煙突から外へ
燃焼のための空気を
ファンで送り込む
煙突
圧力スイッチ
燃焼空気ファン
通気口
燃焼室
点火電極
ガスバーナー
口火
コンビボイラー
制御盤
ポンプ
二次熱交換器
分岐バルブ
ガス管
水センサー
ガスをバーナーへ送るガス管
ガス供給
温水栓
温水は温水栓へ送られる
給水管
集中暖房の復路
温水はラジエーターへ

3　水を温める
熱交換器に巡らされた配管を流れる冷水に熱が伝わる。

2　燃焼
ガスと空気は燃焼室に送られ、点火される。燃焼により熱交換器が熱せられる。

温水をいつでも供給する

暖房方法の中には、必要なときに使えるように温水をタンクに貯めるものがある。蛇口をひねったときなど、必要なときだけ冷水を加熱して温水にするものと異なり、コンビボイラーと呼ばれるタイプは必要なときに温水を作るほかに、2箇所の熱交換機を用いてラジエーターに温水を循環させ、集中暖房も可能にする。

7　温水が蛇口から出てくる
温水が蛇口から流れ出す。蛇口を閉じると切り替え弁が閉じ、集中暖房が元通りに動き続ける。

5　温水蛇口をひねる
温水用の蛇口をひねるとボイラーの切り替え弁が作動し、温水の一部が二次熱交換器へ送られる。

1　ガスと空気
ガス管からのガスと送風機で導入した空気をバーナーへ送り、口火で混合気に点火する。

6　冷水の供給
冷水が二次熱交換器に送られ、温められて温水蛇口へ送られる。

サーモスタット

建物内の温度を一定に保つためのサーモスタットは、全体を監視するものや部屋ごとに設置されるものがある。使う人が設定した温度を下回るとサーモスタットに電気が流れ、点火して熱を生み出すようボイラーに指示する信号が送られる。

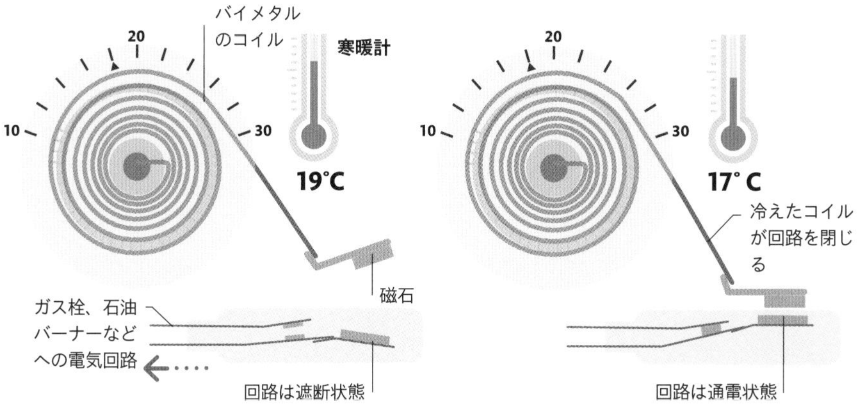

1 暖かいとき
気温が設定された温度（この例では18℃）より高いときには、温められたコイルはまっすぐになろうとして磁石を引っ張り、回路は遮断されボイラーは燃焼を止める。

2 設定値より寒いとき
気温が下がるとコイルは巻かれるように変形し、磁石を端子へ近付ける。端子は接触して通電し、ボイラーに点火して水を温めるよう指示する。

床暖房

床暖房には大きく２種類ある。温水式は配管内に温水を流し、電気式は電熱コイルを用いる。設置や運用のコストは高いが、床から放射熱で温めるため、室内をくまなく均一に温めることができる。

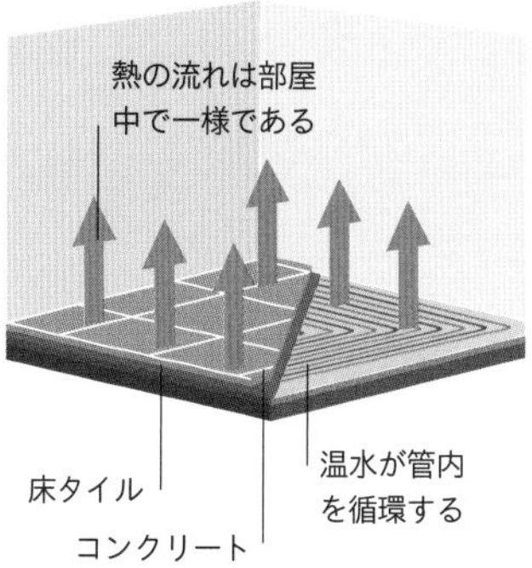

温水式の床暖房

集中暖房

ボイラーで温められた温水をポンプで循環させる。温水はラジエーター内部を通りながら放熱板を温め、放熱板は周囲の空気を温める。温度調節バルブはラジエーターを流れる水の流速を調節するもので、ゆっくり流れるほどラジエーターは熱くなる。

ラジエーター

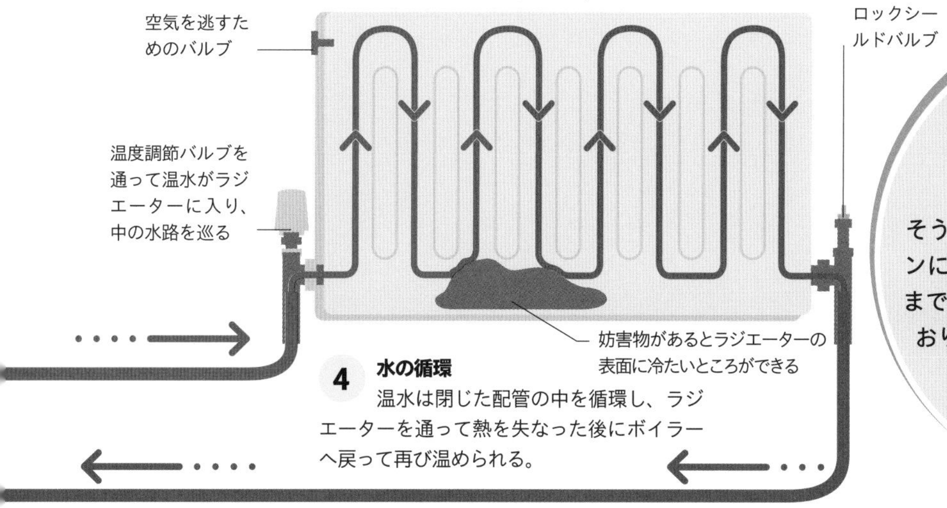

4 水の循環
温水は閉じた配管の中を循環し、ラジエーターを通って熱を失なった後にボイラーへ戻って再び温められる。

サーモスタットの設定温度を上げれば早く温まるか？

そうはならない。サーモスタットがオンになっている間は、設定温度になるまでボイラーは最大の能力で動作しており、高い温度に設定したからといって早く温まるわけではない。

電子レンジ

電子レンジが使用するマイクロ波は、赤外線と電波（136-37頁参照）の間の波長を持つ電磁波である。マイクロ波は多くの物質（すべてではない）を透過して食品内の水と脂肪の分子を振動させ、熱を発生させる。これによりオーブンよりも均一かつ高速に調理することができる。

商品化された**最初の電子レンジ**は**1.7mもの高さ**があった

電子レンジのしくみ

家庭用電子レンジは家庭用電源によってマグネトロンを駆動する。マグネトロンは電場と磁場の作用によりマイクロ波を発生する。マイクロ波は電場を1秒間に数十億回振動させる。マイクロ波は金属で覆われた電子レンジの調理室に送られ、内部で反射しながら食品内の分子に衝突して振動させ熱を生み出す。

1 設定

タッチパネルなどで、使う人が出力や時間を設定する。扉には安全スイッチがあり、作動中に開けると動作が停止するようになっている。

2 マイクロ波の発生

マグネトロンが2.45ギガヘルツ（GHz、1秒あたり24.5億回の振動数）のマイクロ波を発生する。

3 マイクロ波の伝達

導波管を通じてマイクロ波を調理室に送る。マイクロ波は調理室内でいろいろな方向に反射する。

4 食品を温める

マイクロ波は電子レンジの金属には反射するが、プラスチックやガラスや陶器は通過し、食品を温める。

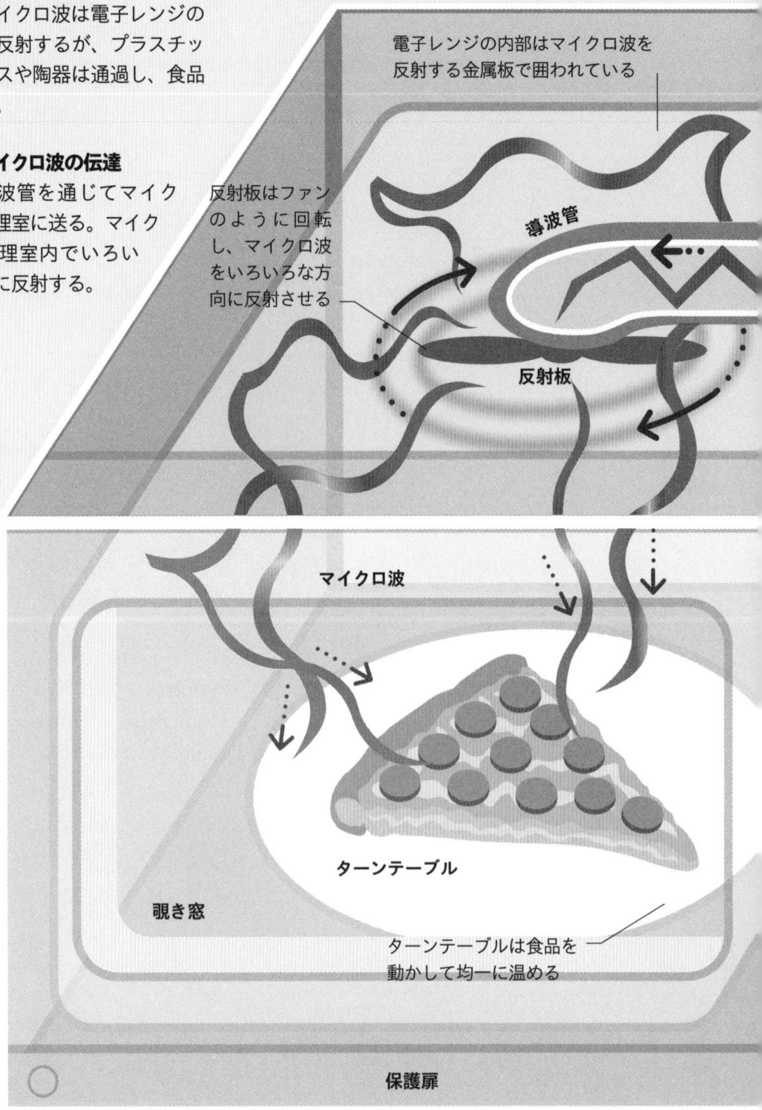

電子レンジの内部はマイクロ波を反射する金属板で囲われている
反射板はファンのように回転し、マイクロ波をいろいろな方向に反射させる
導波管
反射板
マイクロ波
ターンテーブル
覗き窓
ターンテーブルは食品を動かして均一に温める
保護扉

レンジ用食品を温めるときに空気穴を開けるのはなぜ？

マイクロ波によって温められた食品内の水分は蒸気になり膨張する。このためパッケージに蒸気を逃がす穴を開けないと破裂する危険がある。

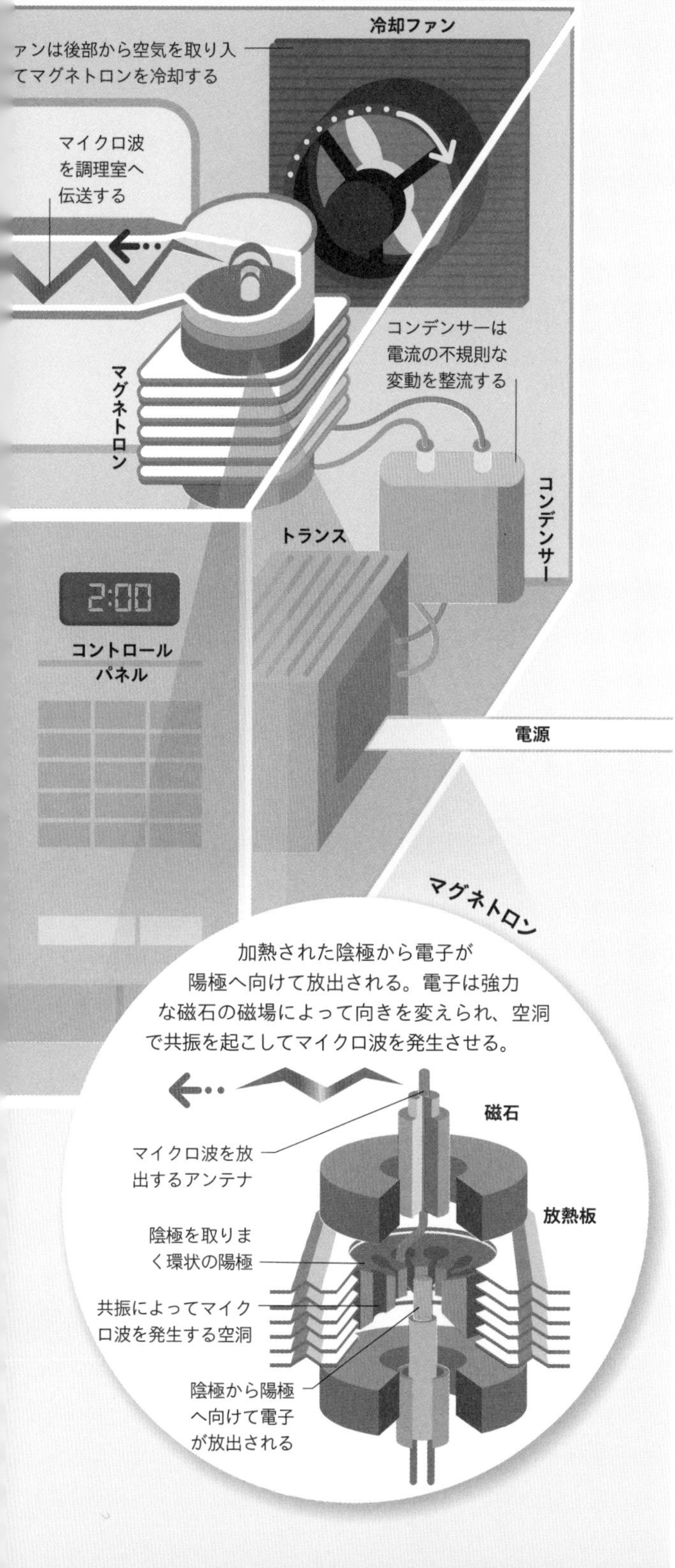
冷却ファン
ァンは後部から空気を取り入
てマグネトロンを冷却する
マイクロ波
を調理室へ
伝送する
マグネトロン
コンデンサーは
電流の不規則な
変動を整流する
コンデンサー
トランス
2:00
コントロール
パネル
電源
マグネトロン
加熱された陰極から電子が
陽極へ向けて放出される。電子は強力
な磁石の磁場によって向きを変えられ、空洞
で共振を起こしてマイクロ波を発生させる。
磁石
マイクロ波を放
出するアンテナ
放熱板
陰極を取りま
く環状の陽極
共振によってマイク
ロ波を発生する空洞
陰極から陽極
へ向けて電子
が放出される

電子を動かす

水分子は負の電荷を帯びた酸素原子１つと正の電荷を帯びた水素原子２つからできており、マイクロ波の電場の極性に合わせて向きを変える。この電場は１秒あたり数十億回の速さで極性を反転するため、水分子もこれに合わせて振動する。

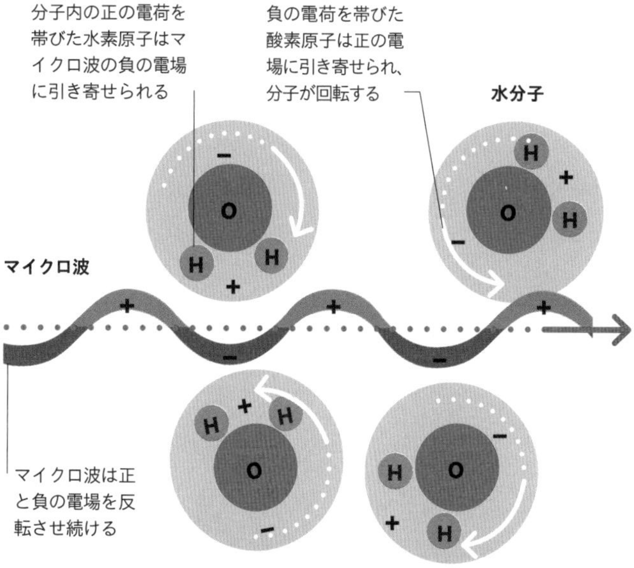
分子内の正の電荷を
帯びた水素原子はマ
イクロ波の負の電場
に引き寄せられる
負の電荷を帯びた
酸素原子は正の電
場に引き寄せられ、
分子が回転する
水分子
マイクロ波
マイクロ波は正
と負の電場を反
転させ続ける
O
H
+
−

熱の発生

変化する電場に合わせて向きを変え続ける
水分子が互いに摩擦を生じ、熱を発生する

マイクロ波加熱装置（工業用電子レンジ）

産業用には、大型のマイクロ波加熱装置が炭素繊維強化樹脂の硬化処理や乾燥食品の製造やゴムの加硫処理に使われている。

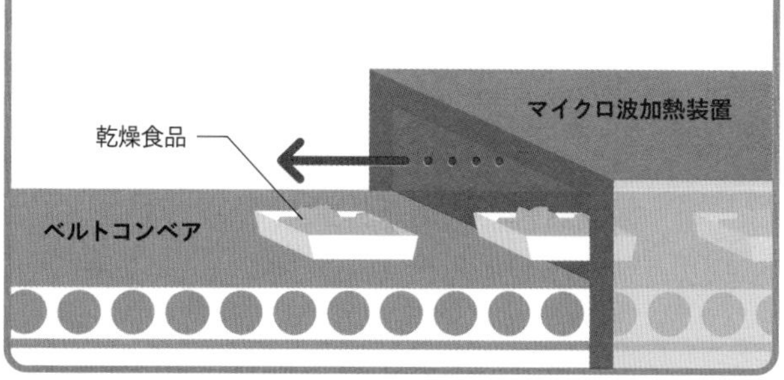
マイクロ波加熱装置
乾燥食品
ベルトコンベア

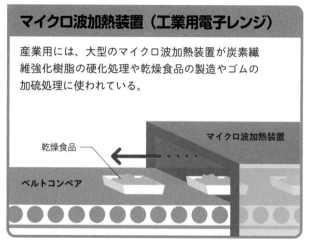

電気ケトルとトースター

電流を電線に流すと、電気エネルギーの一部は熱エネルギーに変換される。台所で使われる家電には、この原理を利用した加熱装置を使っているものがある。

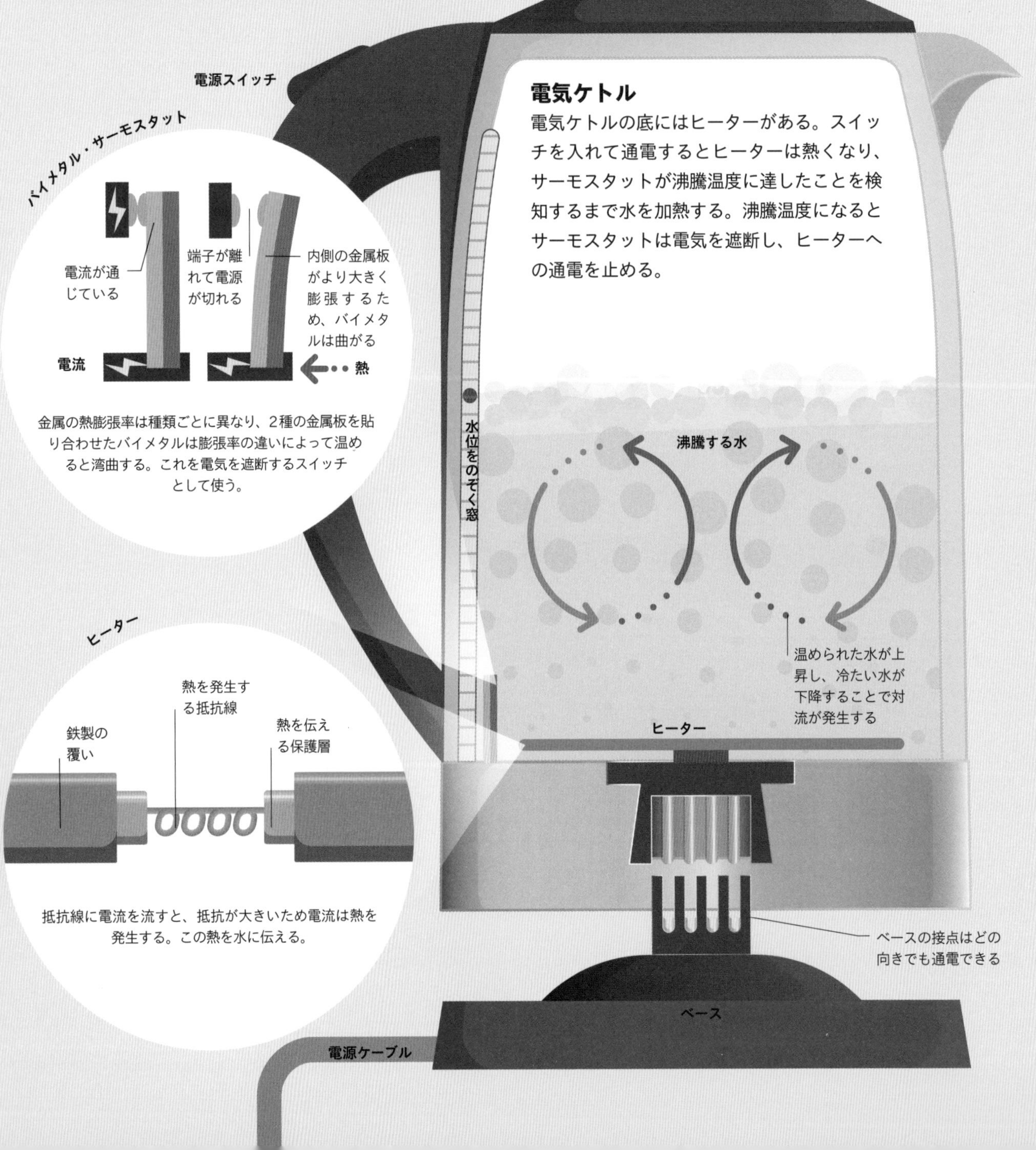

電源スイッチ
バイメタル・サーモスタット
電流が通じている
端子が離れて電源が切れる
内側の金属板がより大きく膨張するため、バイメタルは曲がる
電流
熱
金属の熱膨張率は種類ごとに異なり、2種の金属板を貼り合わせたバイメタルは膨張率の違いによって温めると湾曲する。これを電気を遮断するスイッチとして使う。
電気ケトル
電気ケトルの底にはヒーターがある。スイッチを入れて通電するとヒーターは熱くなり、サーモスタットが沸騰温度に達したことを検知するまで水を加熱する。沸騰温度になるとサーモスタットは電気を遮断し、ヒーターへの通電を止める。
水位をのぞく窓
沸騰する水
温められた水が上昇し、冷たい水が下降することで対流が発生する
ヒーター
熱を発生する抵抗線
鉄製の覆い
熱を伝える保護層
抵抗線に電流を流すと、抵抗が大きいため電流は熱を発生する。この熱を水に伝える。
ベースの接点はどの向きでも通電できる
ベース
電源ケーブル

トースター

細いニクロム線（ニッケルとクロムの合金）は電流を通すと赤熱する。トースターはこれをヒーターに使い、食パンのデンプンと糖分をカラメル化させてこんがりしたトーストを焼く。パンを入れるトレイを押し下げると電源が入ってヒーターに通電され、タイマーで設定された時間がたつと電源が切れる。

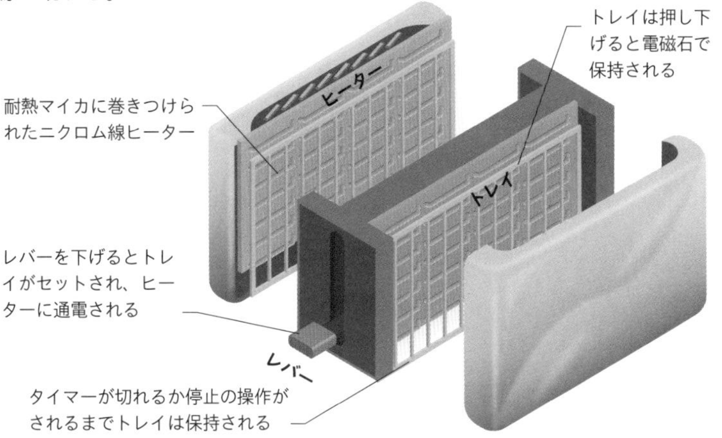
トレイは押し下げると電磁石で保持される
耐熱マイカに巻きつけられたニクロム線ヒーター
ヒーター
トレイ
レバーを下げるとトレイがセットされ、ヒーターに通電される
レバー
タイマーが切れるか停止の操作がされるまでトレイは保持される

マキネッタ

マキネッタ（直火式エスプレッソメーカー）をコンロで加熱すると下部の水が蒸発して圧力が高くなるため、水は漏斗から上昇してコーヒー粉を通過し、でき上がりのコーヒーとして上部に貯まる。

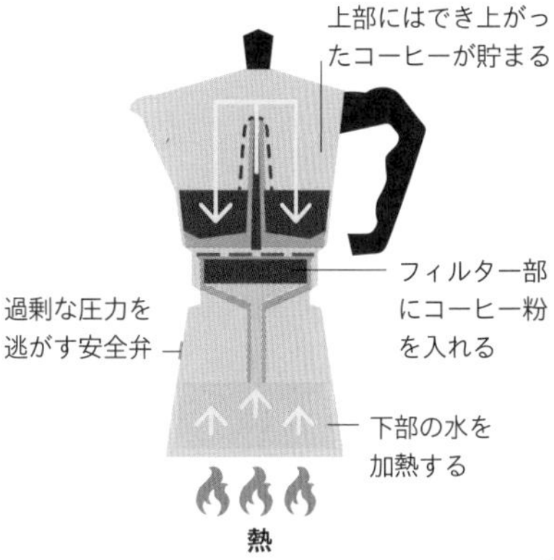
上部にはでき上がったコーヒーが貯まる
フィルター部にコーヒー粉を入れる
過剰な圧力を逃がす安全弁
下部の水を加熱する
熱

エスプレッソマシン

ヒーターでタンクの水を加熱し、水蒸気にして熱交換器へ送る。熱交換器には加圧された冷水が送られ、蒸気の熱により瞬間的に加熱される。この加熱・加圧された水がポルタフィルターに詰められたコーヒー粉をゆっくり通過し、エスプレッソを作る。

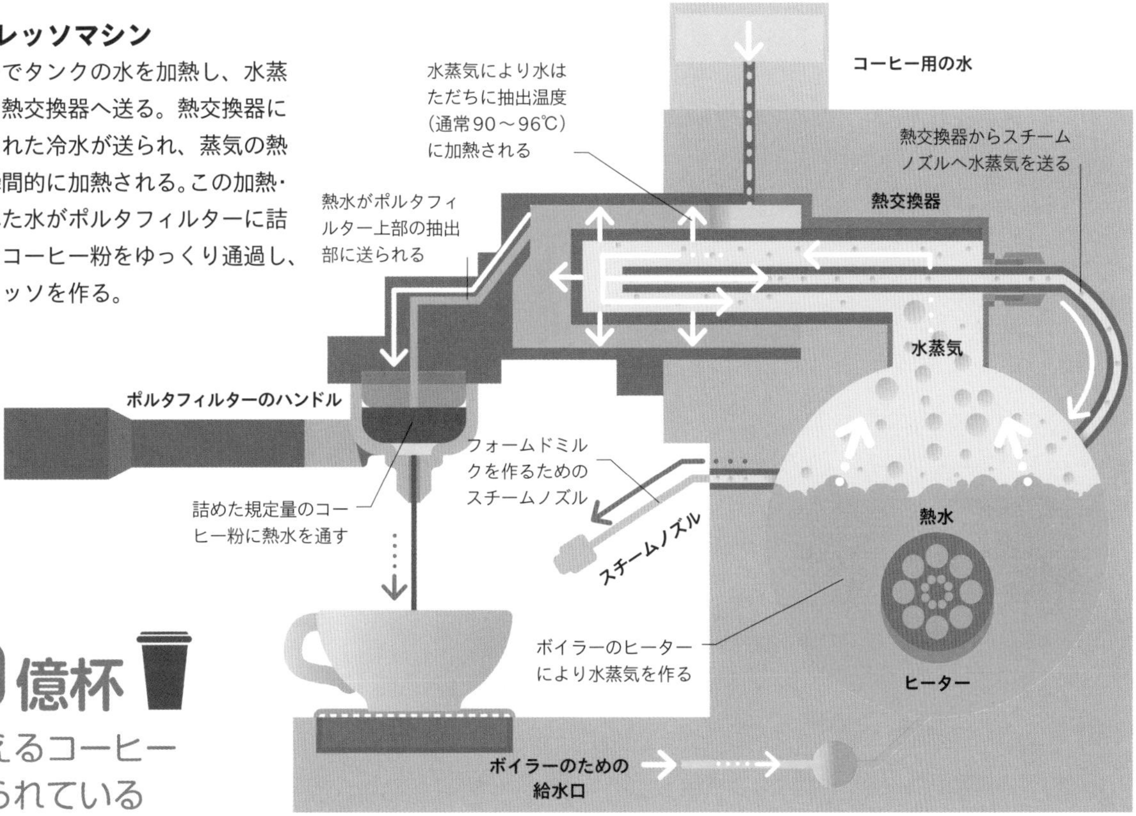
コーヒー用の水
水蒸気により水はただちに抽出温度（通常90～96℃）に加熱される
熱交換器からスチームノズルへ水蒸気を送る
熱水がポルタフィルター上部の抽出部に送られる
熱交換器
水蒸気
ポルタフィルターのハンドル
フォームドミルクを作るためのスチームノズル
詰めた規定量のコーヒー粉に熱水を通す
スチームノズル
熱水
ボイラーのヒーターにより水蒸気を作る
ヒーター
ボイラーのための給水口

毎日
20億杯
を越えるコーヒーが作られている

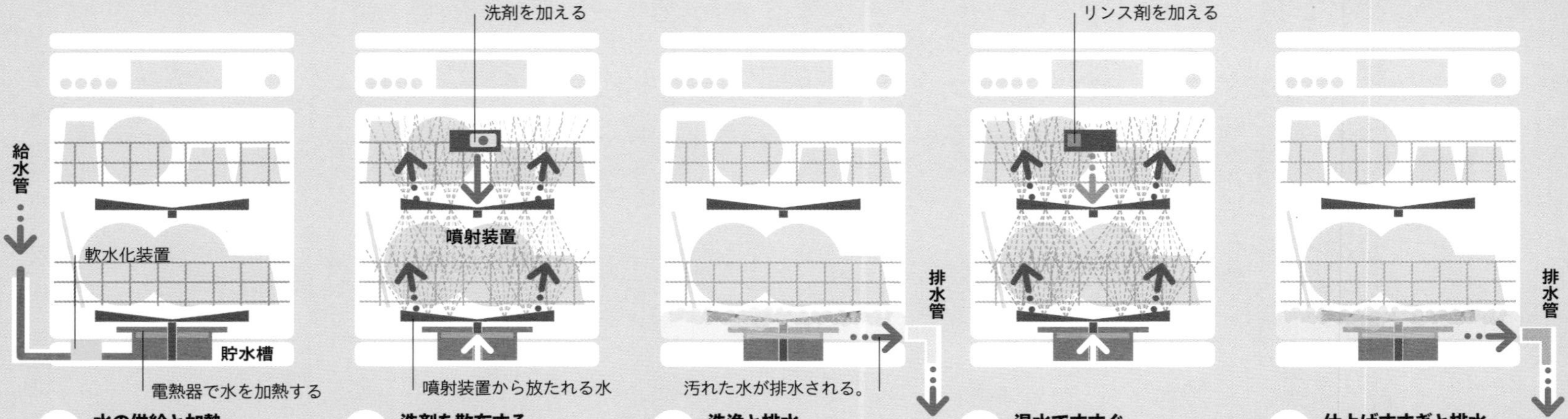

給水管
軟水化装置
貯水槽
電熱器で水を加熱する
洗剤を加える
噴射装置
噴射装置から放たれる水
汚れた水が排水される。
排水管
リンス剤を加える
排水管

1 水の供給と加熱
水道からポンプによって水を取り込み、下部の電熱器で加熱する。水は軟水化装置を通すことが多い。

2 洗剤を散布する
加圧した水に洗剤を加え、噴射装置から噴射する。噴射装置は圧力によって回転し、水を全方向に行きわたらせる。

3 洗浄と排水
温水と洗剤を繰り返し噴射して食器を洗い、終了すると汚れた水を排水する。

4 温水ですすぐ
水にリンス剤を加えて噴射する。リンス剤は水の表面張力を低下させ水切れをよくする。

5 仕上げすすぎと排水
一部の機械では最後に水だけですすぐことができる。使用された水は排水され、加熱装置が乾燥を促進する。

食器洗い機

食器洗い機はタイマーやマイクロプロセッサーでポンプ・加熱装置・高圧放水装置・洗剤を制御することにより、食器や台所用品の洗浄・すすぎ・乾燥を連続的に実行する。

食器洗い機のしくみ

食器洗い機は、カゴにセットした汚れた食器やカトラリーや台所用品に向けて高圧の水を噴射する。水溶性の洗剤を加えた小量の水が強力に噴射され、ごみや汚れを取り除く。水を高温に加熱することで油汚れへの洗浄効果を高めている。洗浄後は十分な量の水とリンス剤を使ってすすぐ。一部の機械では温風によって乾燥を行う。

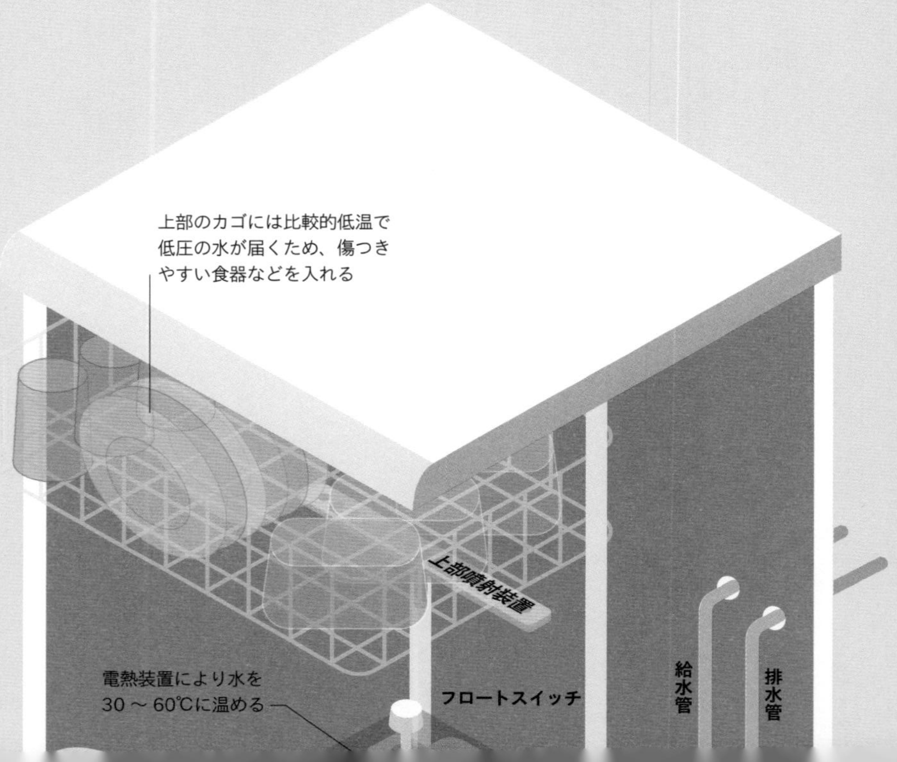

上部のカゴには比較的低温で低圧の水が届くため、傷つきやすい食器などを入れる
上部噴射装置
電熱装置により水を30～60℃に温める
フロートスイッチ
給水管
排水管

高い温度
食器洗い機は高温の水で食器やカトラリーを洗浄するため、一部の食器は食器洗い機に入れると融けたり変形したりすることがある。

下部噴射装置
ポンプ
加熱装置
洗浄／排水弁
貯水槽
フロートスイッチによって給水弁が閉じられるまでポンプが水を取り入れる
平たい貯水槽に加熱装置が内蔵されている
洗剤添加装置
防水構造により水分を外に出さない
扉の留め具
洗剤とリンス剤はタイマーやマイコンによって添加される

エネルギー効率の優れた食器洗い機は、手で洗うよりも水やエネルギーの消費が少ない

軟水化装置

地域によっては水道が硬水のため洗剤がうまく作用せず、汚れが残ったり加熱装置を傷める場合がある。硬水はカルシウムやマグネシウムの化合物が比較的多く含まれる水である。イオン交換器は硬水をナトリウムのイオンを含む樹脂の粒に通す装置であり、不要なイオンはナトリウムを置換するように樹脂に付着するため、出てくる水は軟水化され、ミネラル分が減少している。

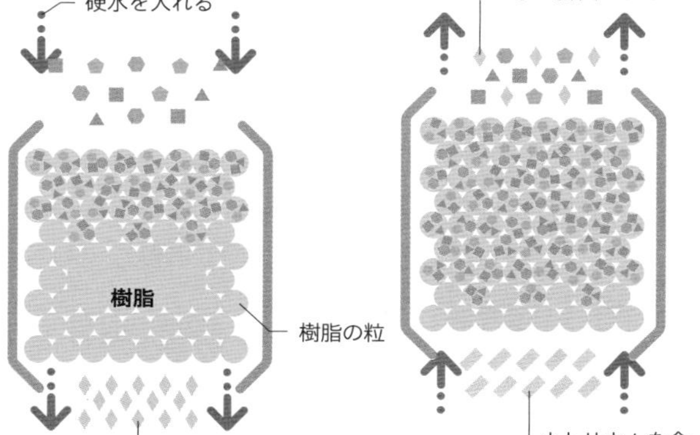
硬水を入れる
樹脂
樹脂の粒
軟水が出てくる
硬水イオンを含んだ水が排出される
ナトリウムを含んだ塩水を通す

軟水化プロセス
硬水が樹脂の粒を詰めたタンクを通る際、水中のイオンがナトリウムと入れ替わるように樹脂に付着する

再生プロセス
塩水を樹脂の粒に流すと、樹脂のマグネシウム・カルシウムなどの不要なイオンが取り除かれ、ナトリウムイオンが再び補充される。

凡例 ▲ カルシウム ■ イオン ⬟ マグネシウム ⬢ マンガン ◆ ナトリウム

食器洗い用タブレット

洗剤タブレットにはさまざまな役割の化学物質が組み合わされており、食品汚れを分解するための塩素や酸素によるさらし剤、食品中のタンパク質とデンプンの分子の分解を促して洗浄を助けるための酵素などが含まれている。

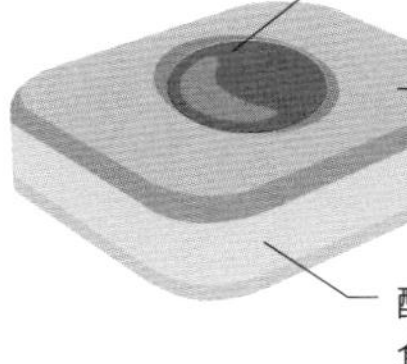
界面活性剤は洗い残しを防ぐ
漂白剤とアルカリ剤は汚れを落とす
酵素は残っている食品を分解する

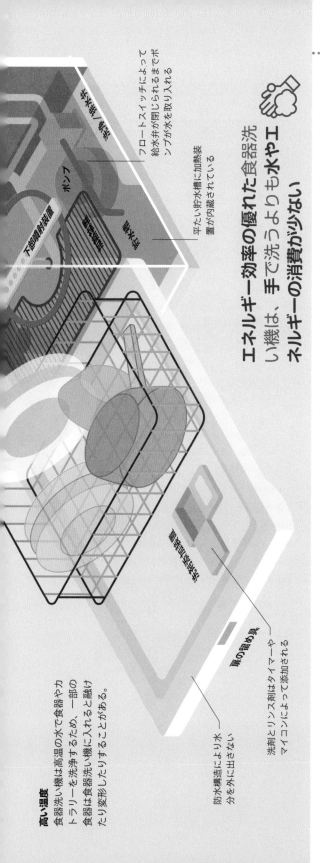

冷蔵と冷房

冷蔵庫や冷房装置は、特殊な化学物質をコイル状の回路や配管内で循環させ、熱エネルギーを移動させて内部を低温に保つ装置である。

3　冷媒を膨張させる
膨張弁を通った液体の冷媒は圧力が下がって膨張し、温度が下がった状態で冷蔵庫の中を通る蒸発機の管に送られる。

2　冷媒を冷やす
気体の冷媒が凝縮機のコイル状の細い管を通ると、金属製の放熱フィンが冷媒の熱を周囲の空気に伝え、冷媒は液化する。

冷蔵庫

冷蔵庫は熱エネルギーを低温部から高温部へ、すなわち通常とは逆向きに移動させるヒートポンプである。配管の閉じた系の中で冷媒を循環させると（右図参照）、冷媒は圧縮・膨張の過程で状態を変えながら冷蔵庫内部の熱を外へ運ぶ。さらに低温で作動する冷凍庫も同じしくみである。

冷蔵庫は何度に設定するべきか？

冷蔵庫は4℃くらいが適温であり、それより温度が高いと食品内で細菌が繁殖する可能性がある。

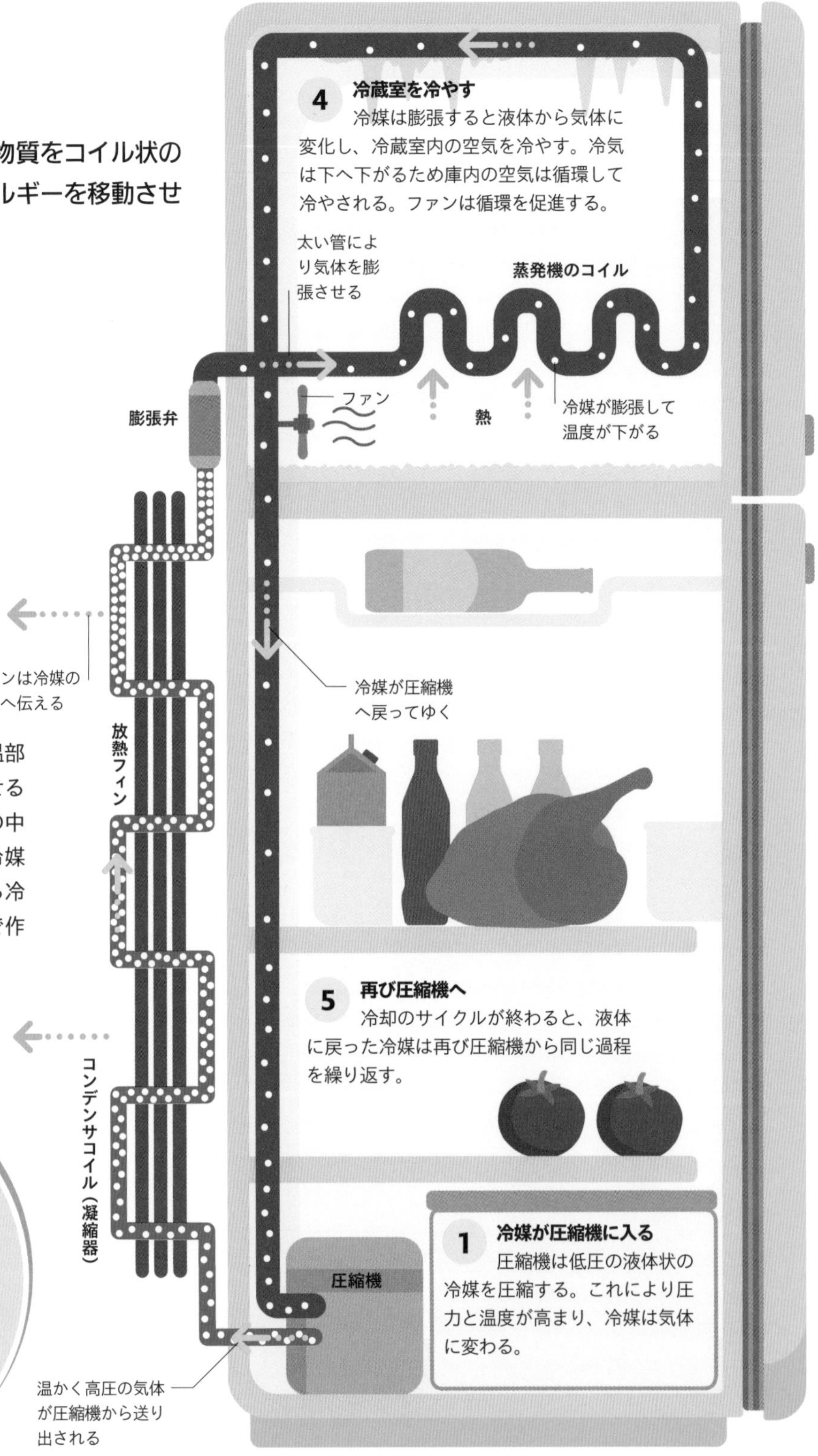
4　冷蔵室を冷やす
冷媒は膨張すると液体から気体に変化し、冷蔵室内の空気を冷やす。冷気は下へ下がるため庫内の空気は循環して冷やされる。ファンは循環を促進する。
太い管により気体を膨張させる
蒸発機のコイル
膨張弁
ファン
熱
冷媒が膨張して温度が下がる
放熱フィンは冷媒の熱を空気へ伝える
放熱フィン
冷媒が圧縮機へ戻ってゆく
5　再び圧縮機へ
冷却のサイクルが終わると、液体に戻った冷媒は再び圧縮機から同じ過程を繰り返す。
コンデンサコイル（凝縮器）
圧縮機
1　冷媒が圧縮機に入る
圧縮機は低圧の液体状の冷媒を圧縮する。これにより圧力と温度が高まり、冷媒は気体に変わる。
温かく高圧の気体が圧縮機から送り出される

冷房

家庭用エアコンは室内から暖気を取り込み、冷蔵庫と似たプロセスで気化熱を利用して冷やしている。冷媒は閉鎖系の中をポンプの動力で循環しながら、ファンで取り込まれた暖気を冷やし、建物から取り込んだ熱を室外の凝縮機を経て外気へ伝える。膨張弁を通って圧力と温度の下がった冷媒は同じサイクルを繰り返す。室内の気温が下がると、水蒸気が凝縮して水になるため、空気中の水分も減少する。

冷媒

冷媒は温度変化により気体と液体の状態が変化しやすい物質である。液体が気体になる際、残された液体の熱エネルギーは減少して温度が下がる。クロロフルオロカーボン（フロン）は冷媒として広く使用されていたが、大気のオゾン層に有害と判明してから使用されなくなった。現在家庭用機器で使われているのはハイドロフルオロカーボン（代替フロン）である。

家庭用エアコン
エアコンは室内機と室外機からなる。室内機は暖気を取り込んで冷やし、室外機はその熱を外部へ放出する。

扇風機とエアコンはアメリカ合衆国の電気消費量の15%を占める

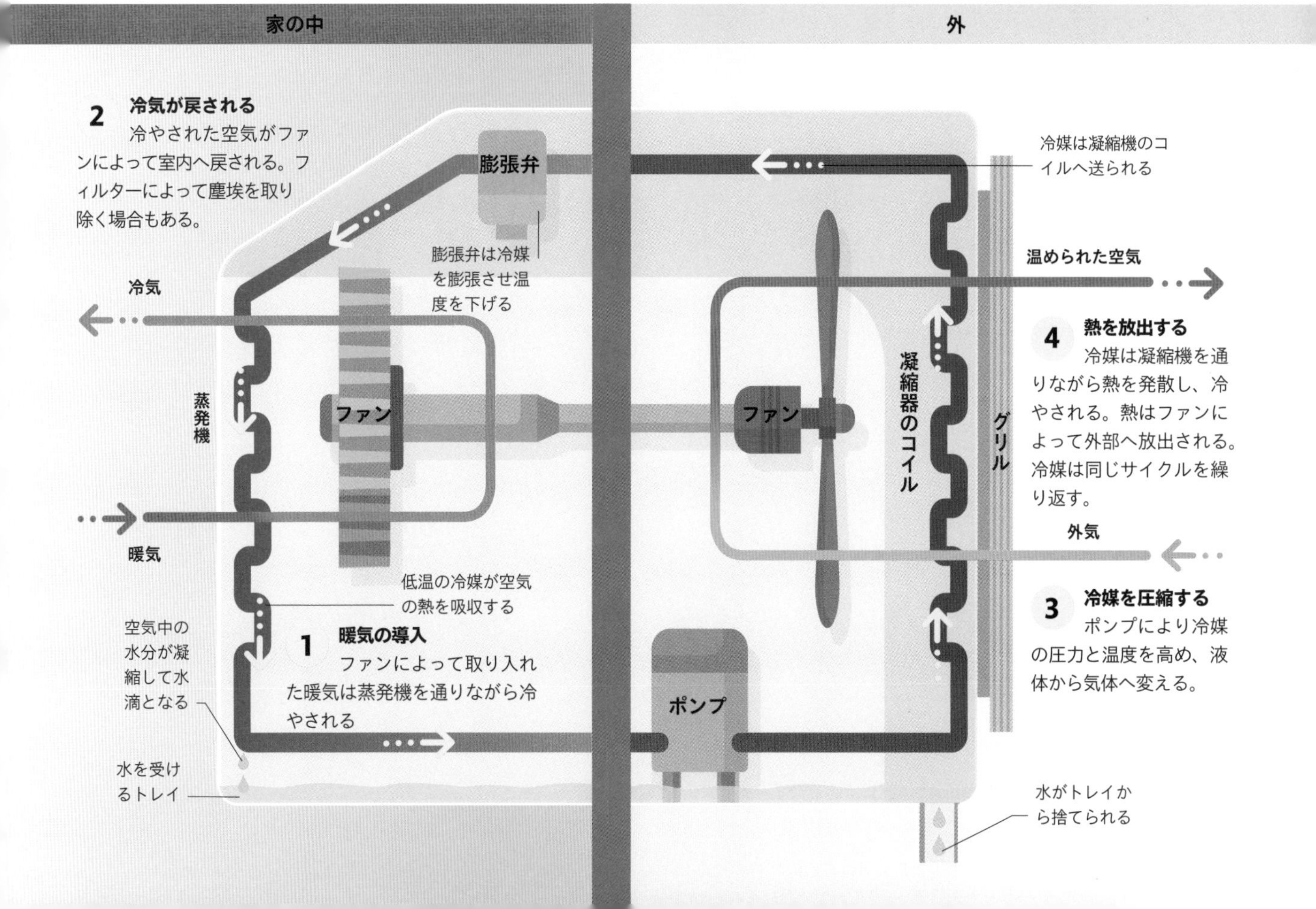
家の中
外
2 冷気が戻される
冷やされた空気がファンによって室内へ戻される。フィルターによって塵埃を取り除く場合もある。
膨張弁
膨張弁は冷媒を膨張させ温度を下げる
冷媒は凝縮機のコイルへ送られる
温められた空気
冷気
蒸発機
ファン
ファン
凝縮器のコイル
グリル
4 熱を放出する
冷媒は凝縮機を通りながら熱を発散し、冷やされる。熱はファンによって外部へ放出される。冷媒は同じサイクルを繰り返す。
暖気
外気
低温の冷媒が空気の熱を吸収する
3 冷媒を圧縮する
ポンプにより冷媒の圧力と温度を高め、液体から気体へ変える。
空気中の水分が凝縮して水滴となる
1 暖気の導入
ファンによって取り入れた暖気は蒸発機を通りながら冷やされる
ポンプ
水を受けるトレイ
水がトレイから捨てられる

真空掃除機

掃除機は内部に負圧を作り出すことによってゴミを空気と一緒に吸い込む。吸い込んだゴミはフィルターや遠心力を用いて分離される。

負圧を作り出す

電気モーターによってファンを高速で回転させ、空気を後部へ排出して内部の気圧を下げる。すると内部の気圧が外部の大気圧より低くなり、負圧が発生する。一般的な掃除機ではこれによって生じる吸引力によってゴミやホコリ、髪の毛や繊維を含んだ空気を吸い込み、細かい孔の開いた袋を通すことで空気とゴミを分離し、きれいな空気を排出する。

HEPAフィルターとは何か？

HEPA（高性能エアフィルタ）は、複合材料を用いて直径0.3μm（0.0003mm）程度のごく小さな微粒子まで取り除けるように設計されたフィルターである。

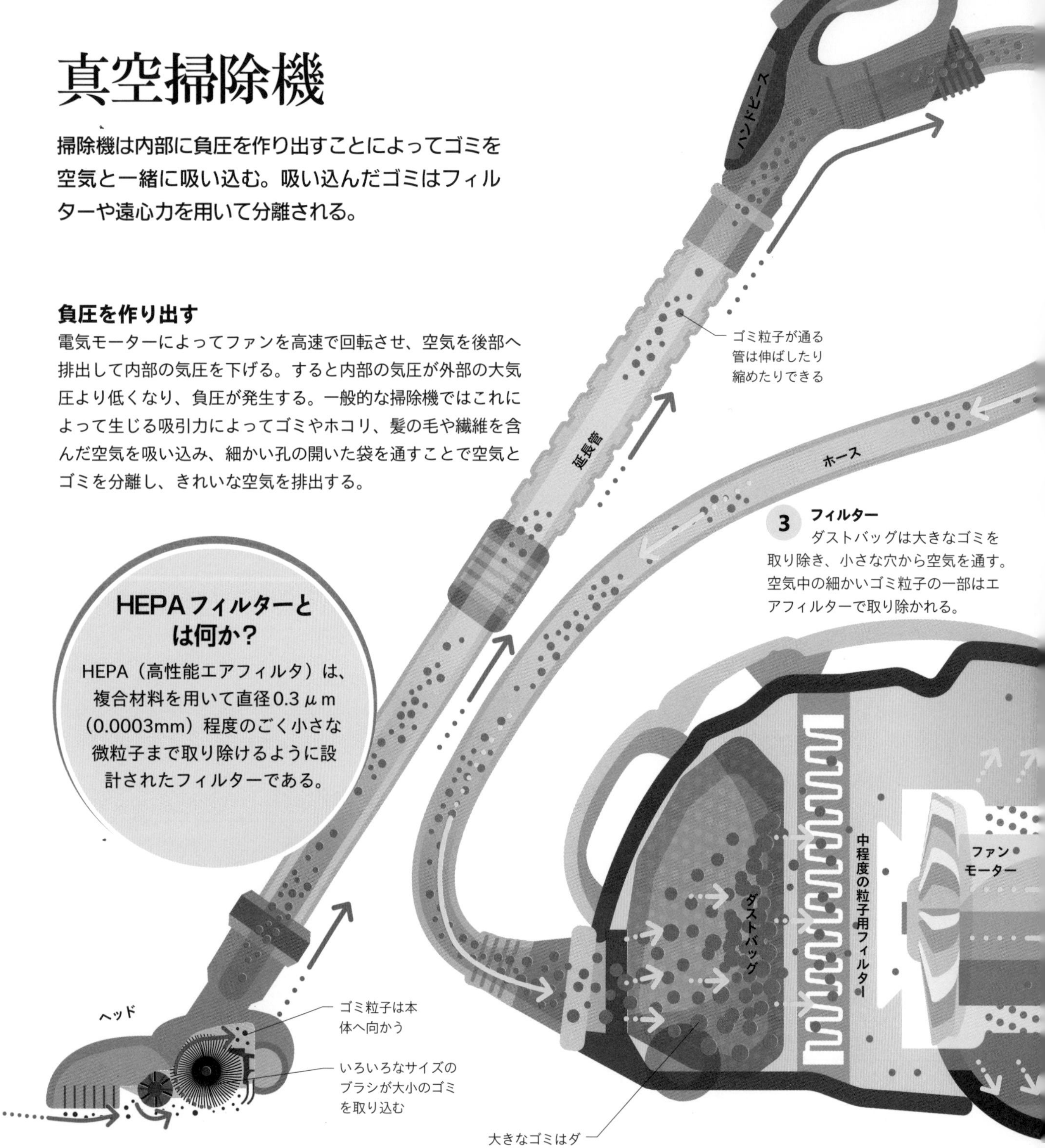

ハンドピース
ゴミ粒子が通る管は伸ばしたり縮めたりできる
延長管
ホース
ヘッド
ゴミ粒子は本体へ向かう
いろいろなサイズのブラシが大小のゴミを取り込む
ダストバッグ
中程度の粒子用フィルター
ファンモーター
大きなゴミはダストバッグで取り除かれる

3 フィルター
ダストバッグは大きなゴミを取り除き、小さな穴から空気を通す。空気中の細かいゴミ粒子の一部はエアフィルターで取り除かれる。

2 塵埃を吸引する
ヘッドに内蔵された回転ブラシにかき出されたゴミやホコリは延長管へ吸い込まれて本体へ向かう。ヘッドはいろいろ形状のものに交換できるものが多い。

1 吸引力を生み出す
モーターがファンを高速で回転させ、吸引力を発生する。ヘッドから吸引された空気は延長管とホースを経て掃除機本体へ送られる。

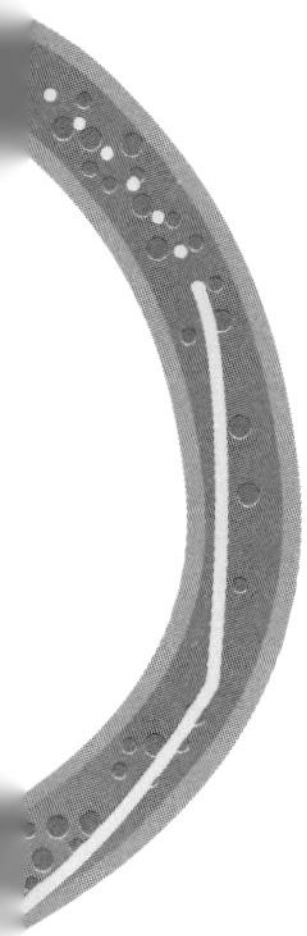

サイクロン式掃除機

このタイプの掃除機はゴミを集める袋を使わないため、掃除中にフィルターが詰まってしまうことがない。この方式ではサイクロンと呼ばれる空気の渦を利用して吸い込んだ空気を回転させ、ゴミの粒子を空気から分離する。さらにHEPAフィルターが微粒子を取り除く。フィルターは半年に一度程度の交換でよい。

サイクロン式掃除機の**モーター**は**1分あたり**
12万回転
するものもある

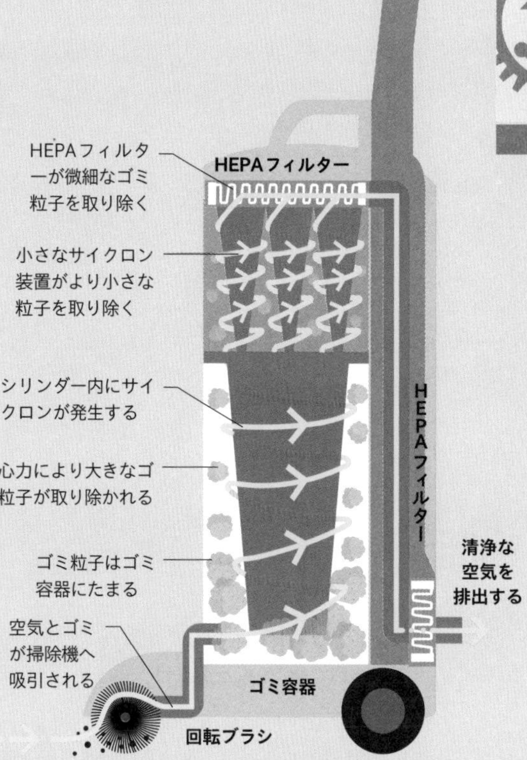
HEPAフィルター
HEPAフィルターが微細なゴミ粒子を取り除く
小さなサイクロン装置がより小さな粒子を取り除く
シリンダー内にサイクロンが発生する
遠心力により大きなゴミ粒子が取り除かれる
HEPAフィルター
清浄な空気を排出する
ゴミ粒子はゴミ容器にたまる
空気とゴミが掃除機へ吸引される
ゴミ容器
回転ブラシ

4　空気を排出する
空気はモーターの冷却に用いられた後、HEPAフィルターによって顕微鏡レベルの微粒子を取り除き、外部へ排出される。

HEPAフィルター
モーターはファンを高速（通常毎分数百〜数千回転）で回転させる

ロボット掃除機

ロボット掃除機は床を掃除しながら電気モーターで部屋の中を移動する。移動距離を測ったり障害物を検知したりするためのさまざまなセンサーが搭載され、階段のような急な斜面も検知できる。一通り掃除が終わると、バッテリーを充電するために自分で充電器まで戻ることができる。

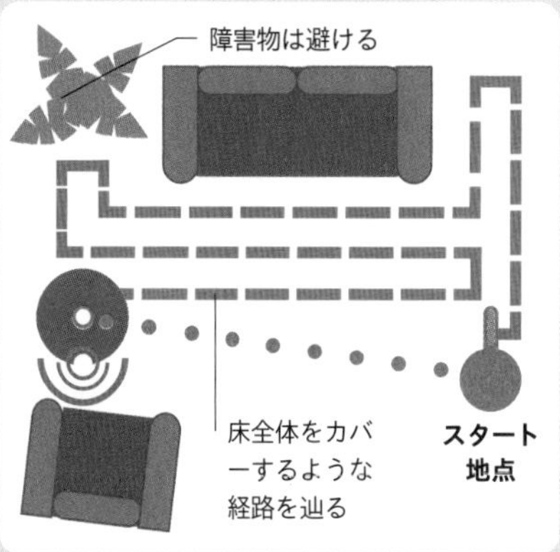
障害物は避ける
床全体をカバーするような経路を辿る
スタート地点

自動操縦
ロボット掃除機のマイコン制御装置が室内をくまなく巡るルートを計画する。ロボット掃除機は自分の位置を確認しながら移動し、障害物などがあるとルートを修正する。

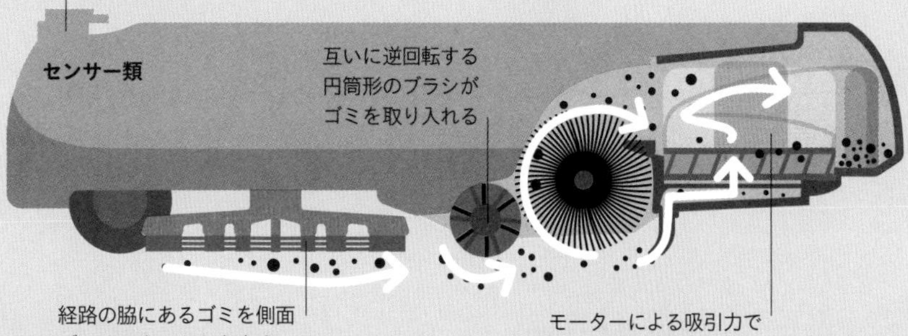
光学センサーがルート上の障害物を検知する
センサー類
互いに逆回転する円筒形のブラシがゴミを取り入れる
経路の脇にあるゴミを側面ブラシによってかき出す
モーターによる吸引力で塵埃や繊維を吸引する

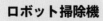

トイレ

トイレは人の排泄物を汚水や下水処理施設へ送る。今日では30億人を越える人々が家庭に水洗トイレを保有している。

トイレを流す

現代のトイレには貯水タンクがあり、便器内の汚物を水によって排水管から下水道へ流すしくみになっている。重力のみを使って汚物を排水管へ押し流すものや、サイフォンを用いて便器内の水を吸引するものがある（下図参照）。

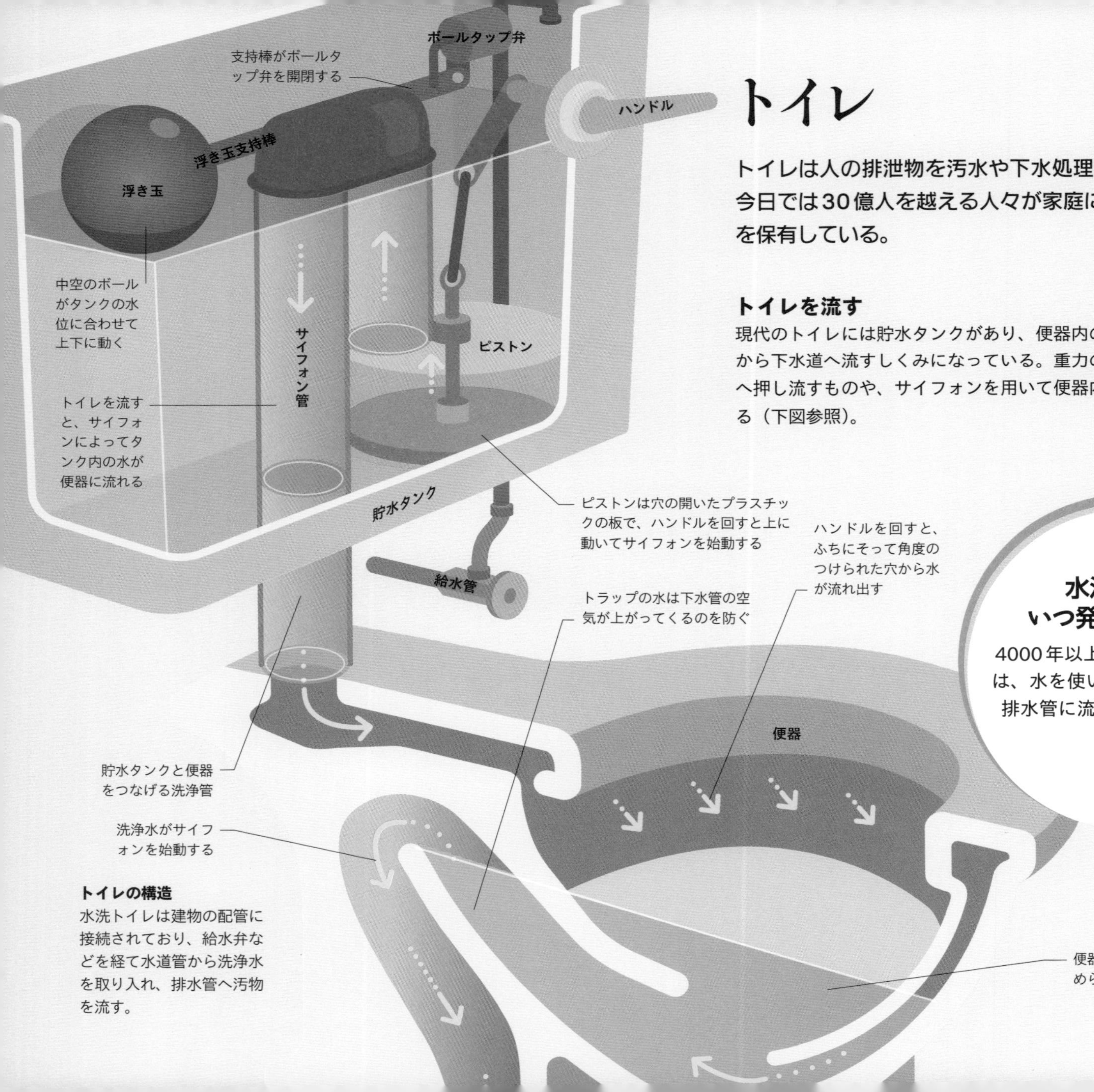

ボールタップ弁
支持棒がボールタップ弁を開閉する
ハンドル
浮き玉支持棒
浮き玉
中空のボールがタンクの水位に合わせて上下に動く
サイフォン管
ピストン
トイレを流すと、サイフォンによってタンク内の水が便器に流れる
貯水タンク
ピストンは穴の開いたプラスチックの板で、ハンドルを回すと上に動いてサイフォンを始動する
ハンドルを回すと、ふちにそって角度のつけられた穴から水が流れ出す
給水管
トラップの水は下水管の空気が上がってくるのを防ぐ
便器
貯水タンクと便器をつなげる洗浄管
洗浄水がサイフォンを始動する
便器の底にためられた水

水洗トイレはいつ発明されたか？

4000年以上前のインダス文明には、水を使い、排水溝や素焼きの排水管に流すしくみのトイレがあった。

トイレの構造

水洗トイレは建物の配管に接続されており、給水弁などを経て水道管から洗浄水を取り入れ、排水管へ汚物を流す。

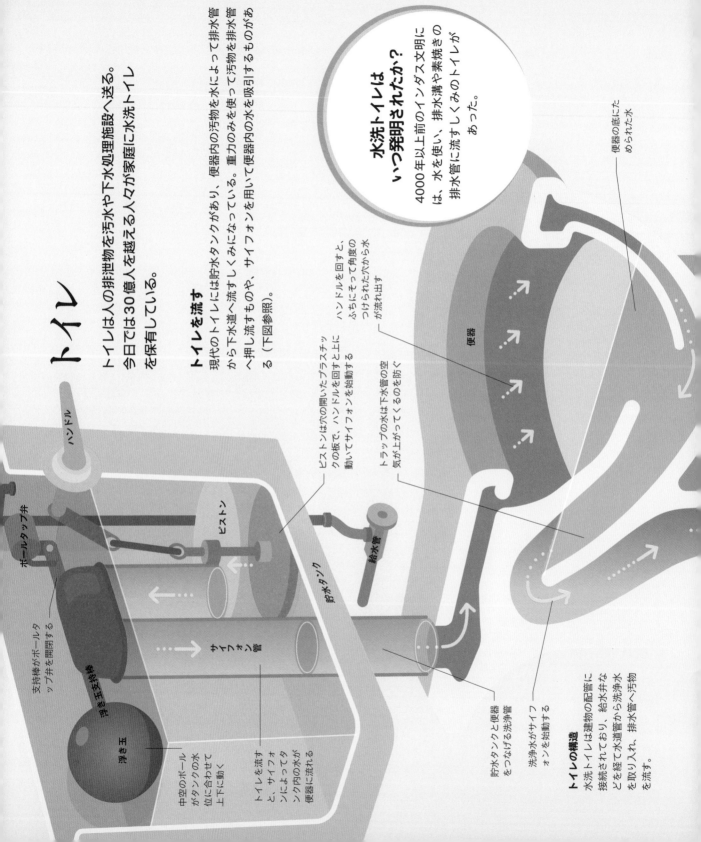

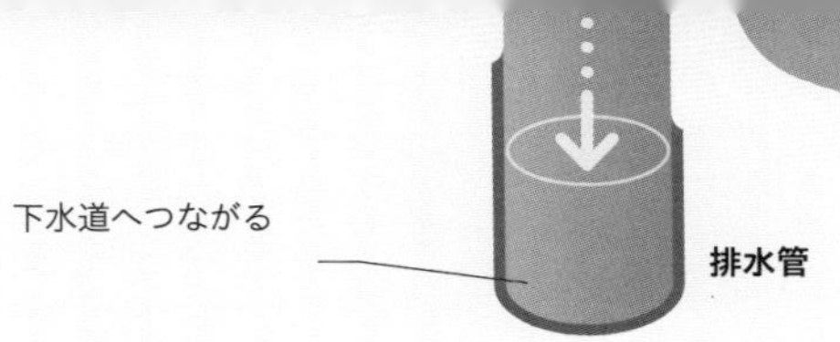
下水道へつながる
排水管

サイフォン

多くのトイレではタンクから便器へ、また便器から下水管へ水を流す際にサイフォンを利用している。上向きのU字をしたサイフォン管の最上部を通って水が少し流れると、重力と液体の凝集力によって水がなくなるまで流れ続ける。

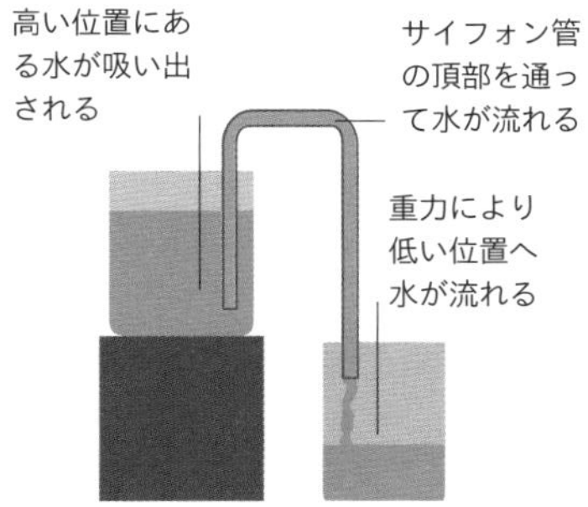
高い位置にある水が吸い出される
サイフォン管の頂部を通って水が流れる
重力により低い位置へ水が流れる

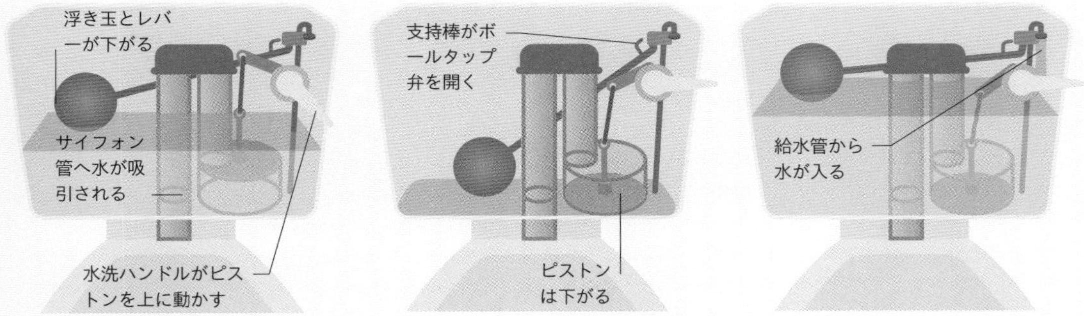
浮き玉とレバーが下がる
サイフォン管へ水が吸引される
水洗ハンドルがピストンを上に動かす
支持棒がボールタップ弁を開く
ピストンは下がる
給水管から水が入る

1 流す
ハンドルを動かすと、レバーを介してピストンが上に動く。ピストンによってサイフォンに水が送られると、サイフォンの吸引力によってタンクの水がサイフォン管を通って便器へと流れる。

2 タンクが空になる
タンクは空になり、水は便器を経て排泄物を下水管へ押し流す。ピストンは下がり、浮き玉が沈んで支持棒を動かし、ボールタップ弁を開く。

3 水をためる
ボールタップ弁が開くとタンク内に水が給水される。水位が上がると浮き玉も上に移動し、支持棒がボールタップ弁を閉じるため所定の水位まで水がたまる。

コンポストトイレ

標準的なトイレは1回あたり6～18ℓの水を消費するため、累積や大きな所帯では大きな負担となる。これに対し、コンポストトイレでは水の消費は小量もしくはゼロであり、自治体の下水道にも依存しない。コンポストトイレは外部から独立したシステムであり、細菌や菌類あるいはミミズなどによる好気性分解を利用し、数週間から数ヶ月をかけて排泄物を無害でほとんど臭気のない堆肥（腐植土）へ変える。堆肥は有機肥料として使用することができる。

最低限の衛生設備を利用できない人々は**23億人**に上る

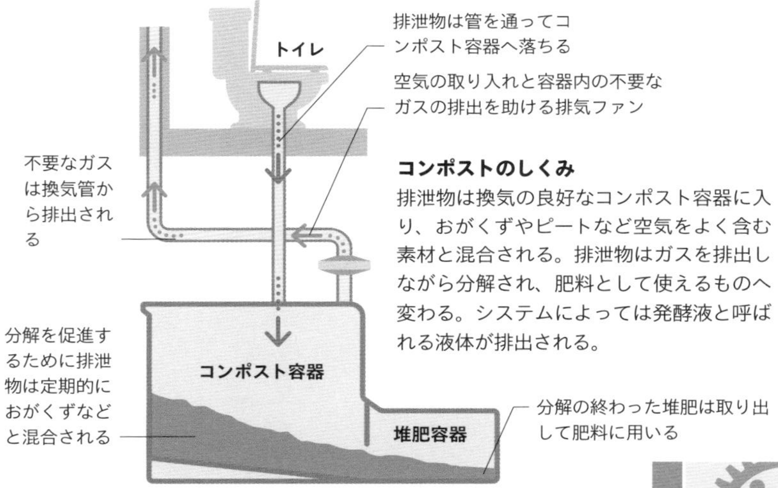
トイレ
排泄物は管を通ってコンポスト容器へ落ちる
空気の取り入れと容器内の不要なガスの排出を助ける排気ファン
不要なガスは換気管から排出される
分解を促進するために排泄物は定期的におがくずなどと混合される
コンポスト容器
堆肥容器
分解の終わった堆肥は取り出して肥料に用いる

コンポストのしくみ

排泄物は換気の良好なコンポスト容器に入り、おがくずやピートなど空気をよく含む素材と混合される。排泄物はガスを排出しながら分解され、肥料として使えるものへ変わる。システムによっては発酵液と呼ばれる液体が排出される。

錠前

錠前は、開けるために特別な鍵を必要とする閂《かんぬき》、あるいは留金のようなものである。鍵は物体の場合もあればデジタルコードや人ごとに異なる身体的な特徴の場合もある。最も広く普及している錠前はピンタンブラー錠（シリンダー錠）とダイヤル錠である。

錠前をヘアピンで開錠することができるか？

単純な構造のピンタンブラー錠では、ヘアピンや針金などを組み合わせて使い、すべてのピンをセットして内筒を回すことは可能である。

ピンタンブラー錠

扉の施錠や南京錠の多くで見られる形式で、外筒の中に回転する内筒（シリンダー、プラグとも呼ぶ）をいれた構造をしている。内筒には長さの異なるピンとバネを内蔵したピンチェンバーが並んでおり、キーウェイと呼ばれる鍵の挿入口から正しい鍵を差し込まないと回転しない。

90cm

耐爆構造をしたイングランド銀行の金庫のドアの施錠には、**90cmの長さの鍵**が使用されている

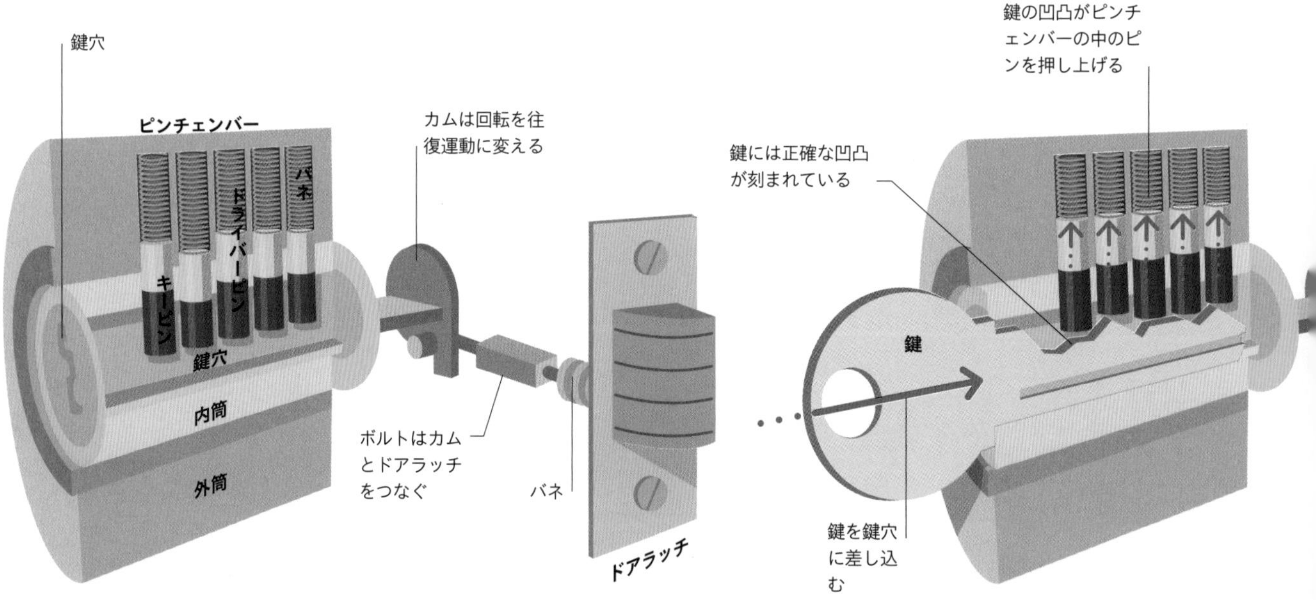

鍵穴
ピンチェンバー
バネ
ドライバーピン
キーピン
鍵穴
内筒
外筒
カムは回転を往復運動に変える
ボルトはカムとドアラッチをつなぐ
バネ
ドアラッチ
鍵の凹凸がピンチェンバーの中のピンを押し上げる
鍵には正確な凹凸が刻まれている
鍵
鍵を鍵穴に差し込む

1 施錠された状態
ピンがバネの力で押し下げられているため内筒を回すことはできず、錠は開かない。

2 鍵を鍵穴に差し込む
鍵の凹凸がそれぞれのピンを所定の高さに押し上げ、キーピンの上端の位置が内筒の端に揃う。

ダイヤル錠

ダイヤル錠は鍵を必要としない錠である。タンブラー錠と同様にピンを用いるが、ピンは金属棒に固定され、それぞれ番号のついた回転板の後側に位置している。ダイヤルを手で回して数字を特定の順序に並べると、回転板の穴が揃ってピンが動かせるようになり、開錠される。

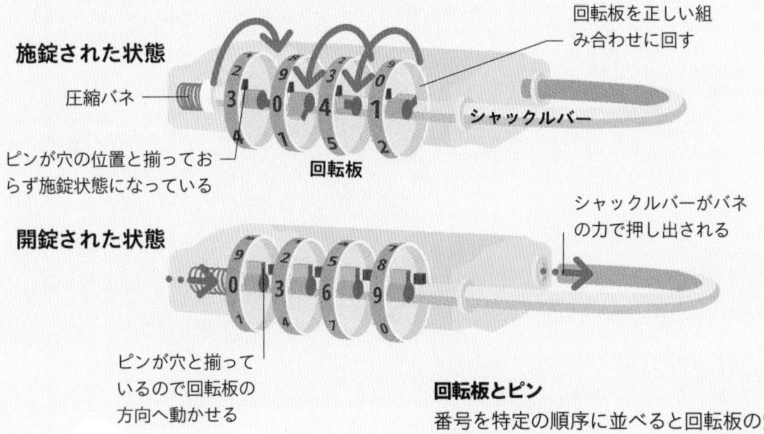
施錠された状態
回転板を正しい組み合わせに回す
圧縮バネ
シャックルバー
ピンが穴の位置と揃っておらず施錠状態になっている
回転板
開錠された状態
シャックルバーがバネの力で押し出される
ピンが穴と揃っているので回転板の方向へ動かせる

回転板とピン
番号を特定の順序に並べると回転板の穴が揃い、圧縮バネがシャックルバーを開錠位置に押し出す。

生体認証錠

電子錠の一部は、鍵として指紋や目の虹彩や顔など人の身体的な特徴を開錠するための鍵として使用する。スキャナーで読み取ったこうした生体要素の特徴を、開錠を許可された人の情報とともにデータベースに保存している。該当する人が訪れて記録された特徴が確認されると開錠される。

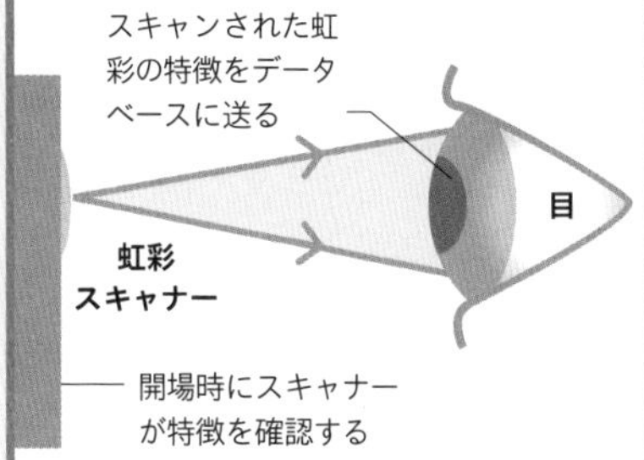
スキャンされた虹彩の特徴をデータベースに送る
目
虹彩スキャナー
開場時にスキャナーが特徴を確認する

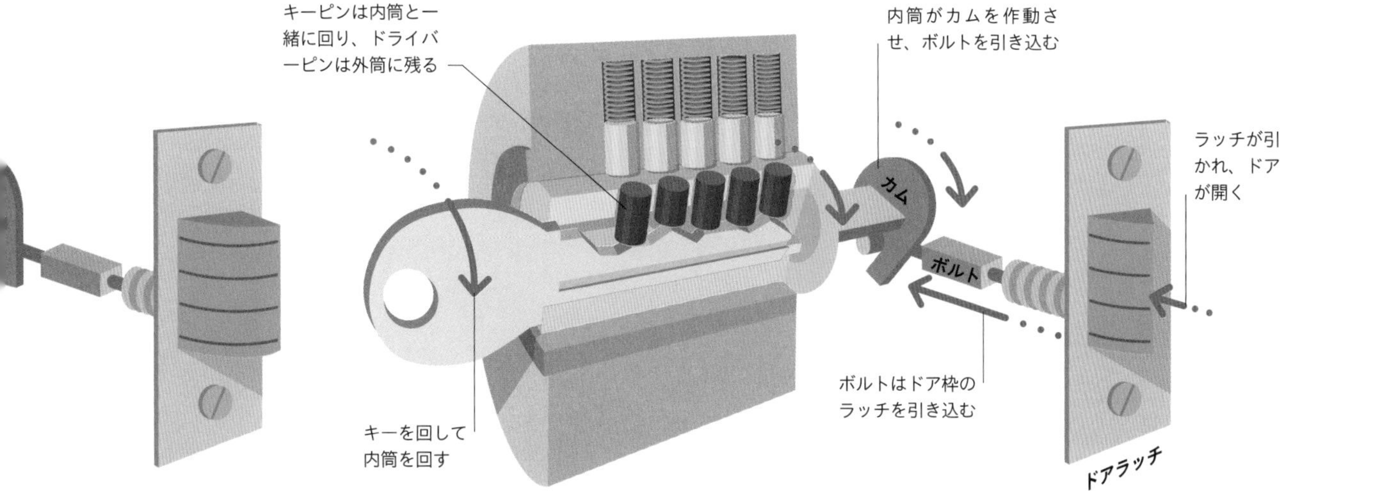
キーピンは内筒と一緒に回り、ドライバーピンは外筒に残る
内筒がカムを作動させ、ボルトを引き込む
カム
ボルト
ラッチが引かれ、ドアが開く
ボルトはドア枠のラッチを引き込む
キーを回して内筒を回す
ドアラッチ

3 ラッチが開く
鍵で内筒を回転させると、カムを介してボルトが引かれ、ドアラッチを開錠位置まで引き込む。

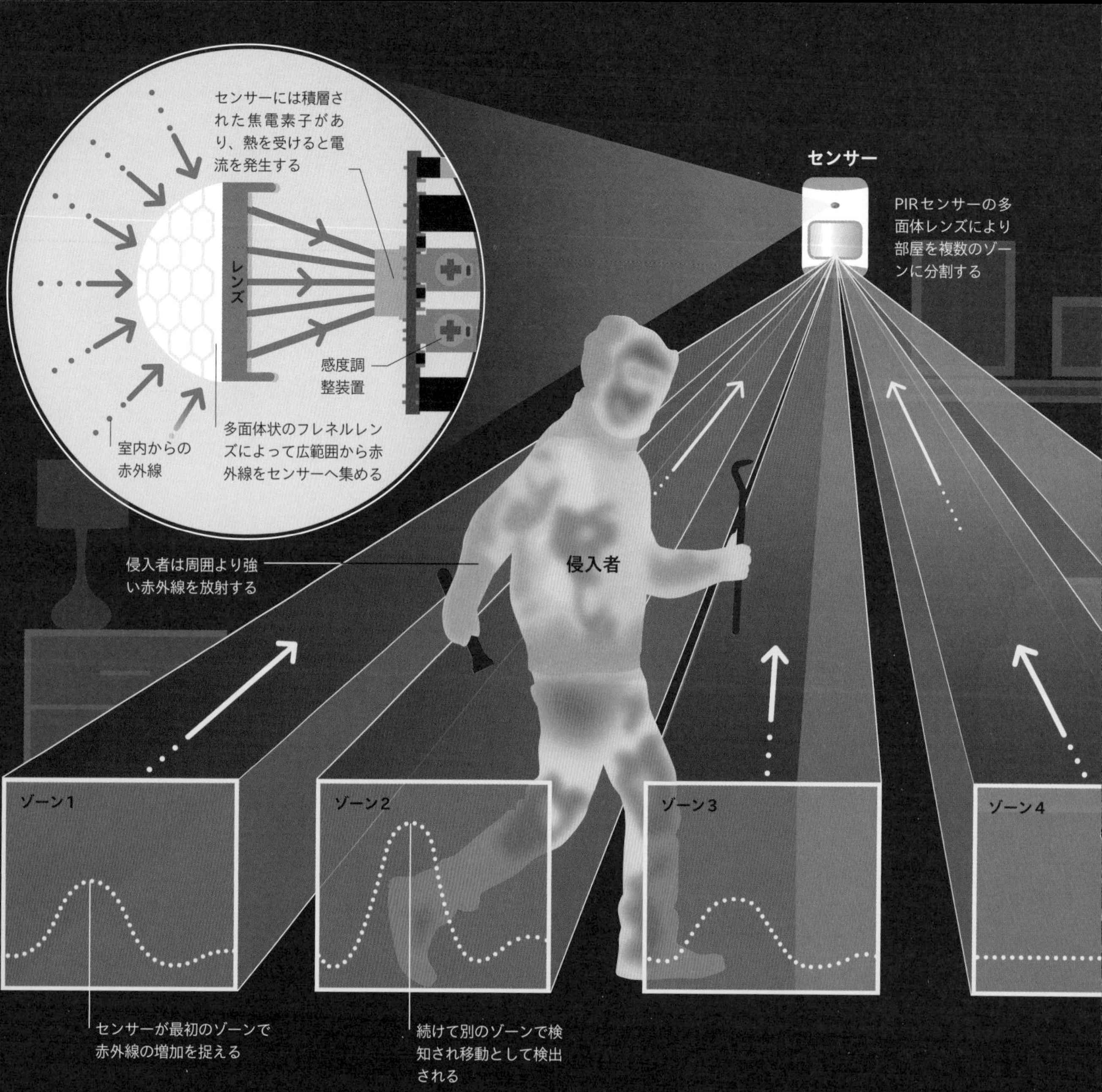
センサーには積層された焦電素子があり、熱を受けると電流を発生する
レンズ
感度調整装置
室内からの赤外線
多面体状のフレネルレンズによって広範囲から赤外線をセンサーへ集める
センサー
PIRセンサーの多面体レンズにより部屋を複数のゾーンに分割する
侵入者は周囲より強い赤外線を放射する
侵入者
ゾーン1
ゾーン2
ゾーン3
ゾーン4
センサーが最初のゾーンで赤外線の増加を捉える
続けて別のゾーンで検知され移動として検出される

防犯装置

住宅などの建物を侵入者や泥棒から守るために、さまざまな技術が利用されてきた。現代の警報システムは体温や体重による圧力を検知したり、ドアや窓の開閉状態を監視したり、さまざまなセンサーを用いて侵入者を検知している。

パッシブ赤外線センサー

人は常に周囲と異なる赤外線を放射している。パッシブ赤外線センサー（PIR）は薄膜状の焦電素子を用いて赤外線の変化を検知する。この膜は吸収した赤外線による熱によって微小な電気信号を発生する。室内のいろいろな場所の赤外線レベルの変化により、侵入者の存在や移動を検出することができる。

移動の検知

侵入者が室内を移動して各ゾーンを通過すると、ゾーンごとの赤外線レベルの変化によって移動を検知できる。

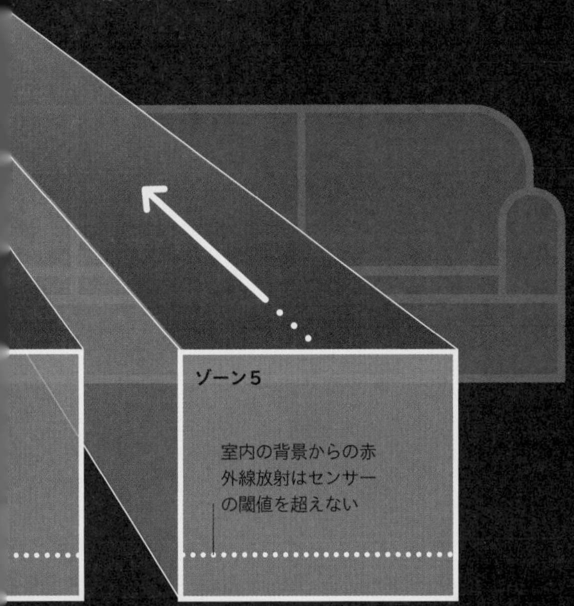
ゾーン5
室内の背景からの赤外線放射はセンサーの閾値を超えない

防犯センサーはどこに設置するべきか？

玄関ホールなど動線上で必ず通る場所や、複数の入口を監視できる居室の隅などはよいポイントである。

磁気近接センサー

磁気近接センサーは窓やドアとその枠にそれぞれ磁石を用いた部品を設置し、窓やドアを閉じると通電するようになっている。窓やドアが開くと磁石が離れるため、回路も遮断される。これが信号として警報装置に送られ、不審な侵入として検知される。

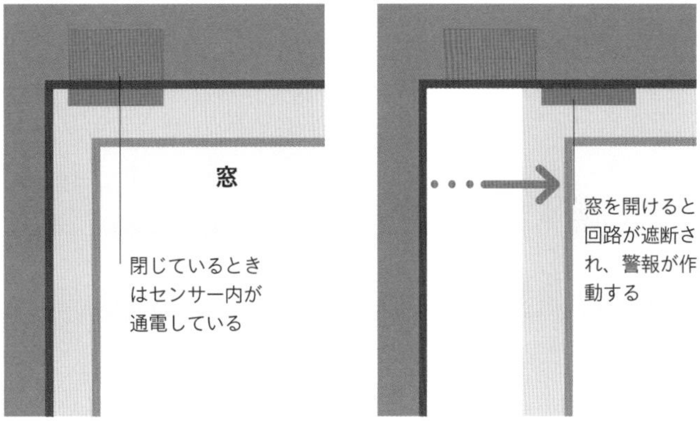
窓
閉じているときはセンサー内が通電している
窓を開けると回路が遮断され、警報が作動する

34%

侵入者のうち、**正面玄関**から入る者の割合

制御盤

使用者は警報システムの制御盤に暗証番号を入力し、警報のオン・オフを切り替える。建物の一部や特定の部屋のみに警報をセットすることもできる。警報が稼動しているときは制御回路はセンサーからの信号を監視し、異常を検知した場合は警報を鳴らし電子錠を施錠するほか、警備員や警察へ無線で連絡するものもある。

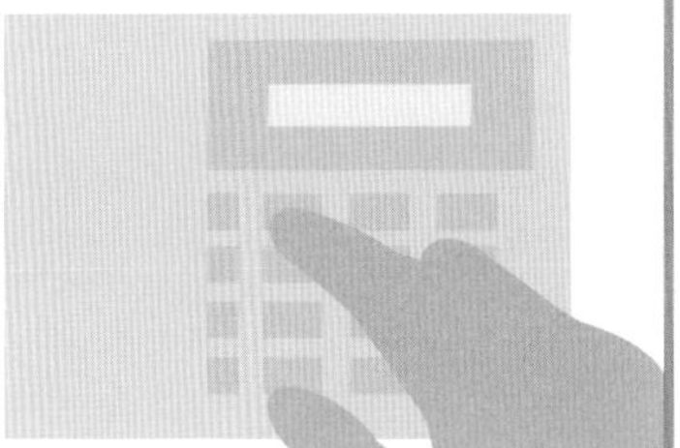

布

布は、天然由来や化学合成で得られる繊維から作られる素材である。布の種類は幅広く、防皺《ぼうしわ》性・耐久性・耐水性・伸縮性など使途に応じたさまざまな特性を持つ。

世界でいちばんよく使われている布は？

布の原料となる全繊維の30%は綿である。綿花栽培は世界の農地利用の2.5%を占める。

原材料

綿花や亜麻などの栽培植物やヒツジをはじめとする動物など、布の繊維にはいろいろな天然素材が用いられる。石油化学製品として作られるポリマー（78頁参照）はアクリルやポリエステルなどさまざまな合成繊維の原料となる。これらの多くは圧力をかけてスピナレットと呼ばれる機器を通すことで長い繊維になり、縒《よ》り糸に加工された後、編み・織り・接着などを施される。

動物性の布地

摩擦に強く、防水性がある

皮革
動物のなめし革から作られる生地は丈夫で長持ちし、破れにくい。風雨は通さないが縫製は難しい。

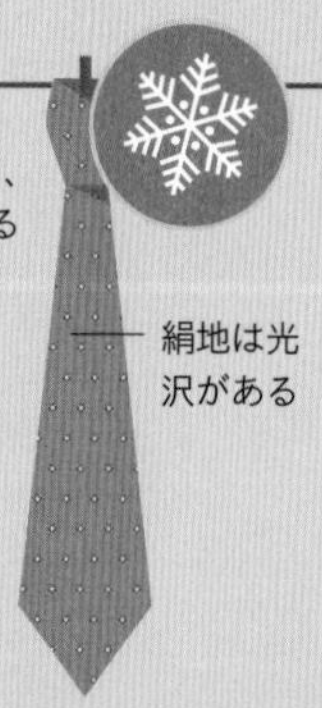

絹地は光沢がある

絹
カイコの吐く糸から作られる絹は軽く丈夫で断熱性がよく、型崩れしにくい。

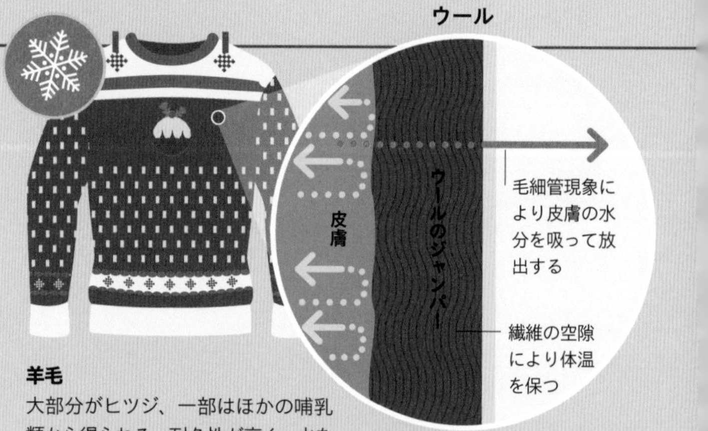

ウール
皮膚
ウールのジャンパー
毛細管現象により皮膚の水分を吸って放出する
繊維の空隙により体温を保つ

羊毛
大部分がヒツジ、一部はほかの哺乳類から得られる。耐久性が高く、水を弾く特性があり、皺や汚れに強い。また、保温性がよく、皮膚の汗を吸湿して放出する。

化学繊維

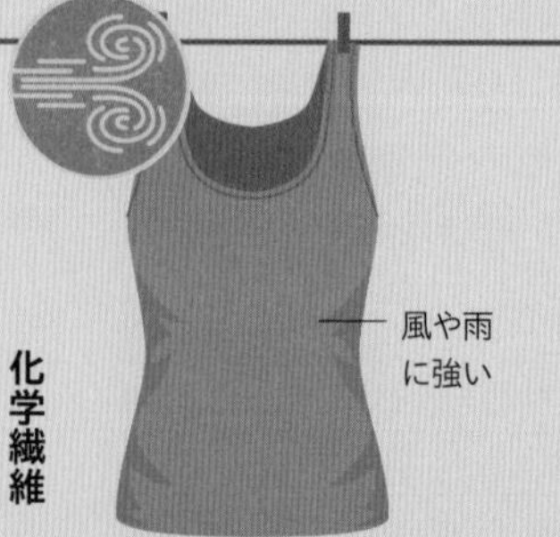

風や雨に強い

ナイロン
石炭を原料とする合成素材であるナイロンは、なめらかで軽く伸縮性に富む布地を作ることができる。

速乾性がある

アクリル
アクリル繊維は自然な風合いはないが断熱性がよく、洗濯が簡単で型崩れしない。

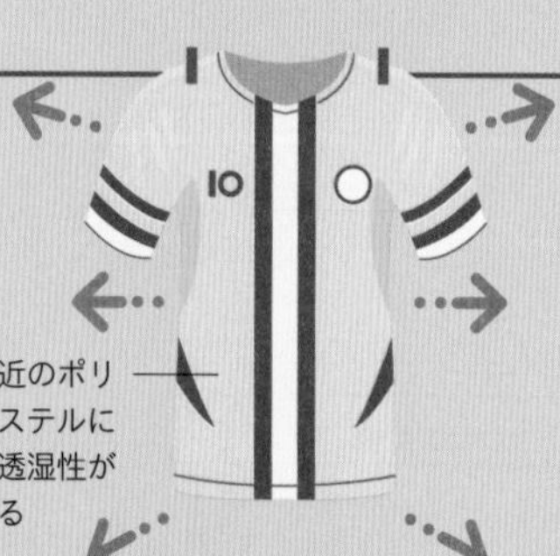

10
最近のポリエステルには透湿性がある

ポリエステル
石油から作られたポリエステルは伸び縮みしにくく、ほとんど水分を吸わない。

発熱繊維を使い、着ている人を暖かく保つ**コート**がある

布の取り扱い

布は種類ごとに特性が異なるため取り扱いの方法も異なる。衣料品の多くには取り扱い上の注意を示したラベルがついており、衣類乾燥機の使用可否、洗濯時の温度、アイロンがけの可否、カシミアやレーヨンなどの繊細な布地の場合はドライクリーニング限定などの指定が記載されている。

手洗いのみ
洗濯機使用可能
乾燥機使用可能
アイロン使用可能
ドライクリーニングのみ
洗濯不可

植物性の布地

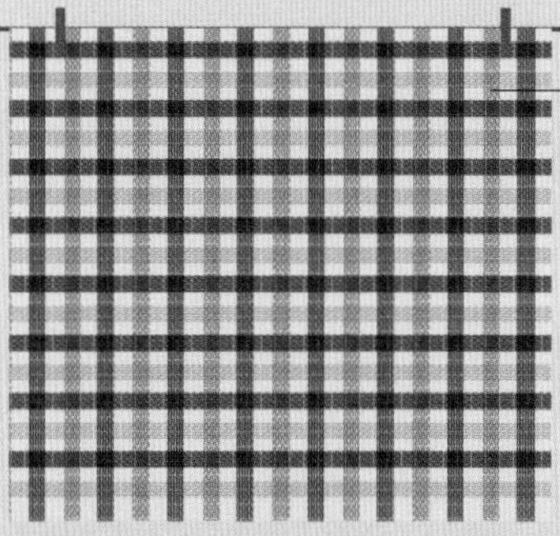
レーヨンは染料をよく保持するので色が褪せない

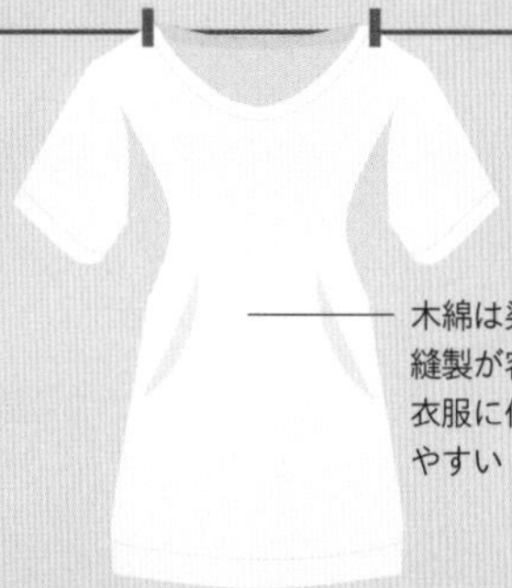
木綿は染色や縫製が容易で衣服に仕立てやすい

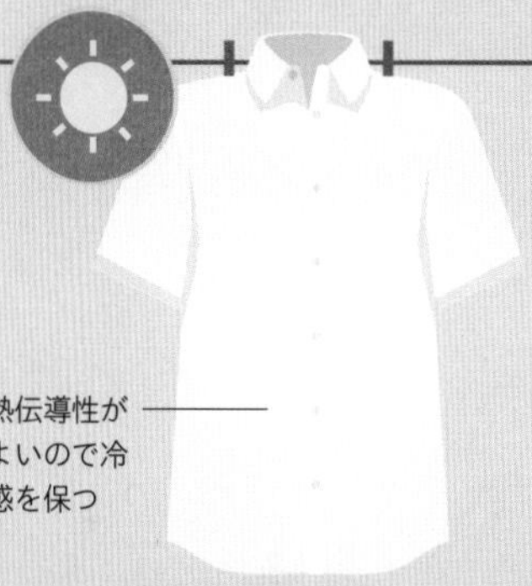
熱伝導性がよいので冷感を保つ

レーヨン
絹の代用として開発されたもので、主に木材パルプのセルロース繊維から作られる。柔軟で着心地が良い。染色性がよいが濡れると弱くなり、摩擦に弱い。

綿（木綿）
広く普及しており用途も広く、編みや織りによって耐久性・着心地・通気性に優れたさまざまな布地が作られている。皺になりやすいが洗濯やアイロンかけが容易である。

麻
亜麻の茎から作られる繊維で、木綿の2倍の強度がある。吸水性に富むが乾燥も早い。麻は伸縮性が低く皺になりやすいが、容易にアイロンがけできる。

新しい性能

天然繊維・合成繊維を問わず、新たな技術により新しい性質をもつ布地が生まれている。たとえば、ポリエステルを使って太陽の紫外線から着用者を守る水着を作ることができるようになった。また、特定の物質のナノ粒子を付加すると布に有用な性質を与えることができる。たとえば銀のナノ粒子をスポーツウェアや靴に使うと、汗の匂いの元になる菌類を殺すことができる。また布にシリカ（二酸化ケイ素）のナノ粒子を添加すると、撥水性が生まれ汚れや水分に強くなる。

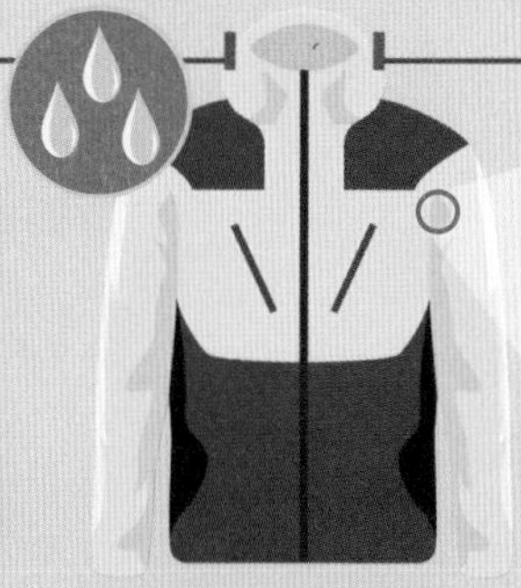

防水透湿性
透湿性の布地には微細な孔が多数開けられた層（メンブレン）があり、汗は水蒸気となって放出される一方、水滴が入ってくるのを防ぐ。

多層の布

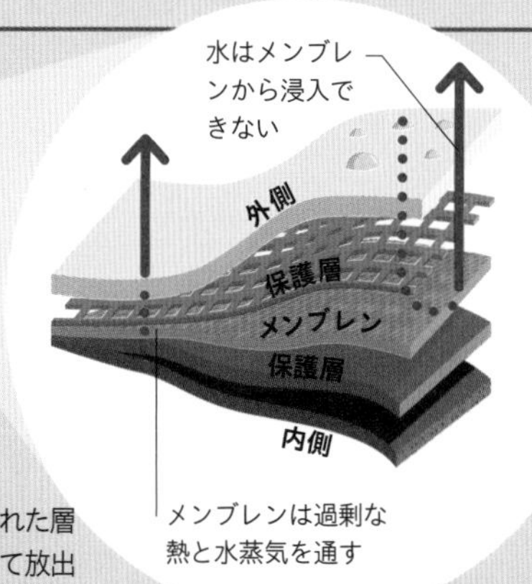
水はメンブレンから浸入できない
外側
保護層
メンブレン
保護層
内側
メンブレンは過剰な熱と水蒸気を通す

衣類

人類史のほとんどの時代には、衣類は家庭で手作りするものだった。多くの人が大量生産の衣類を着るようになった現代でも、服を作ったり、手直しや修繕をする人がいなくなることはない。

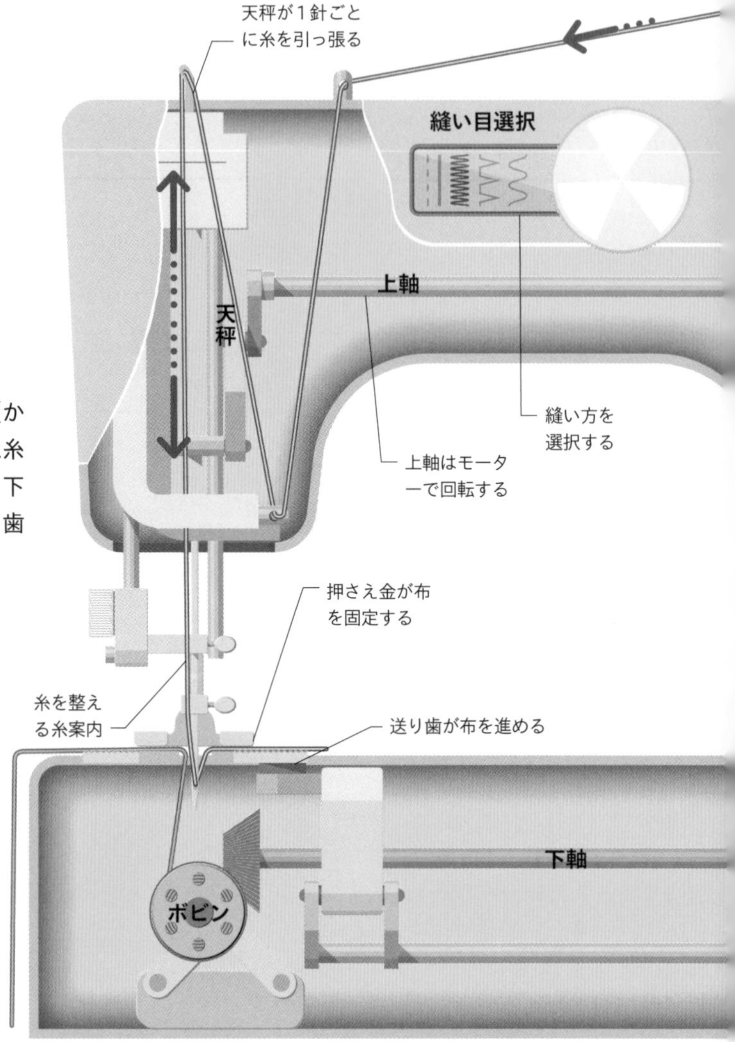

天秤が1針ごとに糸を引っ張る
縫い目選択
上軸
天秤
縫い方を選択する
上軸はモーターで回転する
押さえ金が布を固定する
糸を整える糸案内
送り歯が布を進める
下軸
ボビン

ミシン

ミシンを使えば手早く正確に布を縫い合わせたり縁取り（かがり縫い）をしたりすることができる。糸巻から出された糸は針に通され、針は下軸のクランクによって上下に動く。下軸は電気モーターで駆動される。針の動きに合わせて送り歯が布を送り、均等な縫い目を作る。

家庭用ミシンは1分間に1,000目以上縫うことができる

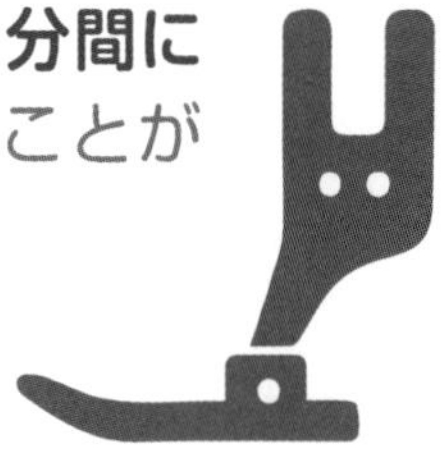

ミシンで縫う

家庭用の電気ミシンは2本の糸を使う。設定を変えることで、布地や衣服に応じて縫い目の大きさや形を選ぶことができる。

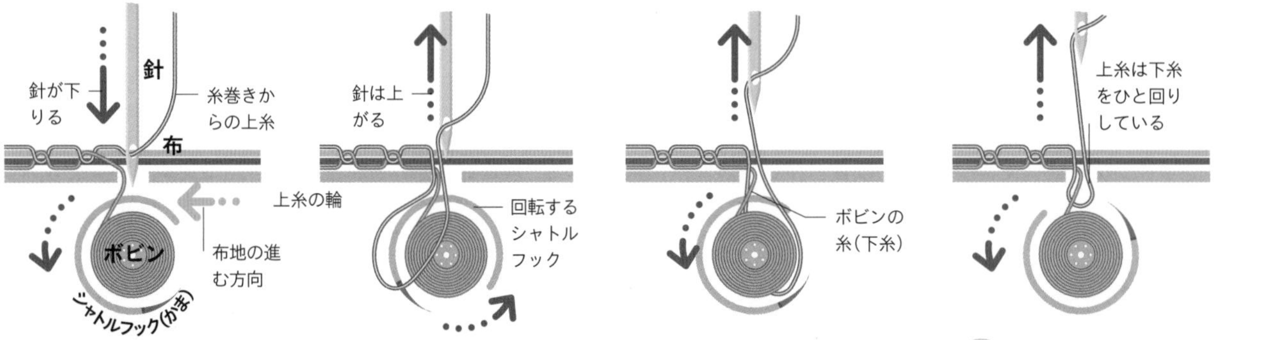

針
針が下りる
糸巻きからの上糸
布
上糸の輪
ボビン
布地の進む方向
シャトルフック(かま)
針は上がる
回転するシャトルフック
ボビンの糸(下糸)
上糸は下糸をひと回りしている

1 針を下ろす
針が下がって布地を貫き、糸巻きからの上糸（青）を下糸を巻いたボビン（赤）のところまで届ける。

2 上糸の輪を引っ掛ける
針が上に動くと上糸の輪が残り、ボビンの回りを回転するシャトルフックがこれを引っ掛ける。

3 糸を引っ張る
シャトルフックが上糸をボビンケースの周囲に回すと、上糸はボビンの糸（下糸）を回ってフックから外れる。

4 縫い目を引っ張る
針が上がって布地が前に進むのと同時に上糸と下糸が引っ張られて縫い目を作り、針がさらに上がって縫い目を締める。

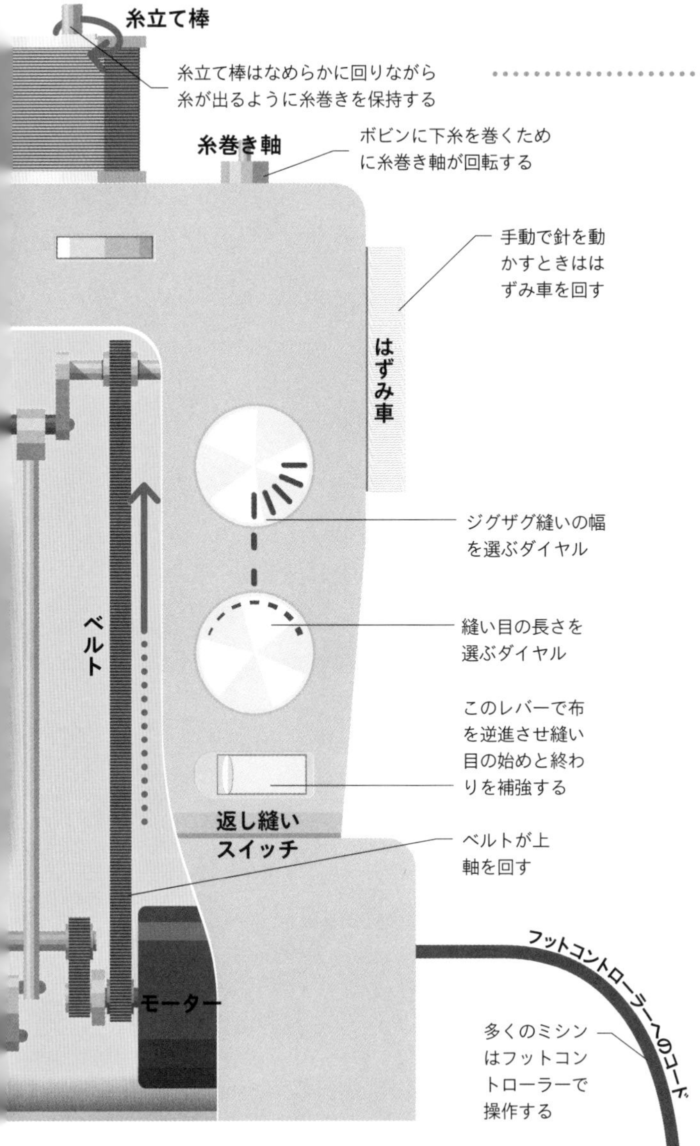
糸立て棒
糸立て棒はなめらかに回りながら
糸が出るように糸巻きを保持する
糸巻き軸
ボビンに下糸を巻くため
に糸巻き軸が回転する
手動で針を動
かすときははは
ずみ車を回す
はずみ車
ジグザグ縫いの幅
を選ぶダイヤル
縫い目の長さを
選ぶダイヤル
このレバーで布
を逆進させ縫い
目の始めと終わ
りを補強する
返し縫い
スイッチ
ベルト
ベルトが上
軸を回す
モーター
フットコントローラーへのコード
多くのミシン
はフットコン
トローラーで
操作する

布の作り方

布はさまざまな製法で作られる。織物は直角に組み合わせた繊維や縒《よ》り糸からできている。編み物は長い縒り糸をループ状にして互いに引っ掛けるようにして作られる。不織布は不規則に絡ませた繊維を熱や接着剤、あるいは圧力で融合させて作る。

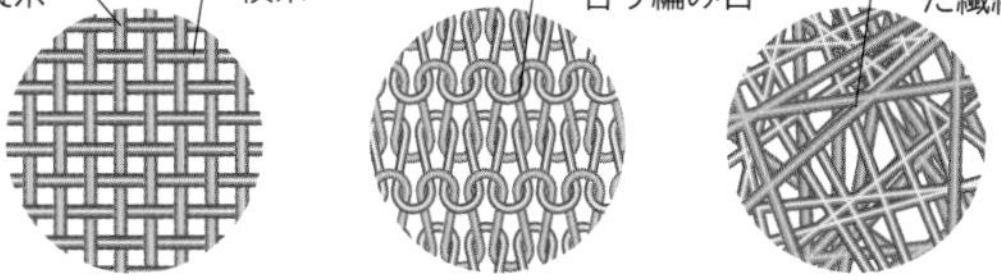
縦糸
横糸
互いに絡み
合う編み目
融合し
た繊維
織物
編み物
不織布

留め具

スナップから磁石を縫い込んだボタンまで、衣服にはさまざまな留め具が使われている。ボタンや紐、鉤ホックなどは何世紀も昔から使われてきた。現代のジッパーやベルクロ（面ファスナー、マジックテープとも）は最近の発明である。

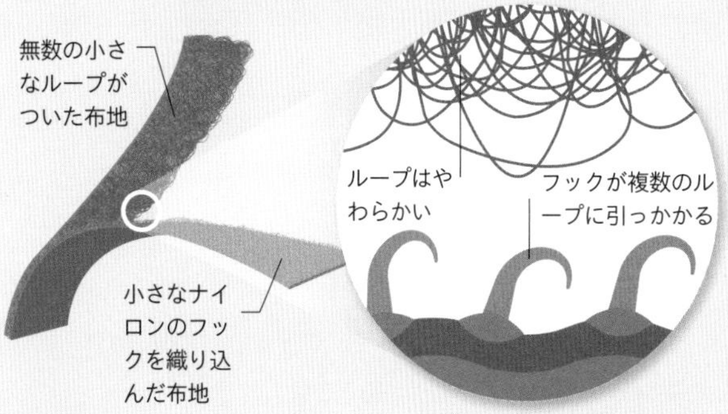
無数の小さ
なループが
ついた布地
ループはや
わらかい
フックが複数のル
ープに引っかかる
小さなナイ
ロンのフッ
クを織り込
んだ布地

ベルクロ

ベルクロは布製の留め具で、棘のある草の実が毛皮や衣類に付いて離れないことをヒントにしている。ナイロンやポリエステルの２枚の布地からできていて、片方には多数の小さなループがあり、他方にはこのループにひっかかって布地を留めるフックが備わっている。

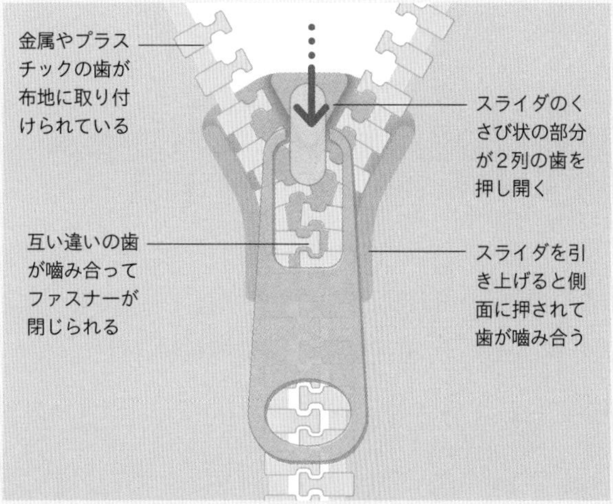
金属やプラス
チックの歯が
布地に取り付
けられている
スライダのく
さび状の部分
が２列の歯を
押し開く
互い違いの歯
が噛み合って
ファスナーが
閉じられる
スライダを引
き上げると側
面に押されて
歯が噛み合う

ジッパー（ファスナー）

ファスナーは２列の歯を互い違いに並べた発明品である。スライダの内側にはＹ字型の溝があり、スライダを引き上げるとジッパーの歯が噛み合う。開けるときはスライダの中心部分がくさびのようにはたらき、２列の歯をはずしながら押し開ける。

世界最大のジッパー製造会社は**毎年70億本**のジッパーを作っている

洗濯・乾燥機

洗濯機と乾燥機は、どちらも強力な電気モーターを使って家事労働の自動化と高速化を実現している。洗濯機にはドラム式と縦型の２種類がある。

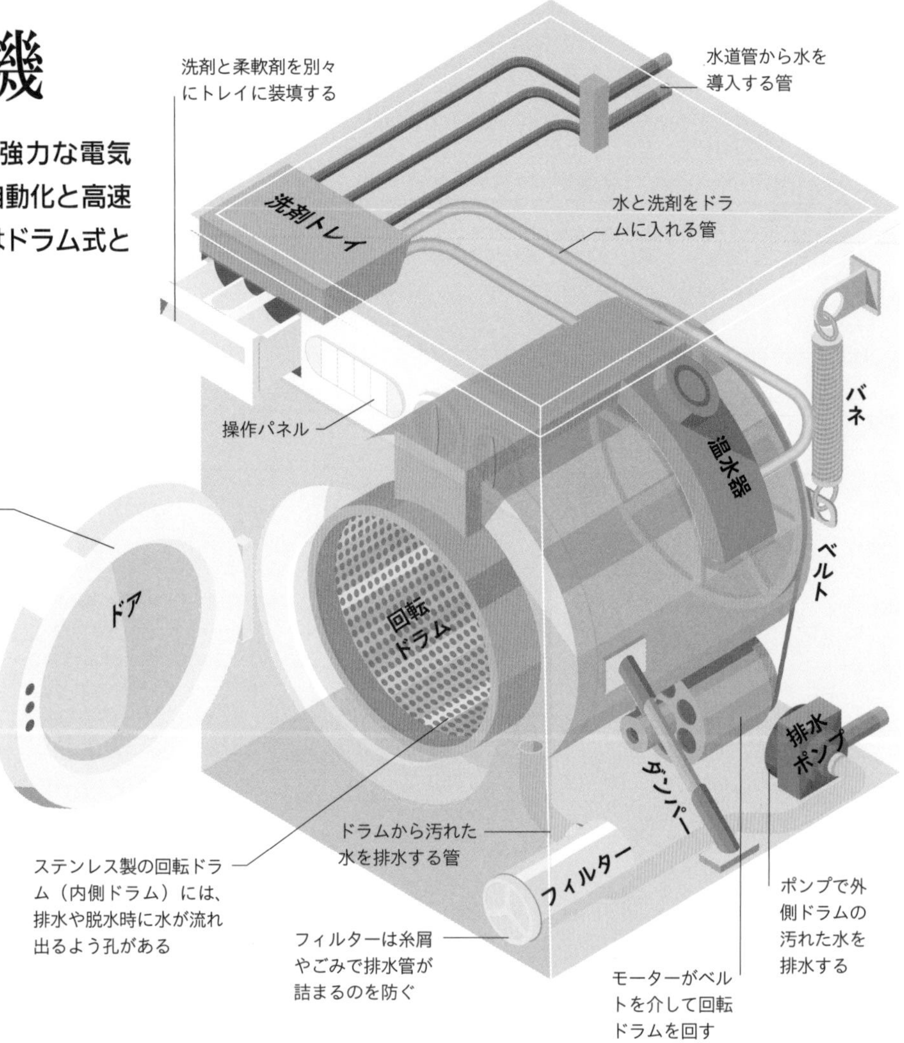

洗剤と柔軟剤を別々にトレイに装填する
水道管から水を導入する管
洗剤トレイ
水と洗剤をドラムに入れる管
バネ
操作パネル
温水器
ドアには水漏れを防ぐシール（パッキング）があり、密閉されているかセンサーで検知する
ベルト
ドア
回転ドラム
排水ポンプ
ダンパー
ドラムから汚れた水を排水する管
ステンレス製の回転ドラム（内側ドラム）には、排水や脱水時に水が流れ出るよう孔がある
フィルター
ポンプで外側ドラムの汚れた水を排水する
フィルターは糸屑やごみで排水管が詰まるのを防ぐ
モーターがベルトを介して回転ドラムを回す

ドラム式洗濯機

洗濯機の中に外側ドラム（洗濯漕）がバネと緩衝ダンパーによって取り付けられており、その中で内側のドラムがモーターによって回転する。洗いの時は水と洗剤と衣類をかきまぜるためにゆっくり、脱水の時には高速で回転する。プログラムによって水温や洗濯時間、すすぎと脱水回数の手順などを制御する。

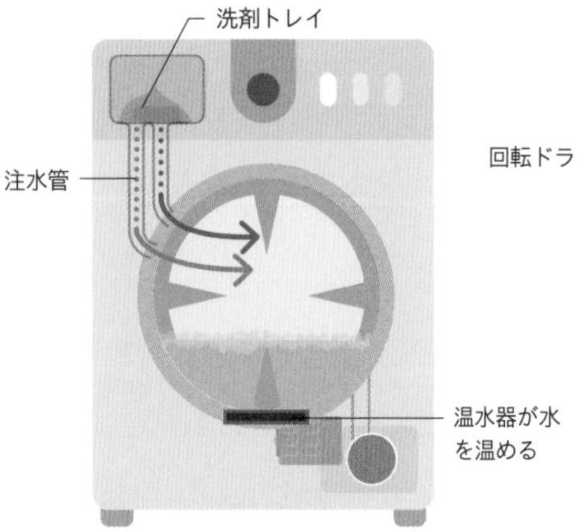

洗剤トレイ
注水管
温水器が水を温める

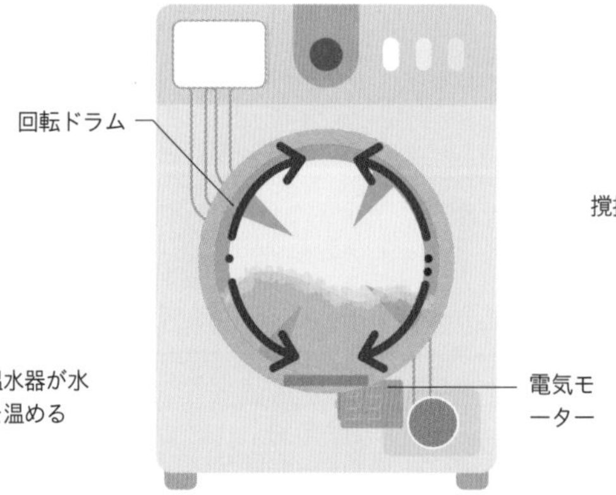

回転ドラム
電気モーター

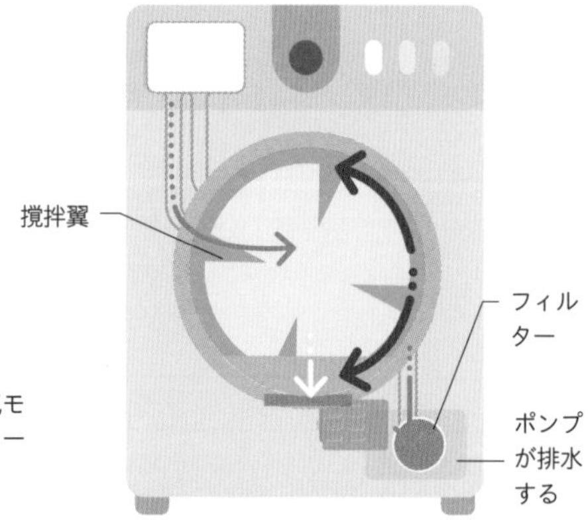

撹拌翼
フィルター
ポンプが排水する

1　ドラムに水と洗剤が入る

水はトレイに入れた洗剤を押し流しながらドラムに入る。温水と冷水をどちらも使えるタイプと、冷水のみ使えるタイプがある。

2　洗いとすすぎ

水が設定された量と温度になると洗濯が始まる。モーターにより、回転ドラムは洗剤と水の液中で往復回転する。

3　すすぎ、撹拌、排水

洗濯に使われた水は排水され、冷水が入る。回転ドラム内の撹拌翼が衣類の汚れや残った洗剤を取り除く。

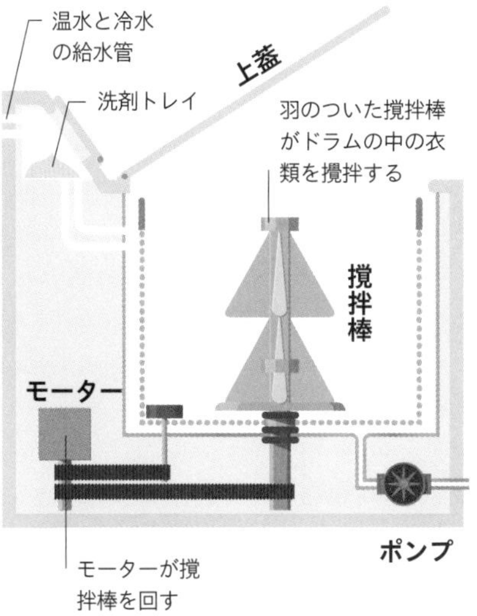
温水と冷水
の給水管
洗剤トレイ
上蓋
羽のついた攪拌棒
がドラムの中の衣
類を攪拌する
攪拌棒
モーター
ポンプ
モーターが攪
拌棒を回す

縦型洗濯機

この形式でも外側と内側のドラム（洗濯漕）があるが、洗いの工程ではどちらも回転しない。その代わりに、中心にある大きな攪拌棒によって洗剤と水の混合液と衣類をかき回す。攪拌棒は電気モーターで駆動される。脱水の際には同じモーターが内側のドラムを回転させ、洗濯物の水分を脱水する。

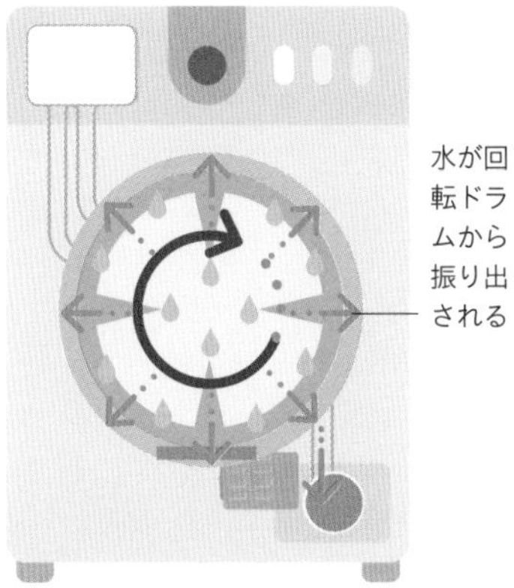
水が回
転ドラ
ムから
振り出
される

4　高速回転と排水
モーターが回転ドラムを毎分300から1,800回転の高速で回し、回転ドラム内の水分を脱水する。熱風を送って洗濯物を乾かすものもある。

洗剤

ほとんどの汚れやゴミは温水で落ちるが、油脂性のしつこい汚れなどには化学的な洗剤が必要になる。洗剤の分子は片方の端に親水基（水分子と親和性がある）、反対側に長い炭化水素鎖（疎水基、油と親和性がある）がある。これが汚れに付着し、繊維から油脂を除去しやすくする。

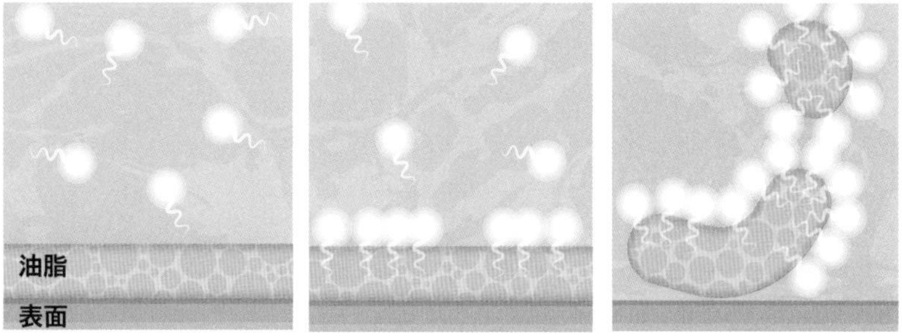
油脂
表面

1　洗剤を溶かす
洗剤が水に溶けると洗剤の分子が洗濯漕の中の水と混ざり、繊維中の油脂汚れに接触する。

2　汚れにくっつく
洗剤分子の片側（疎水基）は水と反発し油脂に引き寄せられるので、汚れに付着する。複数の洗剤分子が汚れを取り囲む。

3　汚れを除去する
洗濯槽の攪拌と洗剤の親水基が引っ張る作用によって油脂汚れが繊維から引きはがされ、すすぎによって流される。

1920年代には、**ガソリンエンジン**で動き**排気ガス**を出す**洗濯機**があった

回転式乾燥機

湿った洗濯物を乾燥機の大きなドラムに入れ、モーターのベルト駆動でゆっくりと回す。多くの機種では衣類が塊になってしまわないようにドラムの回転方向を頻繁に逆転させる。ドラムには電熱器とファンによって温風が吹き込まれ、その中で洗濯物はドラムの上部から下に落ちる。温かく湿った空気は排気される。排気する前に熱交換器を通して熱エネルギーの無駄を減らすタイプの乾燥機もある。

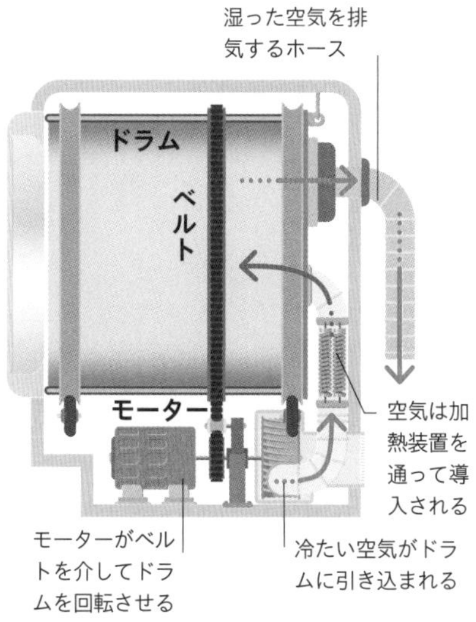
湿った空気を排
気するホース
ドラム
ベルト
モーター
空気は加
熱装置を
通って導
入される
モーターがベル
トを介してドラ
ムを回転させる
冷たい空気がドラ
ムに引き込まれる

デジタルアシスタント

デジタルアシスタントは多機能な装置であり、スマートフォンのアプリや、スマートスピーカーのような家庭用ハードウェアの形式で使われる。音声認識アルゴリズムを用いてユーザーの指示や質問を理解し、娯楽ソフトを起動したり情報サービスへ接続するなど、インターネットを利用してユーザーの要求に応える。

なるべく人間らしく聞こえるように、間をおきながら話すようにプログラムされているデジタルアシスタントがある

ユーザー

1 要求の送信
デジタルアシスタントとして機能するスマートスピーカーに対し、ユーザーが音声で2つの指示を出す場合を想定する。指示の1つは家の暖房温度の切り替えで、もう1つは明日のパリの天気予報を聞くというもの。

2 スマートスピーカー
通常はWi-Fiによってインターネットに接続されており、マイクロフォンでユーザーの発話を捉えて認識する。ユーザーの要求を分析して対応するために、アナログ音声から変換したデジタルデータをインターネット経由でサーバーに送る。

今から4時間、室温を20℃に設定してください。

フランスのパリの明日の天気予報を教えて。

明日のパリは雨の予報です。最高温度は17℃です。

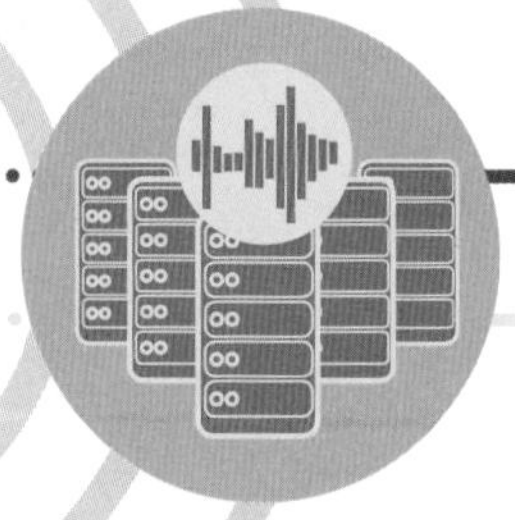

3 言語データベース
高度なコンピューターアルゴリズムにより、発話を分析して2つの要求のキーワードと文脈を解釈する。

スマートスピーカーの機能
スマートスピーカーはインターネットで配信される番組や音楽を再生でき、ユーザーの声で起動したり質問したりすることもできる。ユーザーの要求に応えるために、インターネット経由でクラウド（221頁参照）にあるサーバーとデータをやりとりする。

6 質問への応答
気象予報のデータはサービスプロバイダーによって音声信号に変換され、ユーザーに聞こえるようにデジタルアシスタントのアンプとスピーカーを通して再生される。

複数のマイクロフォンが音声を捉え、基板のマイクロプロセッサーで処理する

高音域再生用のツイーターと低音域再生用のウーファーの2つのスピーカーで音を再生する

スマートホーム

コンピューターの急速な性能向上と、インターネットの普及、そして日常的に使用する機器に組み込まれたマイクロプロセッサーによって、膨大な数の機器がコンピューターネットワークへの接続機能を持ち、ネットワークを介して制御できるようになっている。こうした機器が家庭に普及するにつれて、スマートフォンのアプリを使ってエアコンの温度を調整するなど、人々は不在のときでも家事や家の管理をできるようになっている。

最初のスマートホーム機器は？

1966年にアメリカ人の技術者ジム・サザーランドが照明と暖房とTV操作ができるスマートホームシステム「Echo IV」を構築した。

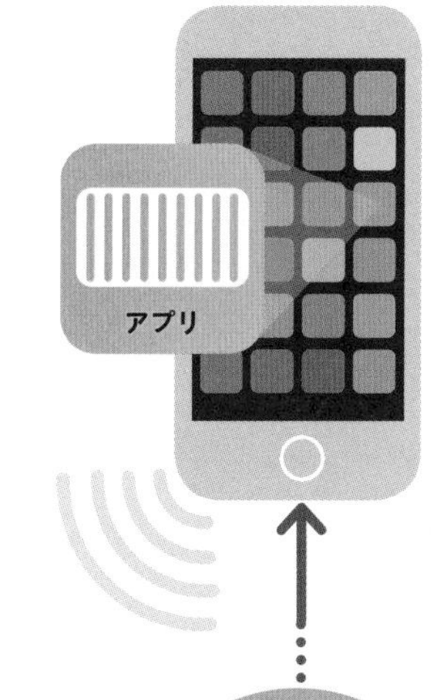
アプリ

5 スマートフォンのアプリ
暖房に関する指示は別の機器（この場合はスマート暖房のアプリを運用しているユーザーのスマートフォン）に転送される。このアプリは家の中の温度設定を調整し、スマートスピーカーに信号を送り返してユーザーの指示が完了したことを伝える。

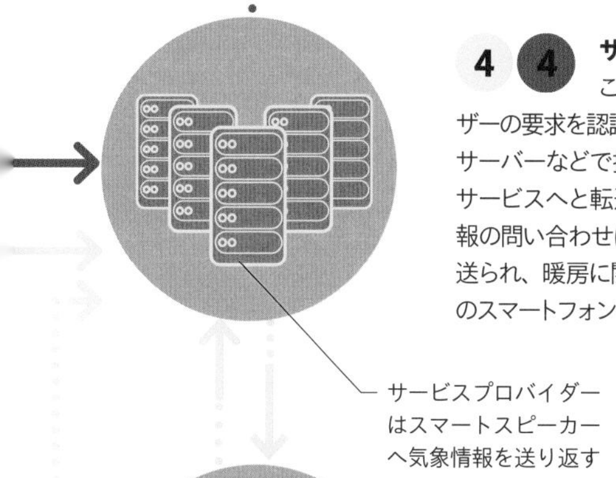
サービスプロバイダーはスマートスピーカーへ気象情報を送り返す

4 4 サービスプロバイダー
このソフトウェアはユーザーの要求を認識し、クラウド上の別のサーバーなどで提供されている適切なサービスへと転送する。パリの天気予報の問い合わせは気象データベースに送られ、暖房に関する指示はユーザーのスマートフォンのアプリに転送される。

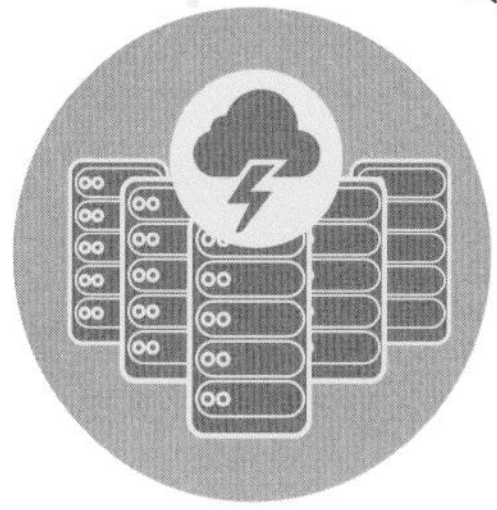

5 気象データベース
サービスプロバイダーは気象データベースにアクセスし、パリの気温や降水に関する予報を取得する。データはサービスプロバイダーを経由してスマートスピーカーに送られる。

モノのインターネット（IoT）

膨大な数の機器にマイクロプロセッサーと通信機能が搭載されると、それぞれがインターネットに接続し、QRコードなどの機械が読み取れる手段を通じてほかの機器や人間と通信し、データを共有できるようになる。このような機器のネットワークはモノのインターネットと呼ばれている。

QRコード

生体認証

ドアの電子錠のようなデジタル機器が増加し、物理的な鍵に代わってスキャナーが用いられるようになっている。これは眼の虹彩や指紋など個人の身体的な特徴を読み取るもので、スキャンした画像はソフトウェアによって識別符合に処理され、データベースに保存される。データが合致すると鍵に開錠を指示する信号が返される。

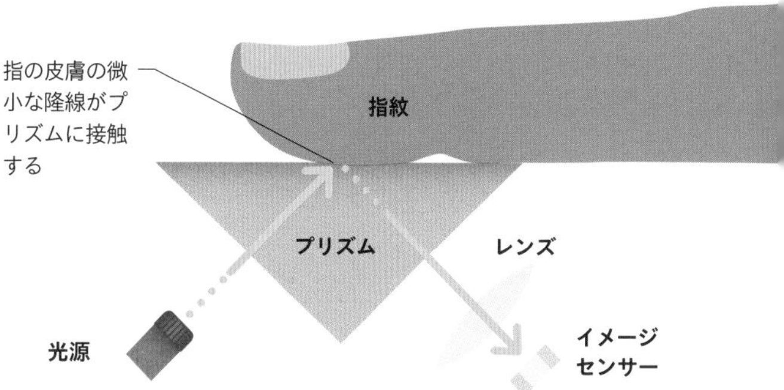
指の皮膚の微小な隆線がプリズムに接触する
指紋
プリズム
レンズ
光源
イメージセンサー

1 光学式指紋スキャナー
プリズムに通されたLEDの光がスキャナーに置かれた指で反射し、レンズによってCCDチップなどのイメージセンサーに届けられる。イメージセンサーは指紋の隆線のパターンを記録する。

指紋の特徴をみつける
指紋
指紋のデジタルデータを作る
10110101010101010
10110101010100100
10110101010101010
10110101010101010
10110101010101010
10110101010101010
10110101010101010
10110101010101010

2 解析とアルゴリズム
ソフトウェアが指紋の画像を解析して分岐点などの特徴（マニューシャ）を検出する。ソフトウェアは特定のアルゴリズムにしたがって指紋のデジタルデータを作る。

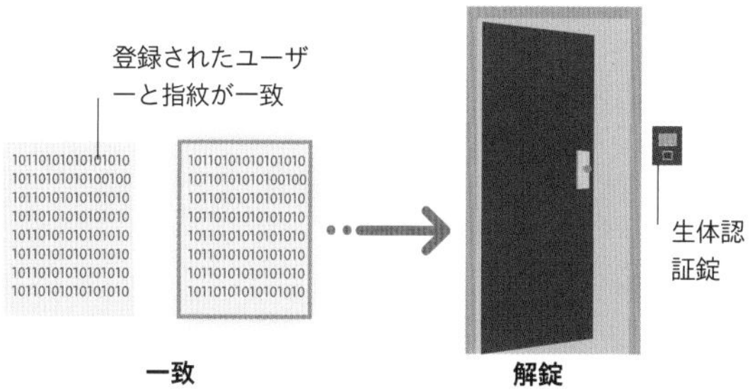
登録されたユーザーと指紋が一致
一致
解錠
生体認証錠

3 探索と比較
スキャンされたデータはデータベースに送られて比較される。登録されたユーザーと一致すると、錠に電気信号が送られて開錠され、この人物の入館が許可される。

第5章

音と光の技術

さまざまな波動

波動を扱う技術はいろいろある。スピーカーは音波を発生し、マイクは音波を捉える。プロジェクターは光波を投映し、カメラは光波を捉える。遠隔通信は電波や可視光や赤外線領域の電磁波を用いて信号を送受信している。

縦波
音波は前後、すなわち波の進行方向と同じ方向の気圧変動が伝わる。このため音波は縦波である。

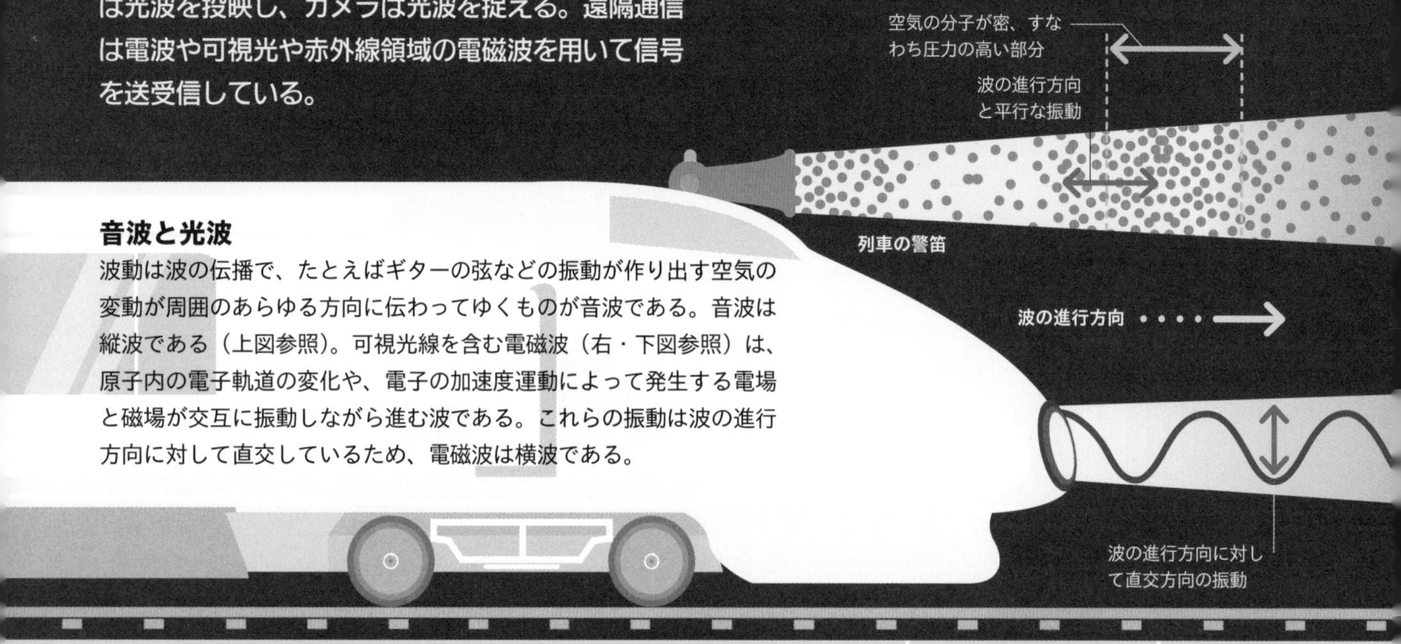

空気の分子が密、すなわち圧力の高い部分
波の進行方向と平行な振動
列車の警笛
波の進行方向
波の進行方向に対して直交方向の振動

音波と光波

波動は波の伝播で、たとえばギターの弦などの振動が作り出す空気の変動が周囲のあらゆる方向に伝わってゆくものが音波である。音波は縦波である（上図参照）。可視光線を含む電磁波（右・下図参照）は、原子内の電子軌道の変化や、電子の加速度運動によって発生する電場と磁場が交互に振動しながら進む波である。これらの振動は波の進行方向に対して直交しているため、電磁波は横波である。

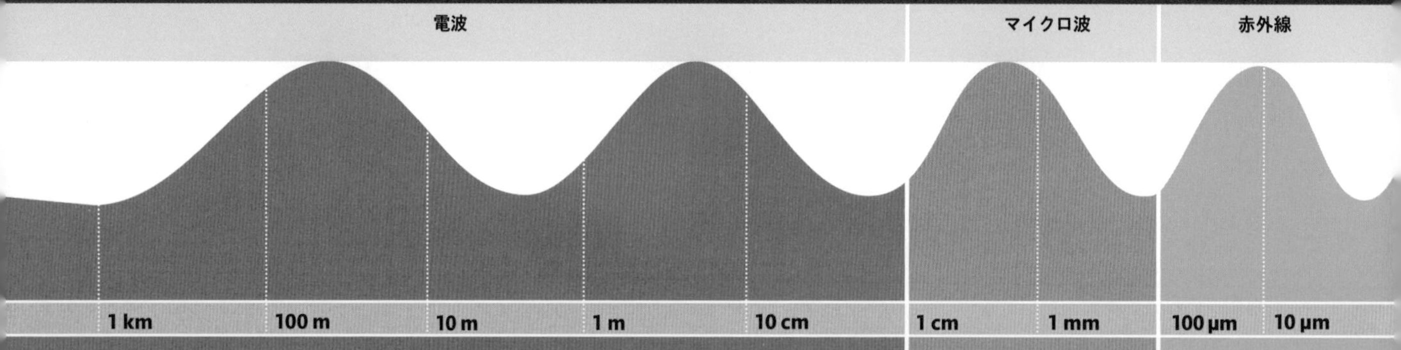

電波
マイクロ波
赤外線
1 km
100 m
10 m
1 m
10 cm
1 cm
1 mm
100 µm
10 µm

電磁波のスペクトル

光は電磁波、すなわち電場と磁場の乱れによる波動である。私たちの目は赤（周波数が小さい）から青（周波数が大きい）までの範囲の光を感じることができるが、電磁波には可視光以外にもいろいろな種類がある。可視光よりも低周波数の電磁波には電波、マイクロ波、赤外線があり、高周波数の電磁波には紫外線、X線、ガンマ線がある。

電波望遠鏡
遠い天体からの電波を受信するためにお碗状のアンテナが使われる

電子レンジ
エネルギーの大きなマイクロ波が水分子を振動させて食品を温める

リモコン
デジタル信号を送信するために赤外線を使用する

横波

電場と磁場の変動は波の進行方向に対して直交方向の上下左右の変動であり、このため光の波は横波といえる。

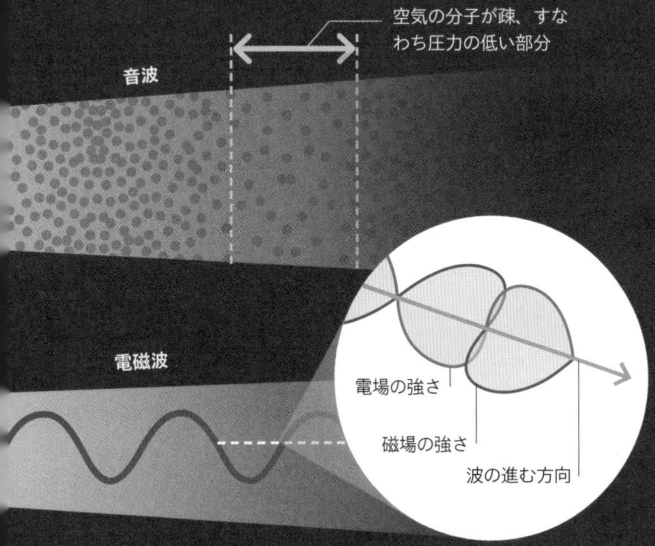
空気の分子が疎、すなわち圧力の低い部分
音波
電磁波
電場の強さ
磁場の強さ
波の進む方向

波の測り方

伝播（移動）する速度、振幅（変動の最大値）、振動数（変動の頻度）、波長（波と波の距離）は波の特徴を測る共通の方法である。

波長と振動数の関係

速度が一定であれば波長の長い波の振動数は小さく、波長の短かい波の振動数は大きい。

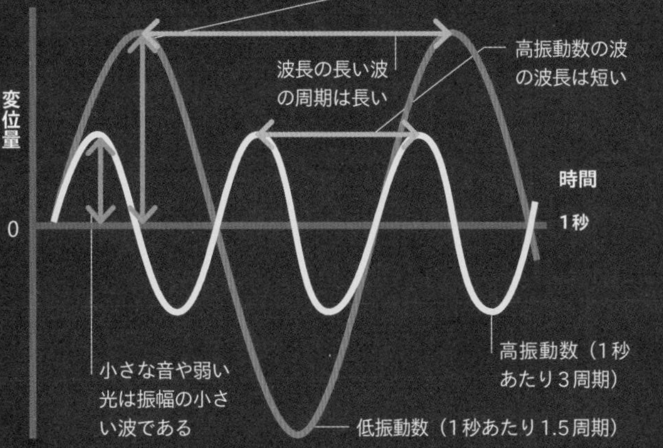
振幅は波の振動の中心から計測される
波長の長い波の周期は長い
高振動数の波の波長は短い
変位量
時間
0
1秒
高振動数（1秒あたり3周期）
小さな音や弱い光は振幅の小さい波である
低振動数（1秒あたり1.5周期）

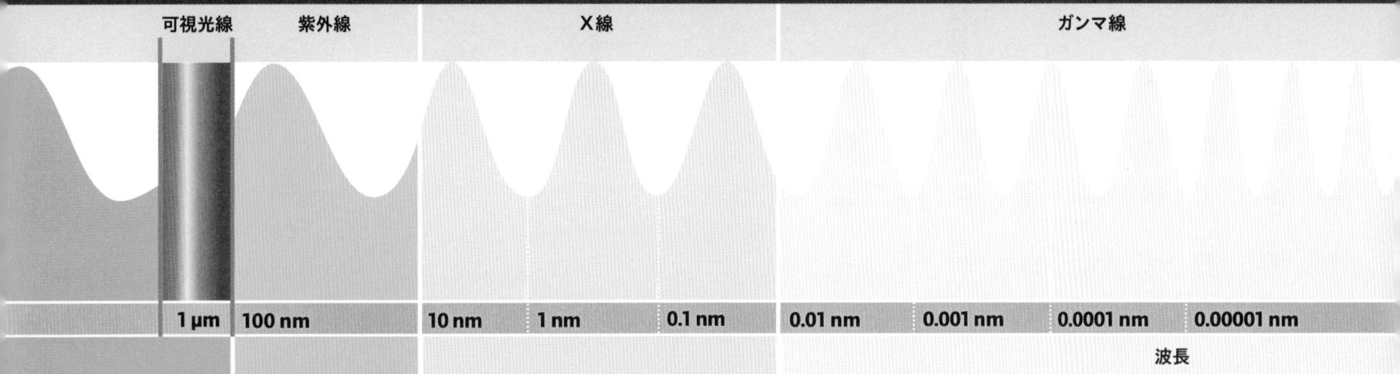
可視光線
紫外線
X線
ガンマ線
1 μm
100 nm
10 nm
1 nm
0.1 nm
0.01 nm
0.001 nm
0.0001 nm
0.00001 nm
波長

人間の目

人間の目は限られた範囲の波長をさまざまな色として知覚する

殺菌

特定の波長の紫外線は細菌を殺して消毒するために使用される

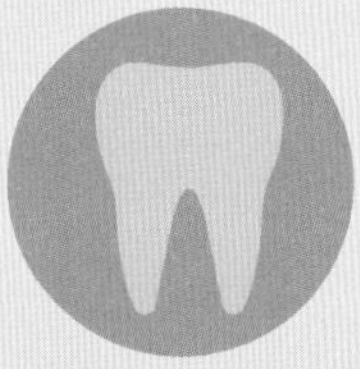

歯科用レントゲン

短い波長のX線は歯茎などを透過するため歯を撮影することができる

車両検査

高エネルギーのガンマ線は車両を透過するため、危険な積荷がないか調べることができる

電磁波の利用

人間はさまざまな技術によって電磁波を利用している。最も短い波長はマイクロメートル（100万分の1m、μm）やナノメートル（10億分の1m、nm）の単位になる。

マイクロフォンとスピーカー

マイクロフォンは音響信号と呼ばれる電気の波を作る。この波はマイクロフォンが受け取った音波による気圧変動をなぞったものである。音響信号を増幅、つまり強くしてスピーカーへ流すと元の音声を再現することができ、さらに音量を大きくすることもできる。

コンサートでは耳栓をするべきか？

ポップ・コンサートで使われるスピーカーは気圧を非常に大きく変動させるため、耳に悪いことがある。スピーカーの近くでは耳栓をする方がいいかもしれない。

1 振動板が内側に動く
マイクロフォンに到達した音波は、金属の保護網を通過して振動板に届く。振動板は細い電線で作られたコイルに接続されている。高い気圧が振動板が押し、コイルを押し込む。

2 振動板が外側に動く
低い気圧が振動板を引き戻す。前後に動くことで振動板はさまざまな音波による高速の振動に追随して動き、細い電線でできたコイルを同じように前後に動かす。

3 音声信号の発生
コイルは永久磁石の一方の極を取りまいており、動きに応じて方向の異なる電流が生じる。この音波による圧力変動に応じて向きが変動する電流が音響信号である。

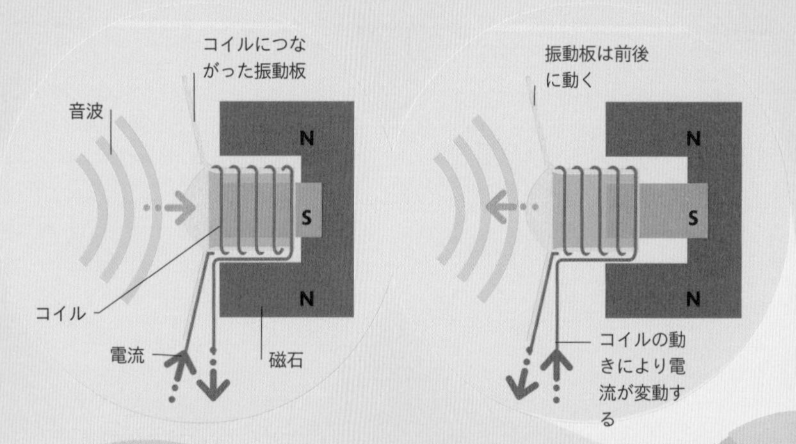

コイルにつながった振動板
音波
N
S
N
コイル
電流
磁石
振動板は前後に動く
N
S
N
コイルの動きにより電流が変動する

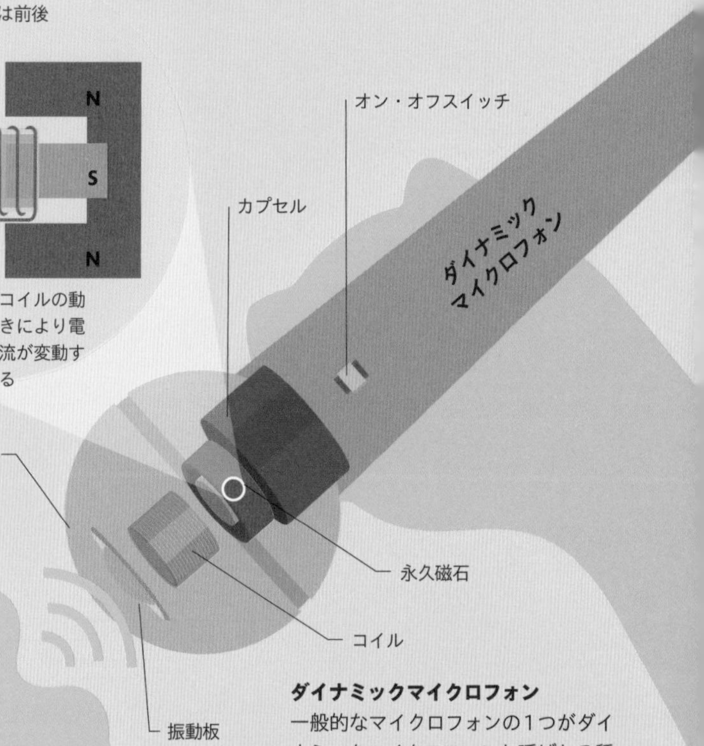

オン・オフスイッチ
カプセル
ダイナミック
マイクロフォン
金属網の風よけ
永久磁石
コイル
振動板

音波を捉える

音は、気圧の変動の波として伝わってきた空気の乱れである（136-37頁参照）。マイクロフォンが作り出す音響信号は、音波の気圧変動に合わせて変動する電流である。マイクロフォンの内部には、音波によって振動する振動板（ダイヤフラム）と呼ばれる薄い膜がある。この振動板の動きによって電気信号が作られる。

ダイナミックマイクロフォン
一般的なマイクロフォンの1つがダイナミックマイクロフォンと呼ばれる種類。内部には振動板によって動くコイルが磁石の周囲に設置されており、これが電気信号を作り出す。

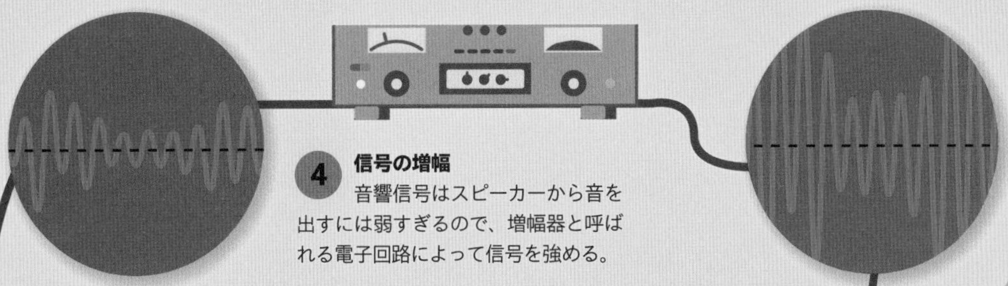

4 信号の増幅

音響信号はスピーカーから音を出すには弱すぎるので、増幅器と呼ばれる電子回路によって信号を強める。

音を出す

スピーカーは音響信号によって音を出す。音響信号の発生源はマイクロフォンの場合もあればコンピューターやスマートフォンのメモリーから再生される場合もあり、電波にのって飛んでくる場合もある。いずれにしても音を出すには弱すぎるため、スピーカーに送る前に信号を強く（増幅）しなければならない。

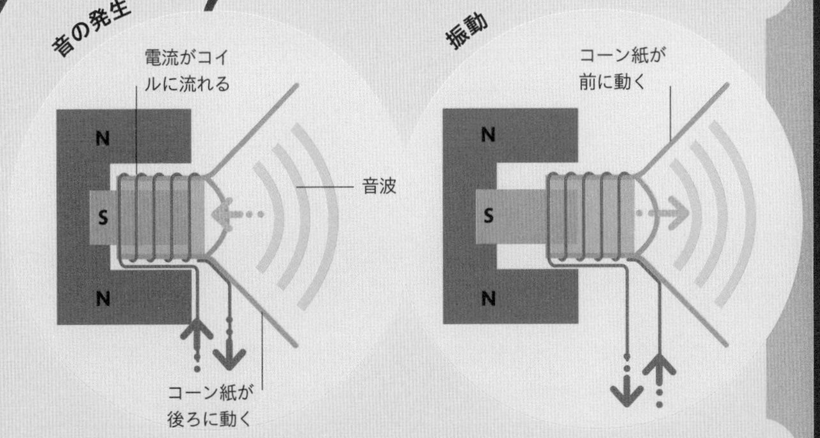
音の発生
電流がコイルに流れる
N
S
N
音波
コーン紙が後ろに動く
振動
コーン紙が前に動く
N
S
N

5 音が出る

増幅された音響信号をスピーカーへ送ると、スピーカー内部のコイルが音響信号の電流の変動にともなって変動する磁場を発生する。その磁場の変動がコイルとそれにつながったコーン紙を前後に動かし、信号の元になった音波を再現する。

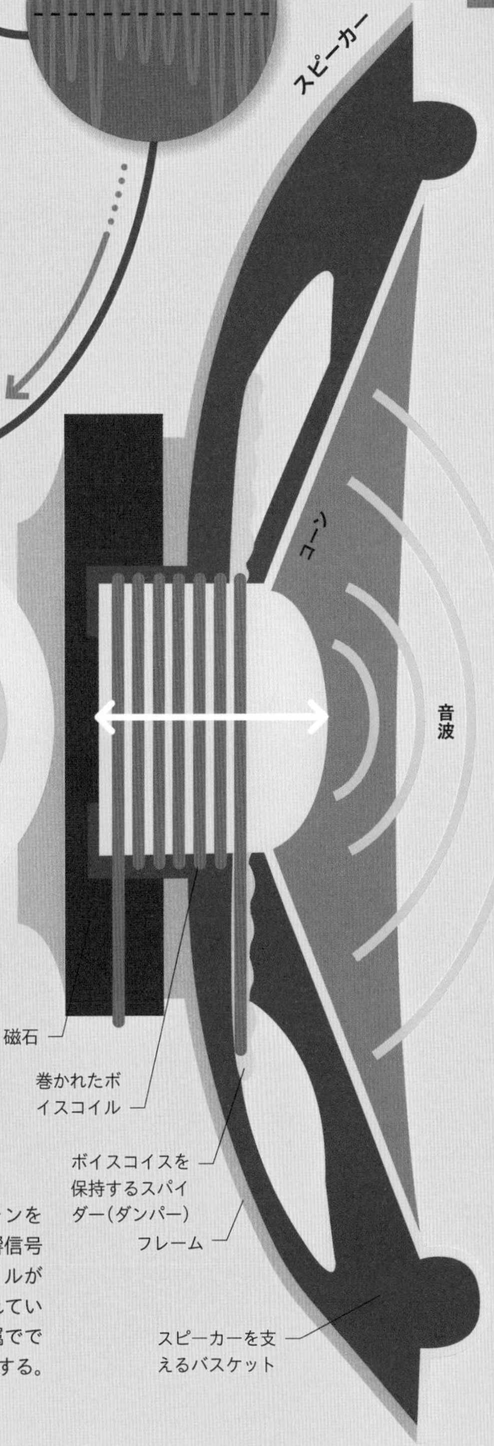
スピーカー
コーン
音波
磁石
巻かれたボイスコイル
ボイスコイスを保持するスパイダー（ダンパー）
フレーム
スピーカーを支えるバスケット

スピーカー

スピーカーはダイナミックマイクロフォンを逆に動作させるようなものである。音響信号を送ると動くように磁石のまわりにコイルが巻いてあり、これにコーン紙がつながれている。コーン紙は紙やプラスチックや金属でできており、前後に動くことで音波を発生する。

デジタル音響

デジタル音響は大量の2進数によって、変化する音響信号、すなわち音波の電気的な複製物を記録したものである。これを再生するためには、数値から音響信号を再現し、スピーカーから音を出すための電子回路が必要になる。

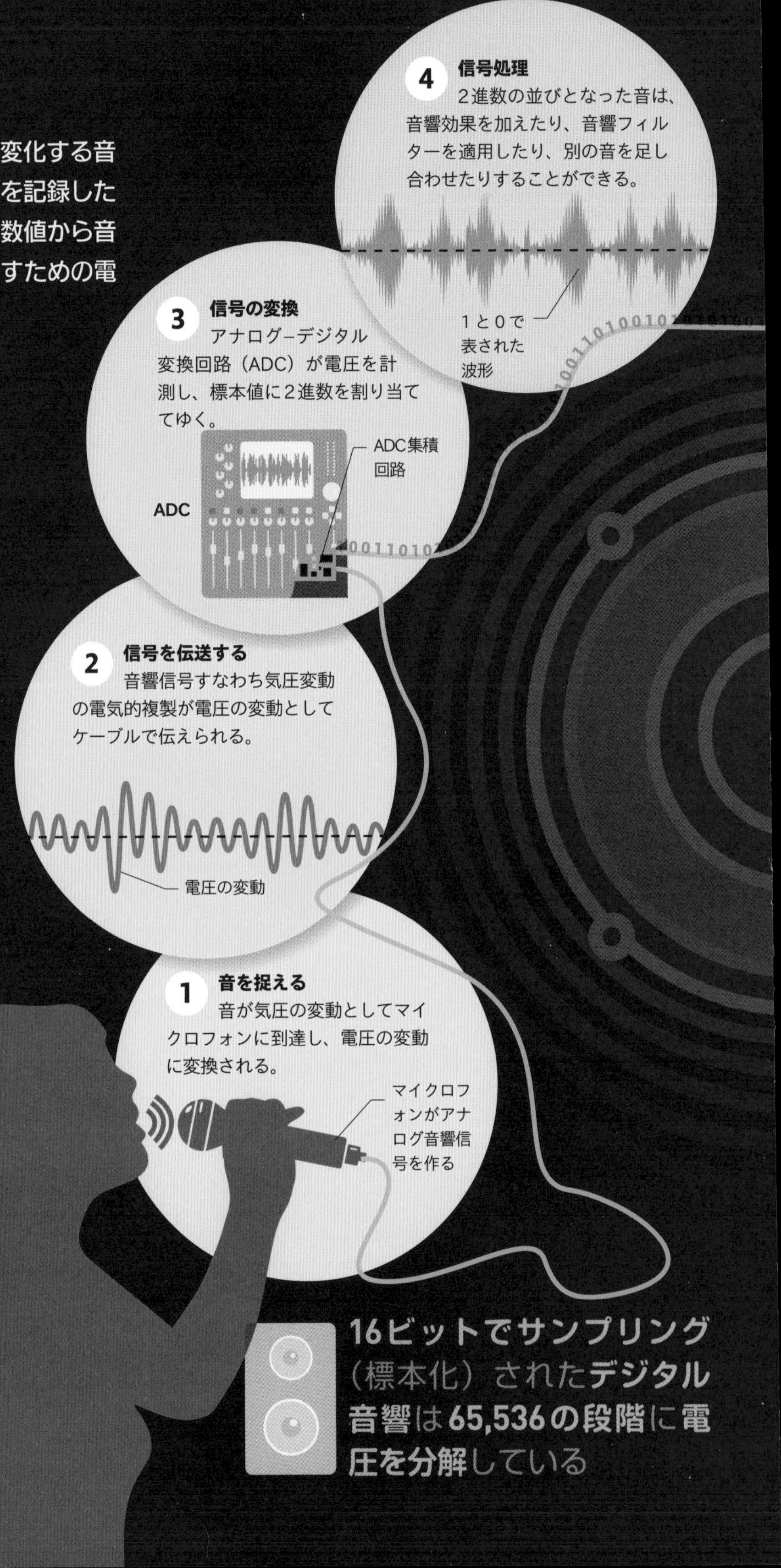

1 音を捉える
音が気圧の変動としてマイクロフォンに到達し、電圧の変動に変換される。
マイクロフォンがアナログ音響信号を作る
2 信号を伝送する
音響信号すなわち気圧変動の電気的複製が電圧の変動としてケーブルで伝えられる。
電圧の変動
3 信号の変換
アナログ–デジタル変換回路（ADC）が電圧を計測し、標本値に2進数を割り当ててゆく。
ADC
ADC集積回路
4 信号処理
2進数の並びとなった音は、音響効果を加えたり、音響フィルターを適用したり、別の音を足し合わせたりすることができる。
1と0で表された波形

アナログからデジタルへ、さらにアナログへ

デジタル化の元になるのは音響信号すなわち音波の電気的な複製物（アナログ=類似物）であり、マイクロフォン（138頁参照）からの信号はその典型的なものである。アナログ–デジタル変換回路は毎秒数万回を超える間隔で音響信号の電圧を計測し、その計測値（標本値）それぞれに電圧に対応した数値を割り当てる。この数値は2進数（158頁参照）として記録される。音を再生する際には、デジタル–アナログ変換回路によってスピーカー（139頁参照）やヘッドフォンに送る音響信号を作る。

音声圧縮とは何か？

高品質のデジタル音響は大きな記憶容量を必要とする。音声圧縮は音質を損なわずに容量を削減する技術である。

16ビットでサンプリング（標本化）された**デジタル音響**は**65,536の段階**に**電圧を分解**している

5 音の保存
2進数の並びはハードディスクやUSBフラッシュドライブなどの記憶装置に保存することができる。

ハードディスクドライブ

6 再び音にする
再生するために演算処理装置が記憶装置から数値の並びを読み取る。

読み取られた信号

7 アナログへ戻す
デジタル–アナログ変換回路（DAC）が読み取った2進数の並びから音響信号を作成する。

DAC
復元された信号

8 信号の増幅
復元されたアナログ信号を増幅器へ送る。

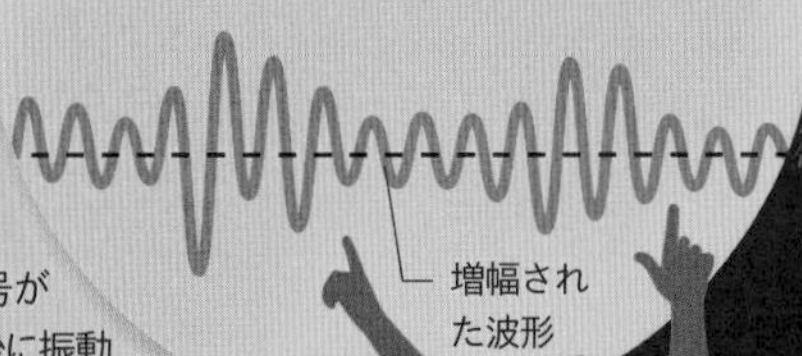
増幅された波形

8 再生
増幅された音響信号がスピーカーのコーン紙を前後に振動させ、気圧の変動を伝える音波を作る。

音質

デジタル音響の品質は1秒あたりの標本値の数と、標本値を表すビット数（2進数の数）の多さに依存する。コンパクトディスク（CD）の音質は標準化されており、標本値は16ビットで毎秒の標本数は44,100である。

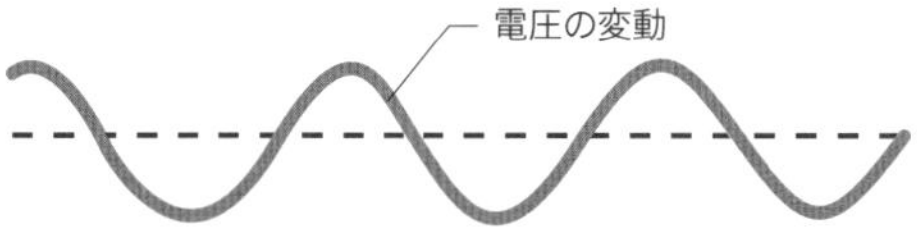
電圧の変動

元になるアナログ音響信号
マイクロフォンの作る音響信号は滑らかな電圧変動の波で、毎秒数百～数千回の波がある。

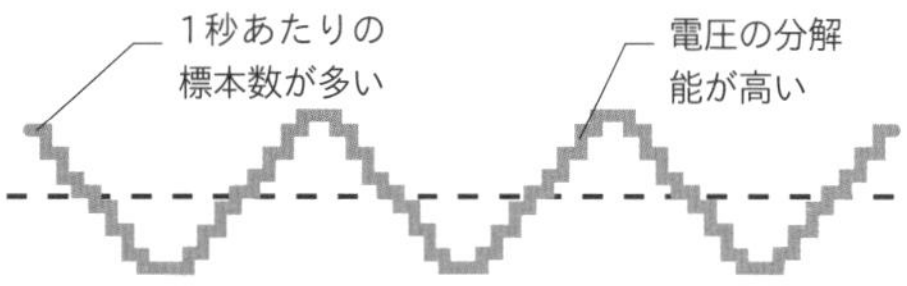
1秒あたりの標本数が多い
電圧の分解能が高い

質のいい音
デジタル音響は音響信号の完全な再現はできないが、電圧の分解能と1秒あたりの標本数を増やすことで音質を上げることができる。

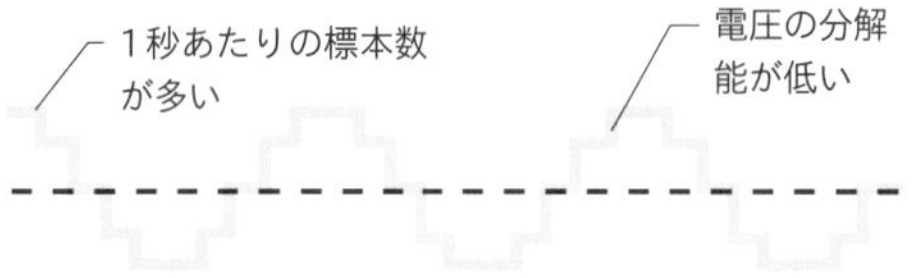
1秒あたりの標本数が多い
電圧の分解能が低い

質のよくない音
低品質の音は1秒あたりの標本数が少なく、また標本のビット数が少ない（電圧の分解能が低い）ため、音の飛びや歪みがある。

電話の音

電話の会話では、音声はデジタル信号に変換されて電話回線を伝送される。ADCとDACは、スマートフォンの場合は機械に組込まれており、固定電話では電話とは別の施設に設置されている。

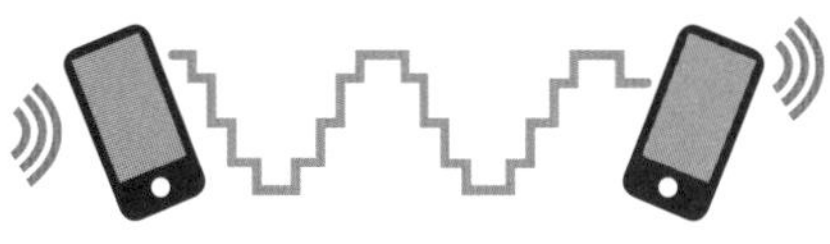

望遠鏡と双眼鏡

私たちは、物に反射した光が目の奥にある網膜に結ぶ像によって世界を見ている。遠くにあるものが網膜に結ぶ像は小さい。望遠鏡や双眼鏡は網膜の像を大きくすることで対象を拡大して見せる。

双眼鏡の2つの数字は何を意味しているか？

10×50と書かれている場合、10は倍率、50は対物レンズの口径をミリ単位で示している。

望遠鏡

望遠鏡では、遠方の物からの光に対物レンズや反射鏡の焦点を合わせ、鏡筒内部に結像させる。接眼レンズがこれを拡大する。対物レンズや反射鏡の焦点距離（レンズや反射鏡から焦点までの距離）が長いほど鏡筒内の像は大きくなり、接眼レンズの焦点距離が小さいほど像は大きく見える。

反射望遠鏡

反射望遠鏡の凹面の対物鏡が鏡筒に入る光を反射して焦点に結像させ、平面鏡がこれを接眼レンズへ導く。

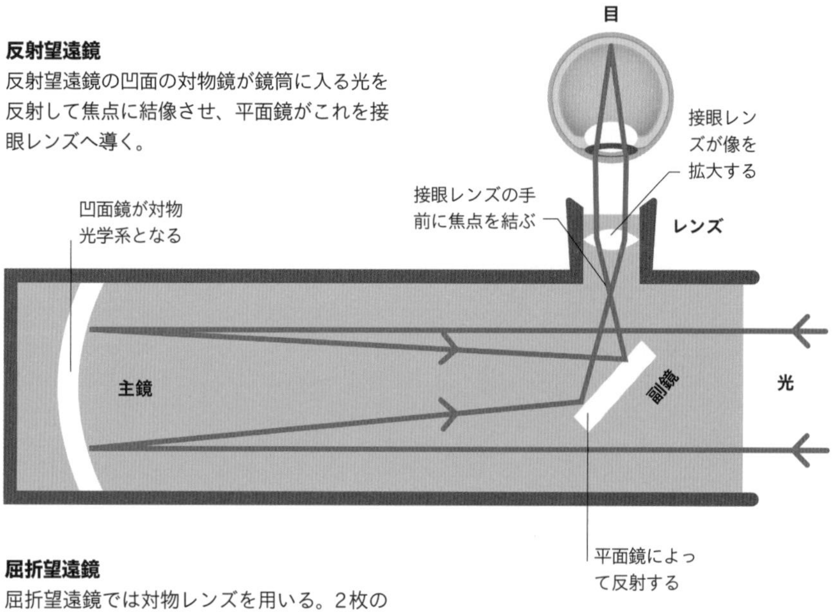
目
接眼レンズが像を拡大する
接眼レンズの手前に焦点を結ぶ
レンズ
凹面鏡が対物光学系となる
主鏡
副鏡
光
平面鏡によって反射する

屈折望遠鏡

屈折望遠鏡では対物レンズを用いる。2枚のレンズのみでは像が倒立するので、正立像にするためのレンズを使用する望遠鏡もある。

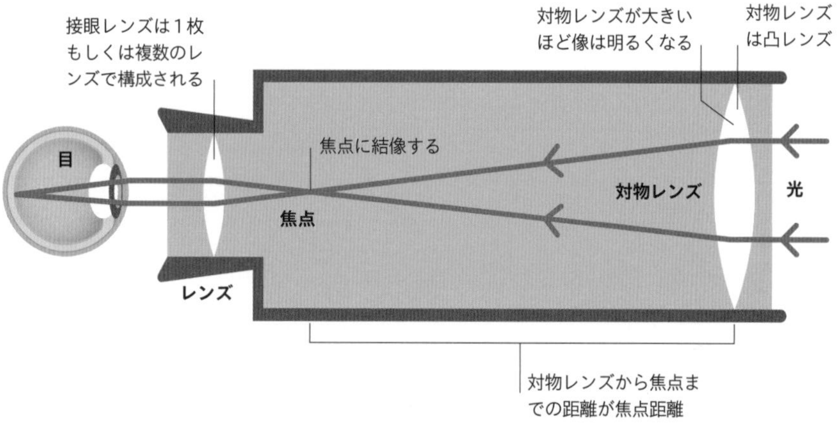
接眼レンズは1枚もしくは複数のレンズで構成される
対物レンズが大きいほど像は明るくなる
対物レンズは凸レンズ
目
焦点に結像する
焦点
対物レンズ
光
レンズ
対物レンズから焦点までの距離が焦点距離

宇宙望遠鏡

遠方の惑星や恒星や銀河系からやってくる光は大気による吸収や揺らぎの影響を受けるが、宇宙望遠鏡にはこの問題は起こらない。像はデジタルデータ化され、地上へ送信される。

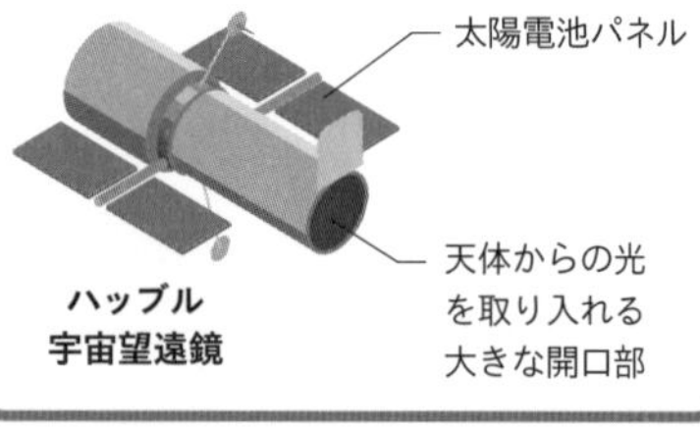
太陽電池パネル
天体からの光を取り入れる大きな開口部
ハッブル
宇宙望遠鏡

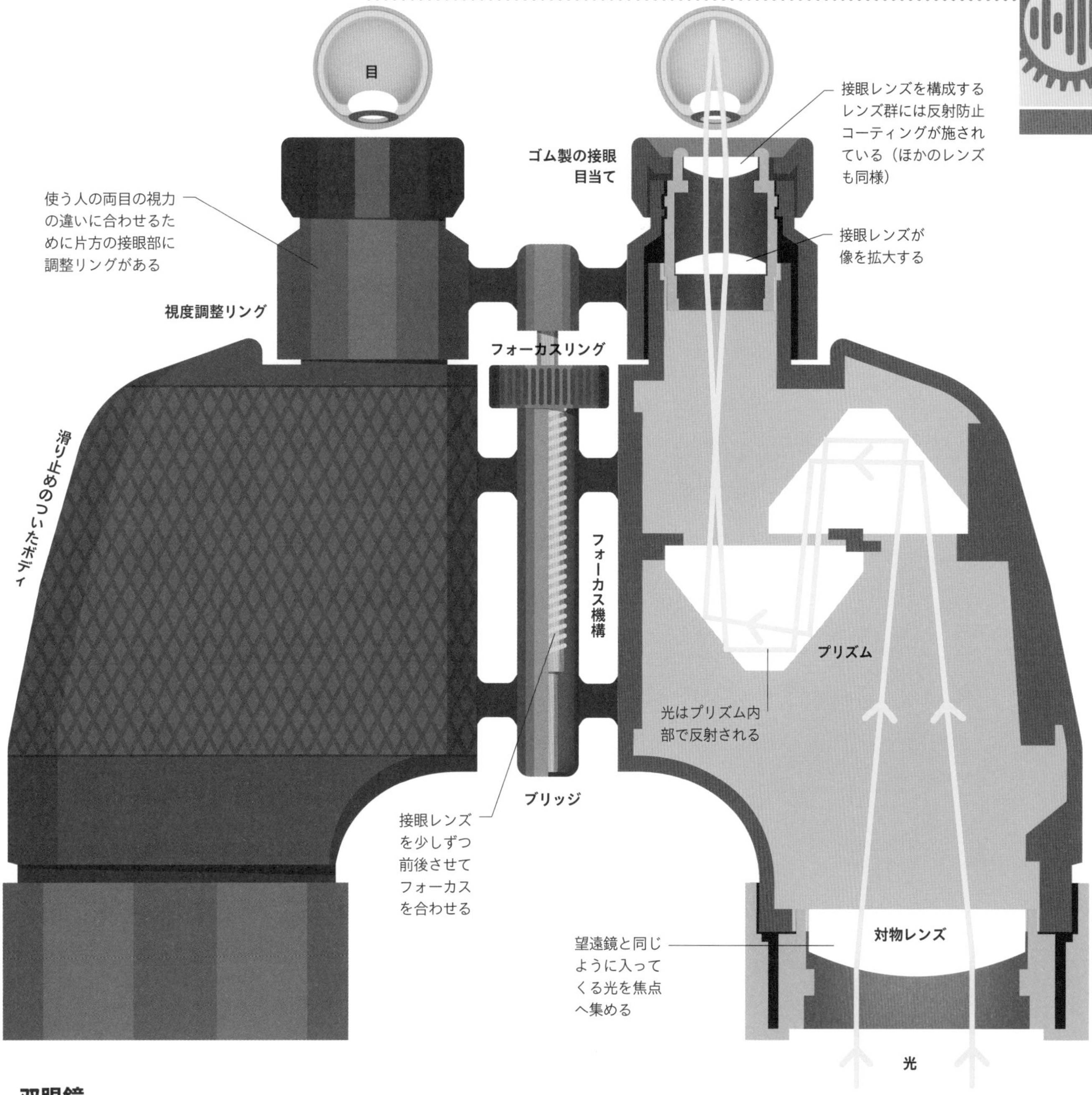
目
ゴム製の接眼
目当て
接眼レンズを構成するレンズ群には反射防止コーティングが施されている（ほかのレンズも同様）
使う人の両目の視力の違いに合わせるために片方の接眼部に調整リングがある
接眼レンズが像を拡大する
視度調整リング
フォーカスリング
滑り止めのついたボディ
フォーカス機構
プリズム
光はプリズム内部で反射される
ブリッジ
接眼レンズを少しずつ前後させてフォーカスを合わせる
対物レンズ
望遠鏡と同じように入ってくる光を焦点へ集める
光

双眼鏡

双眼鏡は２本の屈折望遠鏡を横に並べ、それぞれ一方の目で見る構成である。ガラスのプリズムを２つ用いて像を正立させるとともに、光軸を屈折させることで小さな鏡筒で長焦点のレンズを用いることを可能にしている。双眼鏡は小さいので手軽に持ち運びでき、両眼を使って快適な観測ができる。

ヤーキス天文台の屈折望遠鏡の**対物レンズ**は**直径102cm**で、**世界最大**である

電灯

ほとんどの電灯は蛍光灯かLEDである。昔ながらの電球はエネルギー効率が悪く、まだ使われてはいるが、数は減りつつある。

3 可視光の発生
紫外線があたることで、ガラスに塗布された蛍光体が発光する。赤・緑・青の蛍光体があり、これらが混ざって白い光となる。

2 電子がエネルギーを放出する
励起された電子が元のエネルギーレベルに戻るとき、その差のエネルギーが紫外線として放出される。紫外線は目には見えない。

1 電子の励起
高圧の電流が管内の水銀蒸気に作用し、水銀原子中の電子を励起する（エネルギーレベルを高くする）。

凡例
- 自由電子
- 励起された水銀原子

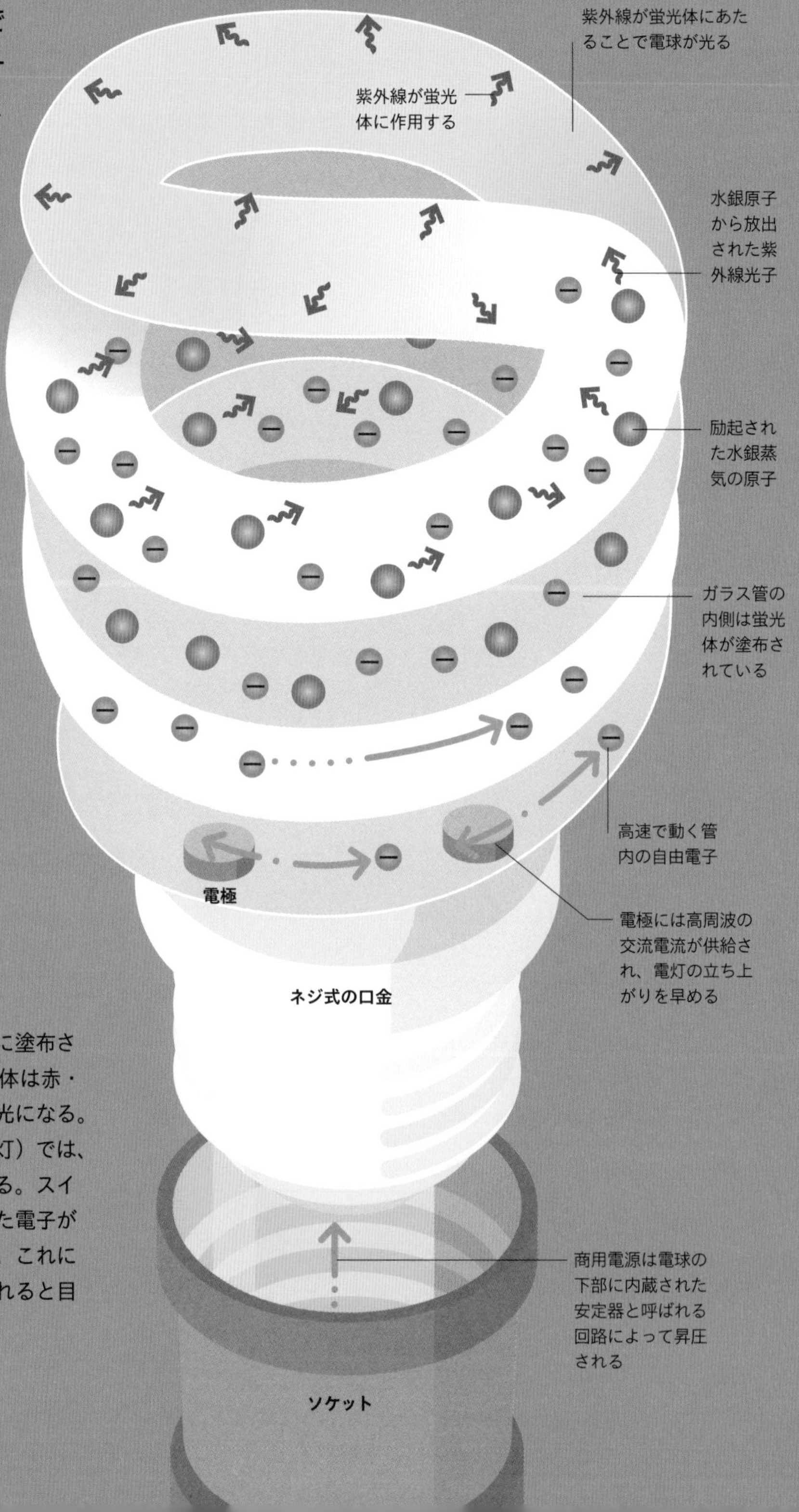

紫外線が蛍光体にあたることで電球が光る
紫外線が蛍光体に作用する
水銀原子から放出された紫外線光子
励起された水銀蒸気の原子
ガラス管の内側は蛍光体が塗布されている
高速で動く管内の自由電子
電極
電極には高周波の交流電流が供給され、電灯の立ち上がりを早める
ネジ式の口金
商用電源は電球の下部に内蔵された安定器と呼ばれる回路によって昇圧される
ソケット

電球型蛍光灯

蛍光灯の光を生むのは、ガラス管の内側に塗布された蛍光体と呼ばれる顔料である。蛍光体は赤・緑・青の光を出し、これが混ざると白い光になる。家庭で使われる電球型蛍光灯（小型蛍光灯）では、小型化するために管を螺旋状に巻いている。スイッチを入れるとガラス管内部で放出された電子が水銀蒸気中の水銀原子の電子に衝突する。これによって発生した紫外線が蛍光体に照射されると目に見える光を放つ。

LED電球

LED（発光ダイオード）を用いた電球では、Ｎ型とＰ型という２種類の半導体の組み合わせによって光を発生させている。電源に接続すると、電子はＮ型からＰ型の半導体に移動し、光子という光の粒子の形でエネルギーを放出する。家庭にあるLED照明の多くで発生しているのは青い光である。LEDを覆っている蛍光体が青い光の一部を吸収して黄色い光を放ち、それらが混ざり合って白い光となる。

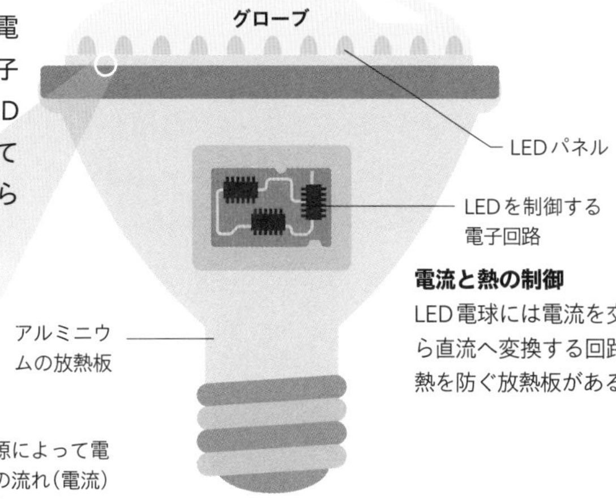
グローブ
LEDパネル
LEDを制御する
電子回路
アルミニウムの放熱板

電流と熱の制御
LED電球には電流を交流から直流へ変換する回路と過熱を防ぐ放熱板がある。

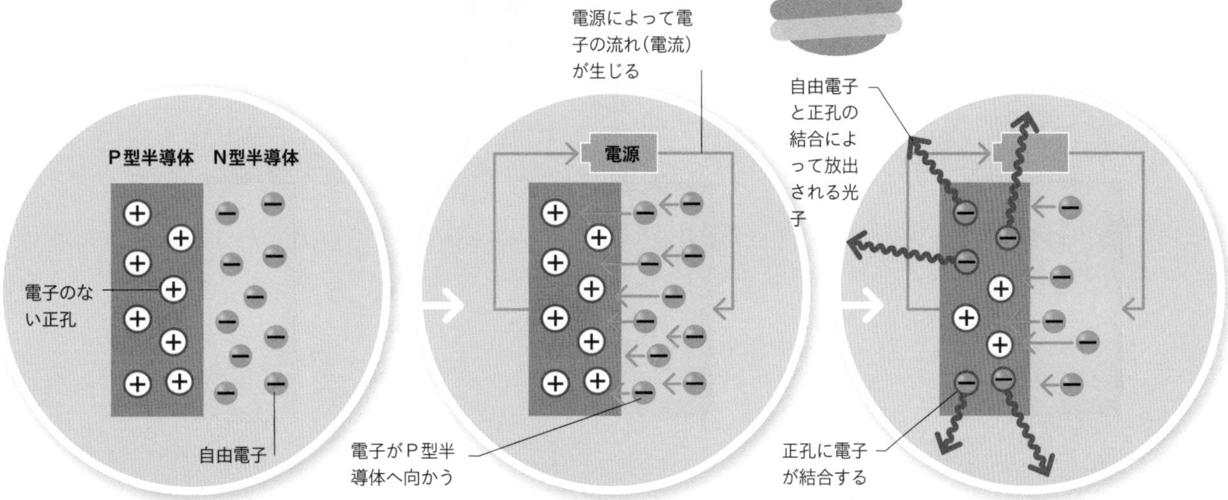
P型半導体
N型半導体
電子のない正孔
自由電子
電源によって電子の流れ（電流）が生じる
電源
電子がＰ型半導体へ向かう
自由電子と正孔の結合によって放出される光子
正孔に電子が結合する

1 二種類の半導体
LEDの多くで用いられている半導体はガリウムの化合物である。ほかの元素を微量加えて電子の数を増減させ、Ｎ型とＰ型の部分を作る。

2 電子の流れ
接合部分に電圧をかけると、電子がＮ型半導体からＰ型半導体へ押され、電子のない正孔に移動する。

3 光子
正孔に結合すると、電子はガリウム原子内で低いエネルギー準位へ移動し、そのエネルギー差が光子として放出される。LEDでは毎秒膨大な数の光子が放出されている。

光源の種類（同じ明るさ）

	**電球型蛍光灯** **消費電力** 18W **平均寿命** 8,000時間
	**LED電球** **消費電力** 9W **平均寿命** 25,000時間
	**白熱電球** **消費電力** 60W **平均寿命** 1,200時間

白熱電球

20世紀末まで、家庭で使用される照明の大半は白熱電球だった。電球内部にはフィラメントと呼ばれる細いタングステン線のコイルがあり、電流を流すと白熱する。電球には不活性ガスが充填されているため、フィラメントは燃えずに光を放つ。

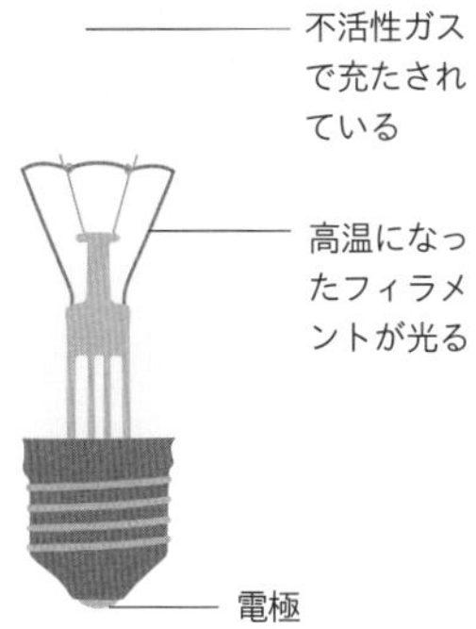
不活性ガスで充たされている
高温になったフィラメントが光る
電極

レーザー

レーザーはコリメートされた（平行で拡散しない）コヒーレントな（すべての波の位相と周波数が揃った）光のビームを作り出す。レーザー（LASER）という言葉は「放射の誘導放出による光増幅」という意味の造語である。

レーザーは兵器として使われている？

使われている。現在、高出力レーザーによって標的を破壊するシステムがいくつか開発されている。ただし、その多くは現時点では実験的なものである。

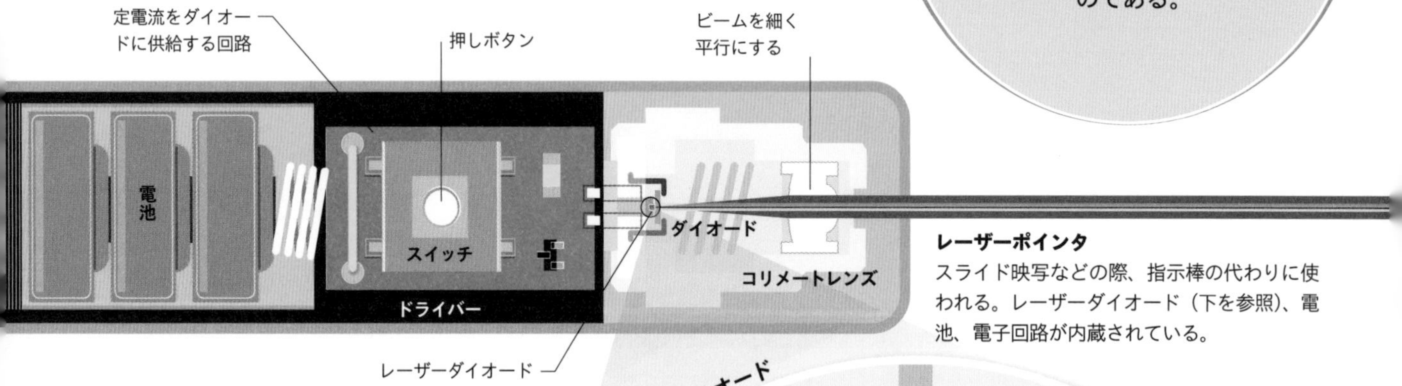

定電流をダイオードに供給する回路
押しボタン
ビームを細く平行にする
電池
スイッチ
ドライバー
ダイオード
コリメートレンズ
レーザーダイオード

レーザーポインタ
スライド映写などの際、指示棒の代わりに使われる。レーザーダイオード（下を参照）、電池、電子回路が内蔵されている。

半導体レーザー
いちばん普及しているレーザーは、サンドイッチ状の半導体によって光を出す低出力の半導体レーザー（レーザーダイオード）である。積層されたシリコンの外側の層は添加物質により導電性を与えている。電流を流すと一連の過程によって光（光子）を一気に放出する（右頁参照）。レーザーダイオードは光通信ケーブル、レーザープリンター、バーコードリーダーなどに使用されている。

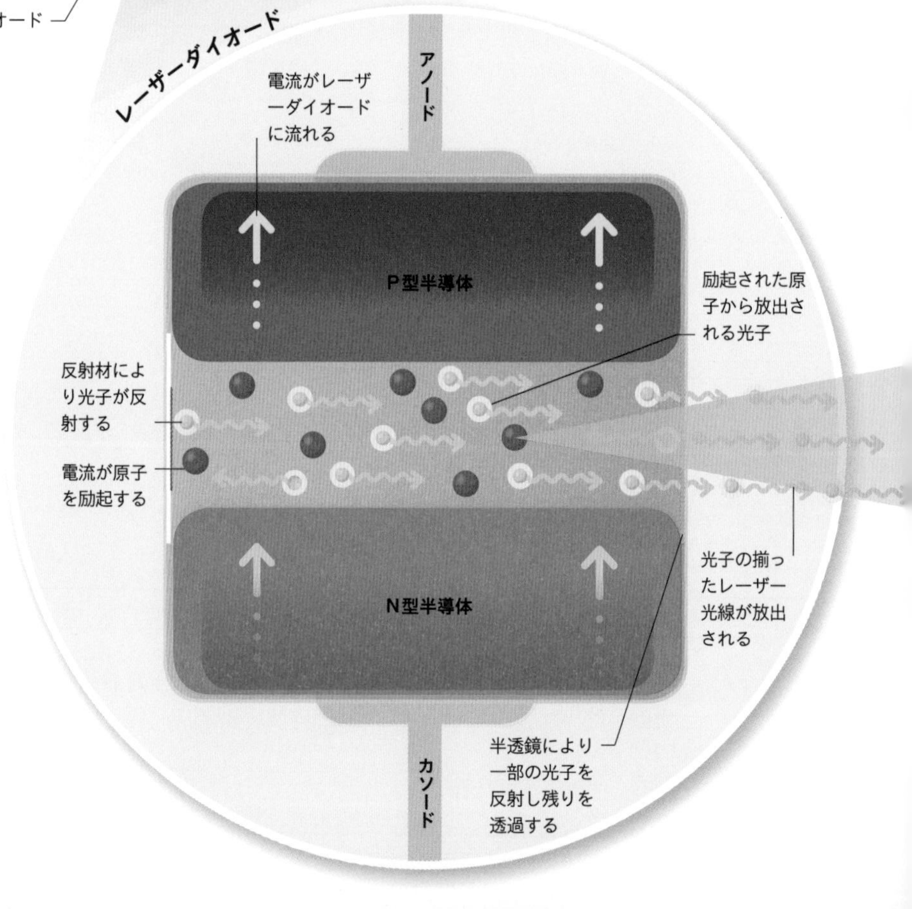

レーザーダイオード
アノード
電流がレーザーダイオードに流れる
P型半導体
励起された原子から放出される光子
反射材により光子が反射する
電流が原子を励起する
光子の揃ったレーザー光線が放出される
N型半導体
半透鏡により一部の光子を反射し残りを透過する
カソード

レーザーダイオード
半導体物質の外側の層は添加物質によりN型とP型（160頁参照）になっている。これらの層に挟まれている部分が発光する。

レーザーの応用

医学
レーザーは外科手術で高精度な切開や傷口の焼灼に使用されるほか、眼科の矯正手術でも用いられる。

測量
廉価で低出力なレーザーでも細く直線の光線を利用できるため、建設や測量の現場で使用されている。

溶接
自動車の車体や鍋の組立など、高速の自動溶接に使用される。

製造業
衣料用繊維製品の正確な裁断や、キーボードへの文字の刻印などに使用されている。

エンターテインメント
コンサートの照明効果としてスモークにパターンを照射するためなどに用いられる。またCD・DVDの再生はレーザーを使う。

遠隔通信
世界中をつなぐ通信用光ケーブルでは、赤外線レーザーダイオードによるデジタル信号がやり取りされている。

気体レーザー

レーザーは固体や半導体レーザーダイオードに限られない。高出力レーザーの多くは気体の原子を励起させる気体レーザーである。たとえば、自動車の部品の切断や溶接で使うレーザーは気体の二酸化炭素をレーザー媒質として用いている。

レーザービーム

光子を放出するしくみ

レーザー光線の元となる光子（光の粒子）は、レーザー媒質（レーザーダイオードの場合はP型とN型に挟まれた半導体の部分〔左頁参照〕）の原子中の電子により、誘導放出と呼ばれる原理によって作られる。電流（一部のレーザーでは強力な光を用いる）によって電子をエネルギー準位の高い状態に励起すると、電子が低いエネルギー準位に戻るとき余分なエネルギーが光子として放出され、放出された光子はレーザー媒質を伝わりながらほかの励起された電子に光子の放出を促す。レーザー光の色は、エネルギー準位の差によって決まる。

レーザーにより、地球から**月までの距離**を**数cm**の精度で計測することができる

原子

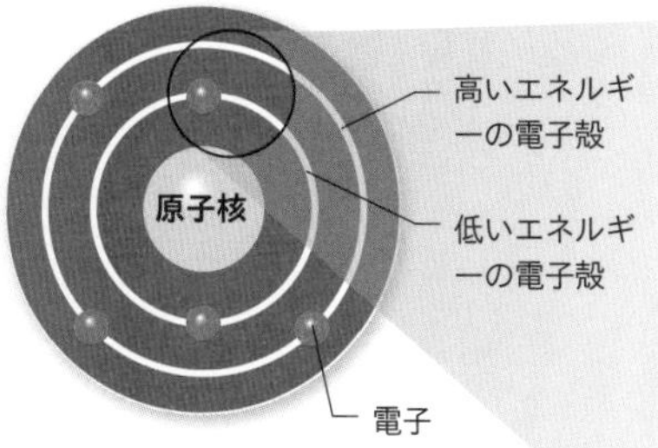
高いエネルギーの電子殻
原子核
低いエネルギーの電子殻
電子

電子殻
原子中の電子はエネルギー準位の異なる殻に収まっている。原子核に近い方がエネルギーが低い。

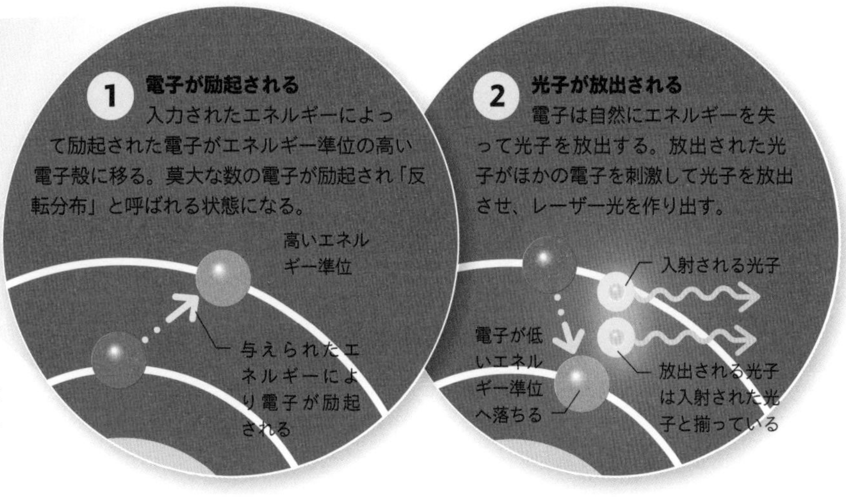
1 電子が励起される
入力されたエネルギーによって励起された電子がエネルギー準位の高い電子殻に移る。莫大な数の電子が励起され「反転分布」と呼ばれる状態になる。
高いエネルギー準位
与えられたエネルギーにより電子が励起される
2 光子が放出される
電子は自然にエネルギーを失って光子を放出する。放出された光子がほかの電子を刺激して光子を放出させ、レーザー光を作り出す。
入射される光子
電子が低いエネルギー準位へ落ちる
放出される光子は入射された光子と揃っている

ホログラム

ホログラムはレーザー光線を利用した立体像である。像は物体表面の情報を含んだ干渉パターンとして写真のようなフィルムに記録される。ホログラムは奥行があるようにみえ、視点を動かすと異なる角度から見ることもできる。

コンサートで使われるミュージシャンのホログラムは本物のホログラムか？

これはペッパーズ・ゴーストと呼ばれる鏡を用いた視覚効果であり、ホログラムではない。

ホログラムの作り方

ホログラムはレーザー光線を利用して作成される。レーザーの光は波が「揃っている」ことが重要である（146-47頁参照）。ホログラムを作るにはまずレーザー光線をビームスプリッターで分割する。分割された光の半分は参照光としてそのまま感光フィルムに到達する。もう半分は物体照明光として、ホログラム像を作る物体に当てられる。反射した物体参照光は参照光に重ね合わされて干渉を起こし、被写体表面の情報を含んだ干渉パターンとして感光フィルムに到達する。フィルムを現像した後に光を当てると、この情報を読み出すことができる。

ホログラム画像

ホログラムは参照光と物体照明光という2つの光線の組み合わせで生成され、これらの光線の干渉パターンが感光フィルム内に捉えられることによって像が作られる。

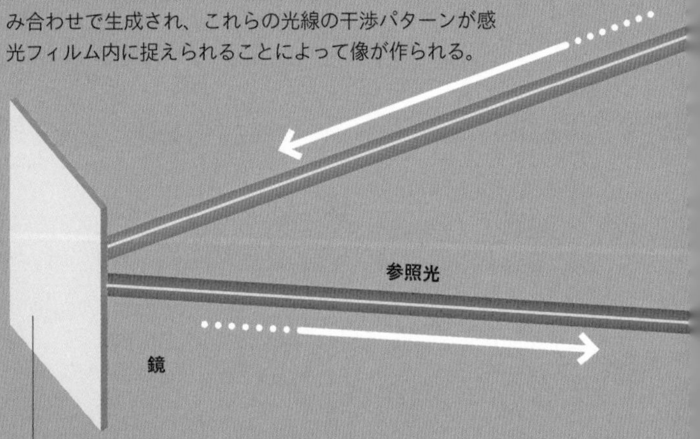

参照光
鏡
参照光を拡散レンズへ向けて反射する

3 参照光
ビームスプリッターを透過した光は被写体を経由せず、鏡で反射され、レンズで拡散されて感光フィルムに向かう。

ホログラムをバラバラにすると、それぞれの破片には全体の像が含まれている

セキュリティホログラム

紙幣やクレジットカードやコンサートのチケットには、偽造防止のためにホログラムが入っているものがある。これはレーザーで作成されているが、通常の白色光で見ることができる。

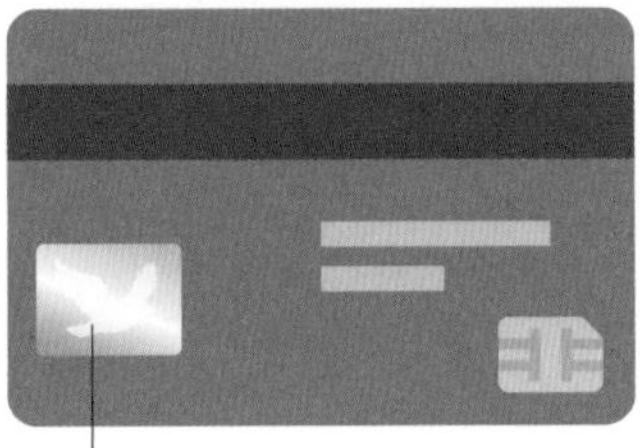

白色光反射型ホログラム

ホログラムを見る

上で説明されているのは透過型ホログラムと呼ばれるもので、ほかに反射型ホログラムがある。反射型ホログラムではビームスプリッターは用いず、参照光はフィルムを透過した後にフィルムの背後におかれた被写体表面で反射して物体参照光となる。感光フィルムは現像すると黒くなり、物体のイメージとはほど遠い奇妙な線が現れる。反射型ホログラムを見る際はレーザー光線をフィルムに透過させ、フィルム内部の干渉パターンで回折させてイメージを再現する。

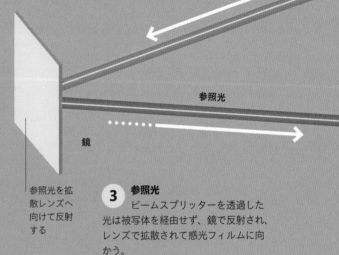

1 レーザー光線を出す
レーザー光線は細いビーム状でコヒーレント、すなわち波長がすべて同じで位相が揃った光である。

2 物体照明光を作る
ビームスプリッターで反射した光を物体照明光として鏡で被写体に向ける。被写体の前にレンズ（拡散レンズ）を通してビームを拡散する。

ホログラムフィルム
被写体の表面で反射した光は参照光と位相がずれるため、感光フィルムの中でこの２つの光が重なると干渉を起こす。すなわち光の波が揃っている部分では互いに強め合い、揃っていない部分では打ち消し合う。

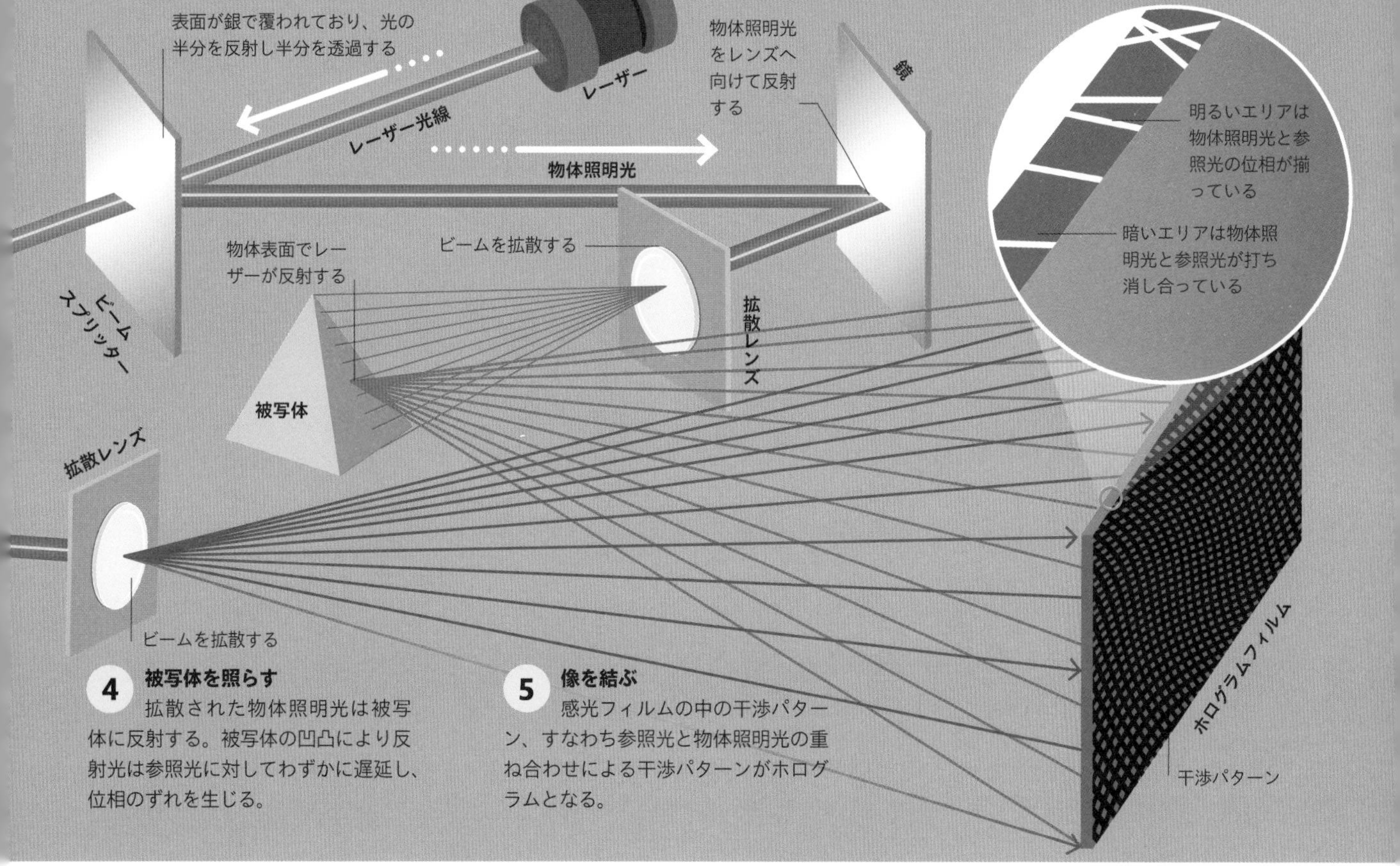
表面が銀で覆われており、光の半分を反射し半分を透過する
レーザー
レーザー光線
物体照明光
物体照明光をレンズへ向けて反射する
鏡
明るいエリアは物体照明光と参照光の位相が揃っている
暗いエリアは物体照明光と参照光が打ち消し合っている
物体表面でレーザーが反射する
ビームを拡散する
ビームスプリッター
拡散レンズ
被写体
拡散レンズ
ビームを拡散する
ホログラムフィルム
干渉パターン

4 被写体を照らす
拡散された物体照明光は被写体に反射する。被写体の凹凸により反射光は参照光に対してわずかに遅延し、位相のずれを生じる。

5 像を結ぶ
感光フィルムの中の干渉パターン、すなわち参照光と物体照明光の重ね合わせによる干渉パターンがホログラムとなる。

透過型ホログラムを見る
透過型ホログラムでは、感光フィルムの内部の干渉パターンで回折した光が物体で反射した光を再現し、感光フィルムの背後に物体があるようなイメージを作り出す。この再生像には奥行きがあり、角度を変えて見ることができる。

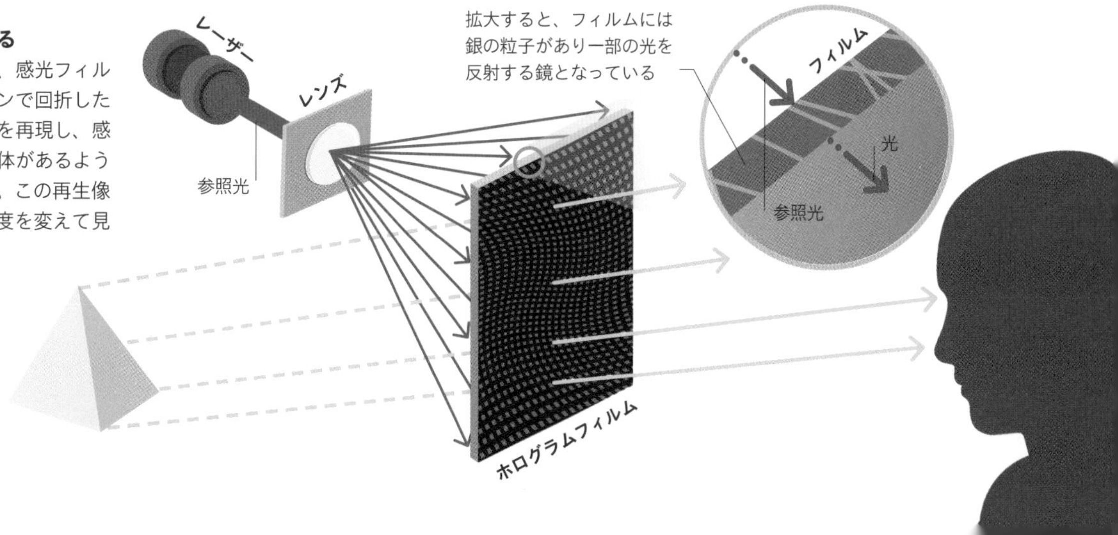
レーザー
レンズ
参照光
拡大すると、フィルムには銀の粒子があり一部の光を反射する鏡となっている
フィルム
光
参照光
再生像
ホログラムフィルム

プロジェクター

プロジェクターは毎秒25～60枚の明るい画像をスクリーンに投写する。それぞれの画像（コマ）は多くの画素（ピクセル）で構成されている。画素の生成方法にはいくつかの種類があり、最も一般的なのはDLP（デジタルライトプロセッシング）と呼ばれる技術である。

DLPプロジェクターのしくみ

DLPプロジェクターが生成する各画素は、プロジェクター内部に設置された多数の小さな鏡で反射した光で作られている。それぞれのコマでは赤・青・緑の画素が順番に表示されており、この3色の輝度を変えることでさまざまな色を作り出す。この光の配合やスクリーン上で動画を作り出すための指示は、デジタル信号としてコンピューターやメモリーカードからプロジェクターに送信される。

プロジェクターの内部

プロジェクターには光源、光を各成分に分解するフィルター、そして画像の合焦や拡大のための鏡やレンズが内蔵されている。

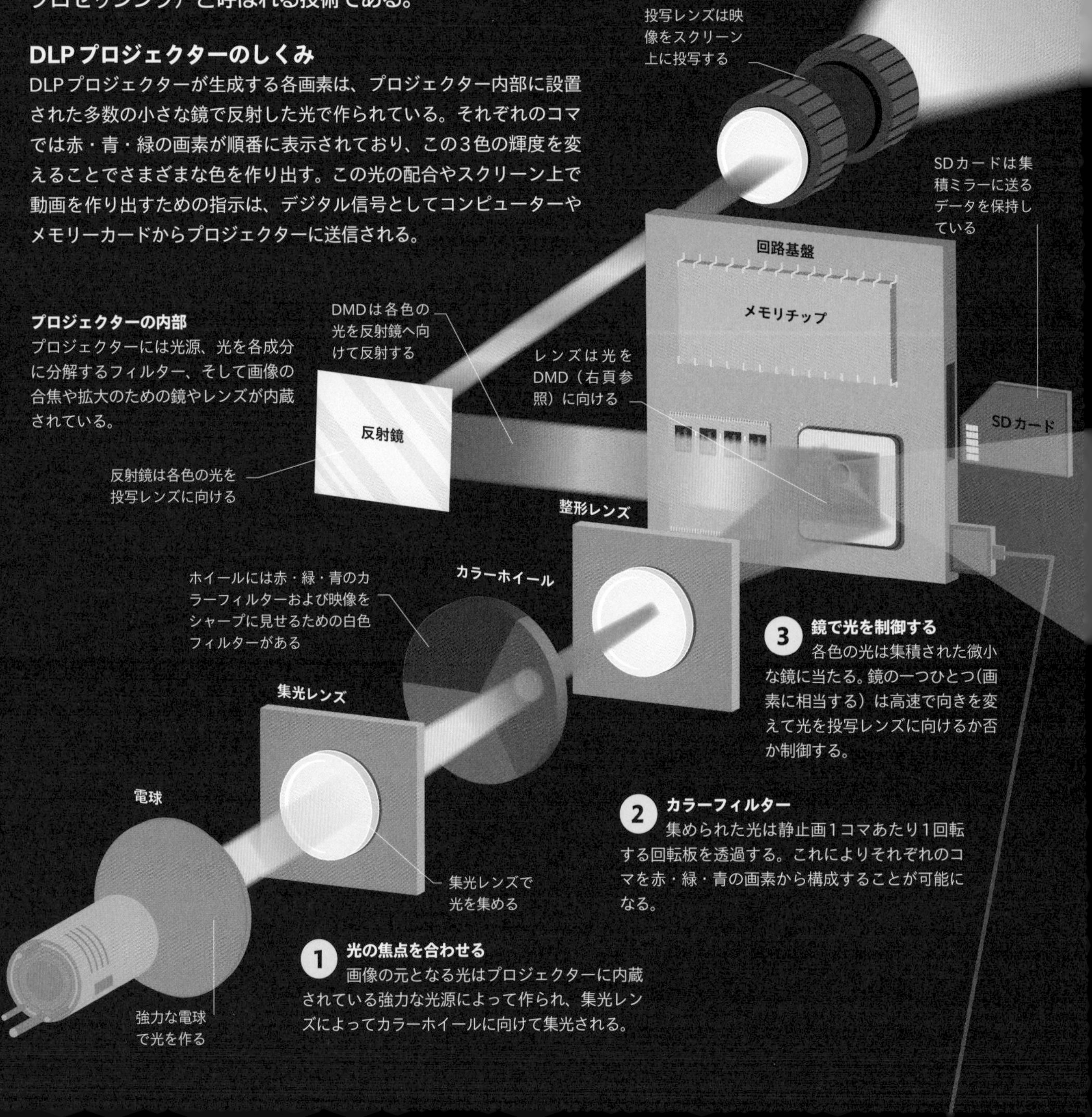

4 映像の投写
DMDからレンズに向けて反射された光はすべてスクリーン上に焦点を結び、映像を作り上げる。
投写レンズは映像をスクリーン上に投写する
SDカードは集積ミラーに送るデータを保持している
回路基盤
メモリチップ
SDカード
DMDは各色の光を反射鏡へ向けて反射する
レンズは光をDMD（右頁参照）に向ける
反射鏡
反射鏡は各色の光を投写レンズに向ける
整形レンズ
カラーホイール
ホイールには赤・緑・青のカラーフィルターおよび映像をシャープに見せるための白色フィルターがある
3 鏡で光を制御する
各色の光は集積された微小な鏡に当たる。鏡の一つひとつ（画素に相当する）は高速で向きを変えて光を投写レンズに向けるか否か制御する。
集光レンズ
電球
2 カラーフィルター
集められた光は静止画1コマあたり1回転する回転板を透過する。これによりそれぞれのコマを赤・緑・青の画素から構成することが可能になる。
集光レンズで光を集める
1 光の焦点を合わせる
画像の元となる光はプロジェクターに内蔵されている強力な光源によって作られ、集光レンズによってカラーホイールに向けて集光される。
強力な電球で光を作る

フィルム映写機

フィルムには動画が1コマずつ静止画として記録されている。フィルムは映写機内部で小刻みに停止し、次のコマに移動するまでの間に回転シャッターによって光を透過させている。

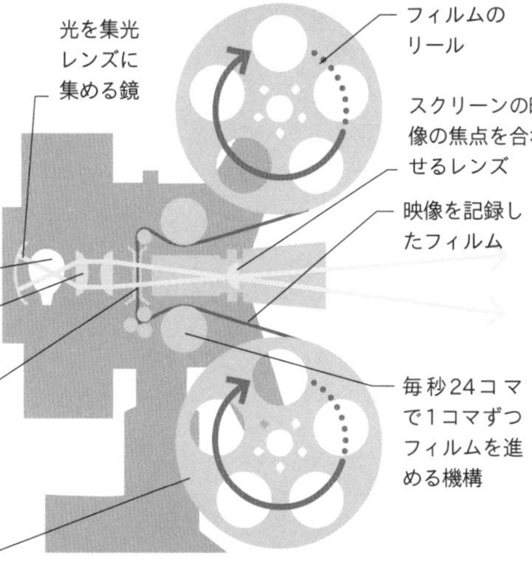
光を集光
レンズに
集める鏡
フィルムの
リール
スクリーンの映
像の焦点を合わ
せるレンズ
映像を記録し
たフィルム
光源
集光レンズ
シャッターは映像のち
らつきを抑えるために
各コマを3度投写する
毎秒24コマ
で1コマずつ
フィルムを進
める機構
映写機構を通過した
フィルムは別のリー
ルに巻き取られる

スマートフォンから映像を投写できる?

プロジェクターの多くには無線接続機能があり、スマートフォンやタブレットから映像を映すことができる。スマートフォンの中にはプロジェクターを内蔵しているものもある。

DMDの鏡
それぞれの微小な鏡は高速で傾きを変えることができる。投写レンズに光を向ける時間が長いほど該当する画素は明るく見える。

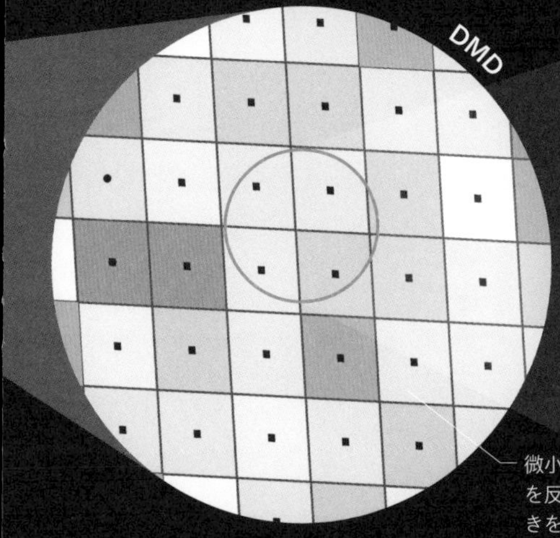
DMD
微小な鏡が光
を反射する向
きを変える

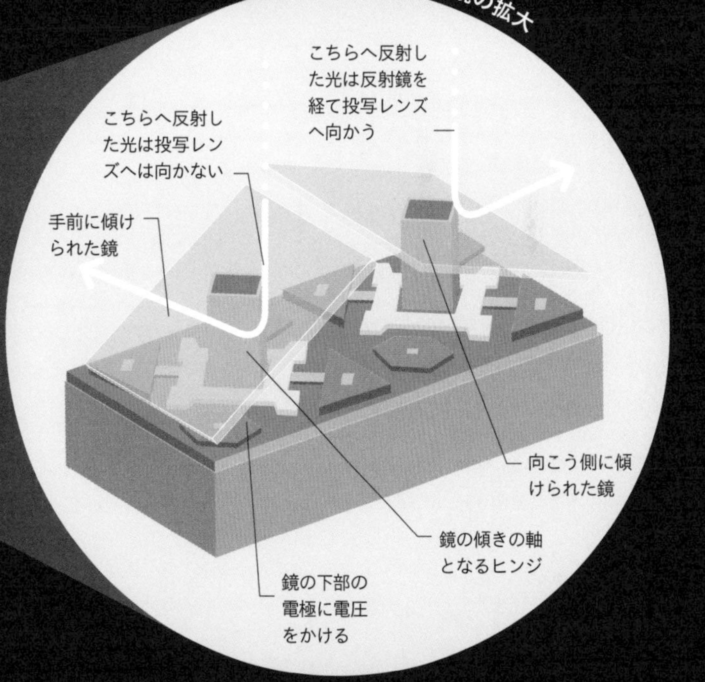
DMDの鏡の拡大
こちらへ反射し
た光は反射鏡を
経て投写レンズ
へ向かう
こちらへ反射し
た光は投写レン
ズへは向かない
手前に傾け
られた鏡
向こう側に傾
けられた鏡
鏡の傾きの軸
となるヒンジ
鏡の下部の
電極に電圧
をかける

DMD（デジタルマイクロミラーデバイス）

DLPプロジェクターの心臓部であるDMDは多数の微小な可動式の鏡を並べた素子で、入射する光を投写レンズに向けるかどうか制御する。プロジェクターの制御チップにより、それぞれの鏡の下部の電極に電圧をかけることで鏡の傾きを操作する。

DLPプロジェクターの微小な鏡が傾きを変える速さは**毎秒5,000回**に達する

デジタルカメラ

単体のカメラのみならずスマートフォンやタブレットにも内蔵されているデジタルカメラはいずれも、カメラ内部に像を結ぶレンズ、光を検出して像を取り出す素子（センサー）、そして画像をデジタル処理する演算装置という３種類の要素から構成されている。

デジタル一眼レフのしくみ

大別すると、単体のデジタルカメラにはコンパクトカメラと一眼レフの２種類がある。コンパクトデジタルカメラでは通常、主レンズと別にファインダーが設けられている。デジタル一眼レフでは主レンズに入る光を鏡で反射して接眼レンズに導くため、撮影時にはカメラのレンズを通して構図を定めることができる。この鏡はシャッターボタンが押されると跳ね上がり、光をセンサーに通す。

世界最大の**デジタル画像**は**7万枚**の高解像度画像をつないで作成され、**3,650億画素**ある

1 光から像を作る
レンズは入射光を集めて像を結ばせる。焦点を合わせるためにレンズは手動や自動によって前後に動く。

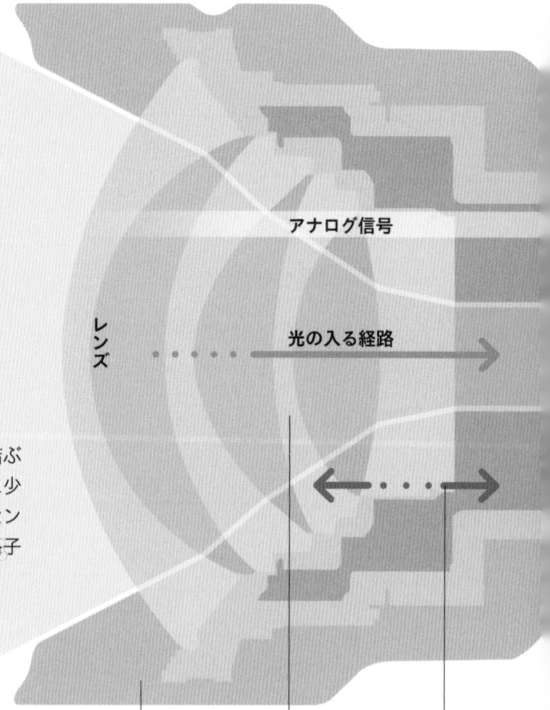
アナログ信号
レンズ
光の入る経路
カメラの前部で光を取り込む
レンズの前玉から光が入る
ズーム機構はレンズの焦点距離を調整する

イメージを捉える
前部のレンズで後部に像を結ぶカメラのしくみは人間の眼に少し似ている。像が結ばれるセンサーには多数の感光素子が格子状に並んでいる。

画素と解像度

デジタル画像は数千から数百万の画素（ピクセル）と呼ばれる点からできている。画素数が多いほど解像度は高くなり、画像は鮮明になる。それぞれの画素には赤・緑・青の光をスクリーン上にどのくらい表示するかを示す２進数のデータが付与されている。

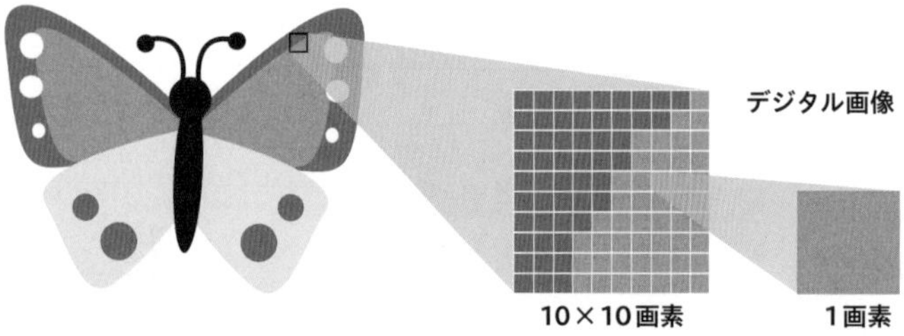
デジタル画像
10×10画素
1画素

夜に撮影した写真はなぜブレていることが多いのか？

光の少ない条件では、十分な光を得るためにシャッターを長時間開く必要があり、その間に動いたものはブレて写る。

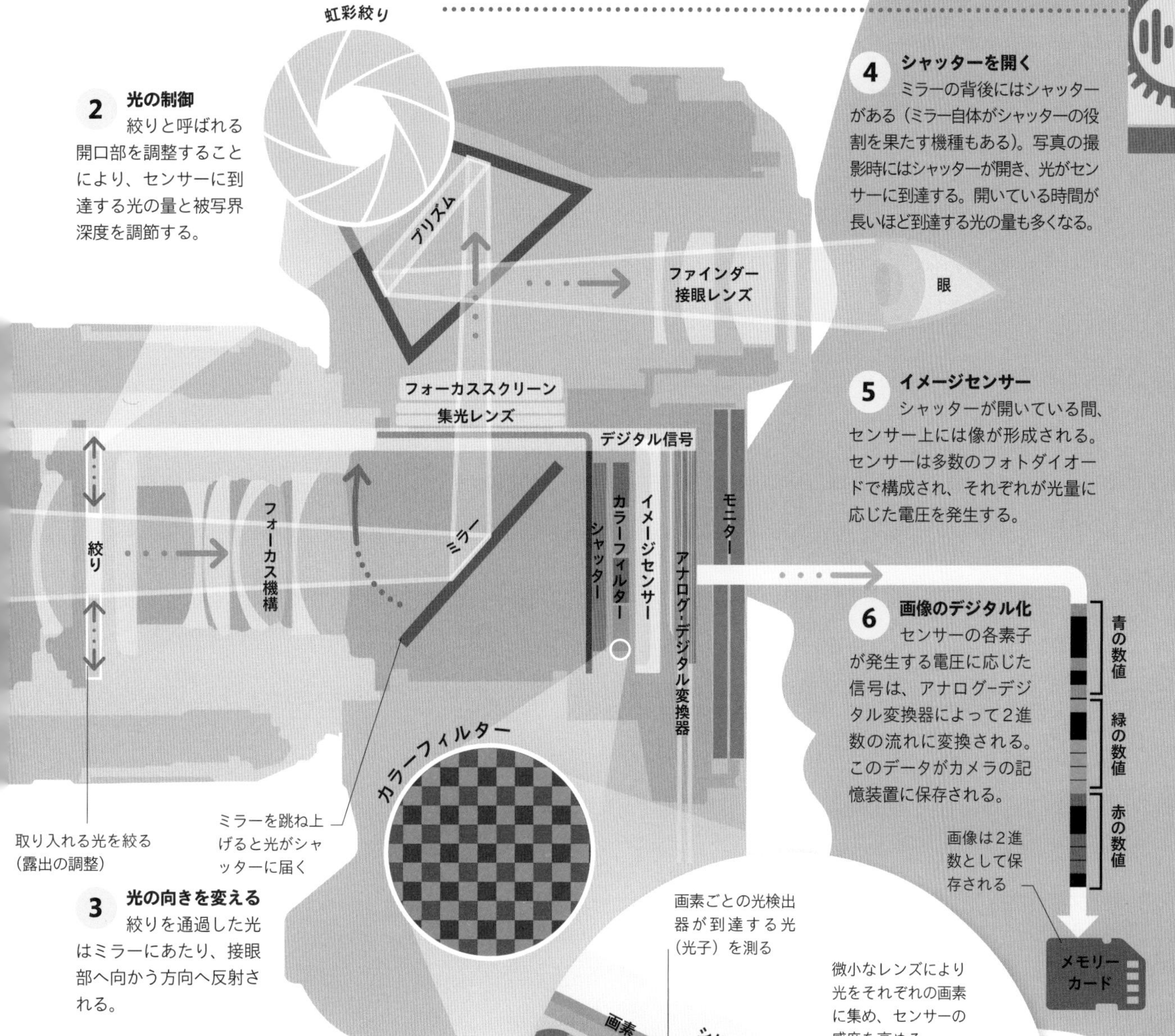
虹彩絞り
プリズム
ファインダー
接眼レンズ
眼
フォーカススクリーン
集光レンズ
デジタル信号
絞り
フォーカス機構
ミラー
シャッター
カラーフィルター
イメージセンサー
アナログ-デジタル変換器
モニター
カラーフィルター
取り入れる光を絞る（露出の調整）
ミラーを跳ね上げると光がシャッターに届く
青の数値
緑の数値
赤の数値
画像は2進数として保存される
メモリーカード

2　光の制御

絞りと呼ばれる開口部を調整することにより、センサーに到達する光の量と被写界深度を調節する。

3　光の向きを変える

絞りを通過した光はミラーにあたり、接眼部へ向かう方向へ反射される。

4　シャッターを開く

ミラーの背後にはシャッターがある（ミラー自体がシャッターの役割を果たす機種もある）。写真の撮影時にはシャッターが開き、光がセンサーに到達する。開いている時間が長いほど到達する光の量も多くなる。

5　イメージセンサー

シャッターが開いている間、センサー上には像が形成される。センサーは多数のフォトダイオードで構成され、それぞれが光量に応じた電圧を発生する。

6　画像のデジタル化

センサーの各素子が発生する電圧に応じた信号は、アナログ-デジタル変換器によって2進数の流れに変換される。このデータがカメラの記憶装置に保存される。

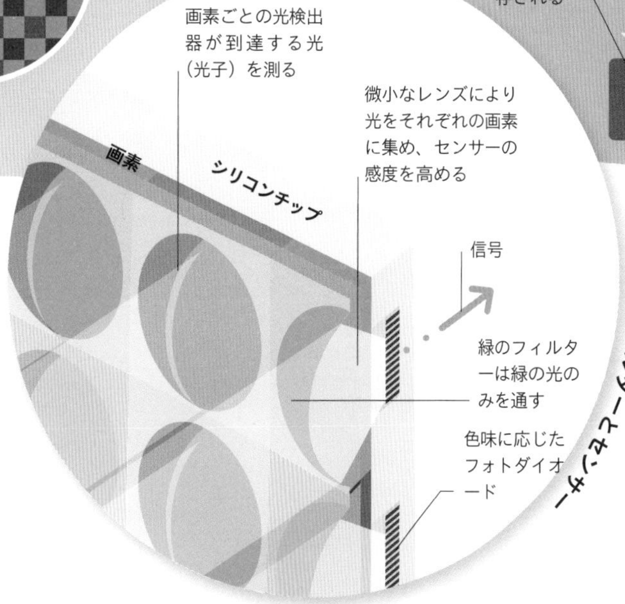
カラーフィルターとセンサー
画素ごとの光検出器が到達する光（光子）を測る
微小なレンズにより光をそれぞれの画素に集め、センサーの感度を高める
画素
シリコンチップ
信号
緑のフィルターは緑の光のみを通す
色味に応じたフォトダイオード

カラー画像

フルカラーのデジタル画像には赤・緑・青それぞれの強さの値が含まれており、これらの色は人間の視細胞が感じる赤・緑・青に対応している。センサーの手前には赤・緑・青のモザイク状のフィルターがあり、各フォトダイオードにはそのうち１色のみの光が到達する。カメラに内蔵されているプログラムは隣接する画素の光量を検討して、画素ごとの値を算出する。

プリンターとスキャナー

プリンターを使うと、コンピューターなどのデジタル機器に保存された書類や写真を出力することができる。スキャナーは書類や写真をデジタル画像として取り込む装置である。

2　プリンターがデータを受信する

プリンター内のソフトウェアが要求された紙のサイズに応じて書類や画像を処理する。コンピューターと通信してインクや紙の不足を知らせる場合もある。

プリンターがコンピューターから無線でデータを受信する

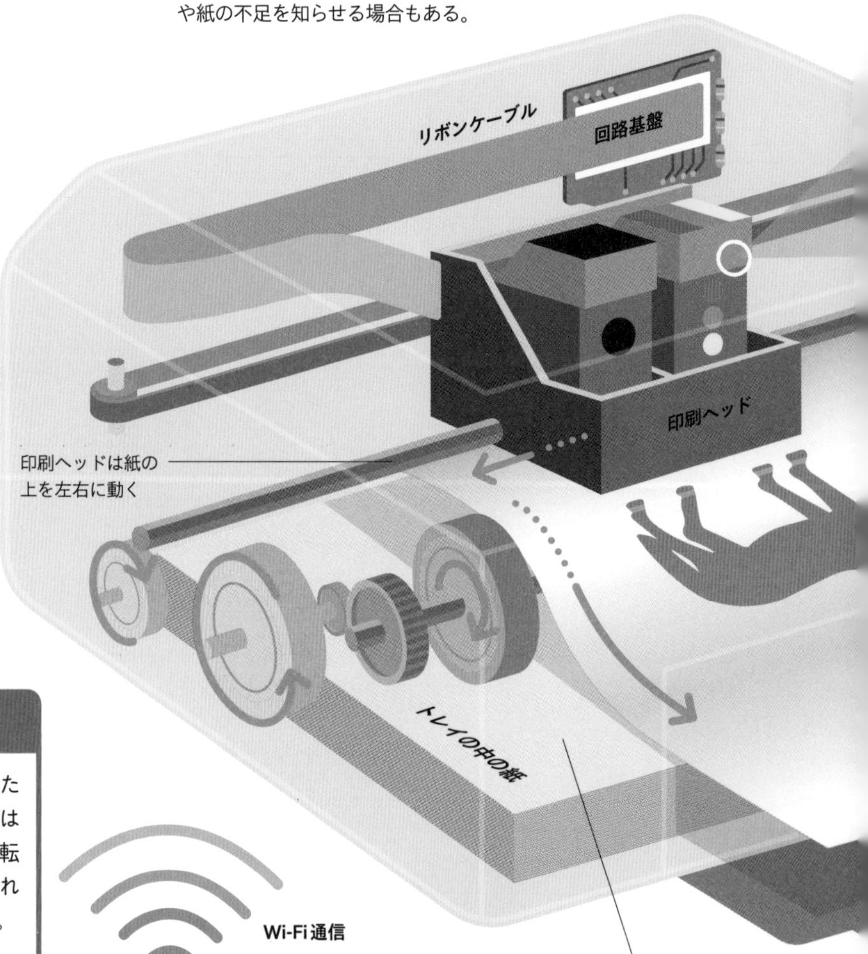
リボンケーブル
回路基盤
印刷ヘッド
印刷ヘッドは紙の上を左右に動く
トレイの中の紙
紙はトレイから自動的にプリンターに送られる

インクジェットプリンター

広く普及しているタイプのプリンターで、インクの微小な水滴を吹き付けることで紙の上に図像や文章を印刷する。プリンター内部では紙を少しずつ移動させながら、インクカートリッジを左右に動かしてインクを吹き付けている。カラー画像はシアン・マゼンタ・イエロー・黒の4色のインクの点によって描かれる。黒以外の3色は1つのカートリッジに内蔵されている場合も多い。各色は別々に吹き付けられ、組み合わせによって微妙な色味や濃淡を表現する。カートリッジヘッドにはインクが射出される多数の穴がある。

レーザープリンター

レーザーが回転ドラムを走査すると、光が当たった部分が負に帯電する。正の電荷を帯びたトナーはドラム上の光の当たった部分のみに付着する。転写ローラーによってインクを紙に転写し、加熱された定着ローラーによって紙にトナーを定着させる。

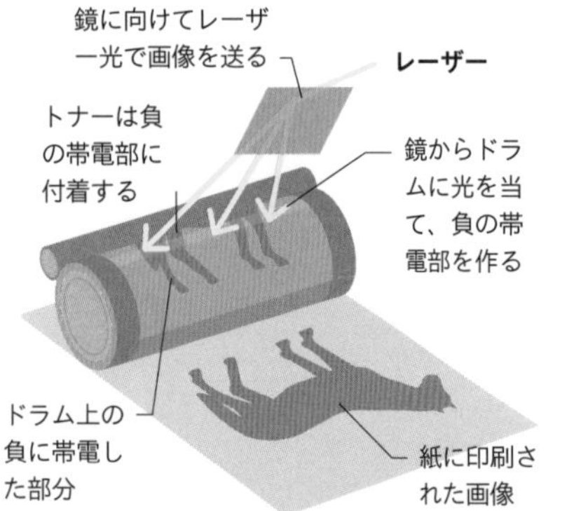
鏡に向けてレーザー光で画像を送る
レーザー
トナーは負の帯電部に付着する
鏡からドラムに光を当て、負の帯電部を作る
ドラム上の負に帯電した部分
紙に印刷された画像

Wi-Fi通信

1　プリンターに画像を送信する

コンピューターにより、プリンタが扱える2進数のデータの形式（158頁参照）で画像や書類を作成し、ケーブルや無線によってプリンターに送信する。

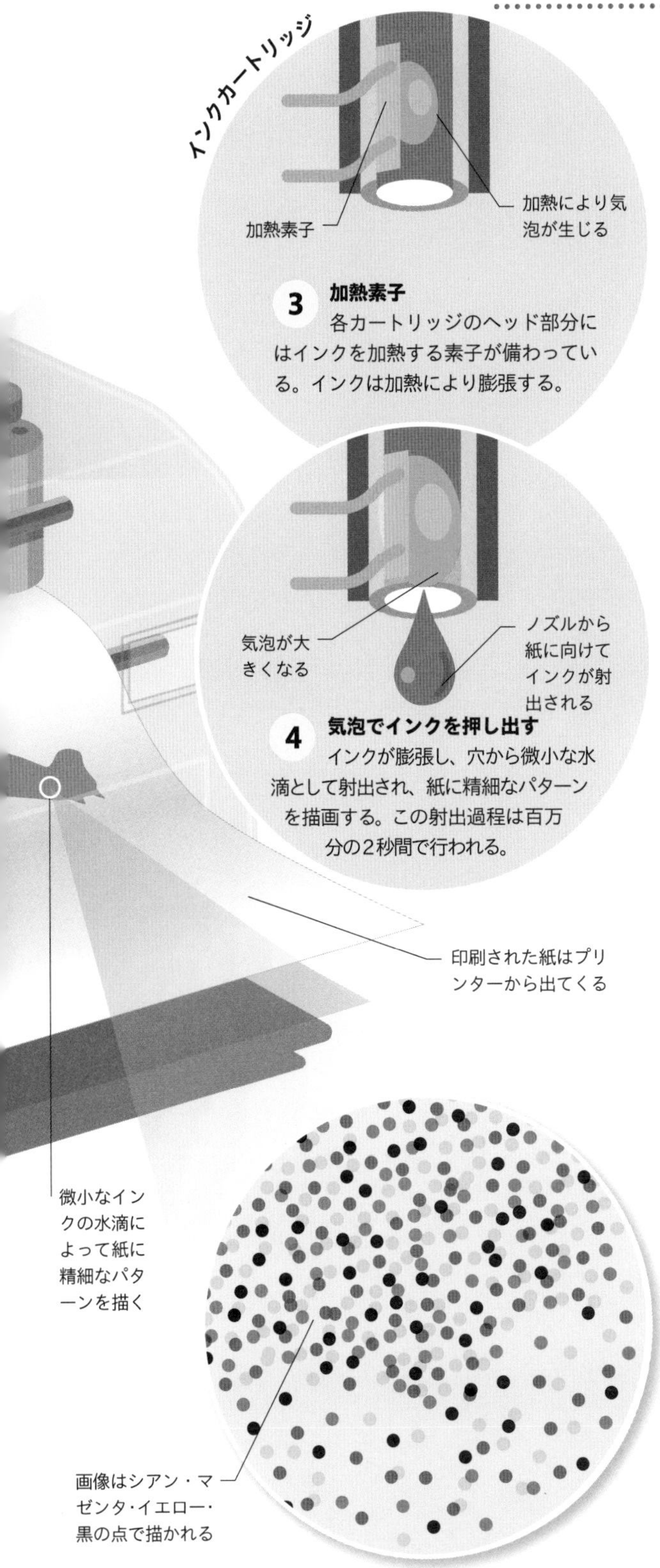
インクカートリッジ
加熱素子
加熱により気泡が生じる
気泡が大きくなる
ノズルから紙に向けてインクが射出される
印刷された紙はプリンターから出てくる
微小なインクの水滴によって紙に精細なパターンを描く
画像はシアン・マゼンタ・イエロー・黒の点で描かれる

3　加熱素子
各カートリッジのヘッド部分にはインクを加熱する素子が備わっている。インクは加熱により膨張する。

4　気泡でインクを押し出す
インクが膨張し、穴から微小な水滴として射出され、紙に精細なパターンを描画する。この射出過程は百万分の2秒間で行われる。

スキャナーのしくみ

スキャナーはガラスの原稿台におかれた書類などのデジタル画像を作成する。デジタル画像は画素（ピクセル）の集まりで、デジタルカメラが作る画像（152-53頁参照）と同様である。明るい帯状の光源で書類を走査し、書類で反射した光を受けたCCD（電荷結合素子）では光量に応じた電気信号が生成される。信号はアナログ–デジタル変換器に送られ、２進数データに変換される。生成されたデジタル画像はケーブルや無線によってスキャナーからコンピューターに送られる。

1　光源で書類を照らす
光源からの光はガラスを透過して書類を照らす。画像の部分ごとの暗さ（黒さ）に応じて、書類から反射する光の量は変化する。

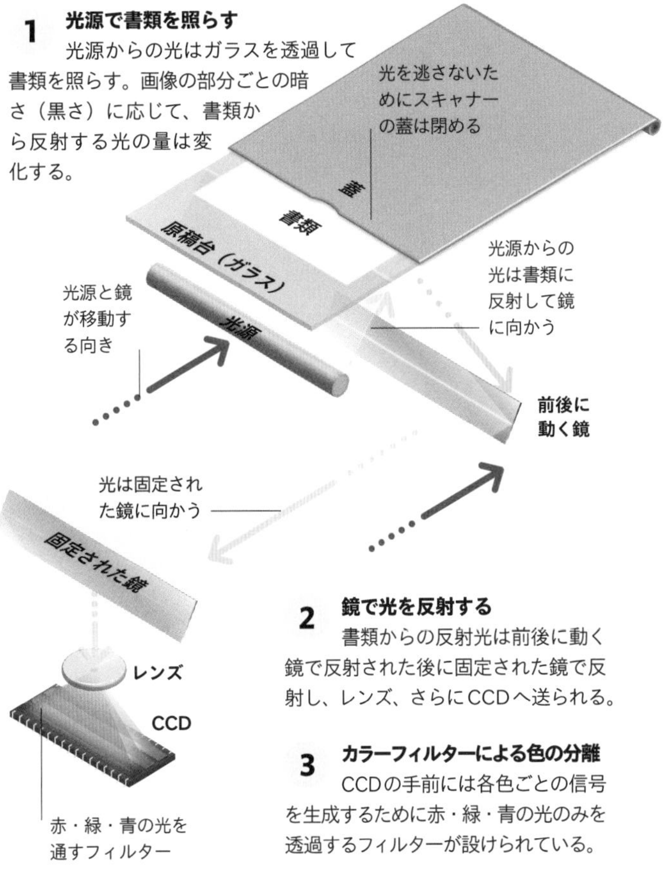
光を逃さないためにスキャナーの蓋は閉める
蓋
書類
原稿台（ガラス）
光源からの光は書類に反射して鏡に向かう
光源と鏡が移動する向き
光源
前後に動く鏡
光は固定された鏡に向かう
固定された鏡
レンズ
CCD
赤・緑・青の光を通すフィルター

2　鏡で光を反射する
書類からの反射光は前後に動く鏡で反射された後に固定された鏡で反射し、レンズ、さらにCCDへ送られる。

3　カラーフィルターによる色の分離
CCDの手前には各色ごとの信号を生成するために赤・緑・青の光のみを透過するフィルターが設けられている。

多くのプリンターは**マシン識別コード**と呼ばれる**微小な点**をすべてのページに印刷している

第6章

コンピューターの技術

デジタルの世界

私たちがコミュニケーションやデータの保存に使っている機器の大部分、すなわちコンピューターやカメラやラジオはデジタル機器である。デジタル機器の内部では情報は数として保存や処理が行われている。

タッチのデジタル化

スマートフォン（204-205頁参照）やタブレットのタッチスクリーンは、スクリーン上で触れた箇所の座標を示す2つの2進数を出力する。

音のデジタル化

アナログーデジタル変換器と呼ばれる回路により、マイクロフォン（138-41頁参照）や楽器から入力される音響信号のレベルに対応する数値の連続した流れを作る。

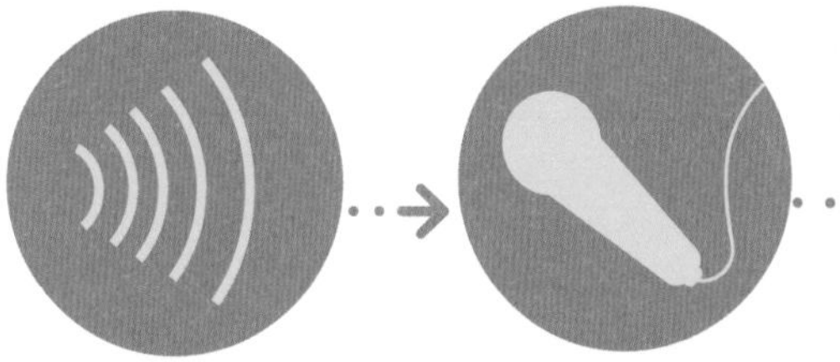

画像のデジタル化

デジタルカメラ（152-53頁参照）に内蔵されているセンサーは、画像の各画素（ピクセル）の輝度に対応した数値を出力する。

情報をデジタル化する

デジタル機器が保存や処理をする情報には文章、画像、音、映像、あるいは機器を動かすソフトウェアなどがある。これらは0と1という2つの数字の集まりとして扱われている。この2つの2進数の組み合わせ、すなわちビットはあらゆる数値を表現することができる。情報をこうした形式で表現することをデジタル化という。

なぜ2進数なのか？

デジタル機器の内部では0と1という2進数は電流の有無（オン・オフ）や電荷の有無（ある・ない）として扱われるのが一般的である。すべてのデジタル機器にはこうした数値を保存して処理する部分、つまり計算機（コンピューター）が内蔵されている。

2進数

2進法はふだんよく使う10進法と同じ記数法の1つであり、1、10、100、1000…という位取りの代わりに2進法では1、2、4、8…を用いる。デジタル機器の内部では電子回路によって2進数（ビット）を示す電気信号が作られている。情報のほとんどはバイト（8ビットの集まり）で構成されている。

2進法が確立されたのは17世紀、つまりコンピューターが使われるはるか以前だった

2進数への変換

この例では、23という10進数を2進数で表している。

それぞれの位は右側の位の2倍になっている

			32		16		8		4		2		1
10進法	23	=	0 x 32	+	1 x 16	+	0 x 8	+	1 x 4	+	1 x 2	+	1 x 1
2進法	010111		0		1		0		1		1		1

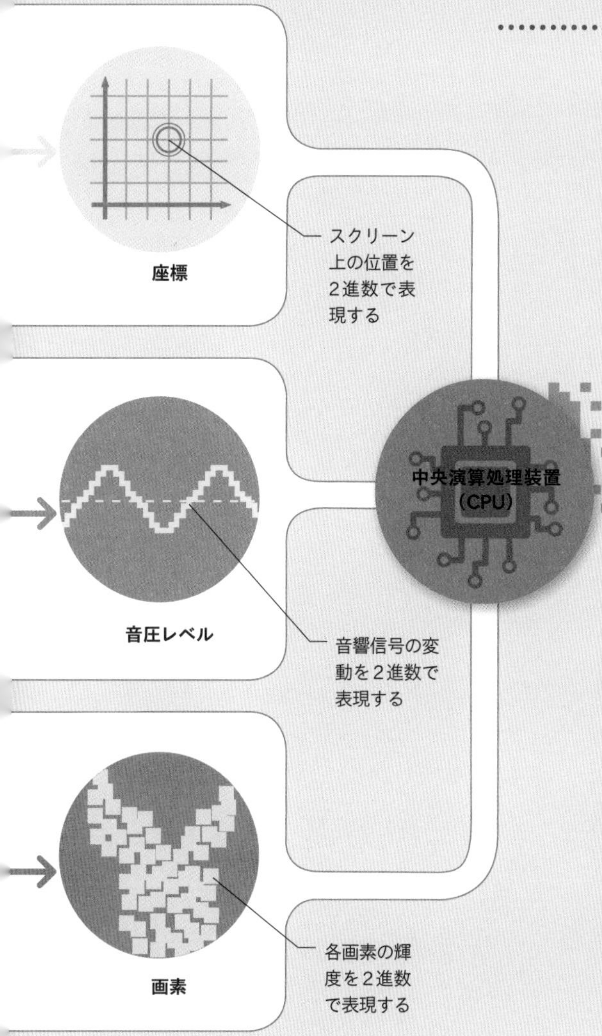
座標
スクリーン上の位置を2進数で表現する
音圧レベル
音響信号の変動を2進数で表現する
画素
各画素の輝度を2進数で表現する
中央演算処理装置（CPU）

デジタル信号

どのような方法であれデジタル化された情報は2進数の大きな集まりとなり、デジタル機器に内蔵されているコンピューターの中央演算処理装置（CPU）で処理される。

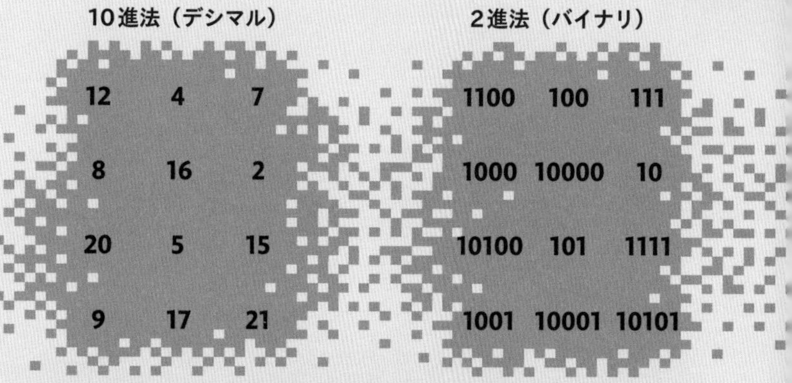
10進法（デシマル）
12 4 7
8 16 2
20 5 15
9 17 21
2進法（バイナリ）
1100 100 111
1000 10000 10
10100 101 1111
1001 10001 10101

量子コンピューター

現在使われているデジタル機器はすべてビットを用いており、数値は1つずつ入力されコンピューターは命令を1つずつ処理する。計算機科学者や物理学者は、同時に複数の値を扱うことのできる量子ビットを用いた量子コンピューターの開発を進めている。量子ビットを重ね合わせることでコンピューターは理論的にはどんなに多くの命令でも扱えるようになり、将来はきわめて高速な機器が登場すると推測されている。

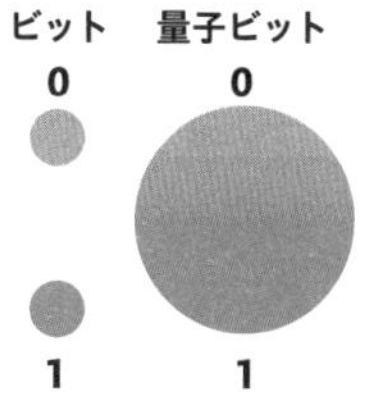
ビット
0
1
量子ビット
0
1

データとは何か？

情報の集まりのことをデータと呼ぶ。デジタルの世界ではデータといえばデジタル機器に保存され処理されるあらゆる情報を意味しており、ユーザーの個人的な情報もまたデータとなる。

デジタル情報の単位

単位	情報量	使われ方
バイト（B）	8ビット	コンピューターが扱う情報の基本単位で、8ビット（8桁の2進数）に等しい。
キロバイト（KB）	1,000バイト	コンピューターに保存された短い文章は数キロバイト程度。
メガバイト（MB）	100万バイト	1分間のデジタル音響は1メガバイト＝100万バイト（800万ビット）程度。
ギガバイト（GB）	10億バイト	4,000枚のデジタル画像は1ギガバイト＝10億バイト（80億ビット）程度。
テラバイト（TB）	1兆バイト	コンピューターのハードディスクはこの単位の容量を持つものが多く、大量のデジタル情報を保存できる。

デジタル回路

デジタル機器の内部で情報を処理しているのは、小さな半導体に作り込まれた集積回路の中のトランジスタと呼ばれる電子部品である。

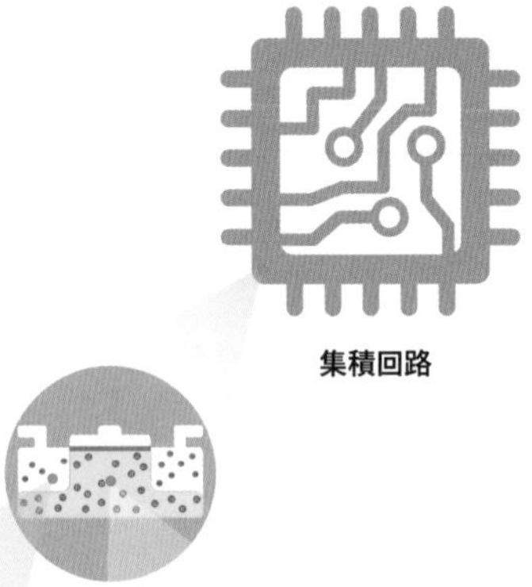
集積回路

半導体

デジタルの世界の心臓部は半導体と呼ばれる物質で作られており、その最も一般的な素材はシリコンである。純粋なシリコンは良導体ではないが、ほかの元素をわずかに添加（ドーピング）することで電気をよく通すようになる。異なる元素を加えた半導体を配置し、正負の電荷分布を操作することで、電流の向きを制御することができる。

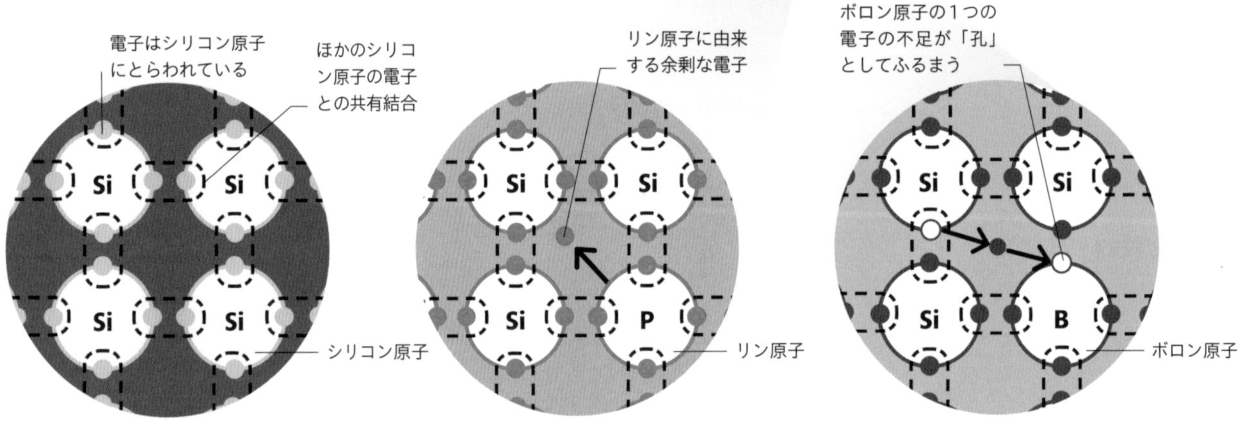
電子はシリコン原子にとらわれている
ほかのシリコン原子の電子との共有結合
Si
Si
Si
Si
シリコン原子
リン原子に由来する余剰な電子
Si
Si
Si
P
リン原子
ボロン原子の1つの電子の不足が「孔」としてふるまう
Si
Si
Si
B
ボロン原子

シリコン
純粋なシリコンは、熱や光によって原子から電子が離脱するだけのエネルギーを与えないと電流を流さない。

n型半導体シリコン
リンの原子を加えると、負の電荷を帯びた自由に動ける電子を持つn型半導体を作ることができる。

p型半導体シリコン
ボロンを加えると電子が不足する形となり、正の電荷を帯びた「孔」（正孔）がシリコン中を動くことになる。

トランジスタ

集積回路の中のトランジスタは、シリコンに不純物を添加して作られたn型とp型の領域で構成されている。電流は、「ゲート」と呼ばれる部位が電場を帯びているときのみ「ソース」から「ドレイン」に流れることができる。2進数でいえば電流が流れているときが1、流れていないときが0である。

トランジスタが「オフ」のとき
負電圧がかけられたソースは電子をドレインへ押し出そうとする。しかし中間のp型半導体を通ることができるのは正孔だけである。

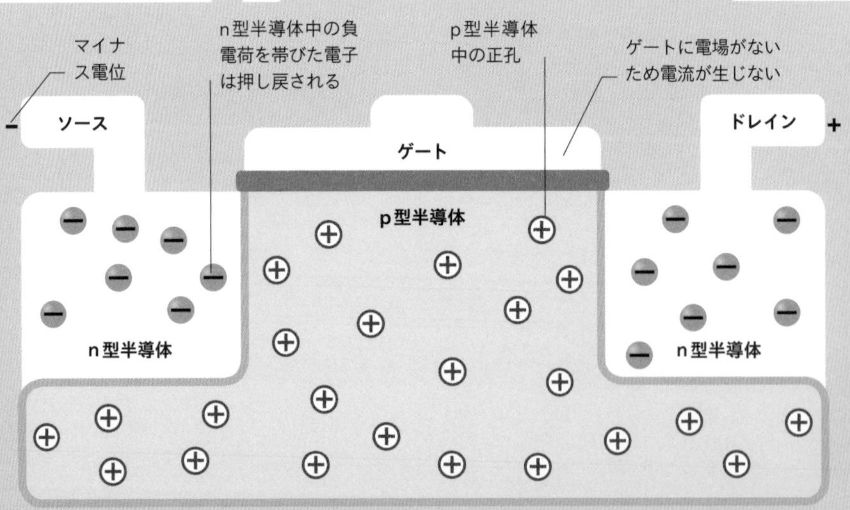
マイナス電位
n型半導体中の負電荷を帯びた電子は押し戻される
p型半導体中の正孔
ゲートに電場がないため電流が生じない
－
ソース
ゲート
ドレイン
＋
p型半導体
n型半導体
n型半導体

デジタル集積回路

集積回路（IC）はチップとも呼ばれ、一般にその内部には膨大な数の小さなトランジスタがある。それぞれがオンもしくはオフ（電流を流すか、流さないか）になっており、これが2進数の1と0に対応する。この値を組み合わせることで、文章や画像や音をコンピューターのファイルにすることができる。コンピューターの命令となるプログラムも同様である。

トランジスタはもっと小さくできるか？

チップの設計者は、シリコン上のトランジスタのサイズとしてはほぼ小ささの限界に迫っている。ただし、化合物半導体などの新しい材料を使えばさらに小さくできる可能性がある。

デジタル集積回路の種類

デジタル集積回路は機能に応じて設計され、電子工学技術者はほかの部品とともにそれらを基盤に構成してコンピューターやタブレットやスマートフォン、あるいはデジタルカメラなどのデジタル機器を作る。

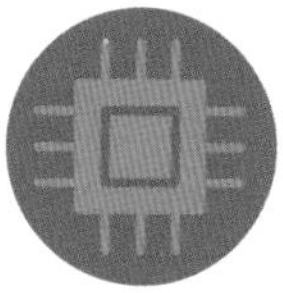

マイクロプロセッサー
プログラムすなわち機器を動作させる命令を処理するICであり、あらゆるデジタル機器に内蔵されている。

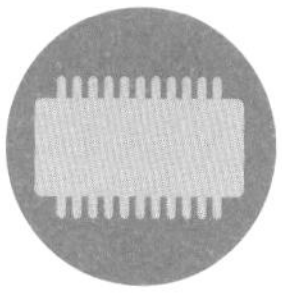

RAMチップ
ランダムアクセスメモリ（RAM）は動作中のプログラムや処理中の情報を保持する。

グラフィックチップ
コンピューターやスマートフォンやタブレットのディスプレイに信号を送り、高速で表示を更新する。

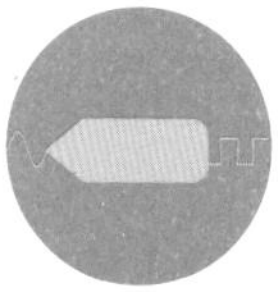

アナログ-デジタル変換
アナログ-デジタル変換チップは実世界の情報を2進数の集まりに変換する。

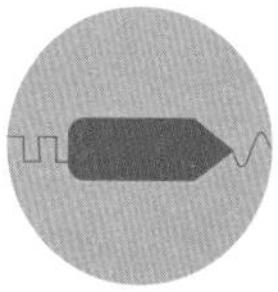

デジタル-アナログ変換
0と1で構成されているデジタル音響信号をスピーカーを鳴らす信号に変換する。

フラッシュメモリチップ
大量の情報を保存することができ、USBメモリやデジタルカメラやソリッドステートドライブで使用されている。

システム・オン・ア・チップ
さまざまな種類のICの機能を1つのICに搭載したもので、単独でコンピューターの機能を果たす。

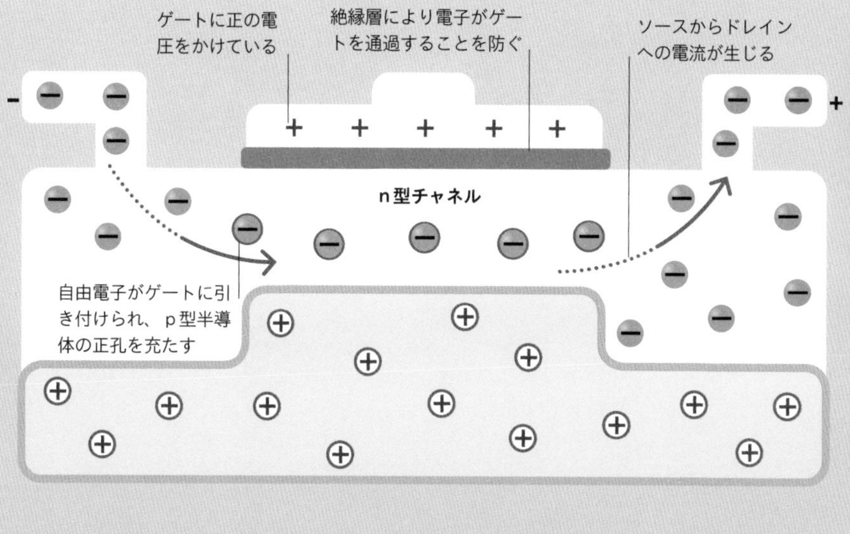
ゲートに正の電圧をかけている
絶縁層により電子がゲートを通過することを防ぐ
ソースからドレインへの電流が生じる
n型チャネル
自由電子がゲートに引き付けられ、p型半導体の正孔を充たす
-
+

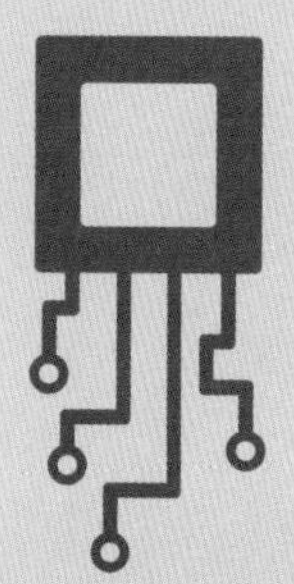

メモリチップ中の**トランジスタ**は1つが**1ビット**を保存する

トランジスタが「オン」のとき
ゲートには正の電場があり、電子をp型半導体へ引き付ける。この電子の負電荷の移動がトランジスタに流れる電流となる。

コンピューター

ノート型、デスクトップ型、タブレット、スマートフォンなどコンピューターにはいろいろな形とサイズがあり、デジタル機器に内蔵されているコンピューターもある。こうした多様なコンピューターはすべて同じしくみで動作している。

なぜコンピューターはクラッシュするのか？

コンピューターがクラッシュ（フリーズ）する原因はいろいろあるが、よくあるのはプログラムの誤りによって実行不可能な命令を与えてしまうことである。

ノート型コンピューター

単体のコンピューターの中で、最も一般的な形式の1つがノート型（ラップトップ）コンピューターである。ノート型を含めたコンピューターの心臓部は、プログラム（164-65頁参照）に書かれた命令を実行する中央演算処理装置（CPU）である。ハードウェアのうち、そのほかの部分はインターネットなどのコンピューターネットワークに接続する無線回路など、コンピューターへのデータの入出力をするためのものである。

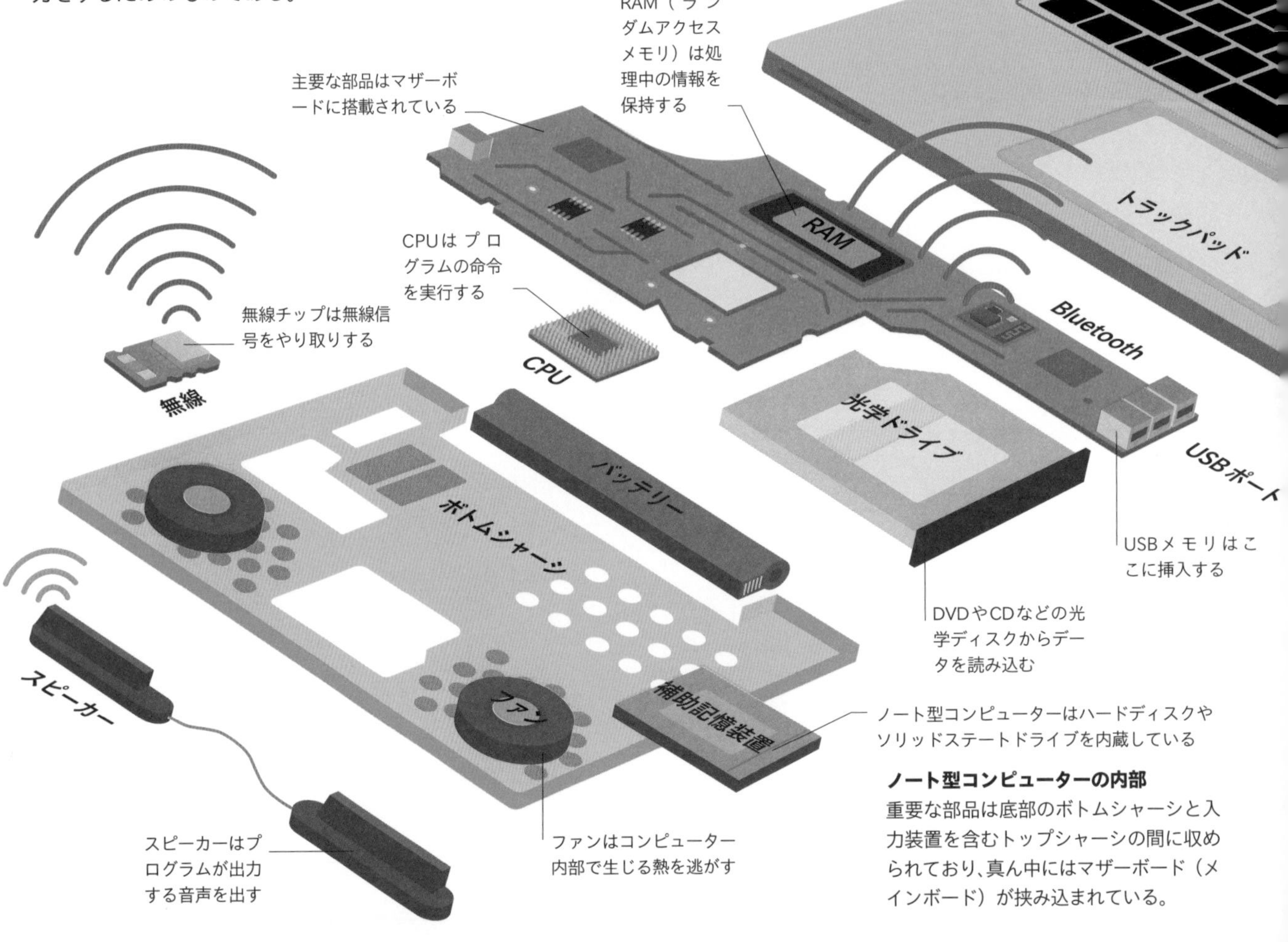
RAM（ランダムアクセスメモリ）は処理中の情報を保持する
主要な部品はマザーボードに搭載されている
RAM
トラックパッド
CPUはプログラムの命令を実行する
無線チップは無線信号をやり取りする
Bluetooth
CPU
無線
光学ドライブ
USBポート
バッテリー
ボトムシャーシ
USBメモリはここに挿入する
DVDやCDなどの光学ディスクからデータを読み込む
スピーカー
ファン
補助記憶装置
ノート型コンピューターはハードディスクやソリッドステートドライブを内蔵している
スピーカーはプログラムが出力する音声を出す
ファンはコンピューター内部で生じる熱を逃がす

ノート型コンピューターの内部

重要な部品は底部のボトムシャーシと入力装置を含むトップシャーシの間に収められており、真ん中にはマザーボード（メインボード）が挟み込まれている。

コンピューターの種類
これらは世の中のコンピューターのほんの一部である。
デスクトップ型
文章・音楽・画像などのファイルを扱ったり、インターネットを利用したりする。
組み込みコンピューター
自動車など、コンピューターを内蔵している機器は多い。
スマートフォン
電話の形をしたコンピューターをタッチスクリーンや音声入力によって操作する。
タブレット
タブレットは大きなディスプレイを持つスマートフォンのようなもの。
ディスプレイ
トップシャーシ
光学ディスクの挿入口

コンピューターのハードウェア
ハードウェアとはコンピューターの物理的な部品のことで、ディスプレイ、キーボードやトラックパッドなどの入力装置、そのほかコンピューターの機能を実現するさまざまな電子回路の総称である。

スーパーコンピューター

単純にいうとスーパーコンピューターは非常に高性能なコンピューターである。一般的なノート型やデスクトップ型コンピューターと比較すると、はるかに大量の情報をきわめて高速に処理することができる。スーパーコンピューターは天気予報や、映画用CGの演算などに用いられている。

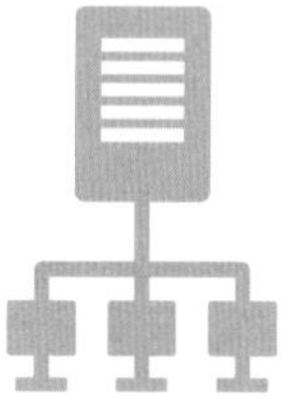

補助記憶装置

コンピューターの主記憶装置であるRAM（ランダムアクセスメモリ）は、その時に処理されている情報しか保存することができない。補助記憶装置は使用中のもの以外のプログラムや情報を保存する領域となり、コンピューターの電源を切った後も情報を保持する。

記憶媒体
コンピューターに内蔵されている補助記憶装置の多くはハードディスクやフラッシュドライブ（ソリッドステートドライブ、SSD）で、250GBから1TB程度の容量である。外付け（着脱式）の記憶装置はUSBメモリなど、コンピューター間で情報をやり取りするための容量の小さなものが多い。

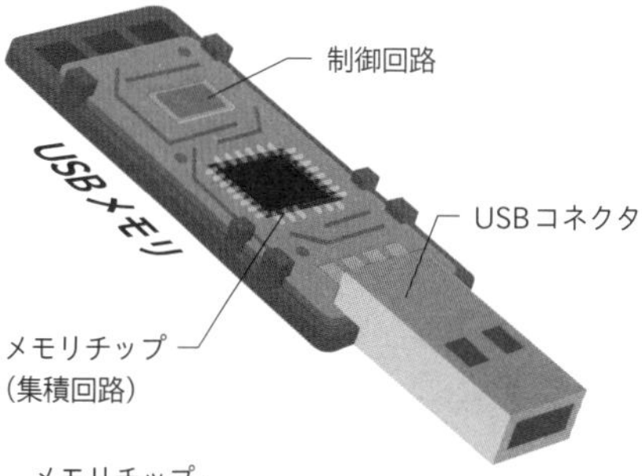
USBメモリ
制御回路
USBコネクタ
メモリチップ
（集積回路）

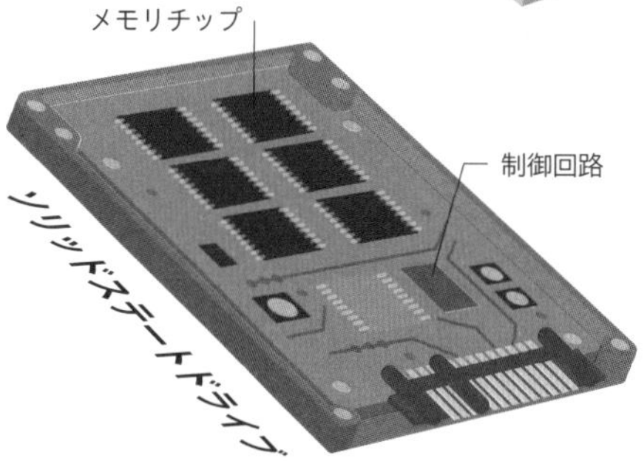
メモリチップ
制御回路
ソリッドステートドライブ

30億
世界にある**デスクトップ型**と**ノート型**の**コンピューター**の数

コンピューターのしくみ

あらゆるコンピューターの心臓部には中央演算処理装置（CPU）と呼ばれる集積回路があり、主記憶装置や入出力装置との間で情報をやり取りしている。

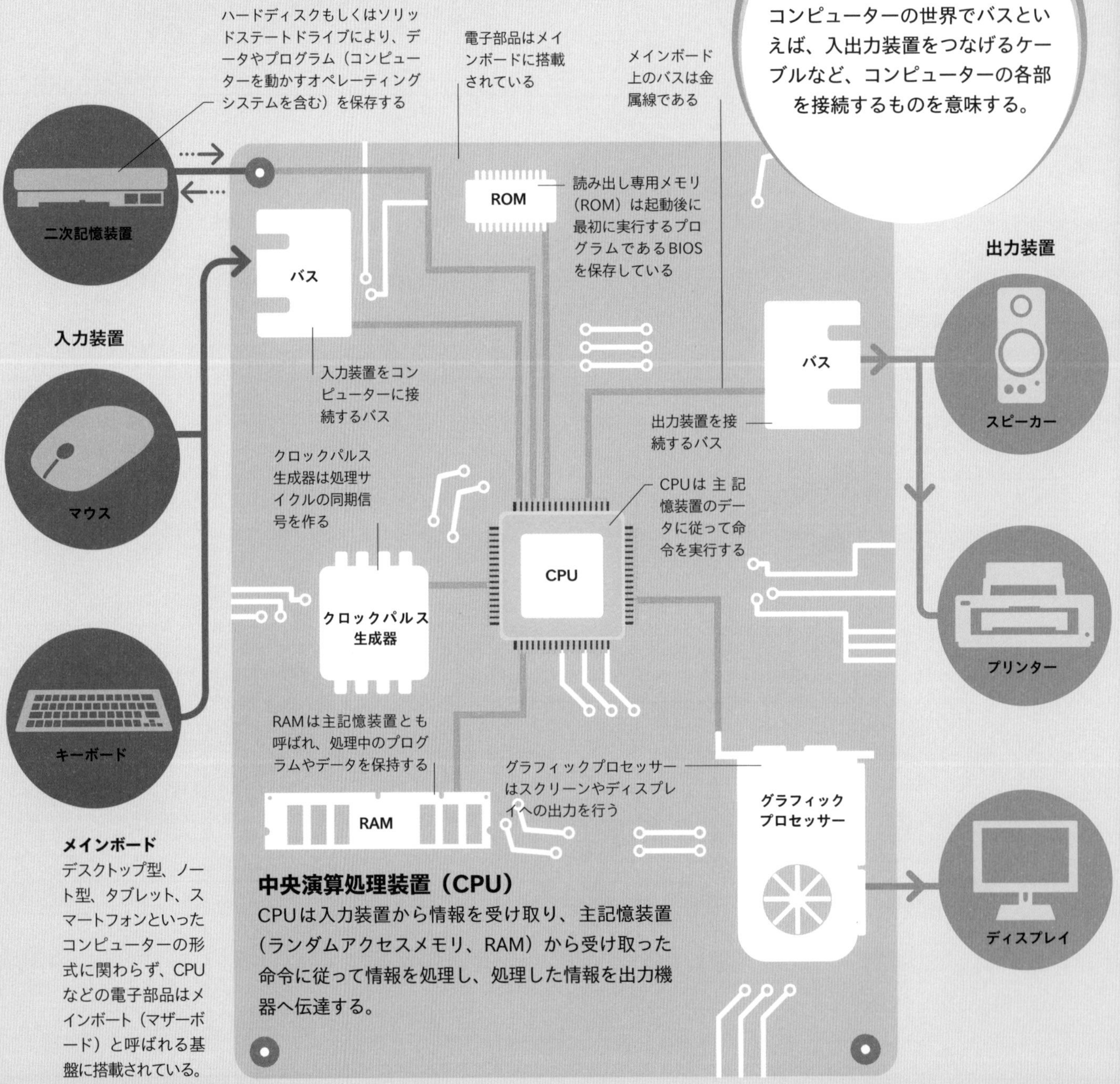

ハードディスクもしくはソリッドステートドライブにより、データやプログラム（コンピューターを動かすオペレーティングシステムを含む）を保存する
二次記憶装置
電子部品はメインボードに搭載されている
メインボード上のバスは金属線である
ROM
読み出し専用メモリ（ROM）は起動後に最初に実行するプログラムであるBIOSを保存している
バス
入力装置
入力装置をコンピューターに接続するバス
マウス
キーボード
出力装置
バス
出力装置を接続するバス
スピーカー
クロックパルス生成器は処理サイクルの同期信号を作る
CPU
CPUは主記憶装置のデータに従って命令を実行する
クロックパルス生成器
プリンター
RAMは主記憶装置とも呼ばれ、処理中のプログラムやデータを保持する
RAM
グラフィックプロセッサーはスクリーンやディスプレイへの出力を行う
グラフィックプロセッサー
ディスプレイ

バスとは？

コンピューターの世界でバスといえば、入出力装置をつなげるケーブルなど、コンピューターの各部を接続するものを意味する。

中央演算処理装置（CPU）

CPUは入力装置から情報を受け取り、主記憶装置（ランダムアクセスメモリ、RAM）から受け取った命令に従って情報を処理し、処理した情報を出力機器へ伝達する。

メインボード

デスクトップ型、ノート型、タブレット、スマートフォンといったコンピューターの形式に関わらず、CPUなどの電子部品はメインボート（マザーボード）と呼ばれる基盤に搭載されている。

命令を実行するしくみ

CPUが実行できるのは、一度に１つの命令のみであり、１サイクル分の処理時間をかけて１つの命令を受け取り、実行する。一般的なCPUが１秒間に処理するサイクルは膨大な数に上り、クロックの発生するきわめて高速のパルス信号によって同期制御されている。

CPUの内部

算術論理演算装置（ALU）が２進数を扱い、制御装置がCPUの動作を制御する。計算の結果はレジスタに一時的に保存される。

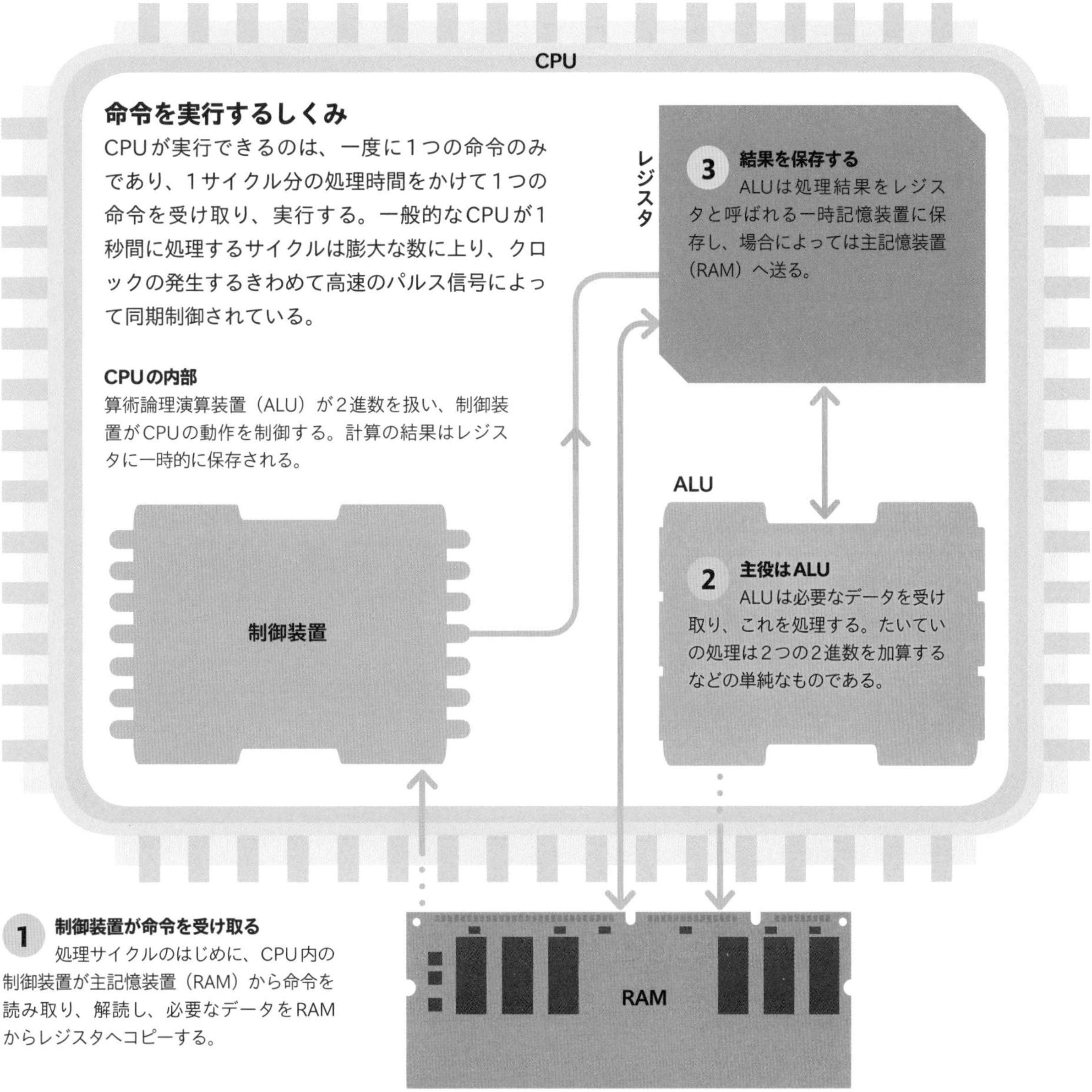
CPU
制御装置
ALU
レジスタ
RAM
1 制御装置が命令を受け取る
処理サイクルのはじめに、CPU内の制御装置が主記憶装置（RAM）から命令を読み取り、解読し、必要なデータをRAMからレジスタへコピーする。
2 主役はALU
ALUは必要なデータを受け取り、これを処理する。たいていの処理は２つの２進数を加算するなどの単純なものである。
3 結果を保存する
ALUは処理結果をレジスタと呼ばれる一時記憶装置に保存し、場合によっては主記憶装置（RAM）へ送る。

機械語

CPUが受け取るデータや命令は２進数、つまり1と0の流れである。これを機械語と呼び、32ビットや64ビットの長さが単位となっている。

0 1 1 0 0 1 0 1
0 0 1 1 0 1 0 0
0 0 1 0 1 1 1 0
1 0 0 1 0 1 0 0

世界最小のコンピューターは**塩の粒**より小さい

キーボードとマウス

コンピューターが処理を行い出力するためにはあらかじめ情報を入力しなければならない。よく使われているキーボードとマウスは、コンピューターに直接情報を入力する方法として重要なものである。

マウスパッドは必要か？

光を反射するような表面では光学式マウスが移動を検知できず、うまく機能しない場合がある。その場合はマウスパッドが有用。

キーボード

スマートフォンやタブレットでは画面にキーパッドが表示されるが、デスクトップ型やノート型のコンピューターでは物理的なボタンを備えたキーボードを使う。キーボードにはキーの一つひとつに対応する電子回路が内蔵されている。キーは押すと通電する単純なスイッチで、この電流が集積回路を流れ、押されたキーに対応する２進数（ビット）の集まりを出力する。

キーの多層構造

広くキーボードで使用されているしくみは「ラバードーム型メンブレン式スイッチ」と呼ばれるもので、キーを押すとスライダーが２箇所の接点を短絡させ、押された後にはゴム製のドームがキーを元の位置に押し戻す。

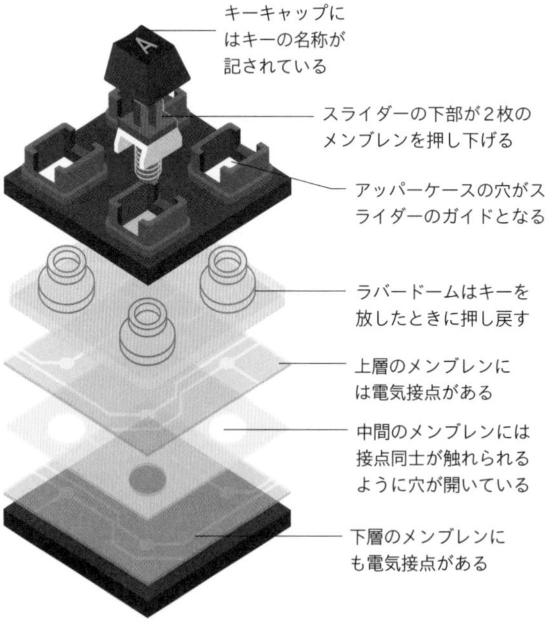

A
キーキャップにはキーの名称が記されている
スライダーの下部が２枚のメンブレンを押し下げる
アッパーケースの穴がスライダーのガイドとなる
ラバードームはキーを放したときに押し戻す
上層のメンブレンには電気接点がある
中間のメンブレンには接点同士が触れられるように穴が開いている
下層のメンブレンにも電気接点がある

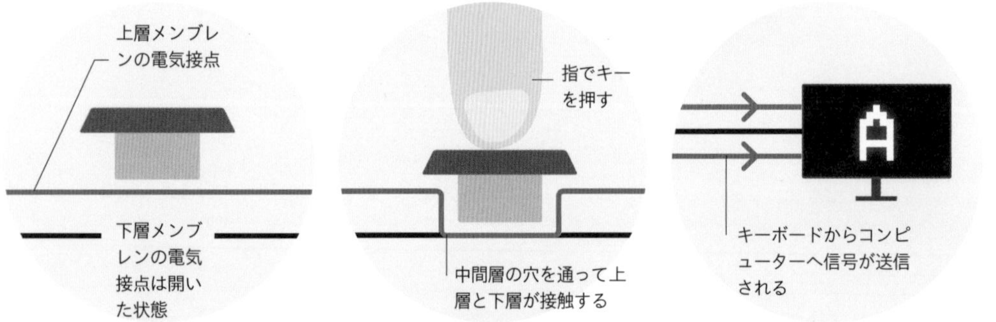

上層メンブレンの電気接点
下層メンブレンの電気接点は開いた状態
指でキーを押す
中間層の穴を通って上層と下層が接触する
A
キーボードからコンピューターへ信号が送信される

1 キーが上がっているとき
コンピューターのキーボードの各キーの下には金属の接点があり、キーが押されていないときは離れている。

2 キーが押されたとき
キーを押すと接点が閉じ、電流がキーに対応した回路を経てキーボードの集積回路へ流れる。

3 コンピューターへ信号が送られる
集積回路は押されたキーに対応したデジタル信号（スキャンコードと呼ばれるビットの集まり）をコンピューターの処理装置へ送信する。

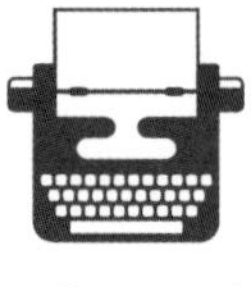

タイピング速度の最高記録は1946年に記録された**毎分216語**である

光学式マウス

コンピューターのマウスを使うと、モニター上のポインタを動かしてファイルやプログラムを操作することができる。多くのマウスは光学機器であり、内蔵した光源でマウスの下（机の表面など）を照らし、小さなカメラで表面を撮影している。内部の電子回路がこの画像を分析してマウスが動いている方向と速さを計算し、情報をコンピューターへ送信する。

よく用いられる接続方法

マウスやキーボードはケーブルや無線によってコンピューターに接続される。無線の場合は電波で信号を送る。無線マウスでよく使われているのはBluetooth（ブルートゥース）という技術である。

電波
コンピューターのUSBポートに装着した受信機に向けてマウスの送信機から電波信号を送る。

USB
USB接続のケーブルを介してコンピューターに接続されるマウスやキーボードもある。

Bluetooth
無線式のマウスやキーボードとコンピューターが用いる通信規格。消費電力が少ないのが特徴。

組み込み型
ノート型コンピューターには触れて操作するトラックパッドが組み込まれているが、マウスを接続して使うこともできる。

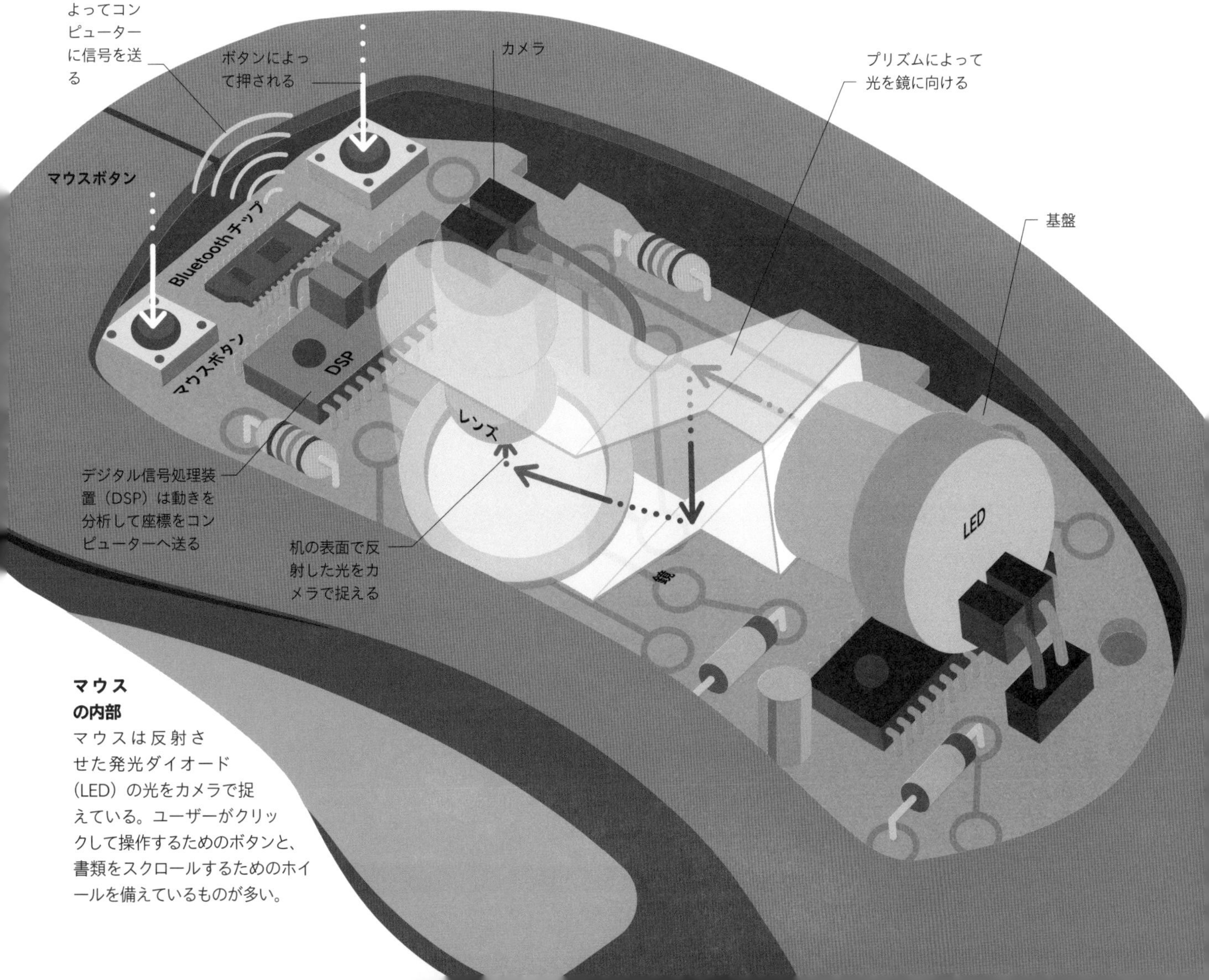
無線通信によってコンピューターに信号を送る
ボタンによって押される
カメラ
プリズムによって光を鏡に向ける
マウスボタン
Bluetoothチップ
基盤
マウスボタン
DSP
レンズ
LED
鏡
デジタル信号処理装置（DSP）は動きを分析して座標をコンピューターへ送る
机の表面で反射した光をカメラで捉える

マウスの内部
マウスは反射させた発光ダイオード（LED）の光をカメラで捉えている。ユーザーがクリックして操作するためのボタンと、書類をスクロールするためのホイールを備えているものが多い。

ソフトウェア

コンピューターを構成する物理的な部品はハードウェアと呼ばれ、プログラム・書類・音声・画像など実際に触れることのできないものはソフトウェアと呼ばれる。これらは2進数、つまり0と1を示す電流や電荷の集まりとして存在している。

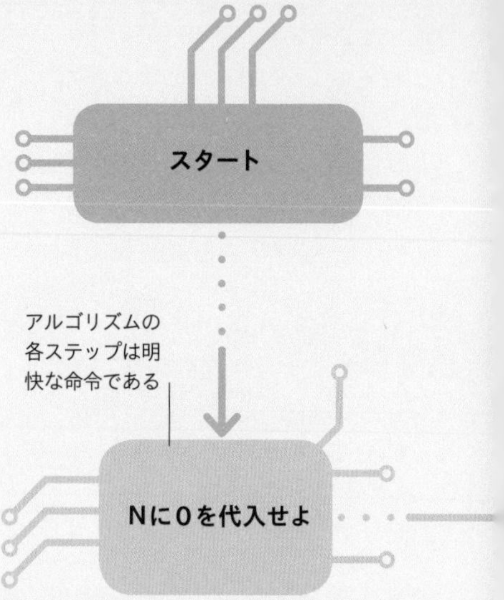
スタート
アルゴリズムの各ステップは明快な命令である
Nに0を代入せよ

アルゴリズムとプログラム

アルゴリズムとは特定の目的を果たすために命令のステップを組み立てたもので、コンピューターのプログラムは単純なアルゴリズムを集めたものである。コンピューターはプログラムを順番に実行するが、入力や計算結果によっては実行を停止したりプログラムの別の部分を実行したりする。あるいは、特定の条件が充たされるまでプログラムの特定の部分を繰り返し実行することもある。

アプリケーション

文章作成ソフトや写真編集ソフトなど、ユーザーが何かの目的のために使用するプログラムをアプリケーションと呼んでいる。アプリケーションはマウスやトラックパッドのクリックや音声入力によって起動される。そのほかのプログラムはオペレーティングシステムによって自動的に実行されている。

コンピューターは同時にいくつのタスクを実行できるか？

同時に多くのプログラムを実行しているときでも、コンピューターは各プログラムの処理を細かく分け、順番に処理している。

アプリケーション
プログラムやファイルはフォルダにまとめて保存される
プログラム、書類、画像、ウェブページなどのソフトウェア
ユーザーはモニター（ディスプレイ）上でコンピューター上のソフトウェアを操作する
デスクトップコンピューター

オペレーティングシステム（OS）

コンピューターの起動時には常にオペレーティングシステムが稼動している。その中核のプログラムはカーネルと呼ばれ、起動中のプログラムとやり取りしながら必要に応じて入出力を制御する。

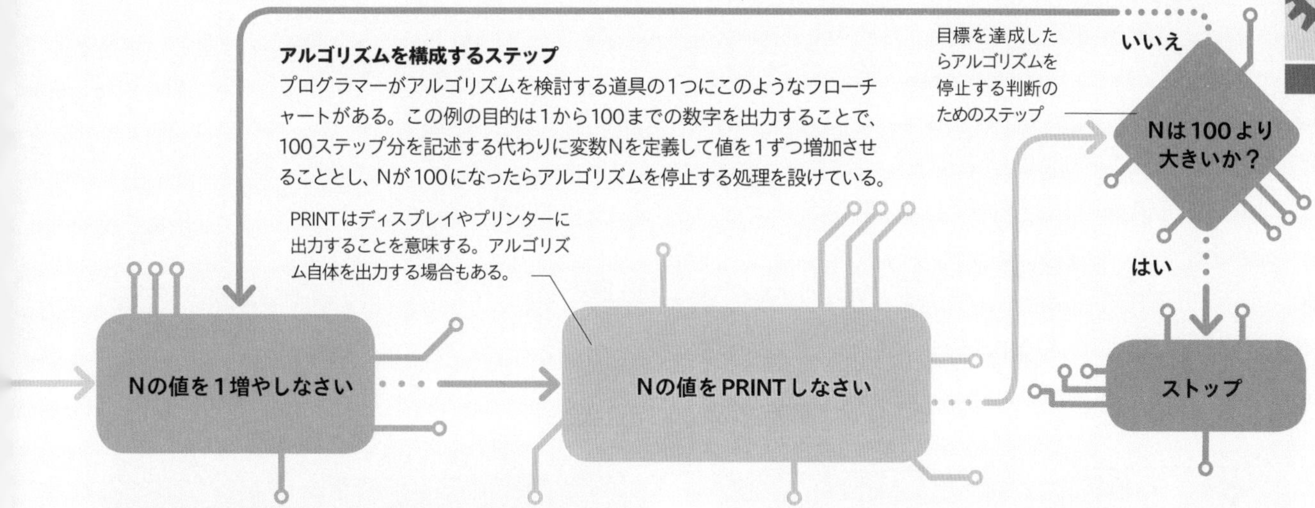
目標を達成したらアルゴリズムを停止する判断のためのステップ
いいえ
Nは100より大きいか？
はい
PRINTはディスプレイやプリンターに出力することを意味する。アルゴリズム自体を出力する場合もある。
Nの値を1増やしなさい
Nの値をPRINTしなさい
ストップ

アルゴリズムを構成するステップ
プログラマーがアルゴリズムを検討する道具の1つにこのようなフローチャートがある。この例の目的は1から100までの数字を出力することで、100ステップ分を記述する代わりに変数Nを定義して値を1ずつ増加させることとし、Nが100になったらアルゴリズムを停止する処理を設けている。

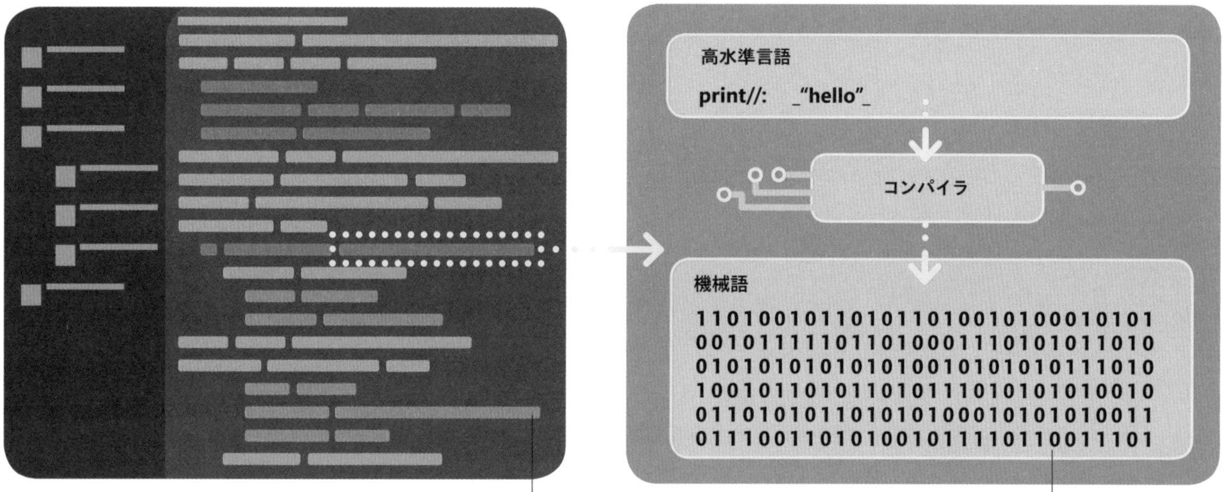
高水準言語
print//: _"hello"_
コンパイラ
機械語
110100101101011010010100010101
001011111011010001110101011010
010101010101010010101010111010
100101101011010111010101010010
011010101101010100010001010101010011
011100110101001011110110011101
アプリケーションは高水準言語で書かれて（コーディングされて）いる
高水準言語を機械語に翻訳したもの

高水準言語から機械語へ
コンパイラは高水準言語で書かれたソースコードを機械語に翻訳し、2進数で書かれた実行可能なファイルを作成する。

プログラムとコード

プログラムは人間の読める言葉や記号で書かれる（コーディングされる）。こうした言葉や記号は高水準言語と呼ばれ、高水準言語にはJavaやC++などさまざまなものがある。命令をまとめてプログラムに構成したものはソースコードとも呼ばれる。コンピューターの処理装置が理解できるのは高水準言語ではなく2進数だけであるため、ソースコードはコンパイラと呼ばれるプログラムによって、2進数を示すメモリ中の電流の有無（1と0）の集まりへ翻訳される。これは機械語と呼ばれる。

NASAのスペースシャトルのコンピューターで使われたコードは現代の**携帯電話**より**少なかった**

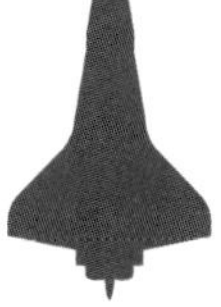

人工知能

パターン認識や問題解決など、知的行為とされる活動をコンピューターで実現する技術を人工知能（AI）と呼ぶ。AIの目標の1つはコンピューターが自身で「考える」、つまり状況に応じて判断や対応を行うことである。

発話認識のしくみは？

コンピューターは音素と呼ばれる発話の構成要素を認識し、発言された言葉を推測している。

機械学習

複雑な状況下でコンピューターが高度な処理を行うためには、コンピューターがパターンを学習し、適応し、認識することが必要になる。この機械学習と呼ばれる過程は通常、脳神経細胞（ニューロン）のはたらきをまねた人工ニューラルネットワークが担う。層状に構成された人工ニューロンのネットワークは一度に大量の情報を扱うことができ、学習によって人の顔や手書き文書や音声の認識、ソーシャルメディアや商取引のトレンドの発見といった処理を行えるようになる。

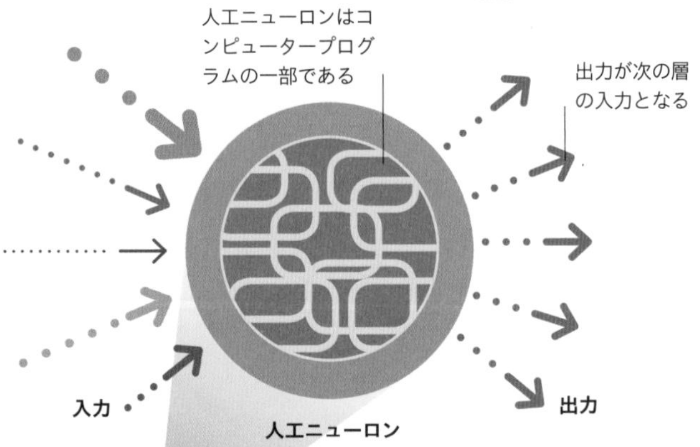
人工ニューロンはコンピュータープログラムの一部である
出力が次の層の入力となる
入力
人工ニューロン
出力

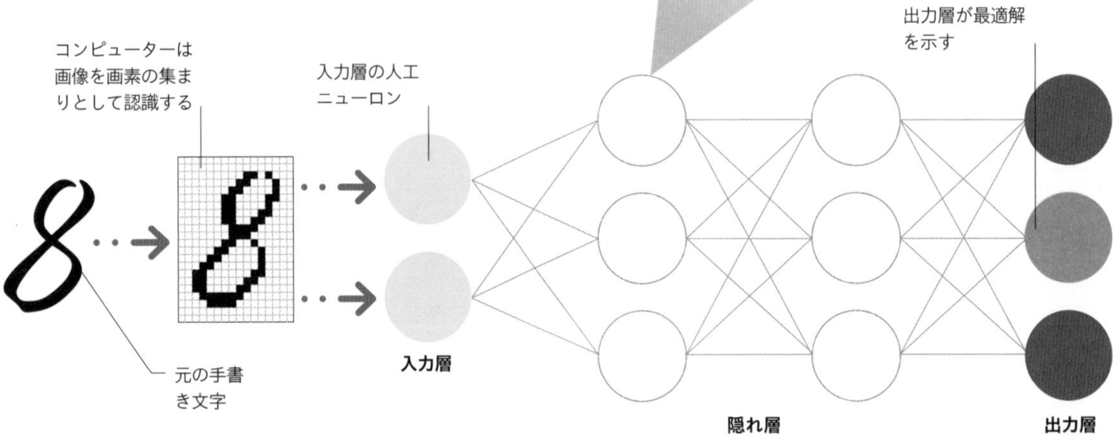
コンピューターは画像を画素の集まりとして認識する
入力層の人工ニューロン
出力層が最適解を示す
元の手書き文字
入力層
隠れ層
出力層

人工ニューラルネットワーク
実際のニューロンは、感覚器やほかのニューロンからの入力に基づいて出力を行うが、反応のしかたも入力に応じて次第に変化しうる。人工ニューラルネットワークも同じように層状に構成され、同じように動作する。

入力層
最初の層が入力を受け取る。この例では、ニューロンがそれぞれ手書き文字の画像の各ピクセルの輝度を示す数値を受け取っている。図には2つの入力ニューロンを示しているが、実際のシステムではもっと多い。

隠れ層
入力層の各ニューロンの出力も数値であり、入力に「重み」をつけて算出される。ネットワークが学習を進めるにつれて重みは変化してゆく。数値は複数の層でそれぞれ重みづけされながら受け渡される。

出力層
隠れ層のニューロンからの出力が出力層に渡される。この例では、0から9までの数字に対応する10個の出力ニューロンがある。このネットワークは最も重みの大きなニューロンの数字を「推測」する。

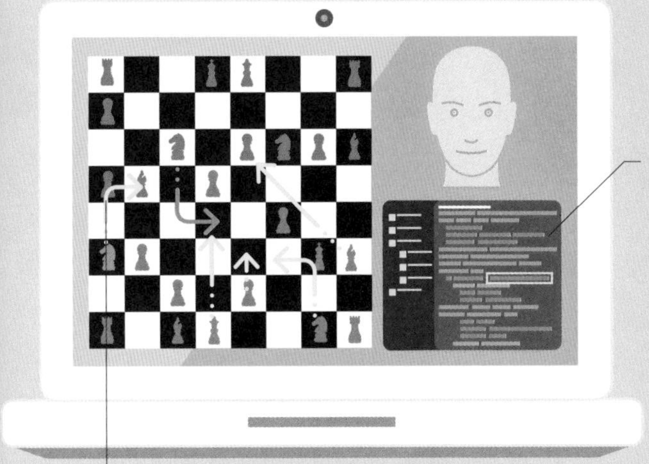
コンピューターはあらゆる動きのリストを自動的に算出する
コンピューター
コンピューターは可能なすべての動きを検討する

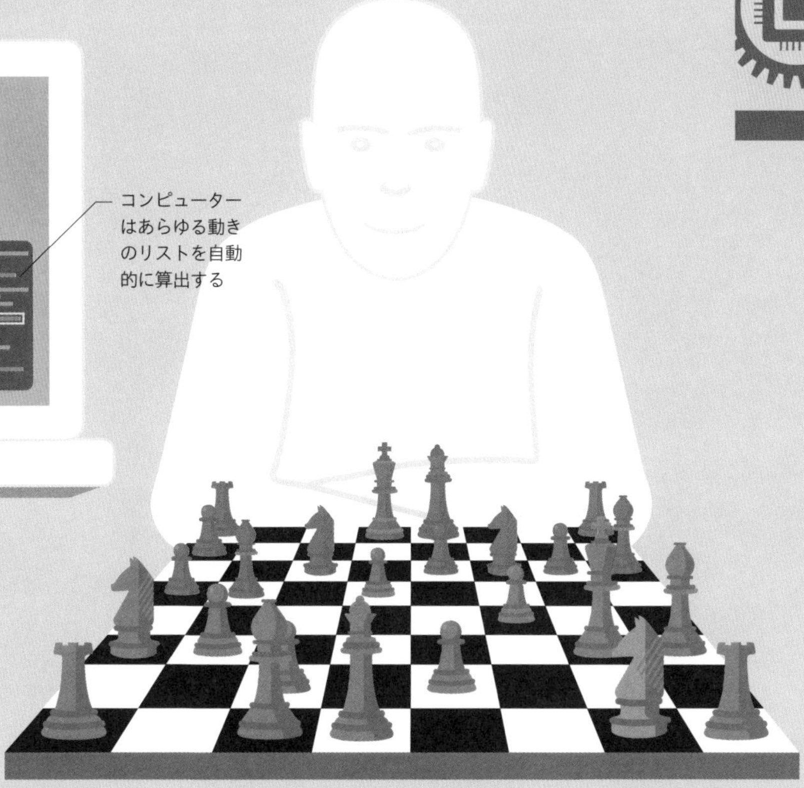
人間のチェスプレイヤー

人間 vs. コンピューター

人間の脳は先の手をあまり多く読むことはできず、感覚や直感の助けを借りたり、その悪影響を受けたりする。コンピューターは可能なすべての動きを検討して最も有利な手を選び、場合ごとにはるか先まで手を読むことができる。

ゲームをプレイする

人工知能を搭載したコンピューターは人間の知能を必要とするようなゲーム、たとえばチェスのような複雑なゲームをプレイすることができる。すでに強力なコンピューターは人間最強のプレイヤーたちを打ち負かしている。ただし、ゲームをプレイするコンピューターはそのゲームの規則内でのみ機能を発揮し、規則外のできごとに対応する能力はない。ゲームプレイに使われるコンピューターでよく用いられるのは、可能なあらゆる選択肢とその結果を分析した後に最善手を実行するというプログラムである。こうした人工知能の能力は機械学習（左頁参照）と組み合わせることでさらに向上できる。

1997年、**ディープブルー**というコンピューターが、チェスの世界チャンピオン、**ガルリ・カスパロフ**に初めて勝利した

人工知能の応用

聞いている音楽に合わせておすすめを提示する
機械学習は、好みの似た人が聞いている音楽を探すことができる

配達の最適な経路を示す
人工知能とデジタル地図や交通状況などを組み合わせて、所要時間と効率を最適化することができる

病気の診断補助
患者の症状を入力すると、人工知能が医療データベースを探索してその原因を推測する

自動運転車
車載カメラの映像やレーダーとデジタル地図を使い、コンピューターが安全に車を運転する

スパム電子メールのフィルタリング
特定の送信者をブロックするのではなく、スパムメールのパターンを認識して新たな傾向に対応する

画像認識
人工ニューラルネットワークは、不鮮明な画像などの認識精度を改善することができる

ロボットのしくみ

ロボットは人間の助けをほとんど、あるいはまったく必要とせずにさまざまな仕事をするコンピューター制御の機械である。工場や倉庫、教育施設、軍事、家庭などで使われているほか、娯楽のためのロボットもある。

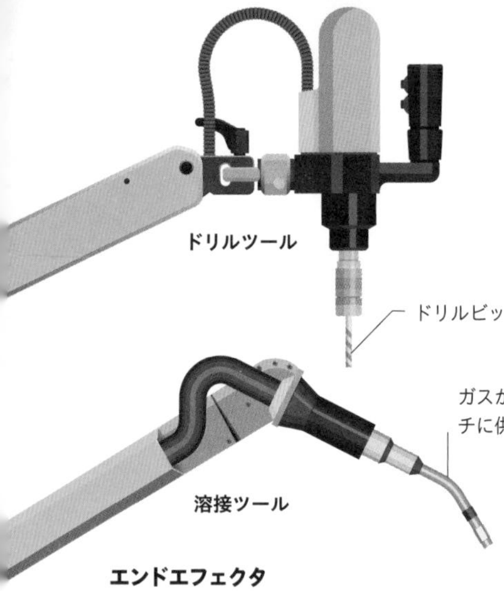
ドリルツール
ドリルビット
ガスが溶接トーチに供給される
溶接ツール

エンドエフェクタ

ロボットアームの先にはさまざまな道具を付けることができ、これをエンドエフェクタと呼ぶ。小さな物をつかんで動かしたり落としたりするためのグリッパーなどがよく使用される。

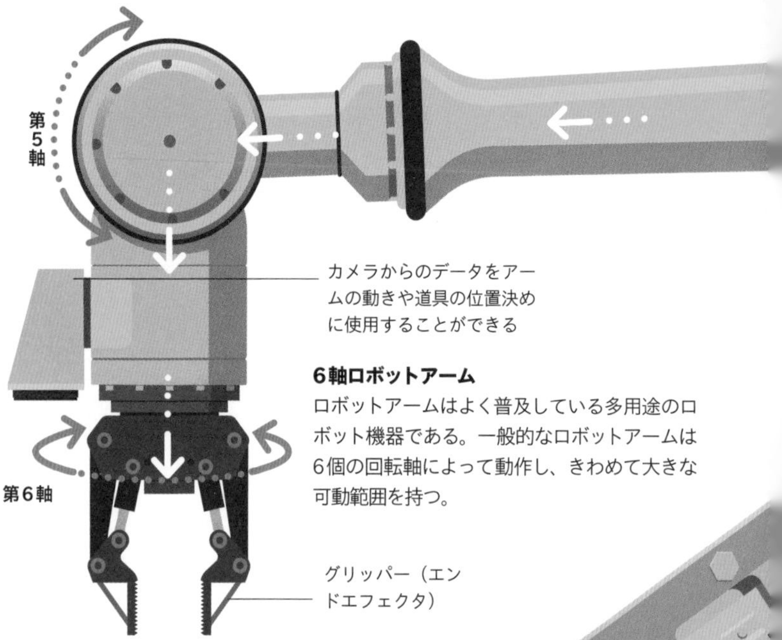
第5軸
カメラからのデータをアームの動きや道具の位置決めに使用することができる
第6軸
グリッパー（エンドエフェクタ）

6軸ロボットアーム

ロボットアームはよく普及している多用途のロボット機器である。一般的なロボットアームは6個の回転軸によって動作し、きわめて大きな可動範囲を持つ。

ロボットが動くしくみ

ロボットが移動や動作に使う部分をアクチュエーターと呼ぶ。制御コンピューターはアクチュエーターの動作に必要な電流を送る。多くのアクチュエーターの動力はステッピングモーターと呼ばれる電気モーター（右頁参照）である。このモーターは小刻みに動作するため、ロボットの部位を正確に必要な場所へ動かすことができる。車輪やキャタピラや脚によって動き回ることのできるロボットもある。

ロボットが乗っ取られる？

悪意のある技術者がロボットの制御コンピューターのプログラムを改変することは可能である。そのため、ロボットが普及するとロボットを安全に管理することが重要になる。

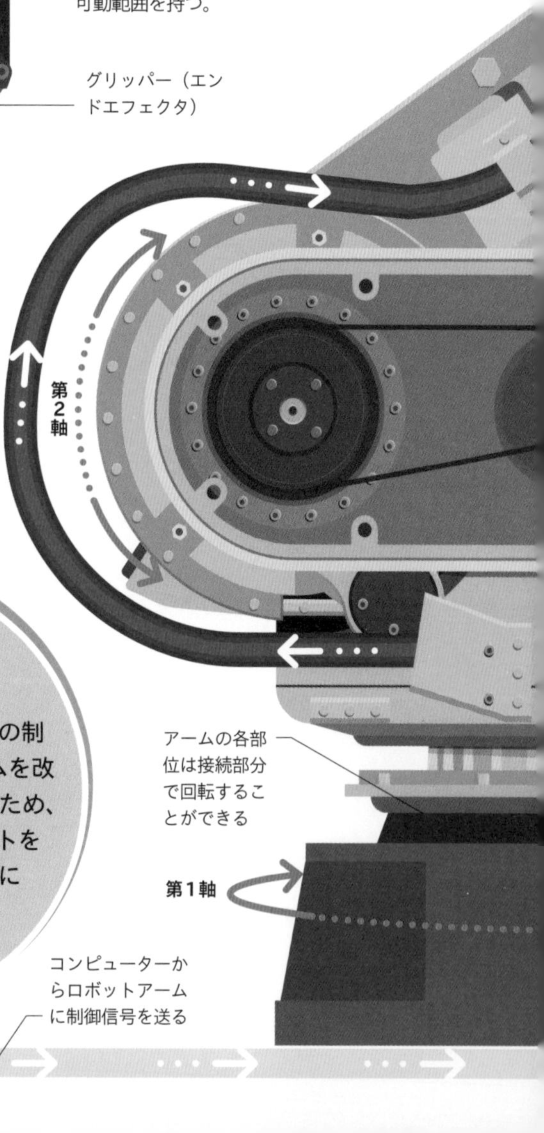
第2軸
アームの各部位は接続部分で回転することができる
第1軸
コンピューターからロボットアームに制御信号を送る

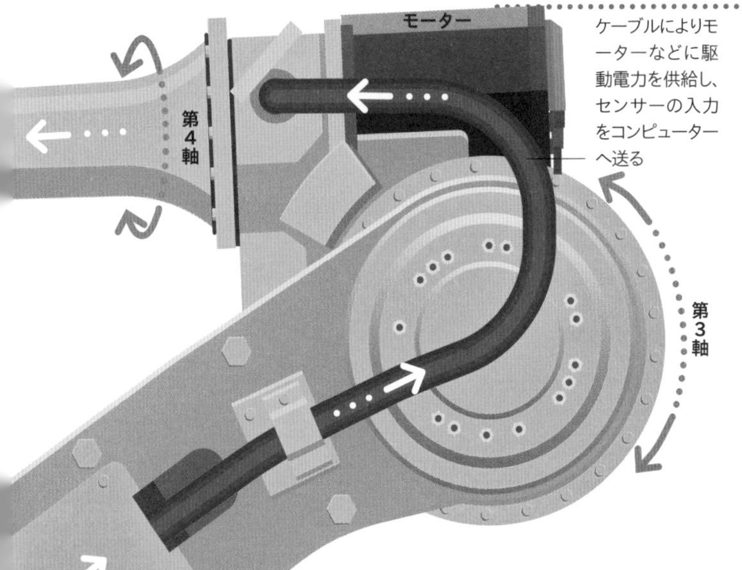
モーター
ケーブルによりモーターなどに駆動電力を供給し、センサーの入力をコンピューターへ送る
第4軸
第3軸

圧力を検知する

ロボットで使われる単純な圧力センサーは、2枚の金属板に導電性の樹脂フォームを挟み、金属板に電圧をかける構造になっている。フォームに圧力をかけると電流が増加する。

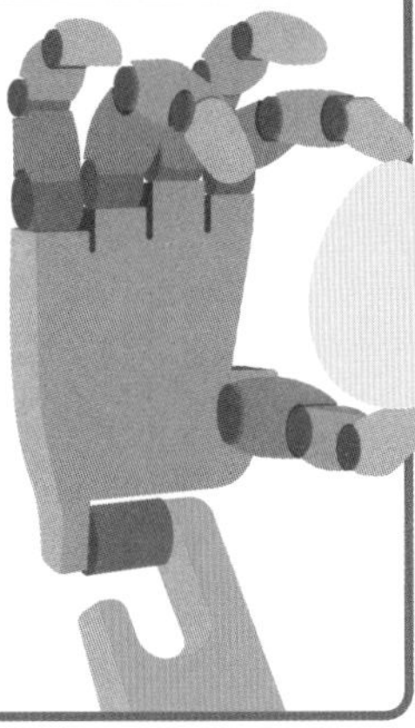

ステッピングモーター

ステッピングモーター

ステッピングモーターは内側の回転部分（ローター）と外側の固定部分（ステーター）で構成されている。ローターは永久磁石、ステーターは電磁石を組み合わせたもので、ステーターにはローターの歯より少ない歯がある。特定の組み合わせの電磁石に通電するとステーターの歯はＮ極とＳ極に帯磁し、磁力の吸引・反発力によって違う極の組み合わせになる歯と歯の位置が揃う。組み合わせを変えながら電磁石に通電することで、ローターは小刻みに少しずつ回転する。

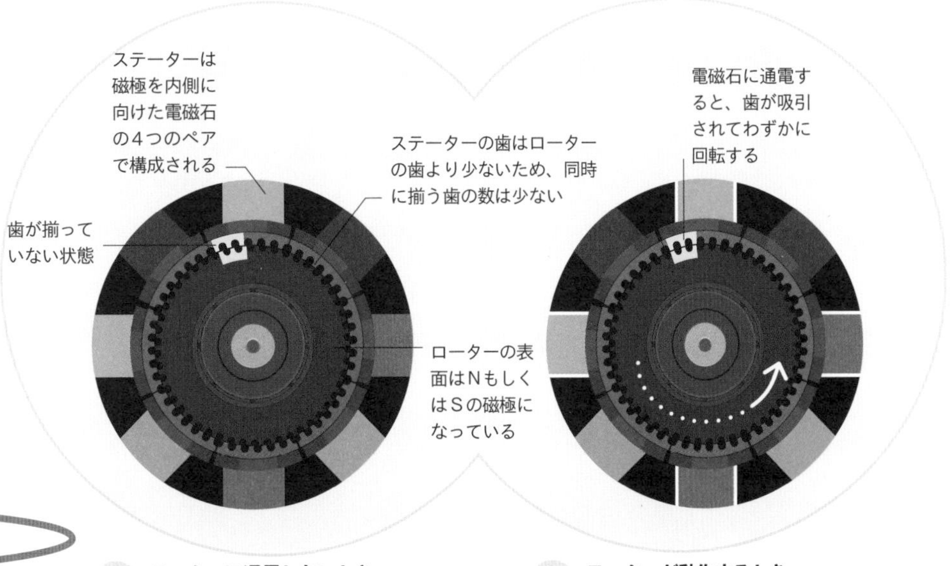
ステーターは磁極を内側に向けた電磁石の4つのペアで構成される
ステーターの歯はローターの歯より少ないため、同時に揃う歯の数は少ない
歯が揃っていない状態
ローターの表面はNもしくはSの磁極になっている
電磁石に通電すると、歯が吸引されてわずかに回転する

1　モーターに通電しないとき
ペアになった電磁石で構成されたステーターの内側に、回転する永久磁石のローターがある。ローターとステーターには歯がある。

2　モーターが動作するとき
電磁石に通電すると、ローターは歯が揃う位置まで磁力によってわずかに回転する。通電する電磁石のペアを変えながらモーターを動かす。

ロボットのできること

ロボットの中には自律型、つまり搭載されたセンサーの情報に基づいて判断し、人の指示なしに動作するものがある。ただし完全自律型といえるロボットはごく一部で、多くは半自律型である。

遠隔操作
ロボット型の無人宇宙探査機は地球から電波信号で操作されているが、人の助けなしに作業を実行することができる

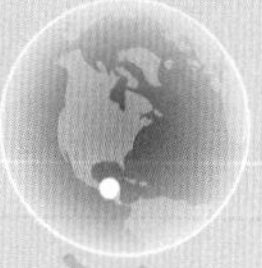

火星まで信号が到達するのに4〜24分かかる

地球との通信には極超短波（UHF）の電波が使われる

半自律型ロボット
半自律型ロボットには操作が必要なため遠隔操作される場合が多い。ただし作業の正確な実行に必要なコンピューターも組み込まれており、多くのロボットは搭載されているセンサーの入力に基づいて自分で判断を下すことができる。

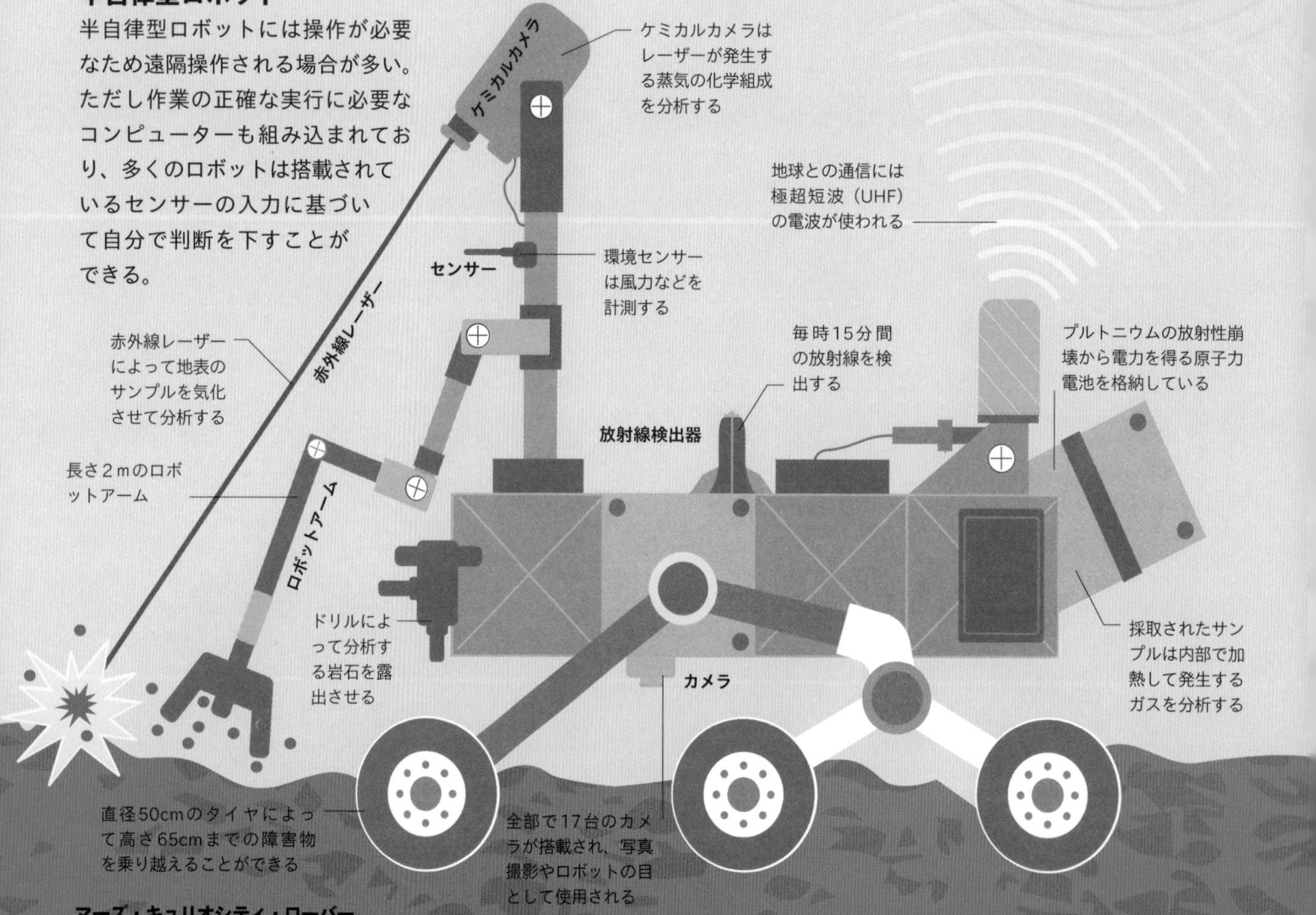
ケミカルカメラ
ケミカルカメラはレーザーが発生する蒸気の化学組成を分析する
センサー
環境センサーは風力などを計測する
赤外線レーザー
赤外線レーザーによって地表のサンプルを気化させて分析する
長さ2mのロボットアーム
ロボットアーム
毎時15分間の放射線を検出する
放射線検出器
プルトニウムの放射性崩壊から電力を得る原子力電池を格納している
ドリルによって分析する岩石を露出させる
カメラ
採取されたサンプルは内部で加熱して発生するガスを分析する
直径50cmのタイヤによって高さ65cmまでの障害物を乗り越えることができる
全部で17台のカメラが搭載され、写真撮影やロボットの目として使用される

マーズ・キュリオシティ・ローバー
NASAのマーズ・サイエンス・ラボラトリーはキュリオシティという愛称で知られる6輪ロボットであり、火星の環境に耐えるよう設計されている。さまざまな科学機器を用いてデータを収集し、地球に送っている。

オポチュニティという名の火星探査機は**90日間の調査**のために設計されていたが、**14年間**動作を続けた

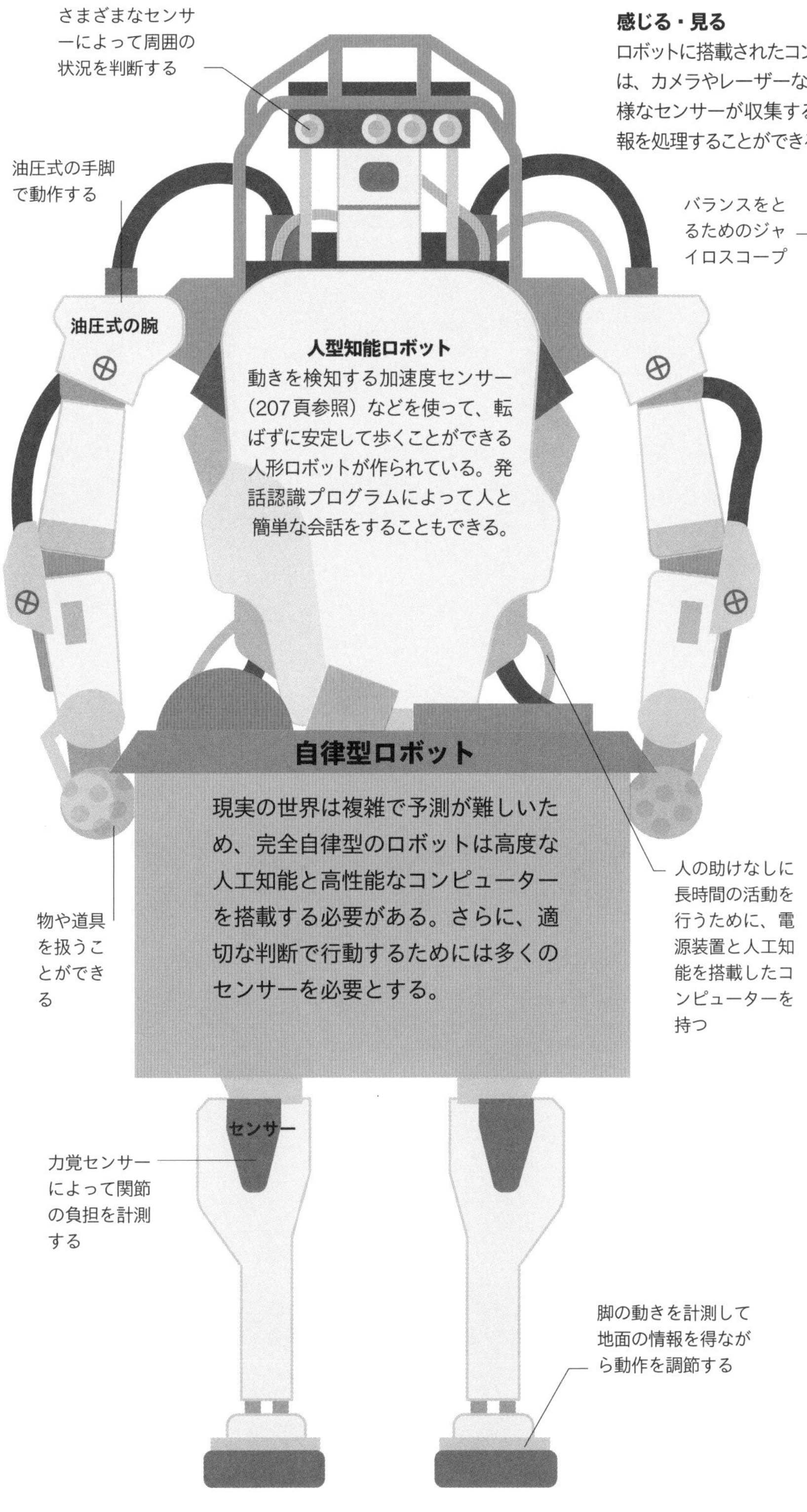
さまざまなセンサーによって周囲の状況を判断する
油圧式の手脚で動作する
油圧式の腕
物や道具を扱うことができる
人の助けなしに長時間の活動を行うために、電源装置と人工知能を搭載したコンピューターを持つ
センサー
力覚センサーによって関節の負担を計測する
脚の動きを計測して地面の情報を得ながら動作を調節する

人型知能ロボット
動きを検知する加速度センサー（207頁参照）などを使って、転ばずに安定して歩くことができる人形ロボットが作られている。発話認識プログラムによって人と簡単な会話をすることもできる。

自律型ロボット

現実の世界は複雑で予測が難しいため、完全自律型のロボットは高度な人工知能と高性能なコンピューターを搭載する必要がある。さらに、適切な判断で行動するためには多くのセンサーを必要とする。

感じる・見る
ロボットに搭載されたコンピューターは、カメラやレーザーなどの多様なセンサーが収集する情報を処理することができる。

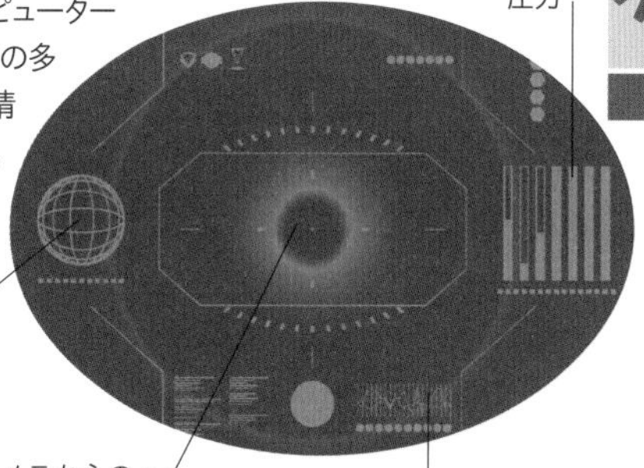
感覚データ
圧力
バランスをとるためのジャイロスコープ
カメラからの光学データ
近接物を検知するための赤外線センサー

ロボットの種類

自律型	**自動運転車**	カメラなどのセンサーと衛星測位システムを用いる
自律型	**ロボット掃除機**	床を掃除して充電器まで自分で戻ってくる
自律型	**産業用ロボット**	予測可能な環境では人の助けなしに仕事をできる
半自律型	**救助ロボット**	自然災害などの際、遠隔操作で使用される
半自律型	**ミサイル**	わずかな指示によって遠隔地の標的を攻撃できる
半自律型	**手術用ロボット**	外科医の指示により、正確な動作をする

パワードスーツ

工場従業員などが重量物を持ち上げるときの補助をする強化外骨格型のロボットで、モーターや油圧によるアクチュエーターを搭載し、人の手脚のはたらきを強化する。

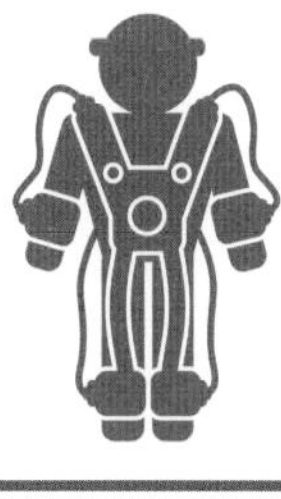

バーチャルリアリティ

人間の脳は感覚、とりわけ目と耳から情報を得ることで周囲の世界を感知している。バーチャルリアリティ（VR）ヘッドセットによってコンピューターが作り出した視界や音を提示すると、私たちの脳は現実には存在しない仮想世界を感知することができる。

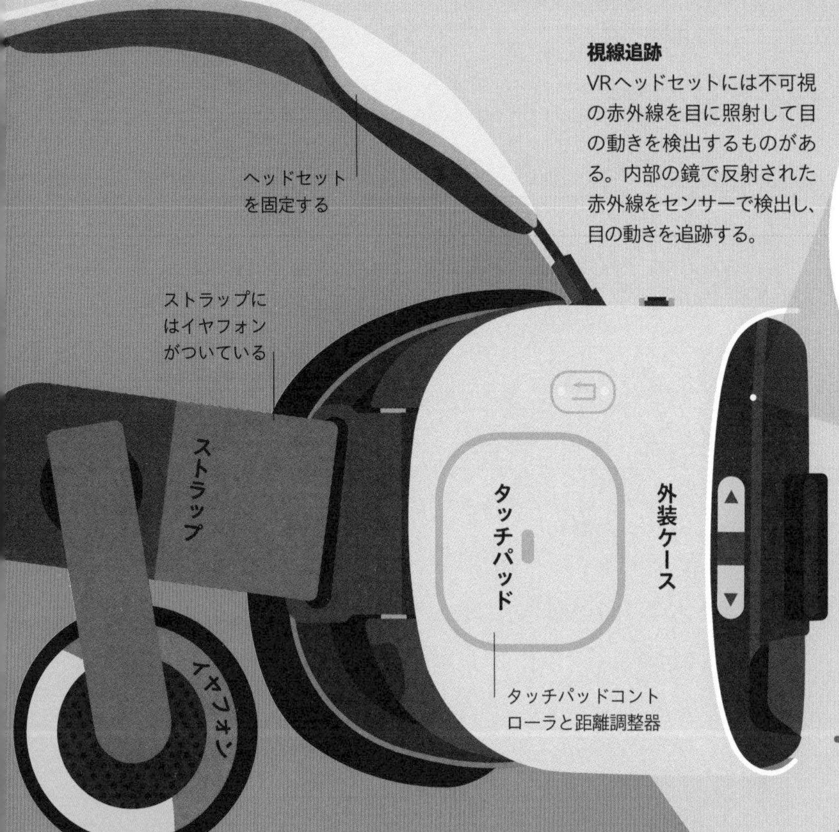

ヘッドセットを固定する
ストラップにはイヤフォンがついている
ストラップ
イヤフォン
タッチパッド
外装ケース
タッチパッドコントローラと距離調整器

視線追跡
VRヘッドセットには不可視の赤外線を目に照射して目の動きを検出するものがある。内部の鏡で反射された赤外線をセンサーで検出し、目の動きを追跡する。

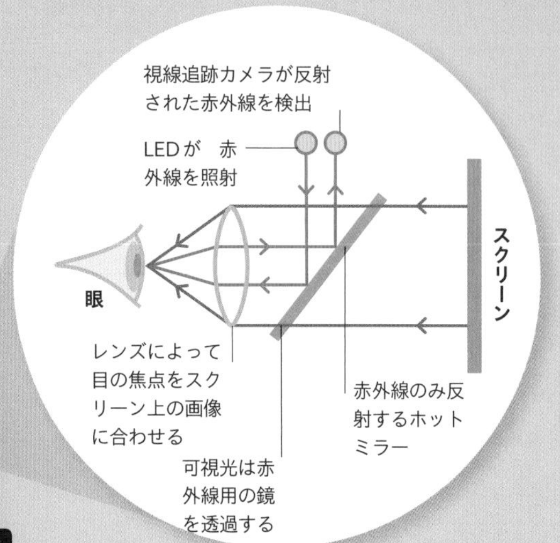

視線追跡カメラが反射された赤外線を検出
LEDが　赤外線を照射
スクリーン
眼
レンズによって目の焦点をスクリーン上の画像に合わせる
赤外線のみ反射するホットミラー
可視光は赤外線用の鏡を透過する

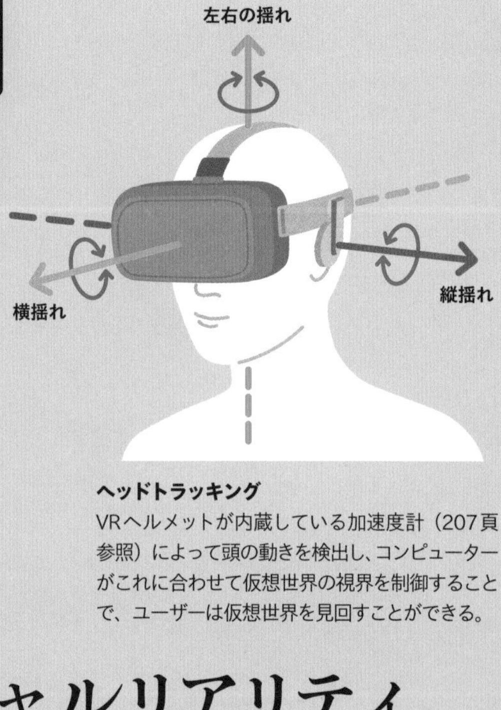

左右の揺れ
横揺れ
縦揺れ

ヘッドトラッキング
VRヘルメットが内蔵している加速度計（207頁参照）によって頭の動きを検出し、コンピューターがこれに合わせて仮想世界の視界を制御することで、ユーザーは仮想世界を見回すことができる。

VRヘッドセットのしくみ
VRヘッドセットは両目のそれぞれに対応した仮想の視界を見せて奥行きの感覚を作り出し、仮想物体に距離間と存在感を与えている。ヘッドセットはユーザーの頭の位置と動き、場合によっては目の動きも検出してその情報をコンピューターに伝え、コンピューターは視界を調整してユーザーが仮想世界を見回せるようにする。ヘッドセットの多くはステレオヘッドフォンを内蔵しており、ユーザーには仮想世界の音が聞こえる。

VRユーザーが**自由に仮想世界を歩き回る**ために**全方向トレッドミル**が開発されている

拡張現実

VRと密接に関係する技術として拡張現実（AR）がある。よくあるスマートフォンやタブレットのARアプリでは、機器のカメラが映し出す視界に仮想物体をつけ加え、仮想物体が実世界に出現したような効果を見せる。この技術はアドベンチャーゲームや、その場にない建物や自動車を見せる際などに有用である。

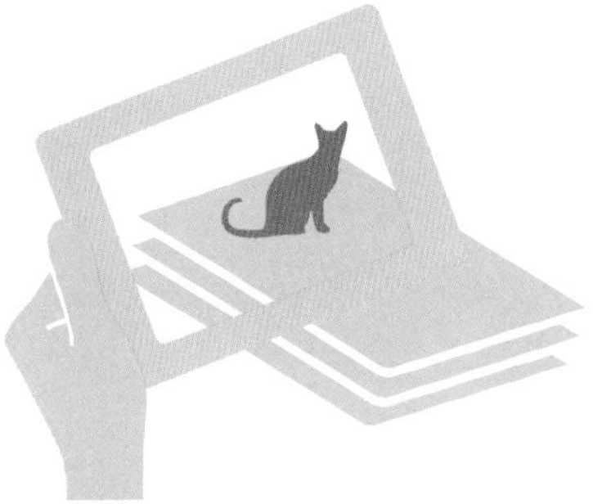

仮想世界

VRヘッドセットの中で動き回ることのできる世界はコンピューターの中にある。仮想世界の多くは3次元造形ソフトを援用したコンピューターグラフィックス（CGI）によって、仮想物体やその表面のデジタル表現を作り出している。視界は球面として描かれ、中央におかれたユーザーの周囲全体に物体が配置されている。VRヘッドセットはユーザーが視線を向けている球面の一部を表示する。

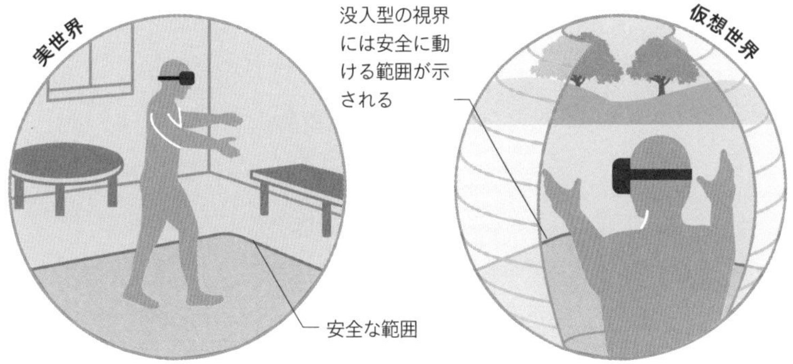
実世界
没入型の視界には安全に動ける範囲が示される
仮想世界
安全な範囲

実空間
実世界での場所は屋内や野外、海岸など、どこでもよい。VRヘッドセットは視界を遮断し、多くは音も遮る。

没入型の視界
ヘッドセットのスクリーンには仮想世界の視界が表示され、ステレオヘッドフォンからは仮想世界の音が聞こえるので、ユーザーは本当にそこにいるように感じる。

触感

VRシステムには、仮想世界の物体に触るためのグローブが付属したものがある。このグローブは実際の手の動きを検知し、コンピューターは仮想世界に仮想の手を表示する。グローブの指先にはユーザーの脳が圧力として感じる刺激を作り出すアクチュエーターと呼ばれる部品があり、ユーザーは指先を通じて仮想の物体を感じたり動かしたりできる。

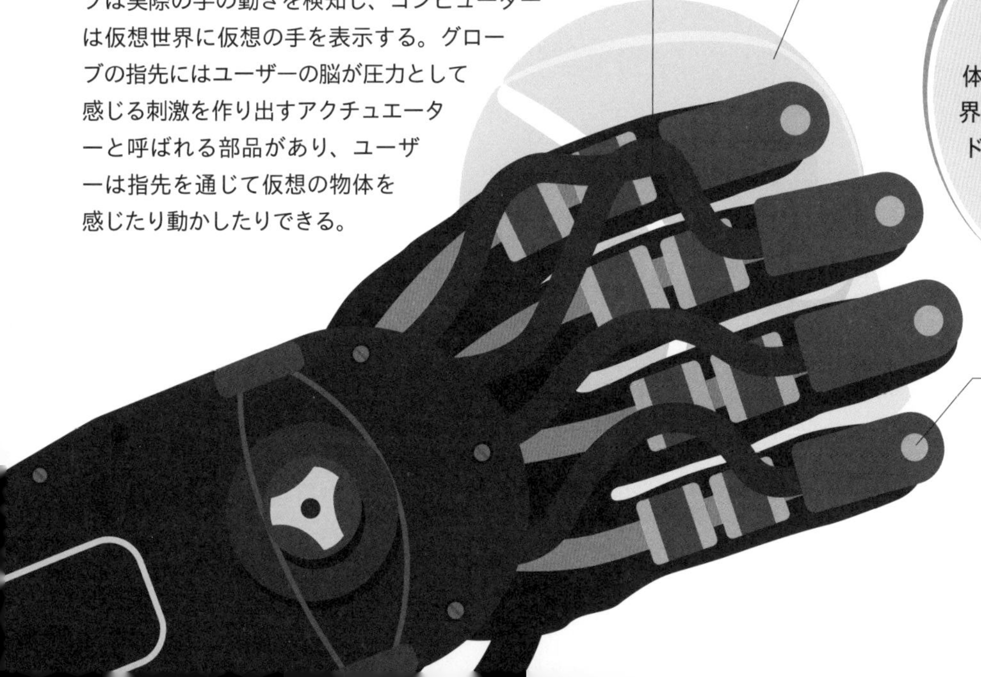
VRコンピューターに接続されている
仮想のテニスボール
振動アクチュエーターが物体に触れた感触を作り出す

VRグローブ
ユーザーは、このグローブによって重さや形といった仮想世界の物体の物理的性質を感じることができる。指には動きを追跡する装置があり、ユーザーの手は仮想世界に正確に表現される。

VRヘッドセットを使うと気分が悪くなる？

体が動いていなくても脳は仮想世界の動きを感知するため、VRヘッドセットは乗り物酔いの症状を引き起こすことがある。

第7章

通信と伝達の技術

電波信号

電波は電線やケーブルを用いずに長距離間で情報を送受信するために使われる。ラジオやテレビの放送、遠距離通信、ナビゲーションシステム、コンピューターネットワークなどは電波信号を利用している。

電波の送信

電波には音声、文字情報、画像、位置情報などさまざまな情報をのせることができる。こうした情報は周波数や振幅（右頁参照）といった電波の性質の変動として電波にのせられる。送信機のアンテナから発信された電波信号が空気中を飛び、受信機のアンテナで受信されることで離れた場所へ情報が伝達される。

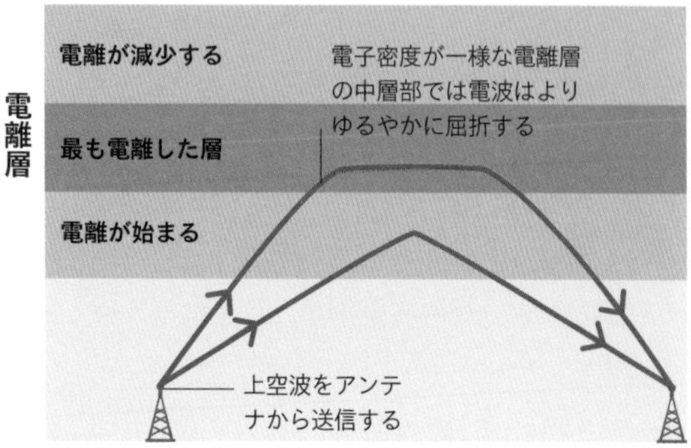

電離層
電離が減少する
電子密度が一様な電離層の中層部では電波はよりゆるやかに屈折する
最も電離した層
電離が始まる
上空波をアンテナから送信する

電離層での屈折
電波は大気が帯電している電離層に達すると経路が曲がる（屈折する）。屈折する角度は電波の入射角、周波数、電離層中の電子密度などに影響を受ける。

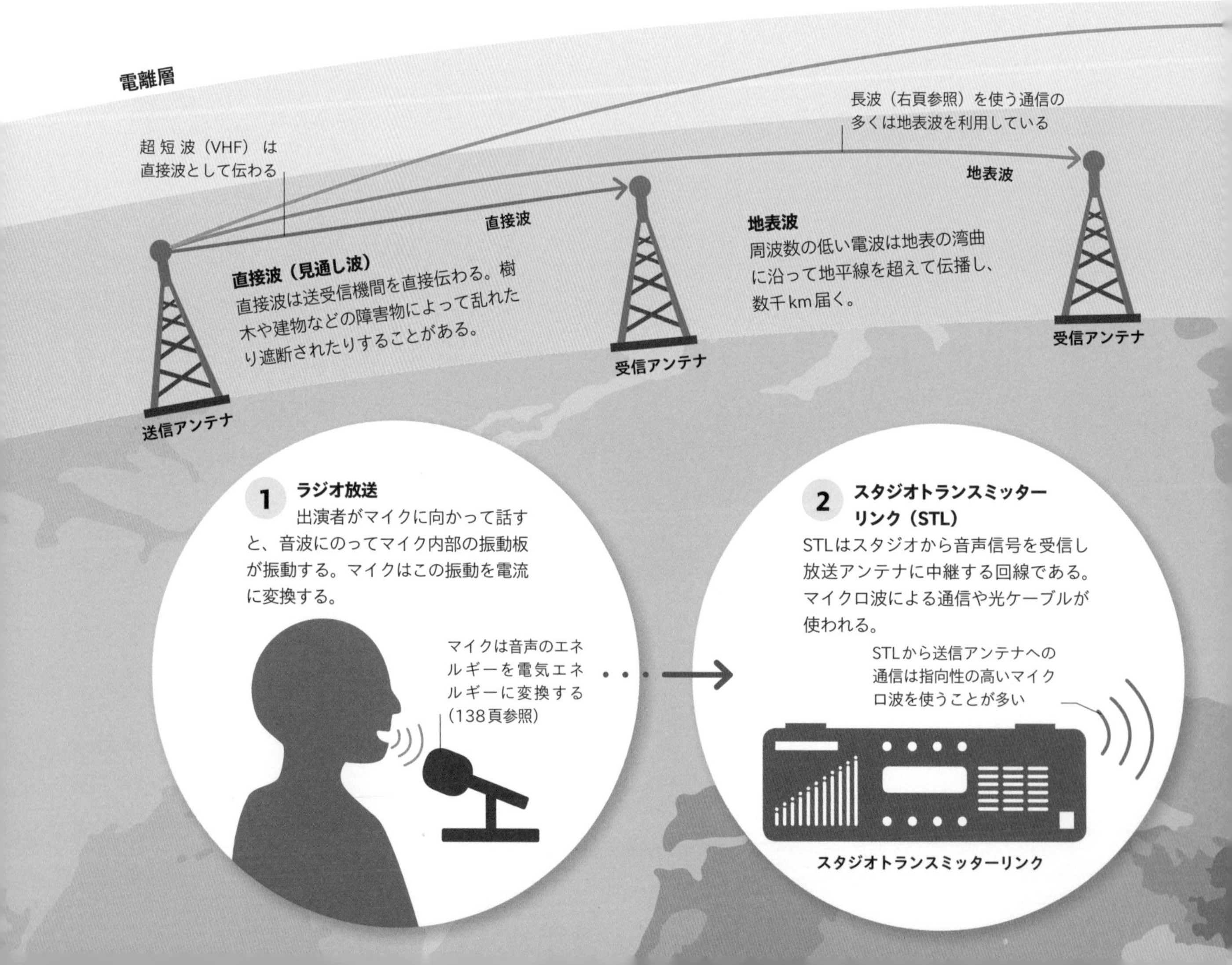

電離層
長波（右頁参照）を使う通信の多くは地表波を利用している
超短波（VHF）は直接波として伝わる
地表波
直接波
直接波（見通し波）
直接波は送受信機間を直接伝わる。樹木や建物などの障害物によって乱れたり遮断されたりすることがある。
地表波
周波数の低い電波は地表の湾曲に沿って地平線を超えて伝播し、数千km届く。
送信アンテナ
受信アンテナ
受信アンテナ
1 ラジオ放送
出演者がマイクに向かって話すと、音波にのってマイク内部の振動板が振動する。マイクはこの振動を電流に変換する。
マイクは音声のエネルギーを電気エネルギーに変換する（138頁参照）
2 スタジオトランスミッターリンク（STL）
STLはスタジオから音声信号を受信し放送アンテナに中継する回線である。マイクロ波による通信や光ケーブルが使われる。
STLから送信アンテナへの通信は指向性の高いマイクロ波を使うことが多い
スタジオトランスミッターリンク

変調

情報は変調、すなわち搬送波と呼ばれる特定の周波数の電波に入力波を合成することによって電波にのせられる。AM放送では電波の振幅が変調され（振幅変調）、FM放送では周波数が変調される（周波数変調）。デジタル放送で入力波と搬送波を合成する方法は多様である（182頁参照）。

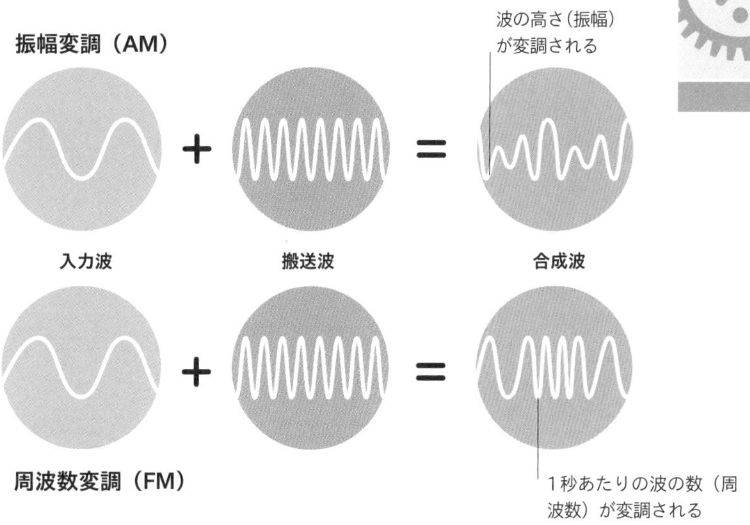
振幅変調（AM）
波の高さ（振幅）が変調される
入力波
搬送波
合成波
周波数変調（FM）
1秒あたりの波の数（周波数）が変調される

AMとFM

AMとFMでは電波の波形も振舞いも異なっている。FMはAMより帯域が狭い一方、音質は良く電波障害やノイズに影響されにくい。

雷はホイッスラーと呼ばれる超低周波の電波を生み出す

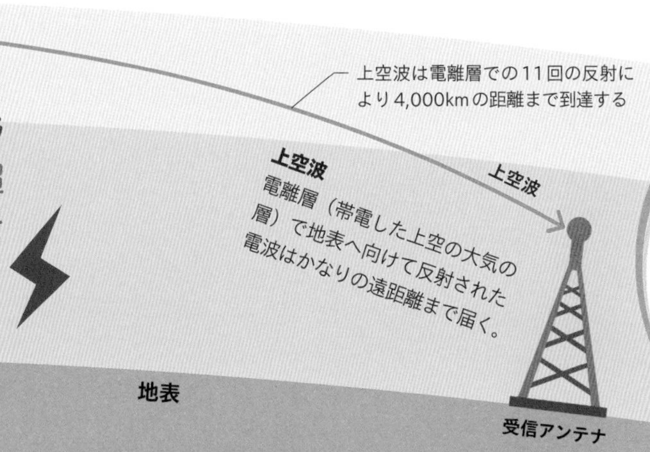
上空波は電離層での11回の反射により4,000kmの距離まで到達する
上空波
電離層（帯電した上空の大気の層）で地表へ向けて反射された電波はかなりの遠距離まで届く。
上空波
地表
受信アンテナ

長波とは?

明確な定義はないが、地表波として伝搬する波長1km以上の電波を指す。

3　放送の送信

送信アンテナに電流が流れると電子が高速で振動し、アンテナの周囲に電磁場の変動が生じて電磁波として伝わってゆく。

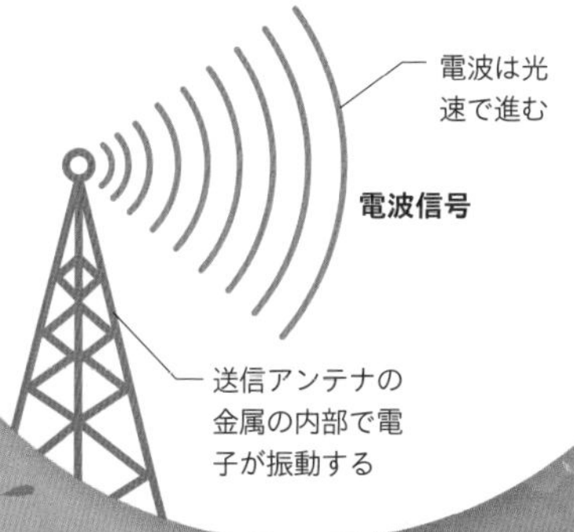
電波は光速で進む
電波信号
送信アンテナの金属の内部で電子が振動する

4　放送を受信する

スピーカーに電流が流れるとスピーカーのコーンが振動し音波を発生する。こうして出演者の声が再現される。

ラジオのアンテナが電波を受信する
AM／FMラジオ

1　アンテナが電波を受信する

放送局の送信アンテナから送信された電波は空中を飛び、ラジオの金属製アンテナでとらえられる。このとき電波は金属中の電子を高速で振動させ、交流電流を発生させる。この電流がラジオ受信機に伝えられる。

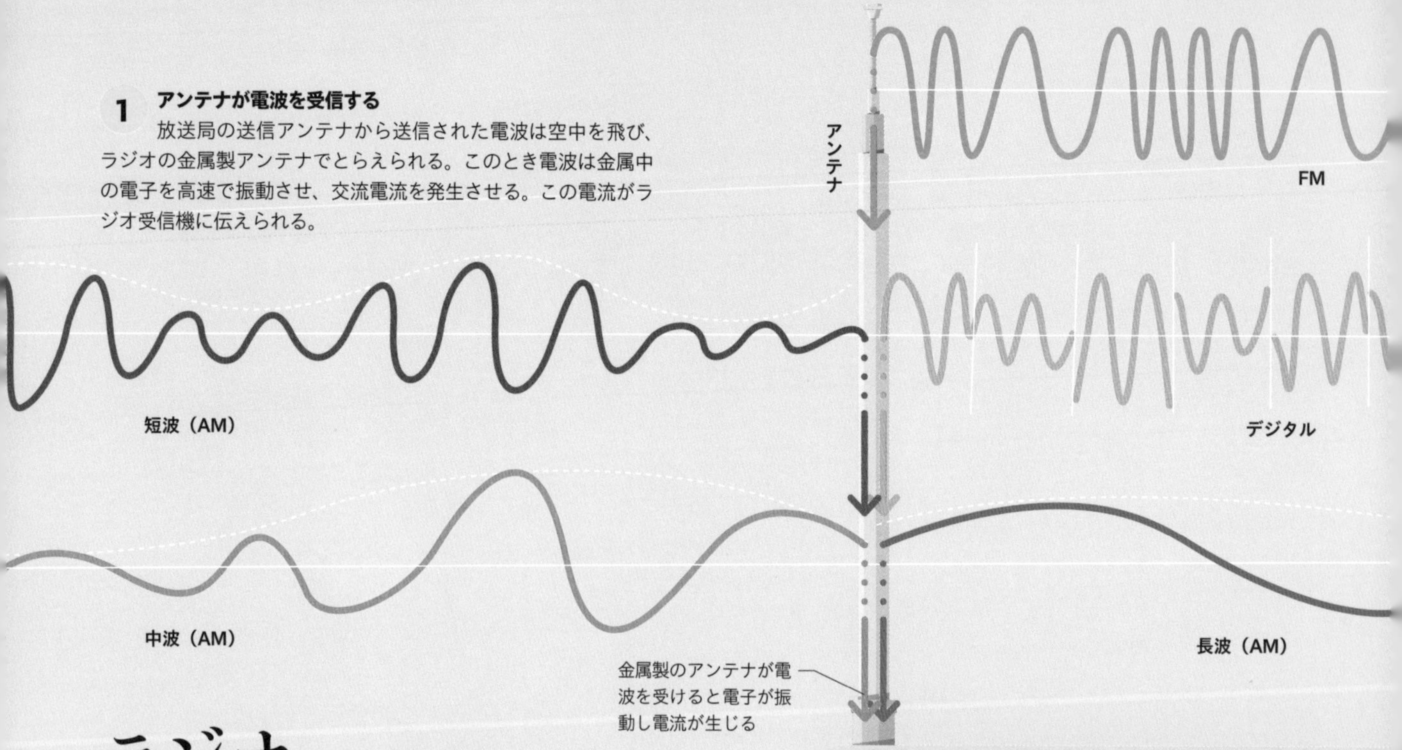

アンテナ
FM
短波（AM）
デジタル
中波（AM）
長波（AM）
金属製のアンテナが電波を受けると電子が振動し電流が生じる

ラジオ

ラジオは電波を受信し利用可能な形に変換する装置である。放送用のラジオは放送局から発信された音声番組を受信し、スピーカーから再生する。

ラジオのしくみ

ラジオのアンテナは電波を受信して微小な交流電流に変換する。受信機はこの電流から不要な周波数成分を除去し、信号を増幅する。この信号はさらに復調され、送信時に合成された搬送波から有用な信号が取り出される（180-81頁参照）。こうした過程を経て、音声番組がスピーカーで再生される。単純なラジオ受信機（高周波同調受信機）はこれらの処理のみを行うが、ラジオの多くはさらにさまざまな処理を行っている。

放送の周波数帯の**ランダムな電気信号**が増幅されると**雑音**になる

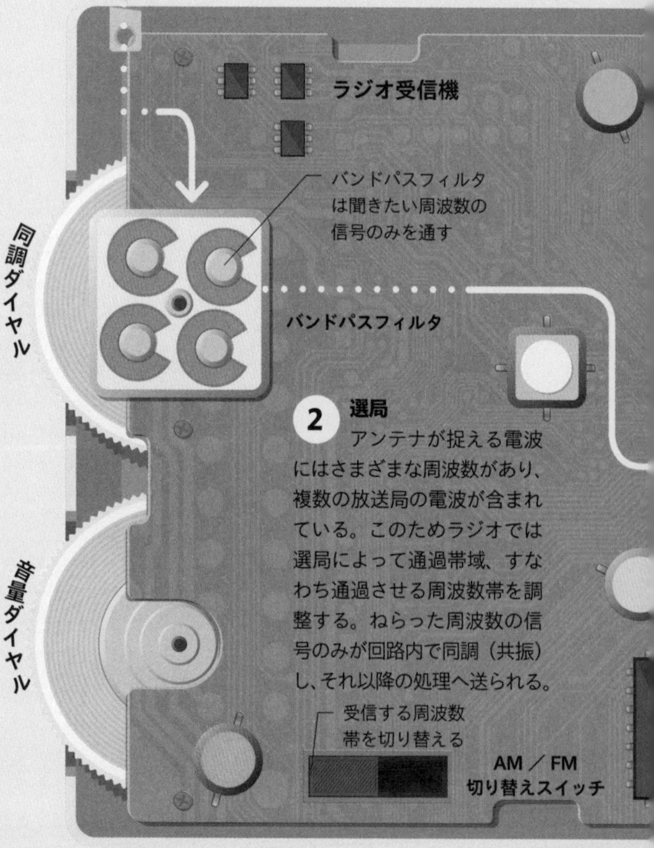

ラジオ受信機
バンドパスフィルタは聞きたい周波数の信号のみを通す
同調ダイヤル
バンドパスフィルタ
音量ダイヤル
受信する周波数帯を切り替える
AM／FM切り替えスイッチ

2　選局

アンテナが捉える電波にはさまざまな周波数があり、複数の放送局の電波が含まれている。このためラジオでは選局によって通過帯域、すなわち通過させる周波数帯を調整する。ねらった周波数の信号のみが回路内で同調（共振）し、それ以降の処理へ送られる。

電波望遠鏡

電波望遠鏡は星、星雲、銀河といった天体から届く電波を受信するための一種のラジオ受信機である。はるか何光年の遠方からくる信号を拾うため、巨大で高感度なアンテナを必要とする。

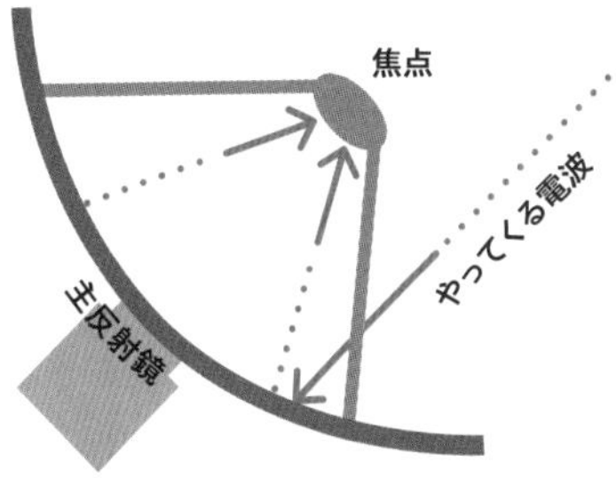
焦点
やってくる電波
主反射鏡

デジタルラジオ

デジタル信号を使用するラジオ放送をデジタルラジオ（DAB）という。放送局にはアナログ放送に比べて周波数帯を効率よく使用できるという利点がある。元のアナログ信号はデジタル信号に変換された後、MP2などの形式で圧縮され、デジタル変調方式で送信される。

デジタル変調方式

アナログ信号をデジタル化すると周波数・振幅・位相の変化が２進数で表される。この信号がアナログの搬送波（181頁参照）と合成され、アナログ波として送信される。

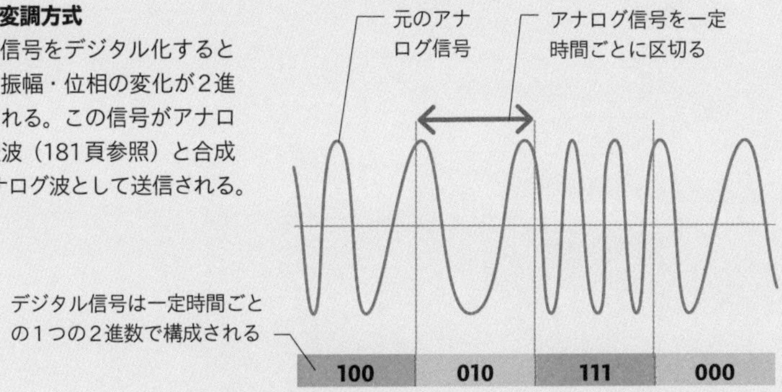
元のアナログ信号
アナログ信号を一定時間ごとに区切る
デジタル信号は一定時間ごとの１つの２進数で構成される
100
010
111
000

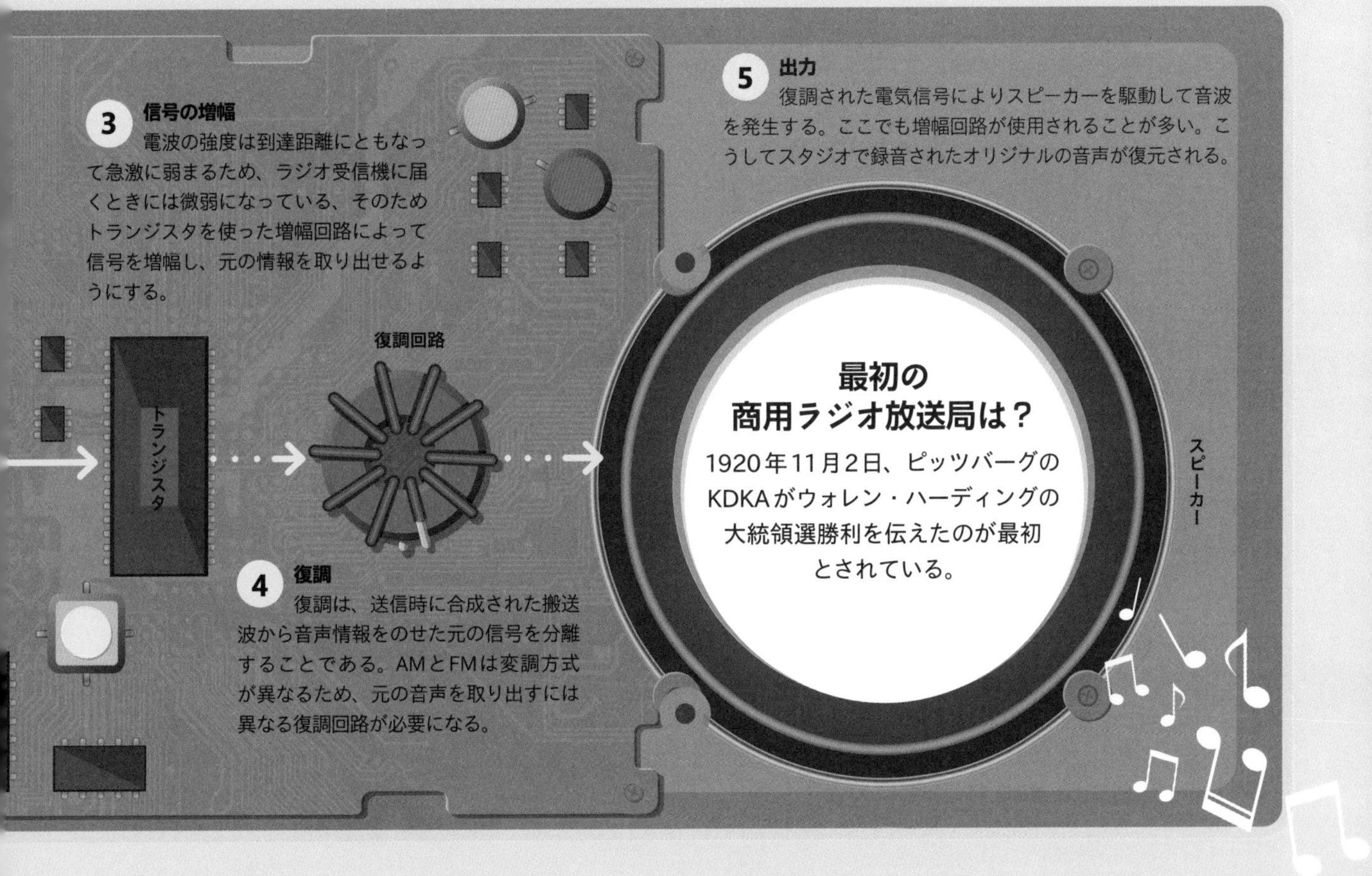
トランジスタ
復調回路
スピーカー

3 信号の増幅

電波の強度は到達距離にともなって急激に弱まるため、ラジオ受信機に届くときには微弱になっている、そのためトランジスタを使った増幅回路によって信号を増幅し、元の情報を取り出せるようにする。

4 復調

復調は、送信時に合成された搬送波から音声情報をのせた元の信号を分離することである。AMとFMは変調方式が異なるため、元の音声を取り出すには異なる復調回路が必要になる。

5 出力

復調された電気信号によりスピーカーを駆動して音波を発生する。ここでも増幅回路が使用されることが多い。こうしてスタジオで録音されたオリジナルの音声が復元される。

最初の商用ラジオ放送局は？

1920年11月2日、ピッツバーグのKDKAがウォレン・ハーディングの大統領選勝利を伝えたのが最初とされている。

電話

電話は直接声が届かない遠方の相手との会話を可能にする。音波を信号に変換して高速で別の電話まで送信し、そこで発話を再生している。

電話のしくみ

電話をかけるときは送話器（送受話器）を持ち上げて、通話先の番号をダイヤルする。ベルが鳴った電話の受話器を取ると互いに会話できるようになる。話し声は電気信号や光信号や電波信号の形で電話網を伝わり、相手の電話機で再生されている。電話機は1台ごとに送信器と受信器を備えていて、双方向の通話ができる。

1 交換機につなぐ

電話機と電話網との接続や遮断を行うのはフックスイッチと呼ばれるスイッチである。通話しようと送話器を持ち上げると、レバーの動きによって送受話器とその地域の電話交換機が接続される。

2 電話番号をダイヤルする

ダイヤルボタンを押して番号を入力すると、高低2種類の周波数の合成音が発せられる。たとえば7を押すと852Hzと1,209Hzの合成音が鳴る。電話番号に対応した音の並びが交換機に通話の届け先を指示する。

電話機の構造

ボタン式ダイヤルへの変化を除けば、電話機の基本的な構造は発明以来ほぼ同じで、スピーカー、マイク、フックスイッチ、電話網につなぐジャックといった要素は変化していない。

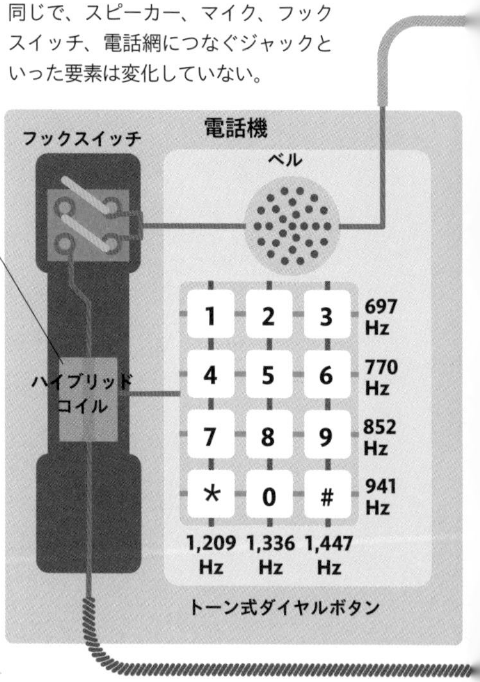

ハイブリッドコイルは話者の声が自分の受話器から聞こえるのを防ぐ
フックスイッチ
電話機
ベル
ハイブリッドコイル
1 2 3 697 Hz
4 5 6 770 Hz
7 8 9 852 Hz
* 0 # 941 Hz
1,209 Hz 1,336 Hz 1,447 Hz
トーン式ダイヤルボタン

電話で話された最初の言葉は？

「ワトソン君、ちょっと来てくれ」という、1876年3月10日に電話機の発明者アレクサンダー・グラハム・ベルが助手に話しかけた言葉が最初とされている。

3つの送信方式

公衆交換電話網のやり取りのほとんどは電気信号か光信号、あるいは電波信号で伝えられる。これらの信号は音波よりもはるかに高速で伝わる。

1 信号を受け取る

送話器のマイクは音波を同じ周波数の電気信号に変換する。これが電話網を伝わる方式には3つの種類がある。

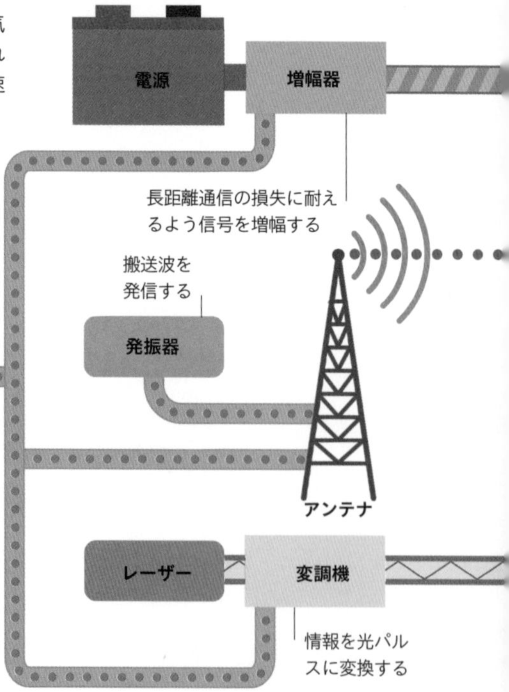

電源
増幅器
長距離通信の損失に耐えるよう信号を増幅する
搬送波を発信する
発振器
アンテナ
レーザー
変調機
情報を光パルスに変換する

音声を届ける

電話の会話が自然に聞こえるためには、信号が最小限の遅延で伝達される必要がある。音波はまず電気信号に変換されて電気信号や電磁気信号として送信され、相手先で音声に復元されている。このため送受信はきわめて高速で行われ、遠距離通話でもほとんど遅れを感じさせない。

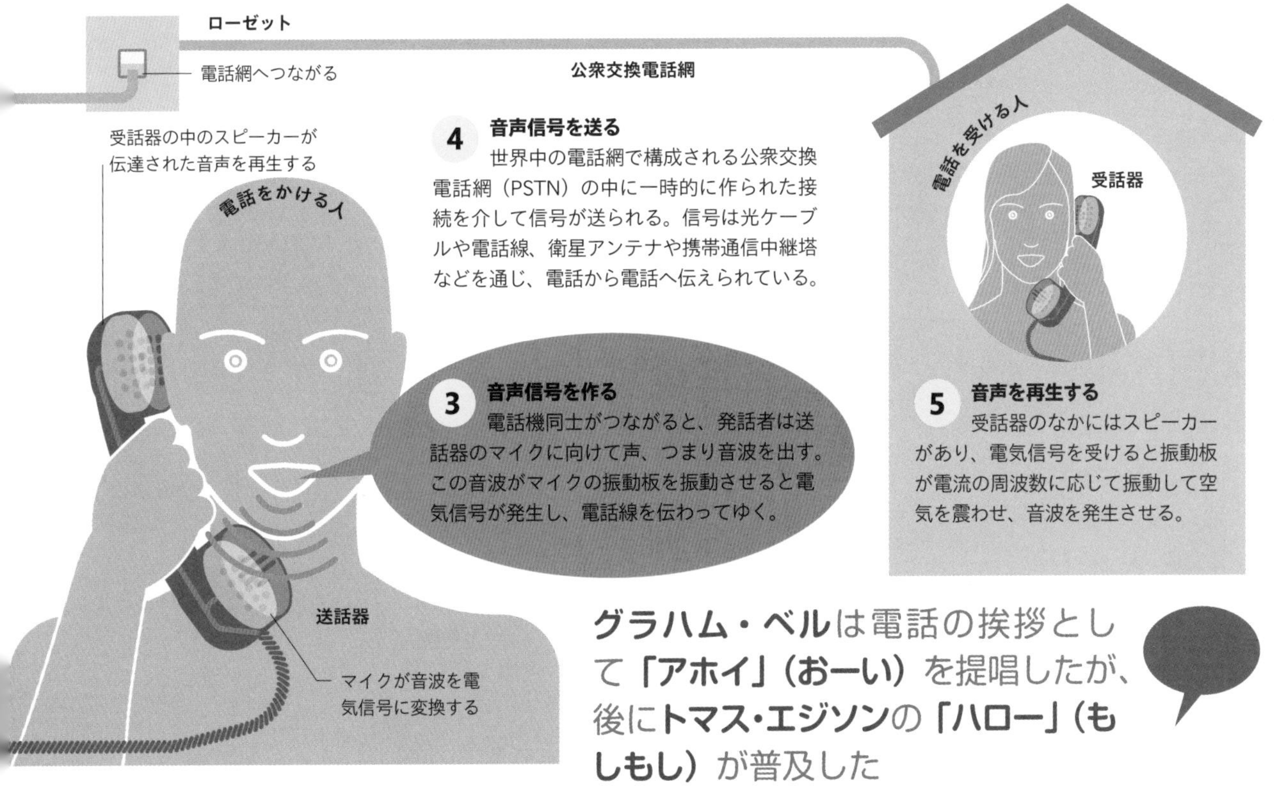
ローゼット
電話網へつながる
公衆交換電話網
受話器の中のスピーカーが伝達された音声を再生する
電話をかける人
送話器
マイクが音波を電気信号に変換する
電話を受ける人
受話器

4　音声信号を送る

世界中の電話網で構成される公衆交換電話網（PSTN）の中に一時的に作られた接続を介して信号が送られる。信号は光ケーブルや電話線、衛星アンテナや携帯通信中継塔などを通じ、電話から電話へ伝えられている。

3　音声信号を作る

電話機同士がつながると、発話者は送話器のマイクに向けて声、つまり音波を出す。この音波がマイクの振動板を振動させると電気信号が発生し、電話線を伝わってゆく。

5　音声を再生する

受話器のなかにはスピーカーがあり、電気信号を受けると振動板が電流の周波数に応じて振動して空気を震わせ、音波を発生させる。

グラハム・ベルは電話の挨拶として**「アホイ」（おーい）**を提唱したが、後に**トマス・エジソン**の**「ハロー」（もしもし）**が普及した

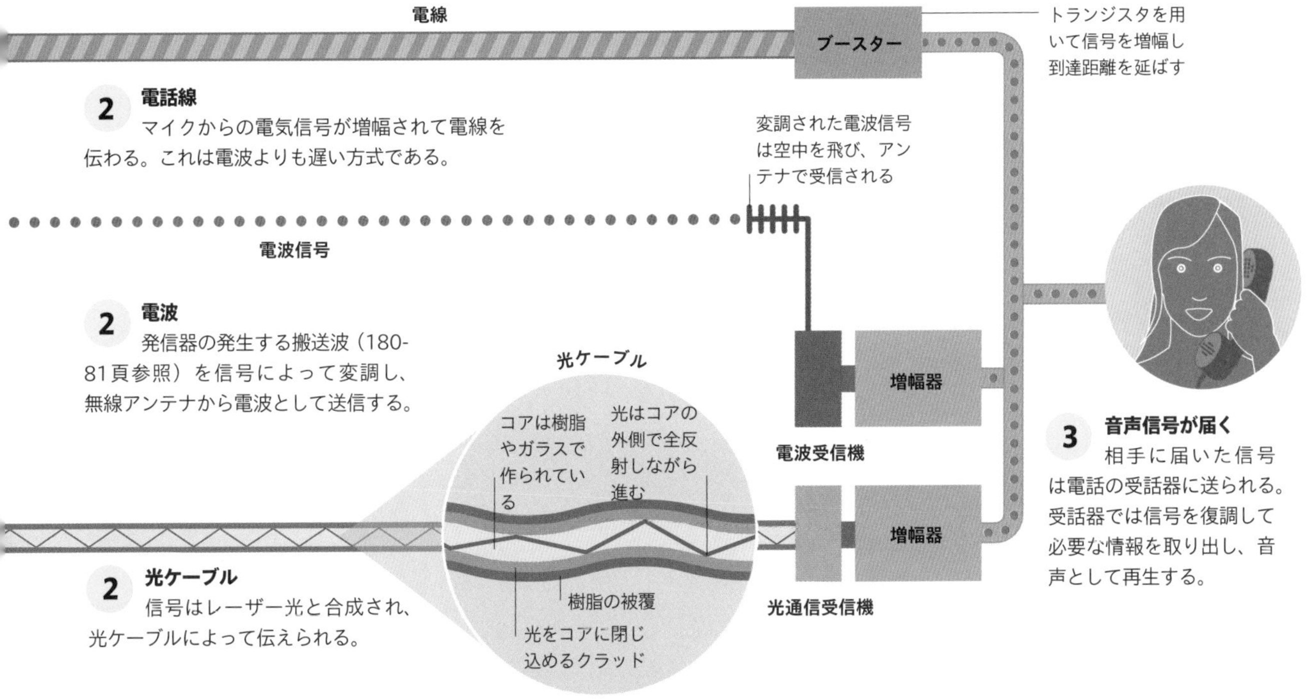
電線
ブースター
トランジスタを用いて信号を増幅し到達距離を延ばす
変調された電波信号は空中を飛び、アンテナで受信される
電波信号
光ケーブル
コアは樹脂やガラスで作られている
光はコアの外側で全反射しながら進む
樹脂の被覆
光をコアに閉じ込めるクラッド
増幅器
電波受信機
増幅器
光通信受信機

2　電話線

マイクからの電気信号が増幅されて電線を伝わる。これは電波よりも遅い方式である。

2　電波

発信器の発生する搬送波（180-81頁参照）を信号によって変調し、無線アンテナから電波として送信する。

2　光ケーブル

信号はレーザー光と合成され、光ケーブルによって伝えられる。

3　音声信号が届く

相手に届いた信号は電話の受話器に送られる。受話器では信号を復調して必要な情報を取り出し、音声として再生する。

遠隔通信網

遠隔通信網とは、インターネットをはじめとする長距離間の情報通信を可能にするシステムのことである。電線、光ケーブル、人工衛星などのインフラで構築されたシステムの中で互いに接続された中継点がネットワークを作り、信号をリレーして目的地へ届ける。

最初の遠距離通信網は？

遠距離通信を最初に実現したのは電信網だった。最初の大西洋横断海底ケーブルは1858年に完成した。

電話網

初期の電話は、会話をするためには電話と電話が互いに固定的に接続されている必要があった。現在では電話機は公衆交換電話網（PSTN）に接続されており、通話の際はPSTNのインフラ上で二台の電話機が一時的に接続され、音声情報の高速通信を可能にしている。この巨大なネットワークは交換局を介してつながる世界中の地域電話網・国内電話網・国際電話網で構成されており、ほとんどの電話が相互に通信可能になっている。

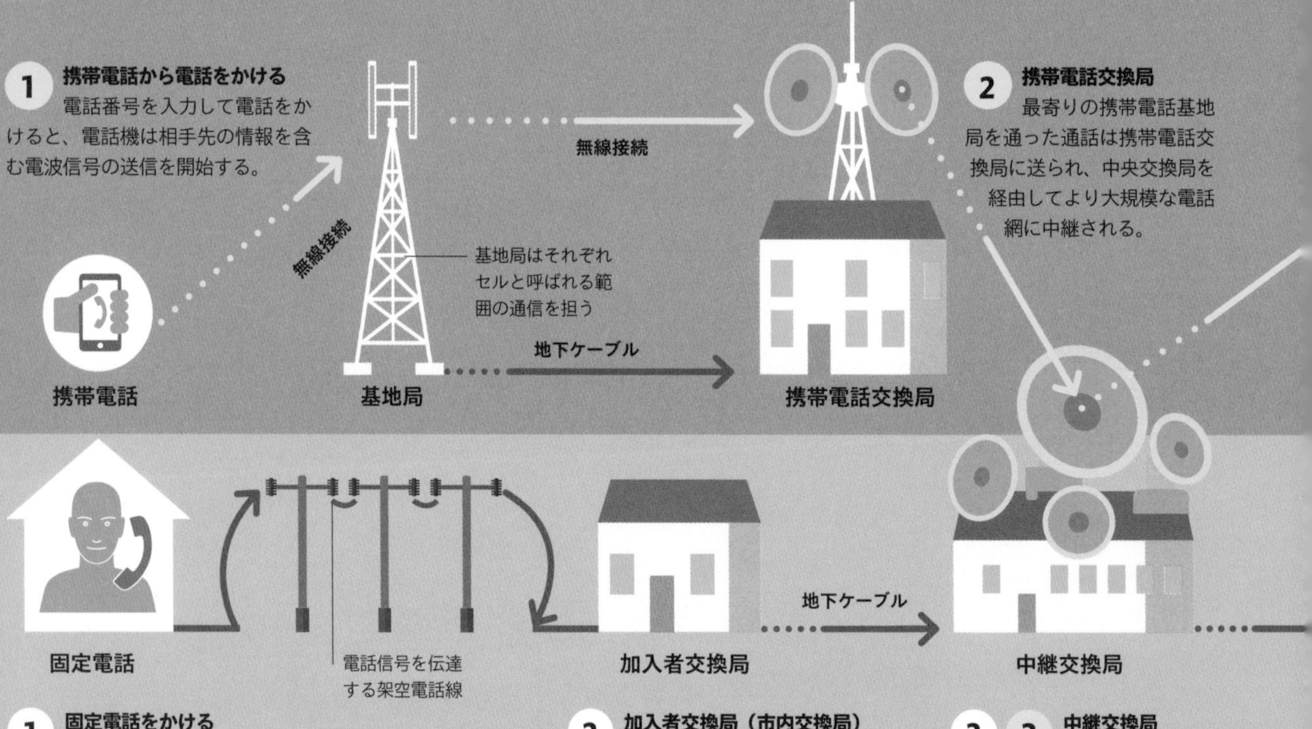

無線接続
無線接続
基地局はそれぞれセルと呼ばれる範囲の通信を担う
地下ケーブル
携帯電話
基地局
携帯電話交換局
電話信号を伝達する架空電話線
地下ケーブル
固定電話
加入者交換局
中継交換局

1 携帯電話から電話をかける
電話番号を入力して電話をかけると、電話機は相手先の情報を含む電波信号の送信を開始する。

2 携帯電話交換局
最寄りの携帯電話基地局を通った通話は携帯電話交換局に送られ、中央交換局を経由してより大規模な電話網に中継される。

1 固定電話をかける
電話をかけるには送話器を取り上げ、地域交換局と電気的に接続する。電話番号を入力すると、通話先を示す信号が送出される。

2 加入者交換局（市内交換局）
加入者交換局は地域内の電話をつなぐ。通話先が遠方の場合は通話を中継交換局へ中継する。

3 3 中継交換局
携帯電話や固定電話からの遠距離通話は、遠方への通話に対応する中継交換局を通る。

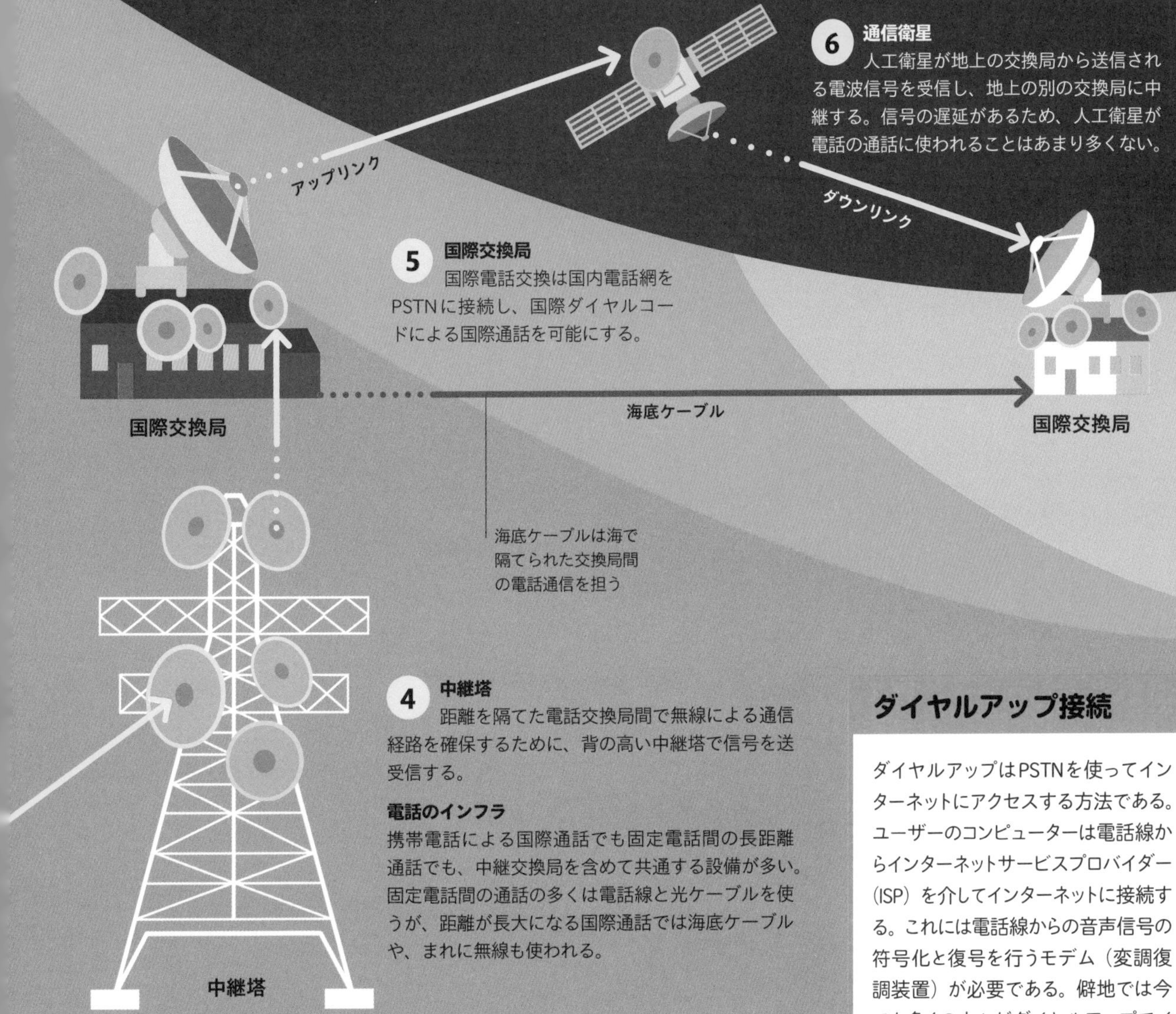
アップリンク
ダウンリンク
国際交換局
海底ケーブル
国際交換局
海底ケーブルは海で
隔てられた交換局間
の電話通信を担う
中継塔

6 通信衛星

人工衛星が地上の交換局から送信される電波信号を受信し、地上の別の交換局に中継する。信号の遅延があるため、人工衛星が電話の通話に使われることはあまり多くない。

5 国際交換局

国際電話交換は国内電話網をPSTNに接続し、国際ダイヤルコードによる国際通話を可能にする。

4 中継塔

距離を隔てた電話交換局間で無線による通信経路を確保するために、背の高い中継塔で信号を送受信する。

電話のインフラ

携帯電話による国際通話でも固定電話間の長距離通話でも、中継交換局を含めて共通する設備が多い。固定電話間の通話の多くは電話線と光ケーブルを使うが、距離が長大になる国際通話では海底ケーブルや、まれに無線も使われる。

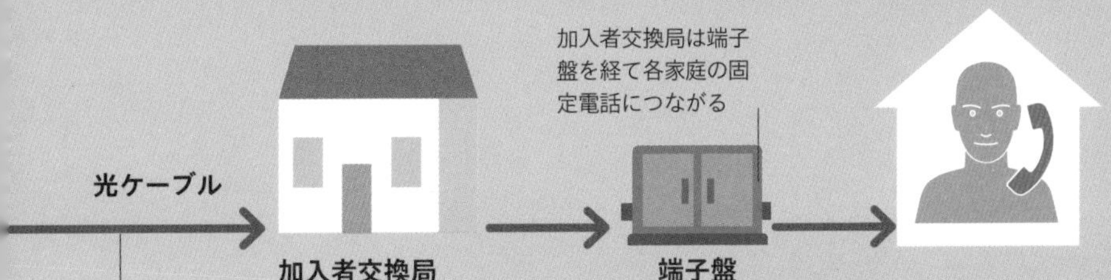
加入者交換局は端子
盤を経て各家庭の固
定電話につながる
光ケーブル
加入者交換局
端子盤
中継交換局と加入者交換局は光
ケーブル（190-91頁参照）で
接続されていることが多い

4 固定電話の着信

通話が相手先まで到達すると、受け手の電話のベルが鳴る。受話器を取ると接続が確立し、通話状態になる（184-85頁参照）。

ダイヤルアップ接続

ダイヤルアップはPSTNを使ってインターネットにアクセスする方法である。ユーザーのコンピューターは電話線からインターネットサービスプロバイダー（ISP）を介してインターネットに接続する。これには電話線からの音声信号の符号化と復号を行うモデム（変調復調装置）が必要である。僻地では今でも多くの人々がダイヤルアップでインターネットを利用している。

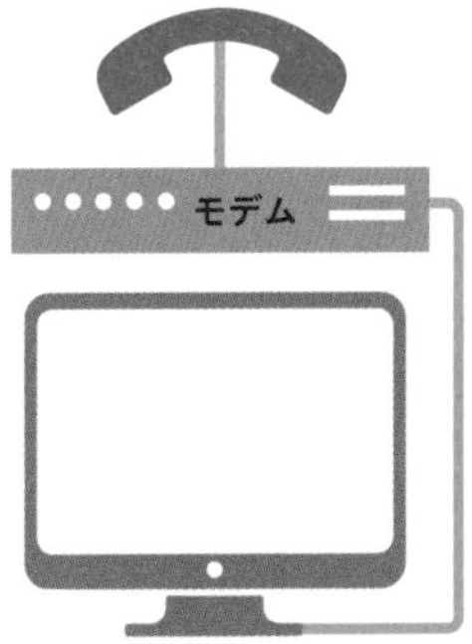
モデム

テレビ放送

テレビ放送は受像機を持つ人すべてに映像コンテンツを届けることができる。テレビの番組を送信し、視聴者の画面に表示する放送技術には地上波、衛星通信、ケーブルの3種がある。

人工衛星のトランスポンダ（自動送受信無線機）が信号を受け取り、干渉を避けるために周波数を変えて送信する

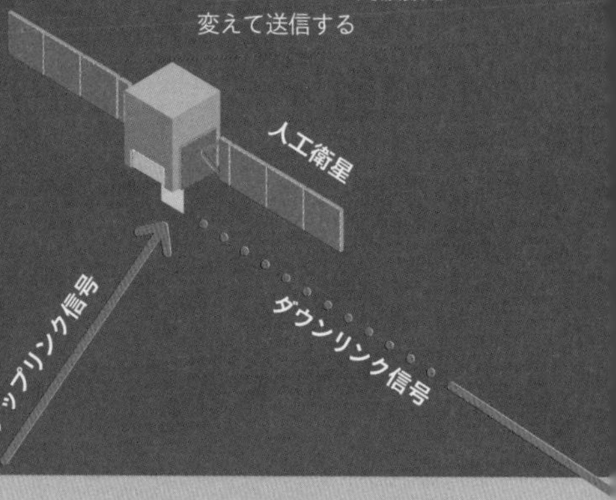

スタジオからテレビ画面まで

テレビ番組はビデオカメラとマイクを使い、映像と音声の情報を電気信号として記録することで収録される。この信号には番組を受像機で再生するための指示が含まれており、変調されて（182-83頁参照）人工衛星や地上波やケーブルを経由して視聴者の家庭に送信される。テレビの各チャンネルは、それぞれ異なる周波数帯の信号を使って番組を送信している。

衛星放送アンテナ

アップリンク用の衛星用アンテナは変調された特定の周波数の信号を通信衛星に送信する

衛星放送

衛星放送は通信衛星によって信号を中継し、視聴者のパラボラアンテナへ送る。衛星放送は地上波放送よりもチャンネル数が多く、僻地でも受信することができる。

番組を信号に変換する

現在のカメラは光をCCD素子に結像させ、画面内の各点の光を記録する。この情報は録音とともに送信用の電気信号に変換される。

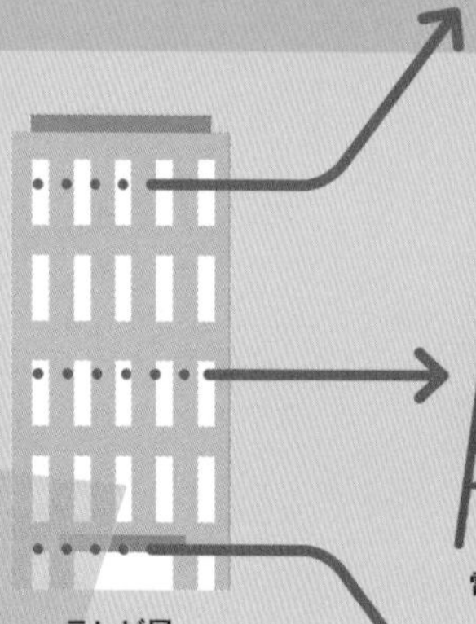

テレビ局

電波塔

地上の電波塔からアナログ信号もしくはデジタル信号を電波にのせて送出する。

地上波放送

地上波放送ではテレビ局から家庭まで信号が直接送られる。1950年代までテレビ放送に使われるのは地上波だけだった。

ケーブル放送

ケーブル放送は地下の光ファイバーケーブル（184-85頁参照）を使い、光信号によって視聴者に届けられる。このケーブルはインターネット接続や電話に利用される場合もある。

中央ヘッドエンド

ケーブルテレビの各チャンネルはヘッドエンドと呼ばれる中継局で変調され分配される

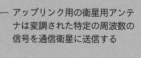

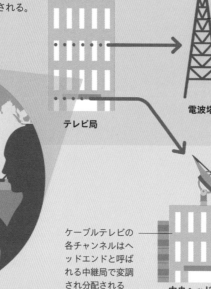

アナログ vs. デジタル

現在、テレビ放送はアナログ方式からデジタル方式へ全面的に切り替えられつつある。デジタルではデータをいったん２進数に変換し、これを復元して視聴する。デジタル放送は画質が良く、周波数帯を有効に利用できるためアナログ方式よりも多くのチャンネルを提供できる。

アナログ信号	デジタル信号
アナログ信号では周波数もしくは振幅、あるいはその両者が連続的に変化する	デジタル信号はオン（1）とオフ（0）を示す2つの状態のパルスの流れで示される
映像の品質は複製によって劣化する	複製しても映像の品質が変わらない
圧縮していない映像は多くの帯域を占有する	圧縮によりチャンネル数が増やせる
アスペクト比（画面の幅と高さの比）は4:3である	アスペクト比は16：９で映画に近い
送信される情報の冗長性が大きい	必要な情報だけが送信される
電波障害やノイズが画面に映る	電波障害は起きにくい

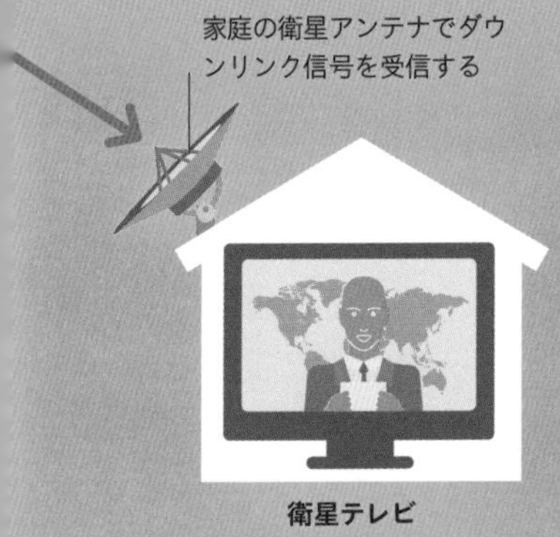
家庭の衛星アンテナでダウンリンク信号を受信する
衛星テレビ

太陽が人工衛星と重なる位置にくると、太陽の**マイクロ波**が受信に影響して**視聴できなくなる**ことがある

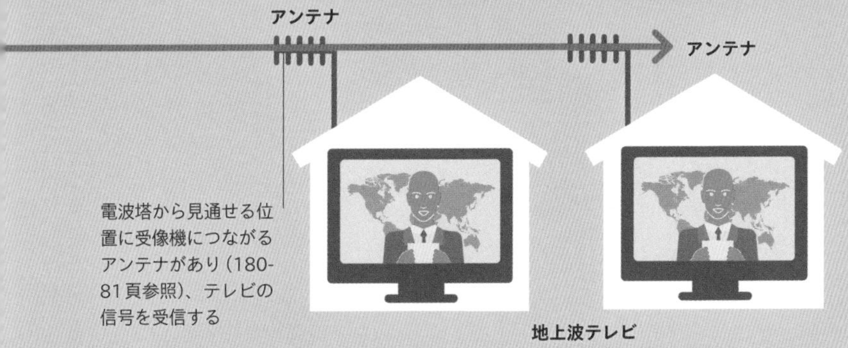
アンテナ
アンテナ
電波塔から見通せる位置に受像機につながるアンテナがあり（180-81頁参照）、テレビの信号を受信する
地上波テレビ

番組の録画

1980年代に普及したビデオテープレコーダー（VTR）は、視聴者が磁気テープに番組を録画し、後で再生できるというものだった。現在では、ほとんどのビデオはデジタルデータとして録画されている。最近ではオンデマンド方式により放送後や放送中でも視聴できるテレビ番組が増えており、放送のない番組も含め、視聴者は好きなときにインターネット配信で番組を視聴することができる。

オンデマンド方式のスマートテレビボックス

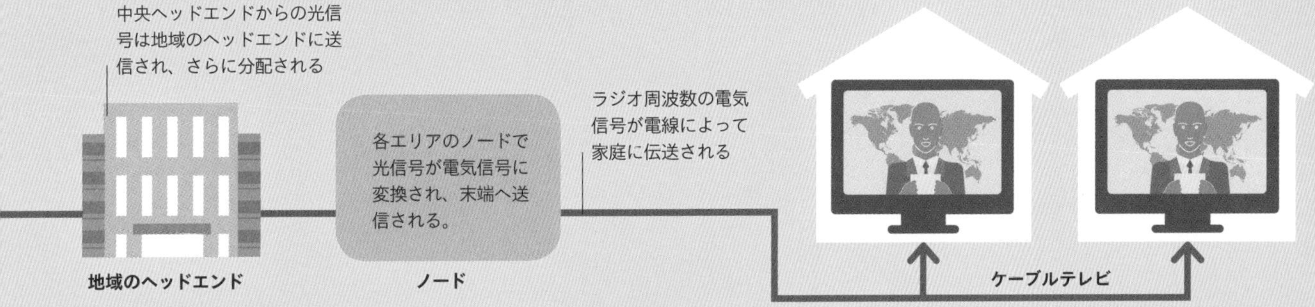
中央ヘッドエンドからの光信号は地域のヘッドエンドに送信され、さらに分配される
各エリアのノードで光信号が電気信号に変換され、末端へ送信される。
ラジオ周波数の電気信号が電線によって家庭に伝送される
地域のヘッドエンド
ノード
ケーブルテレビ

テレビ

テレビ（受像機）は、受信機とディスプレイとスピーカーによって、放送局が送信する映像と音（188-89頁参照）を再生する装置である。技術の進歩によってテレビはより薄型で高画質になり、インターネットにも接続されるようになった。

薄型スクリーン

テレビは数十年間にわたってCRT（陰極線管、ブラウン管）方式のみだった。これは真空管内で電子線を偏向させ、スクリーンにあてて画像を表示するものだった。今では、この奥行きに必要な方式に代わって薄型テレビが普及している。薄型テレビには液晶の光学的な特性を利用して映像を表示する液晶ディスプレイ（LCD）の技術が使われている。また有機発光ダイオード（OLED）を用いる有機ELディスプレイ方式の薄型スクリーンでは有機材料の層を電流で光らせており、各LEDがそれぞれ発光するため液晶と異なり光源のためのバックライトを必要としない。

有機発光ダイオード（OLED）のしくみ

発光ダイオード（LED）では電子の疎密が異なる材料の間を電子が移動する際に光が放出される。OLEDは同様のしくみを有機材料（炭素化合物）の層で実現している。

1 電荷の供給

OLEDパネルの後ろには薄膜トランジスタ（TFT）が並んでいる。画面のピクセル1つに少なくとも3個のOLEDがあり、それぞれ個別のトランジスタが電力を供給する。

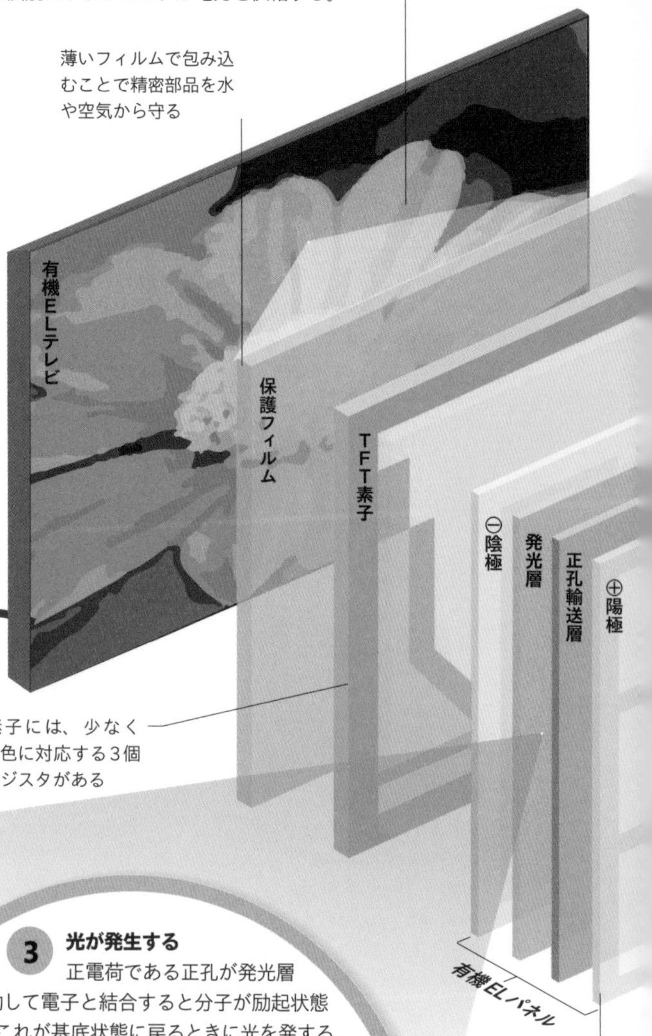

OLEDスクリーン上でオレンジ色を表示するピクセルの集まり
薄いフィルムで包み込むことで精密部品を水や空気から守る
有機ELテレビ
保護フィルム
TFT素子
⊖陰極
発光層
正孔輸送層
⊕陽極
有機ELパネル
各TFT素子には、少なくとも3原色に対応する3個のトランジスタがある
OLEDパネルは2つの電極（陰極と陽極）の間にはさまれた正孔輸送層と発光層で構成されている

2 電子の移動

電源から陰極を経て発光層へ電子が供給され、発光層を負に帯電させる。正孔輸送層は電子を失って正孔が残されるため、正孔輸送層は正に帯電する。

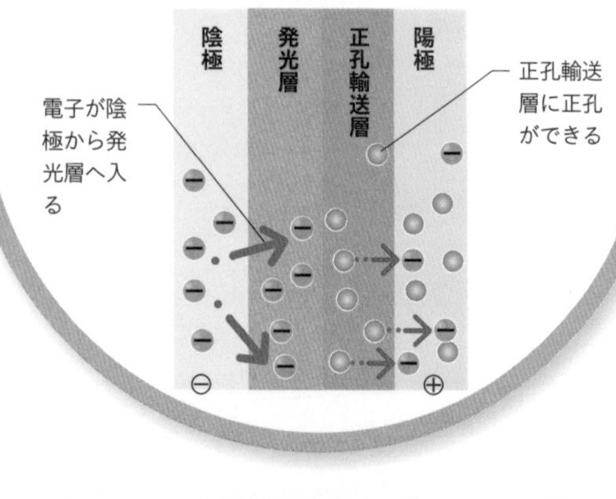

陰極
発光層
正孔輸送層
陽極
電子が陰極から発光層へ入る
正孔輸送層に正孔ができる
⊖
⊕

3 光が発生する

正電荷である正孔が発光層に移動して電子と結合すると分子が励起状態になり、これが基底状態に戻るときに光を発する。

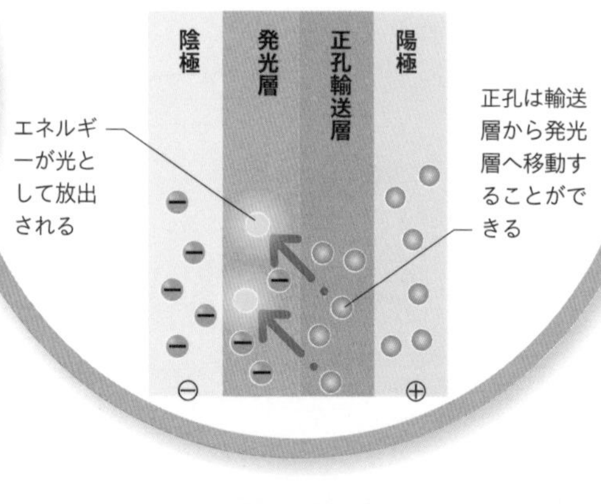

陰極
発光層
正孔輸送層
陽極
エネルギーが光として放出される
正孔は輸送層から発光層へ移動することができる
⊖
⊕

解像度とは？

解像度はスクリーン上に表示できるピクセルの数を表す。たとえば高精細度（HD）と呼ばれるものは横1,280ピクセル、縦720ピクセルである。

スマートテレビ

普通のテレビの機能にくわえて、インターネットやほかのデバイスに接続できるものをスマートテレビと呼んでいる。テレビ放送番組の視聴のほかに、インターネットテレビを観たり、ストリーミング映像をオンラインで観たり、アプリをダウンロードして別のサービスを利用したりできる。アプリはスマートテレビにあらかじめインストールされているものや、アプリストアで入手できるものがある。

アプリによってライブ放送やオンデマンドサービスにアクセスできる
スマートテレビ

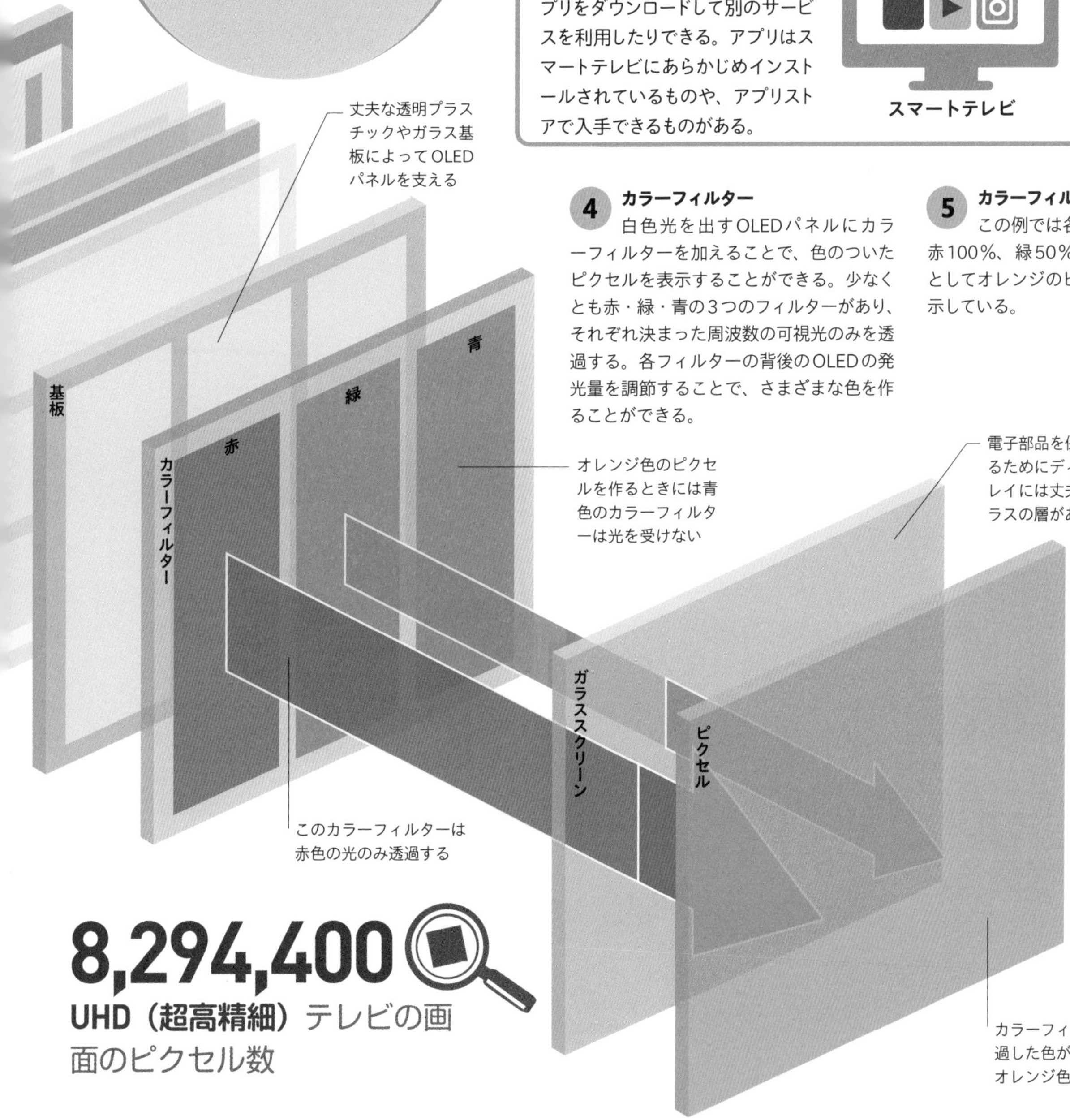
丈夫な透明プラスチックやガラス基板によってOLEDパネルを支える
基板
カラーフィルター
赤
緑
青
オレンジ色のピクセルを作るときには青色のカラーフィルターは光を受けない
このカラーフィルターは赤色の光のみ透過する
ガラススクリーン
ピクセル
電子部品を保護するためにディスプレイには丈夫なガラスの層がある
カラーフィルターを透過した色が合成されてオレンジ色になる

4　カラーフィルター
白色光を出すOLEDパネルにカラーフィルターを加えることで、色のついたピクセルを表示することができる。少なくとも赤・緑・青の３つのフィルターがあり、それぞれ決まった周波数の可視光のみを透過する。各フィルターの背後のOLEDの発光量を調節することで、さまざまな色を作ることができる。

5　カラーフィルター
この例では各色の輝度を赤100％、緑50％、青はゼロとしてオレンジのピクセルを表示している。

8,294,400

UHD（超高精細）テレビの画面のピクセル数

人工衛星の用途

冷戦時代に打ち上げられた初期の人工衛星は宇宙開発と軍事利用のためのものだったが、現在では軍事用・民生用いずれもさまざまな用途のために設計されている。多くの人が日々、気づかないうちに人工衛星を利用している。

天文学
地上の望遠鏡と異なり、人工衛星に搭載した望遠鏡（宇宙望遠鏡）は地球大気の影響を受けないので宇宙観測に理想的である。

電話
衛星電話は地上の基地局アンテナではなく人工衛星と交信する。地上通信の圏外にある僻地で使われることが多い。

テレビ
多くのテレビ局が人工衛星を使って放送を行っており、視聴者は屋外に設置したパラボラアンテナで受信する。

ラジオ
ラジオ番組を衛星で中継するため、国の全土で同じ放送を受信できる。

インターネット
衛星を使うことで僻地でもインターネットを利用できるが、信号の伝達距離が長くなり速度が落ちる場合がある。

GPS
GPS機器は人工衛星との通信によって自分の位置を特定している。

気象
地球の気象や天候を観測するために設計された人工衛星は、解析するために観測データを地上に送信する。

軍事
監視や航法、暗号化通信などのためにさまざまな軍事衛星が利用されている。

人工衛星

特定の目的のために地球や太陽系のそのほかの惑星を回る軌道に打ち上げた宇宙船を人工衛星と呼ぶ。地上から送信される信号を受け取り、増幅して地球上の別の場所へ送ることができるため遠隔通信には不可欠である。

通信衛星

通信衛星は音声や映像およびそのほかのデータを送受信するために設計されている。衛星で信号を中継することで、遠く離れた場所と高速で通信することが可能になる。地上局から上空へ送出された特定の周波数の電波を人工衛星のアンテナが受信し、トランスポンダ（自動送受信無線機）によって情報を処理、増幅してから別の地上局へ向けて中継する。

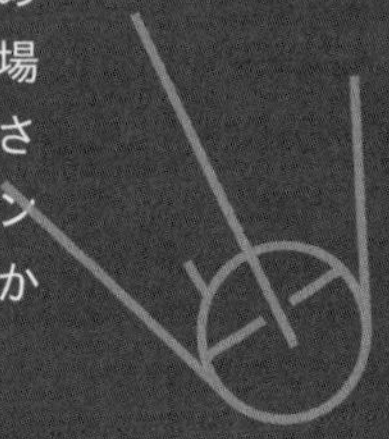

初めて宇宙に上がった人工衛星は**1957年10月4日**に**ソビエト連邦**が打ち上げた**スプートニク1号**である

通信衛星の構成

通信衛星は、過酷な環境のうえに保守や修理が事実上できない宇宙で長期間の任務に耐えるよう設計された、きわめて精巧な機器で構成されている。

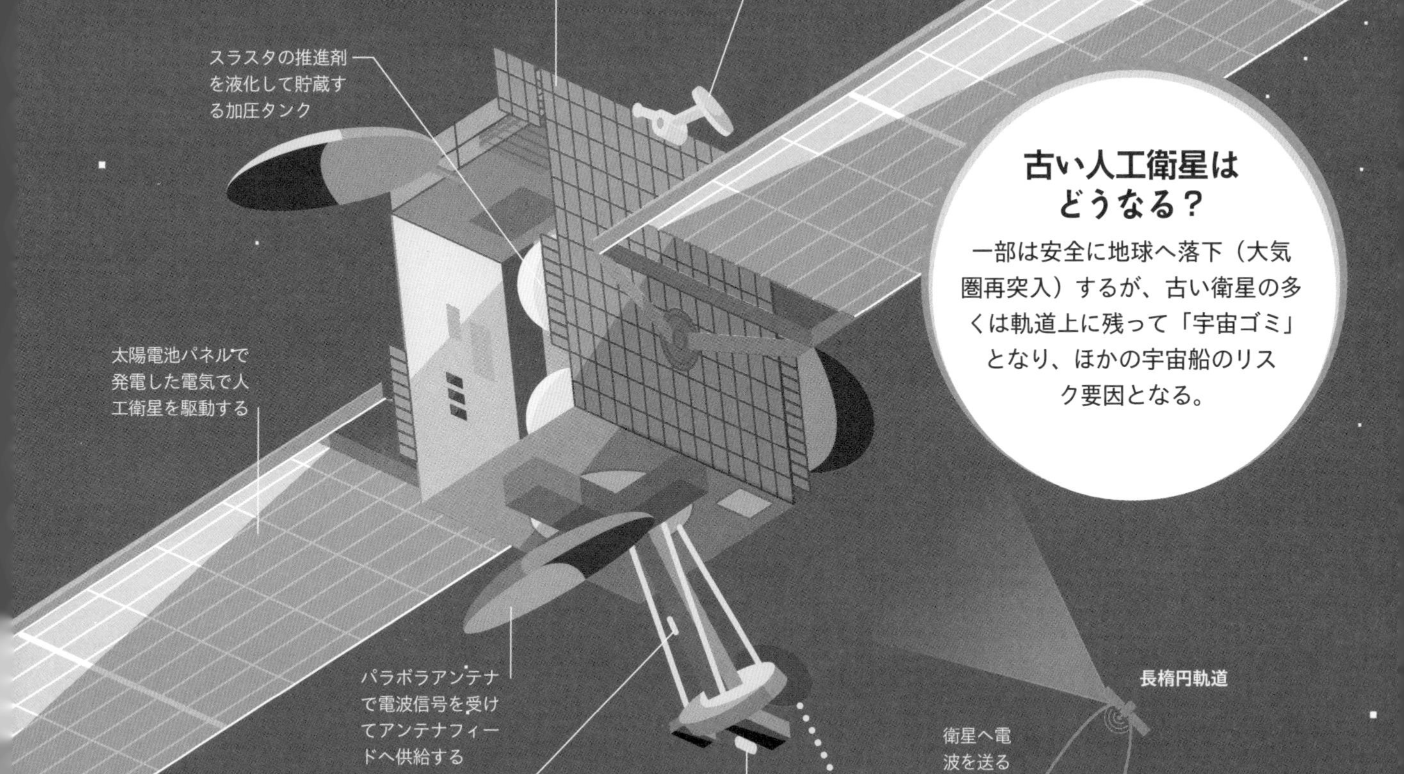
太陽光反射パネルは人工衛星の温度を制御する
ホールスラスタは人工衛星の位置を調整する
スラスタの推進剤を液化して貯蔵する加圧タンク
太陽電池パネルで発電した電気で人工衛星を駆動する
パラボラアンテナで電波信号を受けてアンテナフィードへ供給する
アンテナフィードは受信した電波信号をトランスポンダに送り、地球へ送り返す信号を処理してパラボラアンテナによって送出する
テレメトリ・追跡・制御用のアンテナを通じて地上局は人工衛星の運用状態を監視し、制御する
電波

古い人工衛星はどうなる？

一部は安全に地球へ落下（大気圏再突入）するが、古い衛星の多くは軌道上に残って「宇宙ゴミ」となり、ほかの宇宙船のリスク要因となる。

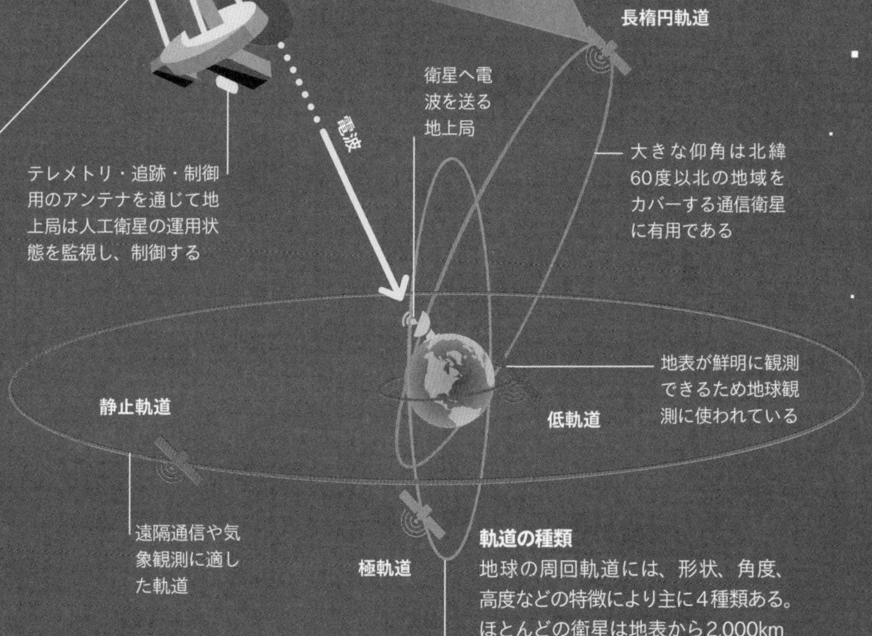
長楕円軌道
衛星へ電波を送る地上局
大きな仰角は北緯60度以北の地域をカバーする通信衛星に有用である
地表が鮮明に観測できるため地球観測に使われている
静止軌道
低軌道
遠隔通信や気象観測に適した軌道
極軌道
おもに地球観測に使用されている

人工衛星の軌道

地上付近の地球の引力に打ち克ち、宇宙空間におよぶ弱い引力と釣り合うだけの十分に速い速度で打ち出されると、人工衛星は軌道に乗る。通信衛星の多くは静止軌道上にある。すなわち地球の自転と同じ速度で西から東へ回っているため赤道上空に停止しているように見える。一部の衛星は極軌道上にあり、南北両極上を通過しながら地球の周囲を回っている。

軌道の種類

地球の周回軌道には、形状、角度、高度などの特徴により主に４種類ある。ほとんどの衛星は地表から2,000km以内の低軌道にある。

衛星測位システム

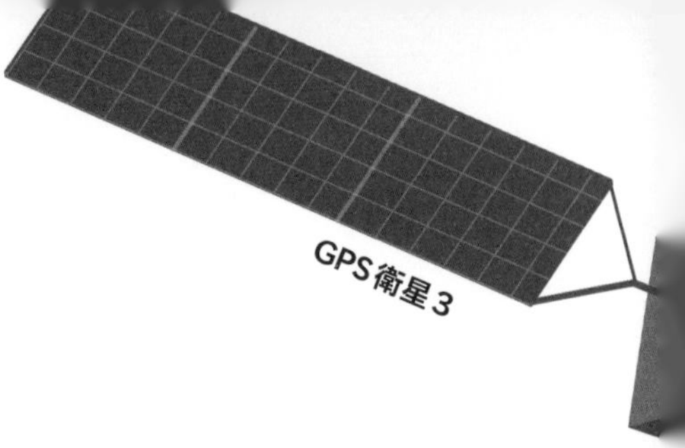

GPS衛星3

全地球測位システム（GPS）などの衛星測位システムは正確な位置情報を提供する技術である。地球の周回軌道上にある人工衛星のネットワークを利用し、スマートフォンなどの測位機器へ電波を送信している。

衛星ナビゲーション

衛星測位システムは複数の小型人工衛星を使って位置を決定する。人工衛星（GPS衛星）は地球のどこからでも電波を受信できるように軌道を周回しており、地上の基地局ではGPS衛星の位置を追跡している。各GPS衛星はそれぞれ時刻と現在位置の情報を電波で地球へ送り、受信機は信号を受信して各GPS衛星からの信号が到着までに要した時間を高精度で計算する。こうして各GPS衛星までの距離を求め、自分の位置を導出する。

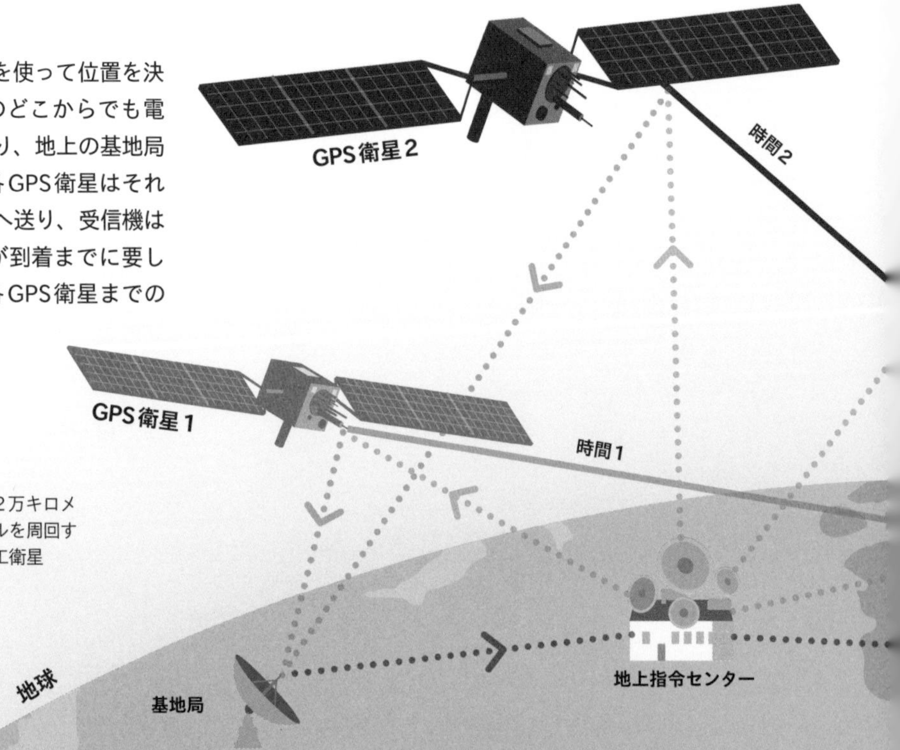

GPS衛星2
時間2
GPS衛星1
時間1
地球
基地局
地上指令センター

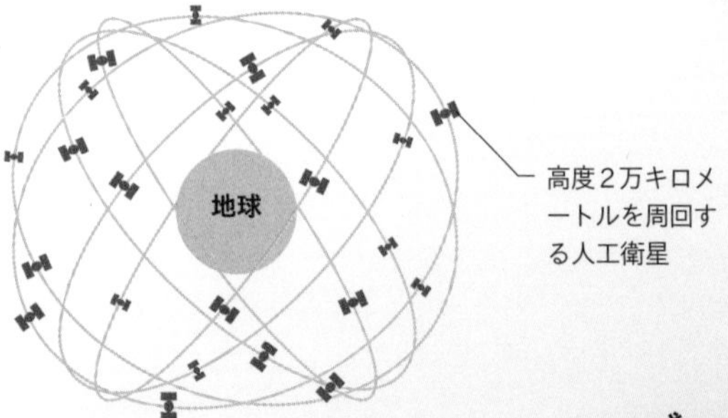

地球
高度2万キロメートルを周回する人工衛星

GPSの衛星コンステレーション

GPS衛星は1日に地球を2周する。地上のどこでも少なくとも4つのGPS衛星が検出できるように、同じ大きさの軌道面が6つ設定され各軌道を4つのGPS衛星が周回している。

1 地上からの追跡

基地局は上空を通過するGPS衛星を追尾してデータを収集し、観測結果を地上指令センターへ送る。

2 計算と軌道修正

地上指令センターではGPS衛星ネットワーク全体の信号を処理し、すべてのGPS衛星の正確な位置を算出して必要な軌道修正を指示する。

3辺測量のしくみ

1つの衛星からの距離を計算すれば、受信機はその衛星を中心とする球面上にあることがわかる。ほかの衛星からの距離がわかれば受信機の位置は球が交わるところへ狭められる。この導出方法を3辺測量という。

衛星1

1つの衛星からの距離を計算すると、受信機は衛星1を中心とする球面と地球の交線上にあることがわかる。

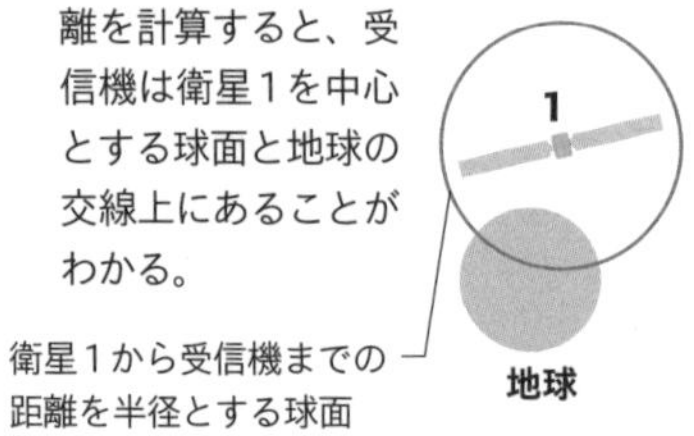

1
地球
衛星1から受信機までの距離を半径とする球面

衛星2

2番目の衛星からの距離を計算すると、受信機は2球面の交線上のどこかにあることがわかる。

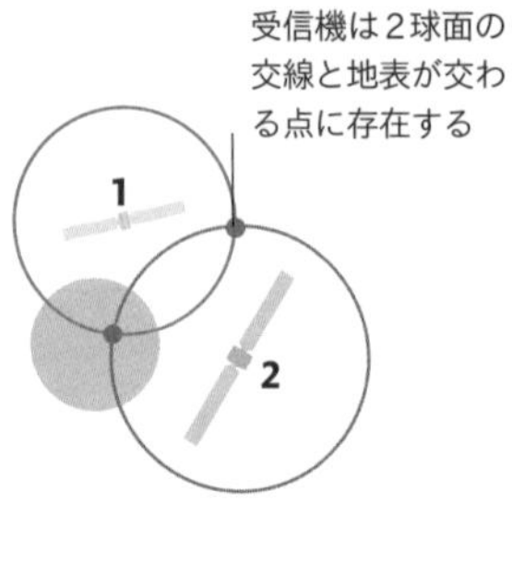

受信機は2球面の交線と地表が交わる点に存在する
1
2

3　位置と時刻の更新

GPS衛星は正確な現在位置と時刻の情報を電波によって地球へ向けて送り続ける。GPS受信機が受けるのはこの信号である。

時間の遅れ

アインシュタインの特殊相対性理論によれば、観測者が異なる速度で運動していれば観測者が経験する時間の速度は異なる。高速で運動する人工衛星では時間はゆっくり流れるため、人工衛星の時計は地上の時計とはわずかに異なる速度で動くように設定されている。この補正をしないと衛星測位は大きな誤差を生じる。

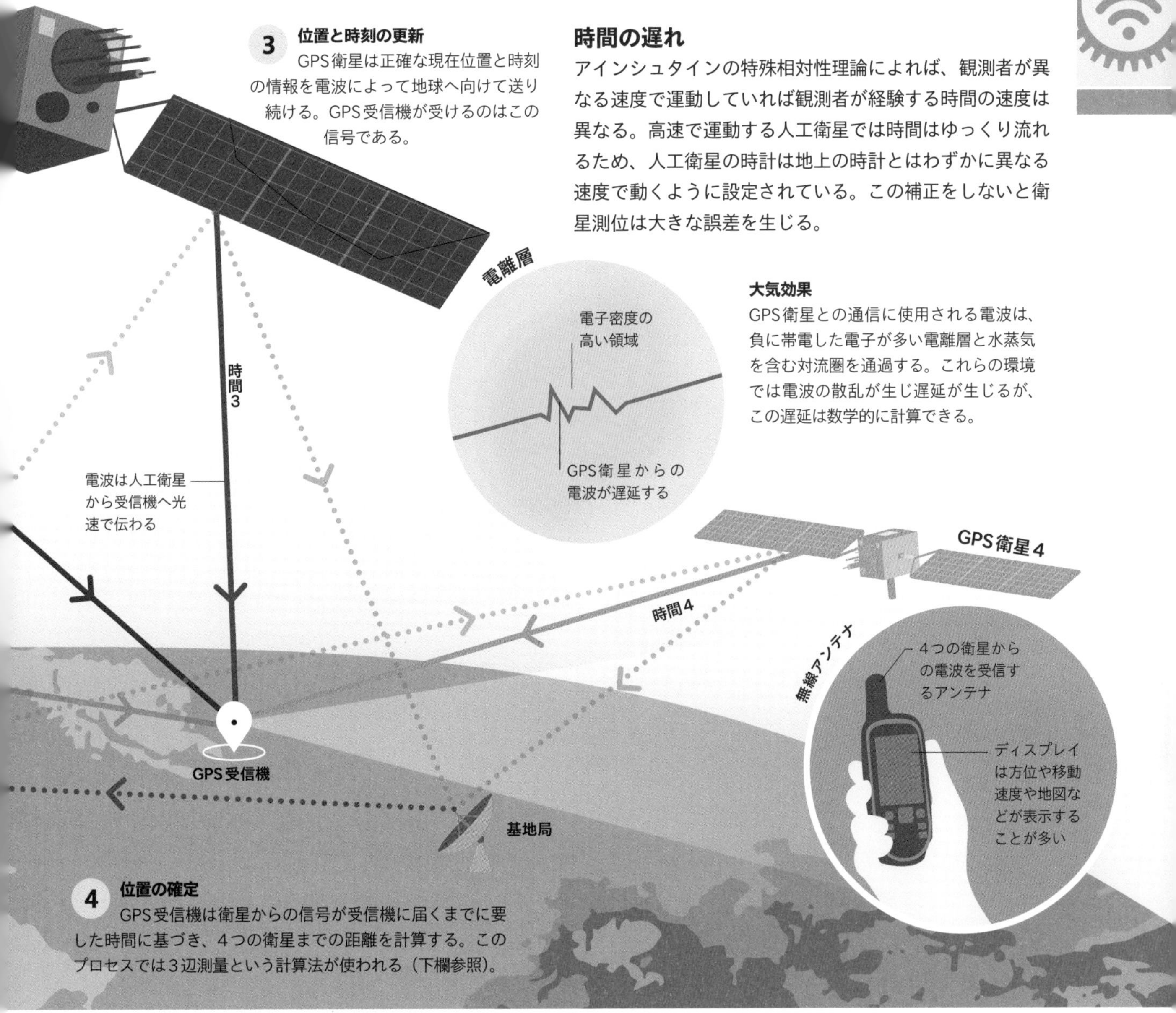
電離層
電子密度の高い領域
GPS衛星からの電波が遅延する
時間3
電波は人工衛星から受信機へ光速で伝わる
GPS衛星4
時間4
GPS受信機
基地局
無線アンテナ
4つの衛星からの電波を受信するアンテナ
ディスプレイは方位や移動速度や地図などが表示することが多い

大気効果

GPS衛星との通信に使用される電波は、負に帯電した電子が多い電離層と水蒸気を含む対流圏を通過する。これらの環境では電波の散乱が生じ遅延が生じるが、この遅延は数学的に計算できる。

4　位置の確定

GPS受信機は衛星からの信号が受信機に届くまでに要した時間に基づき、4つの衛星までの距離を計算する。このプロセスでは3辺測量という計算法が使われる（下欄参照）。

衛星3

3つ目に見えている衛星からの距離を計算すれば、受信機の位置は1点に限定される。

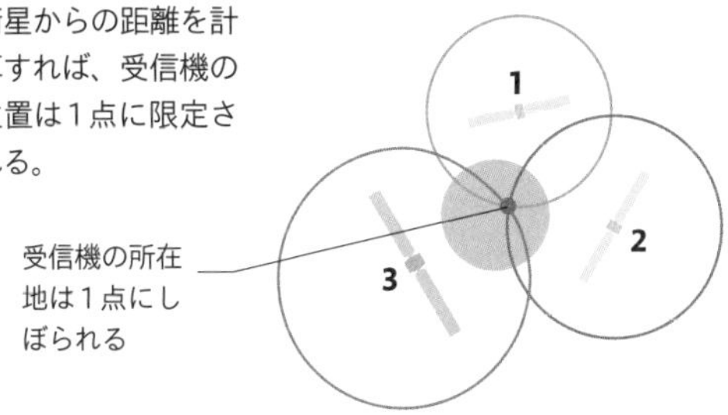
1
2
3
受信機の所在地は1点にしぼられる

衛星4

この衛星は受信機が示した位置が正確でなかった場合の修正に使われる。受信機の時計が完全に衛星の時計と同期しているとは限らないからである。

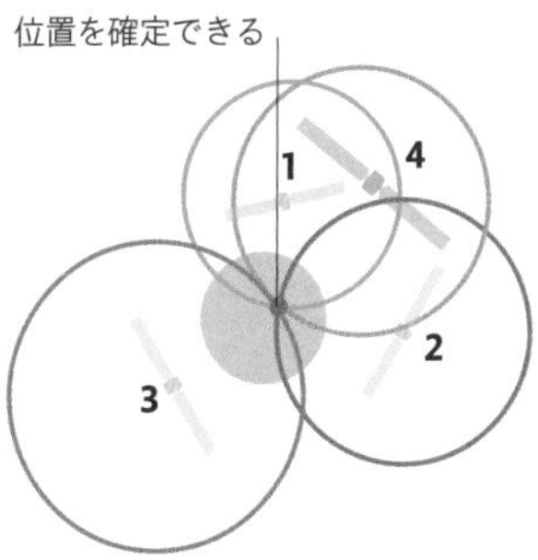
1ｍ以内の精度で位置を確定できる
1
4
2
3

インターネット

インターネットは世界中のコンピューターでネットワークを作り、共通のルールに基づいてデータをやり取りしている。電子メールやワールドワイドウェブ（WWW）などの重要なしくみを支える基礎である。

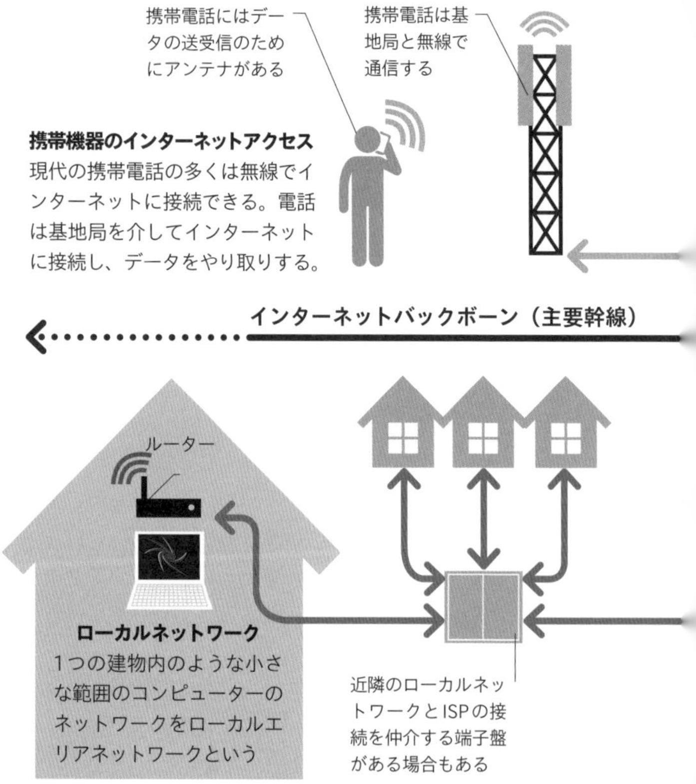

携帯電話にはデータの送受信のためにアンテナがある
携帯電話は基地局と無線で通信する
インターネットバックボーン（主要幹線）
ルーター
近隣のローカルネットワークとISPの接続を仲介する端子盤がある場合もある

携帯機器のインターネットアクセス
現代の携帯電話の多くは無線でインターネットに接続できる。電話は基地局を介してインターネットに接続し、データをやり取りする。

ローカルネットワーク
1つの建物内のような小さな範囲のコンピューターのネットワークをローカルエリアネットワークという

コンピューターのネットワーク

ユーザーはスマートフォンやコンピューターなどの端末からインターネットにアクセスする。端末は通常インターネットサービスプロバイダー（ISP）を通してインターネットに接続される。端末はまずISPのネットワークに接続され、IPアドレスと呼ばれる一意の参照番号が割り当てられる。このネットワークは別のネットワークにつながり、さらに大きなネットワークとなる。インターネットはこうした互いに接続されたコンピューターネットワークの集まりであり、インターネット上のコンピューターはどれでも互いに接続することができる。コンピューターがデータを交換する時にはさまざまなレベルのソフトウェアのはたらきによってデバイスの持つデータがパケット化され、電線、光ケーブル、無線接続などを経由して宛先まで届けられる。

データの経路

かつての遠隔通信ネットワークはデータの送受信を切り替える回路によって実現されていた。つまりデータ交換の際には端末同士が直接接続されていた。今では、データをオンラインで交換する基本的な方法はパケットスイッチングである。データはソフトウェアによってパケットと呼ばれる単位に分割され、それぞれ宛先のIPアドレスと再構成のための指示を付与される。各パケットは別々のルートを経由して宛先に到着し、そこで再構成される。パケットスイッチングはさまざまなデータを混在させて伝達できるため、通信経路をはるかに効率よく利用することができる。

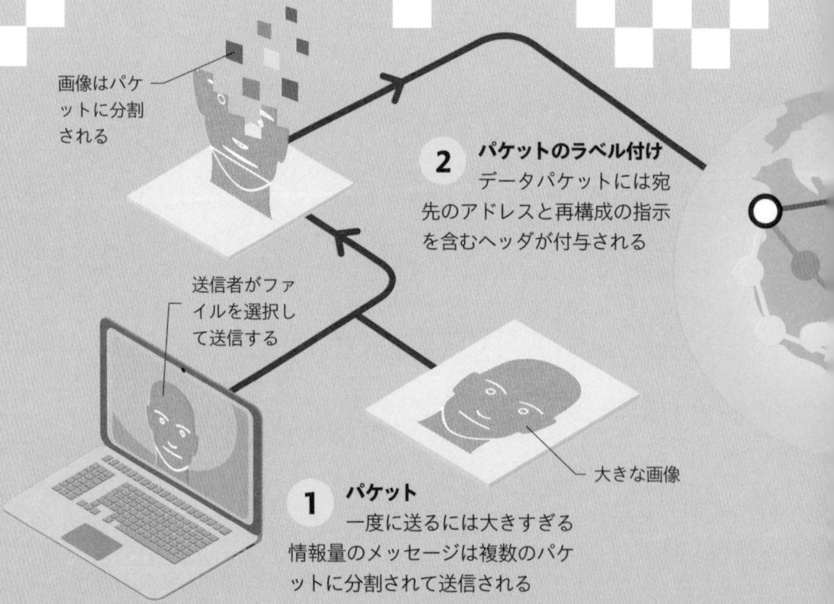

画像はパケットに分割される
送信者がファイルを選択して送信する
大きな画像

2 パケットのラベル付け
データパケットには宛先のアドレスと再構成の指示を含むヘッダが付与される

1 パケット
一度に送るには大きすぎる情報量のメッセージは複数のパケットに分割されて送信される

全インターネット通信の56%は攻撃プログラム、コンテンツの自動取得、スパム、なりすまし、ボットといったプログラムによる自動通信である

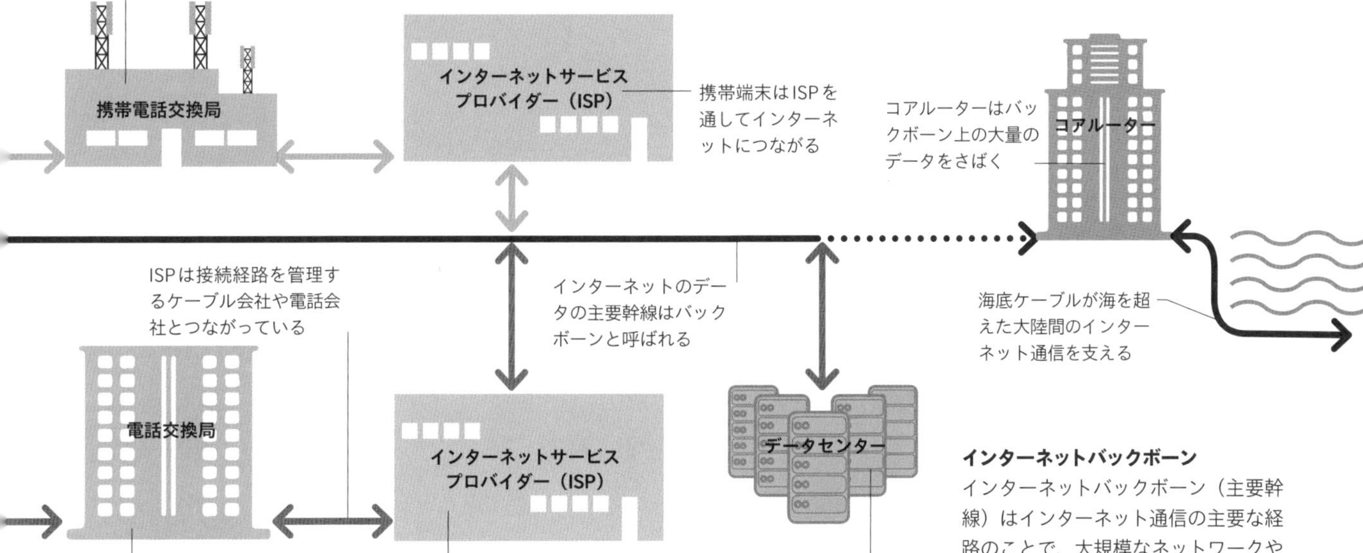
データは基地局から携帯電話交換局へ渡される
携帯電話交換局
インターネットサービスプロバイダー（ISP）
携帯端末はISPを通してインターネットにつながる
コアルーターはバックボーン上の大量のデータをさばく
コアルーター
ISPは接続経路を管理するケーブル会社や電話会社とつながっている
インターネットのデータの主要幹線はバックボーンと呼ばれる
海底ケーブルが海を超えた大陸間のインターネット通信を支える
電話交換局
インターネットサービスプロバイダー（ISP）
データセンター
データは光ケーブルや電話線で伝達される
ISPを経由してコンピューターはインターネットにつながる
データセンターには大量のデータを処理する大規模なコンピューターシステムがある

インターネットバックボーン

インターネットバックボーン（主要幹線）はインターネット通信の主要な経路のことで、大規模なネットワークやコアルーターをつないでいる。絶えず送受信される膨大なデータを扱うために、バックボーンは多数の光ケーブルの束で作られることが多い。

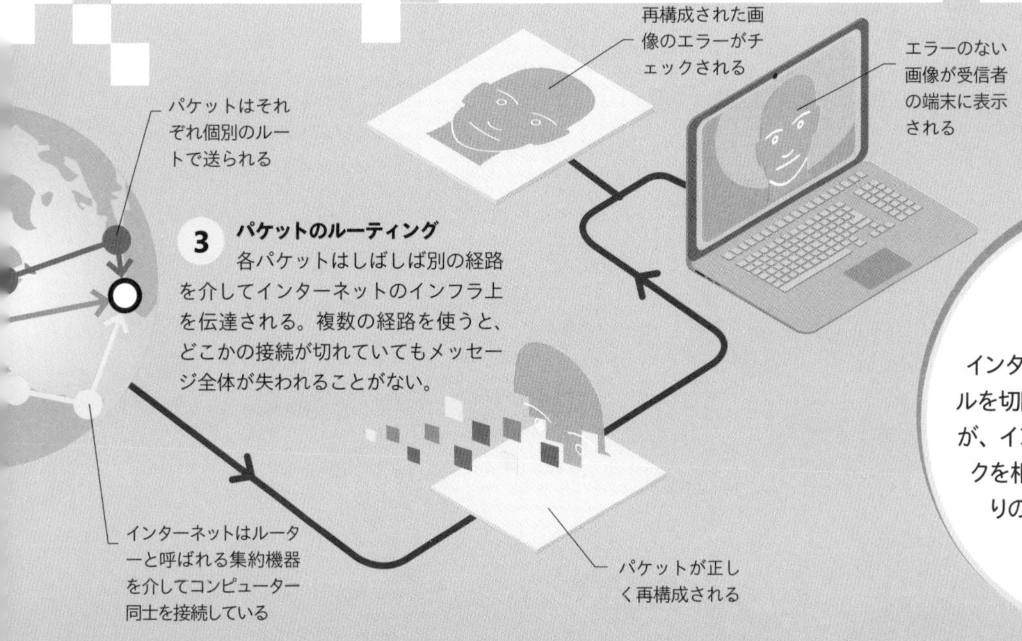
再構成された画像のエラーがチェックされる
エラーのない画像が受信者の端末に表示される
パケットはそれぞれ個別のルートで送られる
インターネットはルーターと呼ばれる集約機器を介してコンピューター同士を接続している
パケットが正しく再構成される

3 パケットのルーティング

各パケットはしばしば別の経路を介してインターネットのインフラ上を伝達される。複数の経路を使うと、どこかの接続が切れていてもメッセージ全体が失われることがない。

4 データの受信

パケットは再構成され、データのエラー、つまりパケットの欠落や損傷をチェックされる。

インターネットは破壊できるか？

インターネットバックボーンのケーブルを切断すれば深刻な損傷が生じうるが、インターネットは多数のネットワークを相互に接続したものなので、残りの部分はふだんのように機能し続けるはずである。

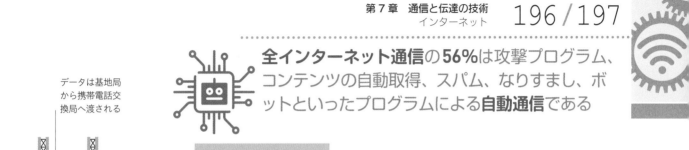

ワールドワイドウェブ

ワールドワイドウェブ（WWW）はインターネット（196-97頁参照）経由でアクセスされる情報ネットワークである。相互にリンクするウェブページで構成されており、各ウェブページは共通の書式（言語）で作成され、固有のアドレスで識別される。

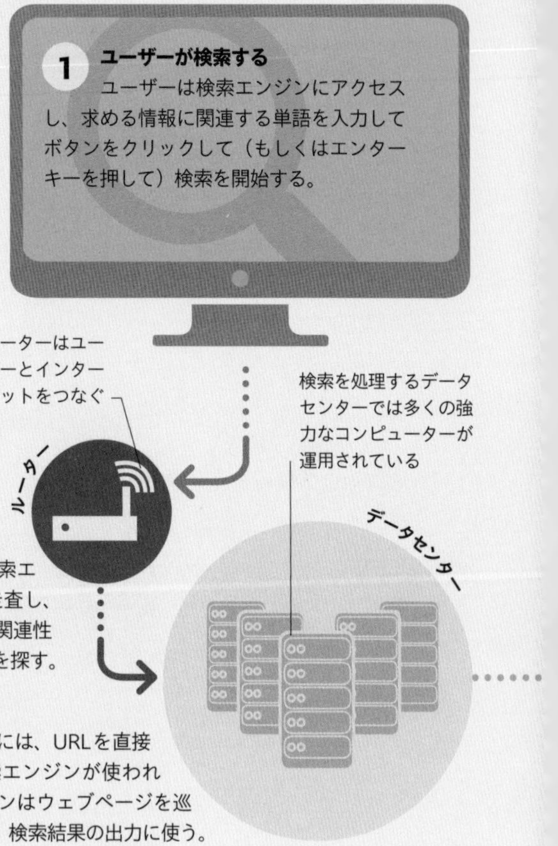

1 ユーザーが検索する
ユーザーは検索エンジンにアクセスし、求める情報に関連する単語を入力してボタンをクリックして（もしくはエンターキーを押して）検索を開始する。
ルーターはユーザーとインターネットをつなぐ
ルーター
検索を処理するデータセンターでは多くの強力なコンピューターが運用されている
データセンター

ワールドワイドウェブのしくみ

ウェブはマルチメディアのページの大規模なネットワークであり、ブラウザと呼ばれるプログラムを用いて閲覧やダウンロードを行う。ウェブの各ページは相互にリンクされており、共通のドメインを持つ、相互に関連しリンクされたウェブページがウェブサイトを構成する。各ウェブページは所在を示す一意のURL（統一資源位置指定子）で識別される。ブラウザはHTML（ハイパーテキスト・マークアップ・ランゲージ）で形式化された文書をサーバーから読み出し、閲覧可能なマルチメディアのページとして表示する。ワールドワイドウェブにおけるブラウザとサーバーの通信は、HTTP（ハイパーテキスト・トランスファー・プロトコル）が定める手続きにしたがう。

2 リクエストの送信
検索語はルーターを通ってインターネットに送られ、検索エンジンのサーバーに届けられる。

3 インデックスの探索
コンピューターが検索エンジンのインデックスを走査し、検索語の含むページのうち関連性が高く信頼性のあるページを探す。

ユーザーによる検索
ウェブページへのアクセスには、URLを直接指定するのではなく、検索エンジンが使われることが多い。検索エンジンはウェブページを巡回してインデックスを作り、検索結果の出力に使う。その結果は関連リンクのリストとして提供される。

HTML

HTMLはウェブページのレイアウトに使われる言語である。ブラウザはウェブサーバからHTML文書を受け取り、テキストそのほかのメディアを掲載した人の読めるページとして表示する。ページの内容の編集や構造化にはHTMLタグと呼ばれるコードが使われる。たとえば<img>は画像を導入し、<a>はウェブページやファイルや電子メールアドレスへのハイパーリンクを挿入する。

```
<!DOCTYPE HTML>
<HTML>
<BODY> </BODY>
</HTML>
```

インターネットのプロトコル

HTTP（ハイパーテキスト・トランスファー・プロトコル）はWWWの利用の基礎となる普遍的な規則の体系である。HTTPはウェブ文書の処理や、命令に対するサーバーやブラウザなどのふるまいの原則を定めている。ユーザーがURLを入力してウェブページにアクセスすると、ブラウザはまずドメインネームサーバ（DNS）を使ってそのウェブサーバのインターネットアドレスを探し、次にサーバーにリクエストを出す。サーバーはURLが有効で表示可能かなどの情報をコードで返す。このリクエストと応答の流れをHTTPセッションと呼んでいる。

HTTPS
HTTPS（ハイパーテキスト・トランスファー・プロトコル・セキュア）はTLSという暗号プロトコルを使い、ユーザーにブラウジング時のプライバシーやセキュリティを保証している。

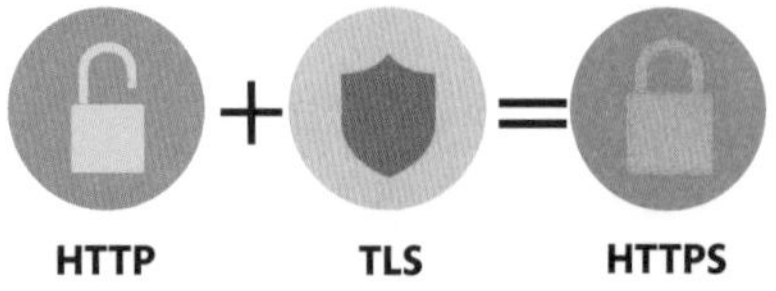

HTTP
TLS
HTTPS

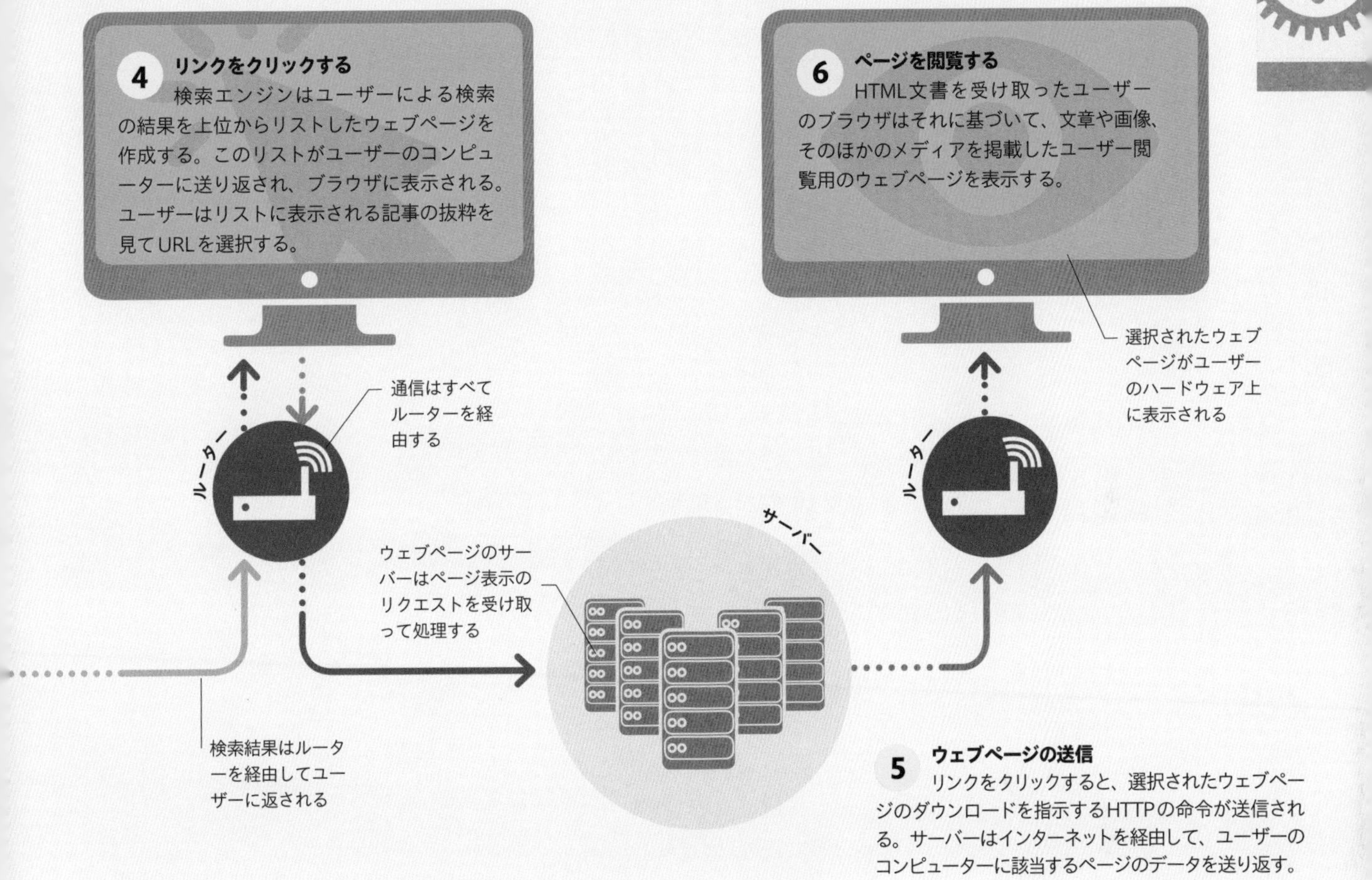
4 リンクをクリックする
検索エンジンはユーザーによる検索の結果を上位からリストしたウェブページを作成する。このリストがユーザーのコンピューターに送り返され、ブラウザに表示される。ユーザーはリストに表示される記事の抜粋を見てURLを選択する。
6 ページを閲覧する
HTML文書を受け取ったユーザーのブラウザはそれに基づいて、文章や画像、そのほかのメディアを掲載したユーザー閲覧用のウェブページを表示する。
通信はすべてルーターを経由する
ルーター
ルーター
選択されたウェブページがユーザーのハードウェア上に表示される
サーバー
ウェブページのサーバーはページ表示のリクエストを受け取って処理する
検索結果はルーターを経由してユーザーに返される
5 ウェブページの送信
リンクをクリックすると、選択されたウェブページのダウンロードを指示するHTTPの命令が送信される。サーバーはインターネットを経由して、ユーザーのコンピューターに該当するページのデータを送り返す。

HTTPのステータスコード		
コード	文言	意味
200	OK	リクエストが成功した際の標準的な応答
201	Created	リクエストは完了し、リソースの作成が完了した
301	Moved permanently	リソースは異なるアドレスに恒久的に移動した
400	Bad request	リクエストの書式がサーバーに理解できない
404	File not found	リクエストされた書類やファイルが見つからない
500	Internal server error	サーバーが予期せぬ状態に陥ったためリクエストが失敗した
503	Service unavailable	サーバーがダウンしているか過負荷のためリクエストが失敗した
504	Gateway timeout	上流のサーバーが許容時間内にリクエストを送信できなかった

75%の人々は検索結果の**最初のページ**より先を見ない

最初のウェブサイトは？

最初のウェブサイトは、1991年にティム・バーナーズ・リーが作成したヨーロッパ原子核研究機構（CERN）のウェブサイトだった。

電子メール

電子メール（Eメール）はコンピューターなどの機器を使ってメッセージを交換する方法である。ユーザーは電子メールサーバーに接続してメッセージや添付ファイルの送受信を行う。

最初の電子メールを送ったのは？

1971年に最初の電子メールを送ったとされているのはレイ・トムリンソンである。ARPANET運用に携っているときにコンピューター間でメッセージを送信する方法を開発した。

電子メールを送るしくみ

電子メールはSMTP（シンプル・メール・トランスファー・プロトコル）という規則にしたがって交換されるため、異なるデバイスやサーバー間で送受信できる。ユーザーが電子メールを送信するとメッセージはSMTPサーバーにアップロードされる。SMTPサーバーはドメインネームサーバー（DNS）と通信し宛先のサーバーアドレスを確認した後に配信する。インターネット上のドメインとは、何らかの個人や組織の管理下にあるアドレスのまとまりのことである。

送信者の
電子メール
コンピューター
SMTPサーバー
?
DNSサーバー
電子メール

1 電子メールの送信
電子メールの作成・送信・閲覧にはメールクライアントソフトが使用され、送信者がメッセージと宛先アドレスを記入して送信ボタンを押すと伝達処理が始まる。

2 SMTPサーバー
メッセージはオンラインの郵便局ともいえるSMTPサーバーに送られる。SMTPサーバーはMTA（メール転送エージェント）が宛先のアドレスとそのドメインの確認を行う。

3 DNSサーバー
MTAはドメインネームをIPアドレスに変換するためにDNSと通信する。宛先ドメインのメールサーバーがチェックされ、見つからない場合にはエラーメッセージが返される。

スパムとマルウェア

電子メールの送信は安価なため、多数のユーザーへの一斉送信に使われることも多い。単に不要で迷惑な電子メール（スパムと呼ばれる）のほかに、攻撃を意図したソフトウェア（マルウェア）が拡散されることもある。マルウェアをダウンロードすると、コンピューターの機能の妨害や乗っ取りや改変をしたり、あるいは操作の監視や支払いの要求、データの暗号化・消去・ほかのコンピューターへの漏洩などを行う危険がある。電子メールフィルタは、スパムやマルウェアの可能性のある内容が含まれていないか受信メールをスキャンする。

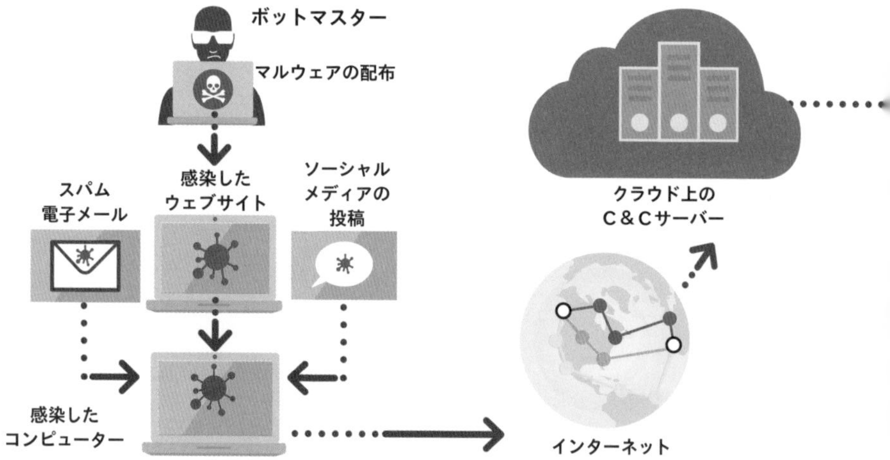

ボットマスター
マルウェアの配布
スパム
電子メール
感染した
ウェブサイト
ソーシャル
メディアの
投稿
感染した
コンピューター
クラウド上の
C＆Cサーバー
インターネット

1 感染
攻撃者は自動的に処理を行うプログラム（ボット）を含むプログラムを配布し、これをダウンロードするとユーザーのコンピューターが感染する。

2 接続
ボットは感染コンピューターを秘かに指揮統制（C＆C）サーバーに接続する。攻撃者はこのサーバーからボットネットを監視・制御する。

電子メール受信プロトコル

電子メールはSMTPを使ってコンピューター間を送信されるが、メールクライアントが受信する際にはPOP（ポスト・オフィス・プロトコル）かIMAP（インターネット・メッセージ・アクセス・プロトコル）のどちらかを使っている。この2方式が受信メールを扱う方法は異なる。

IMAP

メールサーバー
複数のデバイス

- メールクライアントはサーバーと同期する
- 電子メールは多くのデバイスからアクセス・同期できる
- 電子メールと添付ファイルは自動的にダウンロードされない
- 送受信済みの元のメッセージはサーバーに保存されている

POP3

メールサーバー
メールサーバー

- メールクライアントとサーバーは同期しない
- 電子メールには単一のデバイスからしかアクセスできない
- 電子メールは自動的にデバイスにダウンロードされ、サーバーから削除される
- 送受信済みのメッセージはデバイスに保存される

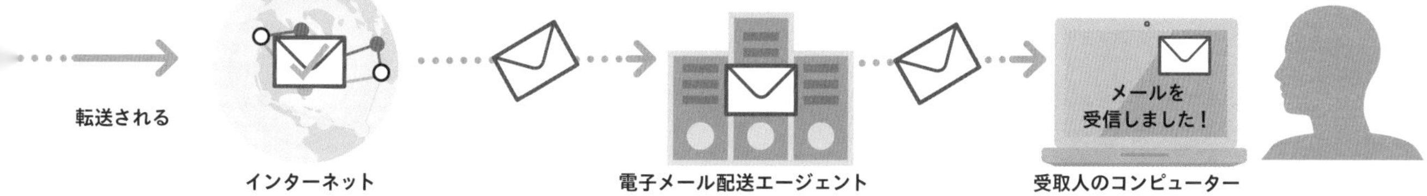
転送される
インターネット
電子メール配送エージェント
メールを
受信しました！
受取人のコンピューター

4 電子メールが配送エージェントへ送られる

宛先のメールサーバーが見つかると、メッセージはSMTPの規則にしたがってMDA（メール配送エージェント）へ転送される。メッセージは複数のMTAを経由することもある。

5 配送エージェントが電子メールを配送する

最終的にMDAはMTAから受け取ったメッセージを宛先の機器へ送る。そして宛先ユーザーの正しい受信箱にメッセージを保存する。

6 電子メールの受信

受取人は受信箱を開けて新着の電子メールを読む。電子メールへのアクセス方法は、ユーザーのメールクライアントが採用する規約（上欄参照）に従う。

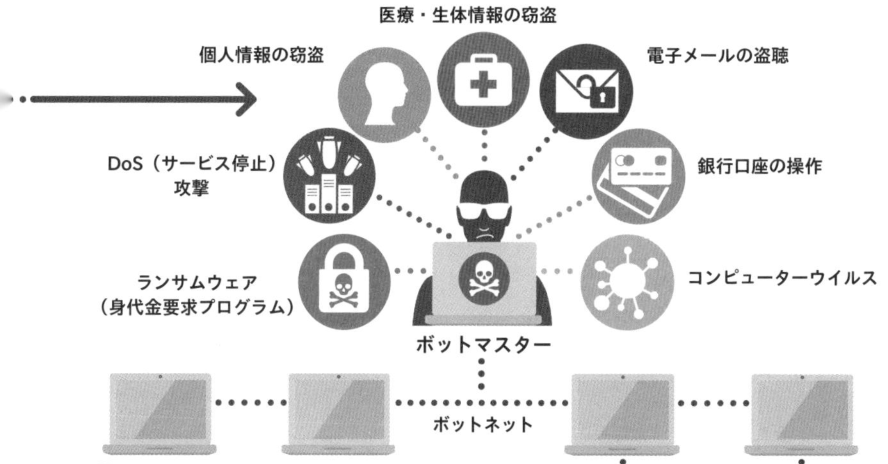
医療・生体情報の窃盗
個人情報の窃盗
電子メールの盗聴
DoS（サービス停止）
攻撃
銀行口座の操作
ランサムウェア
（身代金要求プログラム）
コンピューターウイルス
ボットマスター
ボットネット

3 操作と増殖

攻撃者はC＆Cサーバーを使ってボットネットに指令を送り、コンピューターに悪事を実行させる。同時に、攻撃者はボットネットのコンピューターを増やし続ける。

暗号化電子メール

暗号化電子メールは、公開鍵暗号を使い、正しい受取人以外にメールが読まれることを防ぐ。暗号化された電子メールの内容は、正しい数学的な鍵を使わなければ復号できない。最も簡単な方式は、送信者が受信者の公開鍵を使ってメッセージを暗号化し、受信者だけが自分の秘密鍵を用いて復号できるというもの。

Wi-Fi

Wi-Fi（ワイファイ）は電波を用いて携帯電話やタブレット、コンピューター、プリンター、デジタルスピーカー、スマートテレビなど周囲の機器を接続し、無線によるデータのやり取りを可能にする。移動体通信の最も普及した形式である。

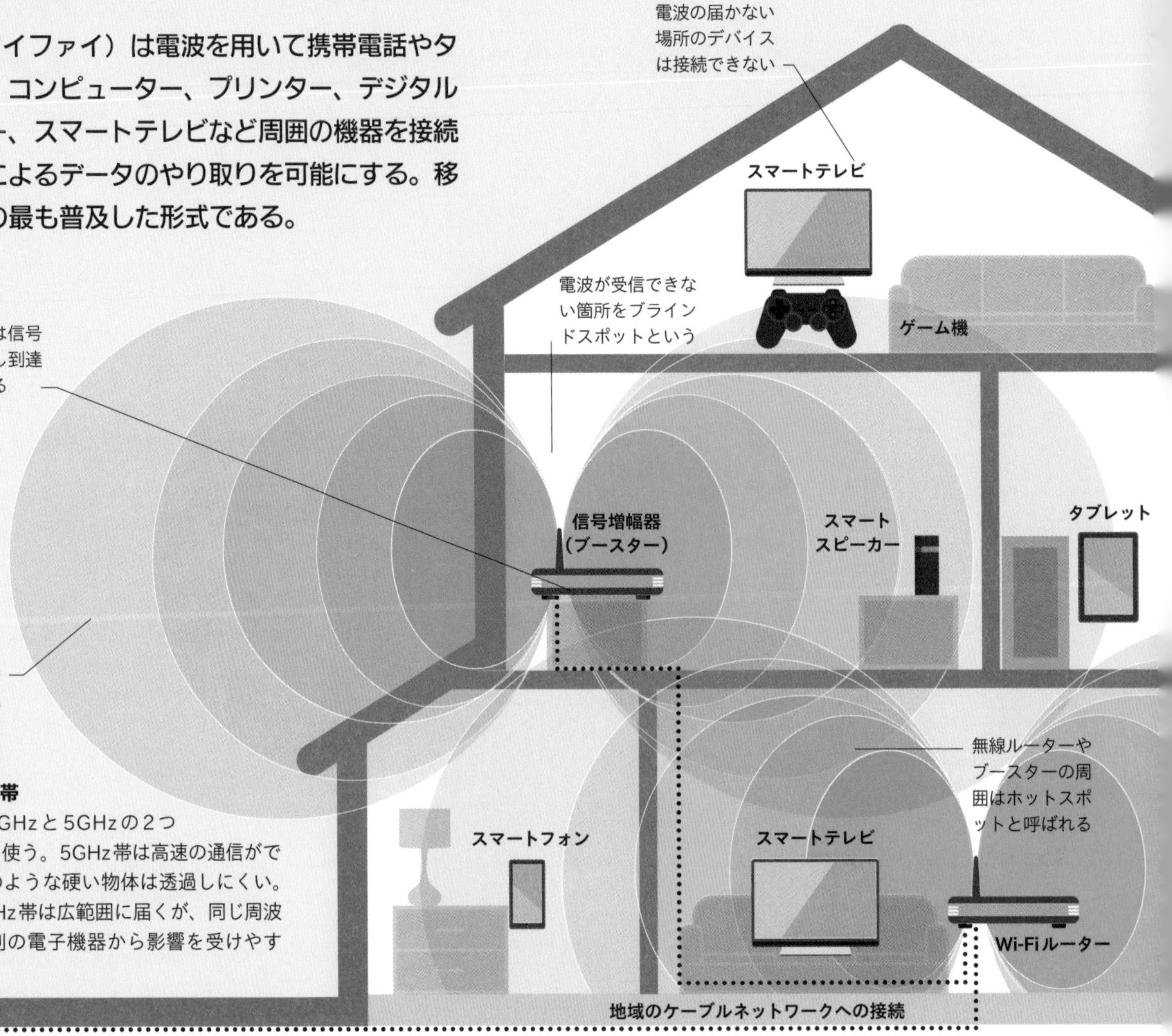
電波の届かない場所のデバイスは接続できない
スマートテレビ
ゲーム機
電波が受信できない箇所をブラインドスポットという
信号増幅器は信号強度を増幅し到達範囲を広げる
信号増幅器（ブースター）
スマートスピーカー
タブレット
信号強度は増幅器から離れると低下する
無線ルーターやブースターの周囲はホットスポットと呼ばれる
スマートフォン
スマートテレビ
Wi-Fiルーター
地域のケーブルネットワークへの接続

Wi-Fi 周波数帯

Wi-Fiは2.4GHzと5GHzの2つの周波数帯を使う。5GHz帯は高速の通信ができるが、壁のような硬い物体は透過しにくい。対して2.4GHz帯は広範囲に届くが、同じ周波数帯を使う別の電子機器から影響を受けやすい。

Wi-Fiのしくみ

Wi-Fiを使ってインターネットに機器を接続するためには、携帯電話のアンテナのようにデジタルデータを電波に変換する無線アダプタが必要である。ユーザーが文章や写真などを送ると、無線アダプタはデジタル信号を電波に変換してルーターへ送信する。ルーターは電波をデジタルデータに復元し、有線でインターネットに送り出す。同じプロセスが逆方向にもはたらき、機器は無線でインターネットとデータのやり取りをすることができる。

Wi-Fiルーター

ルーターは接続されたデバイスとインターネットの間でデータを転送する。ルーターは広域ネットワーク（WAN）ポートを経由してインターネットに有線接続され、ローカルエリアネットワーク（LAN）内の機器はLANポートや無線によって接続されている。

アンテナは電波信号を送受信する
アンテナ
複数のポートにより複数の有線機器を接続できる
電源接続口
リセットボタン
WANポート
LANポート

帯域幅とは？

帯域幅は一定時間内に送信できるデータの量を表す。帯域幅の大きな接続ではデータのより高速な通信ができる。

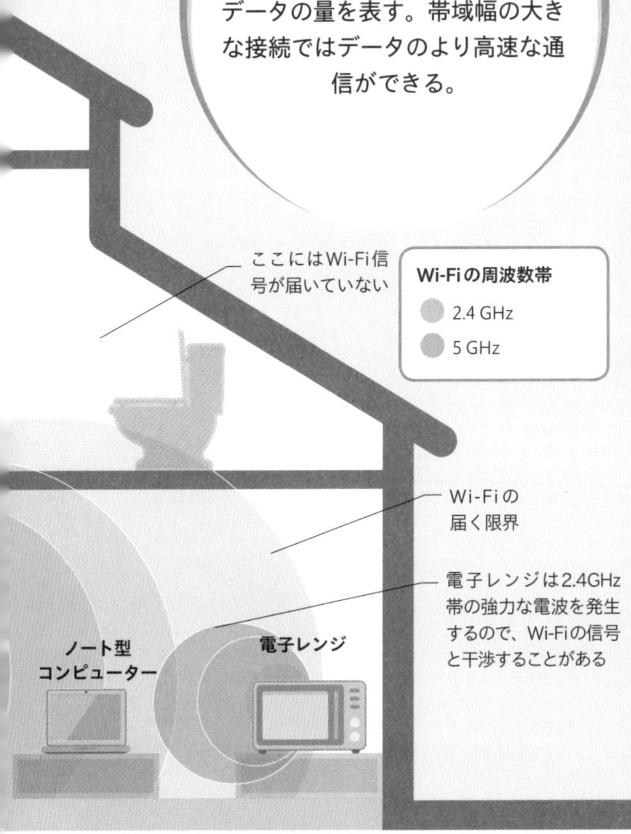
ここにはWi-Fi信号が届いていない
Wi-Fiの周波数帯
2.4 GHz
5 GHz
Wi-Fiの届く限界
電子レンジは2.4GHz帯の強力な電波を発生するので、Wi-Fiの信号と干渉することがある
ノート型コンピューター
電子レンジ

Wi-Fi信号

Wi-Fi信号の強度は機器とルーター間の距離とともに急速に減衰する。Wi-Fiの到達範囲は通常数十mだが、周波数や出力、アンテナによって大きく変化する。屋内では壁などの障害物の影響で小さくなりがちだが、信号増幅器によって拡張することもできる。

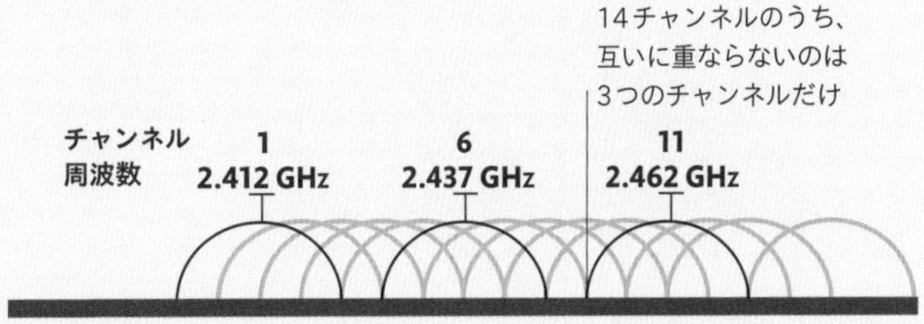
14チャンネルのうち、互いに重ならないのは3つのチャンネルだけ
チャンネル
周波数
1
2.412 GHz
6
2.437 GHz
11
2.462 GHz

2.4GHz帯

データは複数の機器がシェアできる特定の周波数（チャンネル）を使って送受信されている。複数のチャンネルを使えば効率的な通信が可能だが、2.4GHz帯（上図）では複数のチャンネルが重なっているため干渉を起こす。

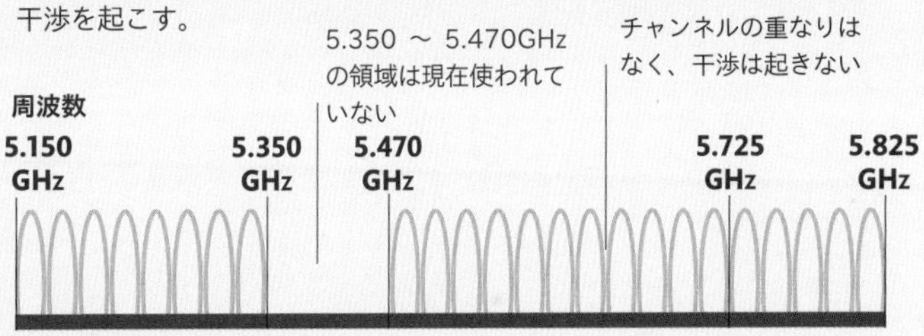
5.350 ～ 5.470GHzの領域は現在使われていない
チャンネルの重なりはなく、干渉は起きない
周波数
5.150 GHz
5.350 GHz
5.470 GHz
5.725 GHz
5.825 GHz

5GHz帯

5GHz帯は高い周波数を使い、24の互いに重ならないチャンネルを持つ。このため、多くのチャンネルを同時に使ってデータを効率良く高速で送受信することができる。ヨーロッパのWi-Fiシステムでは到達範囲の小さな低出力の機器に限り、5.725 ～ 5.875GHz帯も使用している。

Wi-Fiへの攻撃

無線によるインターネット接続は攻撃に弱い。これは、Wi-Fiネットワークにアクセスするためには攻撃者が建物に入る必要もファイアーウォールを突破する必要もないためである。たとえば機器が送受信する通信を傍受して情報を得るなど、攻撃者がWi-Fiのセキュリティを破る方法はいくつもある。無線ネットワークはWPA（Wi-Fi・プロテクテッド・アクセス）で保護することができる。これはパスワードでユーザーを認証し、データパケットごとに新しい暗号鍵を発行して通信を保護する。

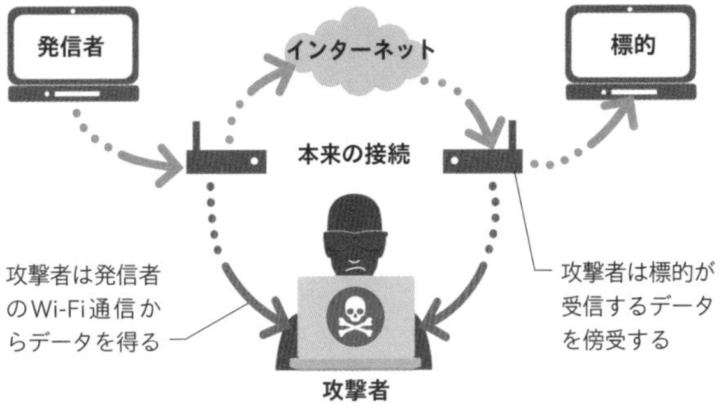
発信者
インターネット
標的
本来の接続
攻撃者は発信者のWi-Fi通信からデータを得る
攻撃者は標的が受信するデータを傍受する
攻撃者

モバイル機器

モバイル機器は小型で携帯可能なコンピューターである。最近のモバイル機器はインターネット（196-97頁参照）やほかのデバイスに接続でき、タッチスクリーンで操作する。

モバイル機器の構成
静電容量式のタッチスクリーンは、ガラス基盤上で格子になるように重ねられた駆動電極と検出電極の層で構成される。この格子は液晶ディスプレイの上にあり、タッチスクリーン制御チップ及び機器の中央処理装置とつながっている。

保護コーティング
保護カバー
接着層
駆動電極
検出電極
モバイル機器

機器間の通信の**統一規格**である**Bluetooth（ブルートゥース）**は、バイキングの部族を統一した**王**にちなんで命名されている

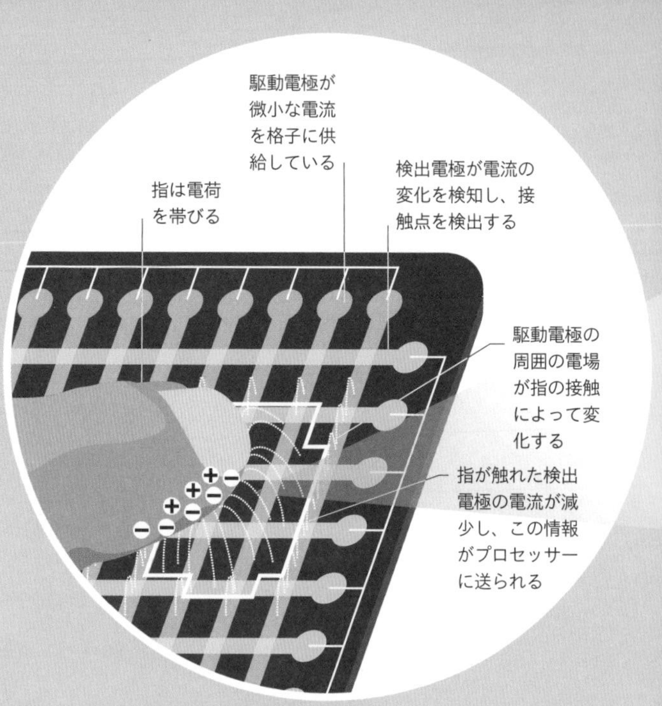

駆動電極が微小な電流を格子に供給している
指は電荷を帯びる
検出電極が電流の変化を検知し、接触点を検出する
駆動電極の周囲の電場が指の接触によって変化する
指が触れた検出電極の電流が減少し、この情報がプロセッサーに送られる

1　スクリーンに触れる
指先がスクリーンに触れると、微小な電荷が導電性を持つ指先へ引き寄せられる。格子上で電流の低下する部位が検出され、接触が認識される。

タッチスクリーン

タッチスクリーンには主に静電容量方式と抵抗膜方式の2つがある。どちらもユーザーは機器上の表示要素に直接触れたり指先で操作したりできる。モバイル機器では静電容量方式のタッチスクリーンが最も多い。これは指先やスタイラスの静電気的な性質を利用するもので、ほかの方式よりも指の動きを精度よく検知できる。抵抗膜方式は、スクリーンの表面側の層に圧力を加えると、電極を配置した透明フィルムからなる2枚の伝導層が電気的に接触することを利用している。

モバイル機器のいろいろ

モバイル機器には多くの種類があり、幅広い用途で利用されている。タブレットのように多くの機能を持つものもあれば、ゲームや映像撮影などの特定用途のために設計されたものもある。利便性や日々の運動データの記録を目的として人が身につける機器（ウェアラブル機器）もある。

タブレット
タブレットは薄型のモバイルコンピューターで、スマートフォンより大きいが共通点が多い。

スマートフォン
携帯電話の機能に加えて、コンピューターの機能がありインターネット接続できる。

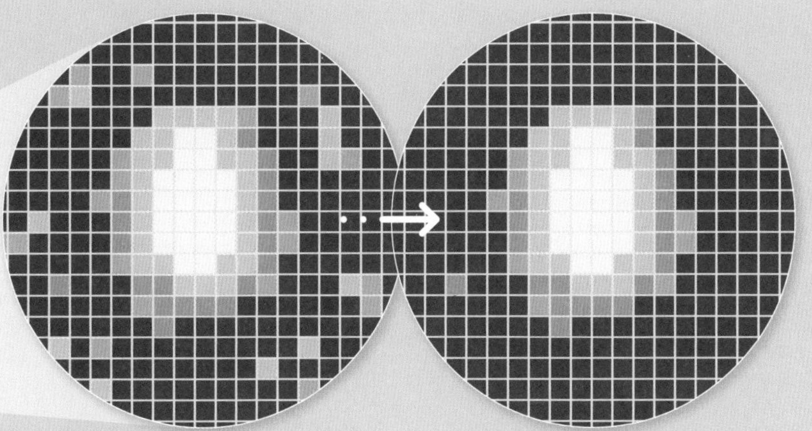

2　未処理のデータ
電流の変化は格子の各点で測定される。指の真下の点の電流低下が最も大きい。

3　ノイズの除去
操作に安定して反応するために電磁気的な干渉（ノイズ）を除去する。ノイズは充電器など外部の発生源から生じることもある。

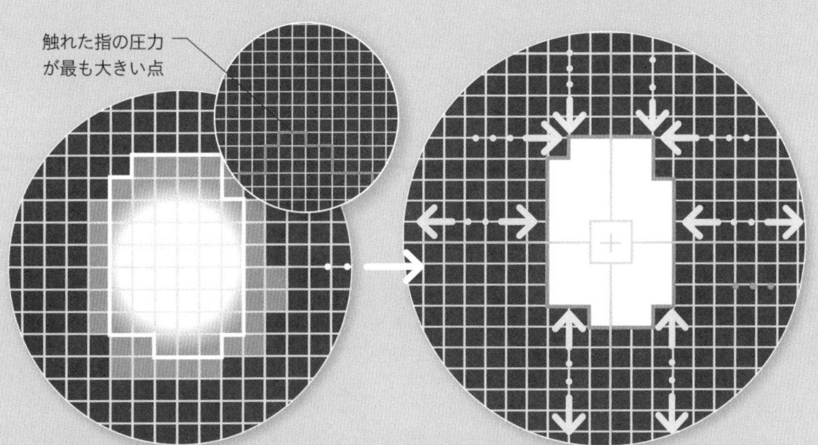

4　圧力点の検出
格子上のユーザーの指先が触れた部分の大きさと形が識別され、最大の圧力がかかった点が決定される。

5　正確な座標の算出
格子の各点からの電気信号が機器の中央処理装置に送られ、指先の正確な位置が算出される。

接続性

モバイル機器の便利な特徴の1つは、付近の別の機器と接続して通信できることである。機器は物理的に接続することもできるが、電波を使い無線でデータ通信する方が利便性が高い。

Bluetooth
Bluetooth（ブルートゥース）は電波により短距離の通信を行う。Bluetoothヘッドセットなど電波を用いるほかの機器と無線で接続する。

Wi-Fi
Wi-Fi（ワイファイ、202-203頁参照）はルーターを使用して機器のローカルネットワーク間の無線通信を可能にし、インターネットにも接続する。

RFID
電波で識別情報を発信するRFIDタグを店舗や工場で物品につけると、モバイル機器で認識できる。

NFC
NFC（近距離無線通信）は非常に近距離にある2つの機器の通信を可能にする。非接触型の支払いシステムやキーカードなどに利用されている。

スマートウォッチ
ごく小型のコンピューターであり、スマートフォンの持つ機能の多くを備える。

ゲーム機
スクリーン、コントローラー、スピーカー、操作部を1つの機器に組み込んだゲーム機がある。

電子書籍リーダー
電子書籍を読むために設計されたもので、電子ペーパーを使ったものが多い（208-209頁参照）。

PDA
PDA（携帯情報端末）は情報管理ツールであり、多くはインターネットに接続でき、電話としても使える。

スマートフォン

スマートフォンは片手に載るサイズのコンピューターであり、多岐にわたるハードウェアやソフトウェアの機能を発揮する。通常の操作には前面ディスプレイを覆うタッチスクリーン（204-205頁参照）を使用する。スマートフォンはモバイル機器用のオペレーティングシステム（OS）を搭載しており、アプリをダウンロードしてインストールすることでカスタマイズできる。

世界初のスマートフォンは？

1994年に発売されたIBMのSimonが最初のスマートフォンとされる。重さ510gで、ファックスを送受信するためにモデムが内蔵されていた。

スマートフォンにできることは？

スマートフォンは電話と小型コンピューターの機能の組み合わせであり、移動体通信（携帯電話）やWi-Fi、Bluetooth、GPSなどの通信機能があり、カメラ、マイクロフォン、スピーカー、各種センサーなどが内蔵されており、さらにアプリストアからさまざまな機能を付け加えることができる。高性能で利便性が高く、スマートフォンの普及により多くの専用機器が姿を消した。

スピーカー
小型のスピーカーが搭載され、通話やメディア再生時の音声を出力する。ハンズフリー通話も可能である。

マイクロフォン
スマートフォンを電話として使う時のほか、録音やデジタルアシスタントとのやり取りにも使われる。

カメラ
ほぼすべてのスマートフォンには前面と背面に小さなカメラがついている。デジタルズームの機能や発光ダイオード（LED）によるフラッシュも搭載されている。

Bluetooth（ブルートゥース）
Bluetoothチップにより電波でほかの機器に無線で接続でき、対応するヘッドセットを使うこともできる。

衛星測位
衛星測位用チップによりGPSなどの軌道上の人工衛星と通信でき、アプリを通じて衛星測位システムを利用できる。

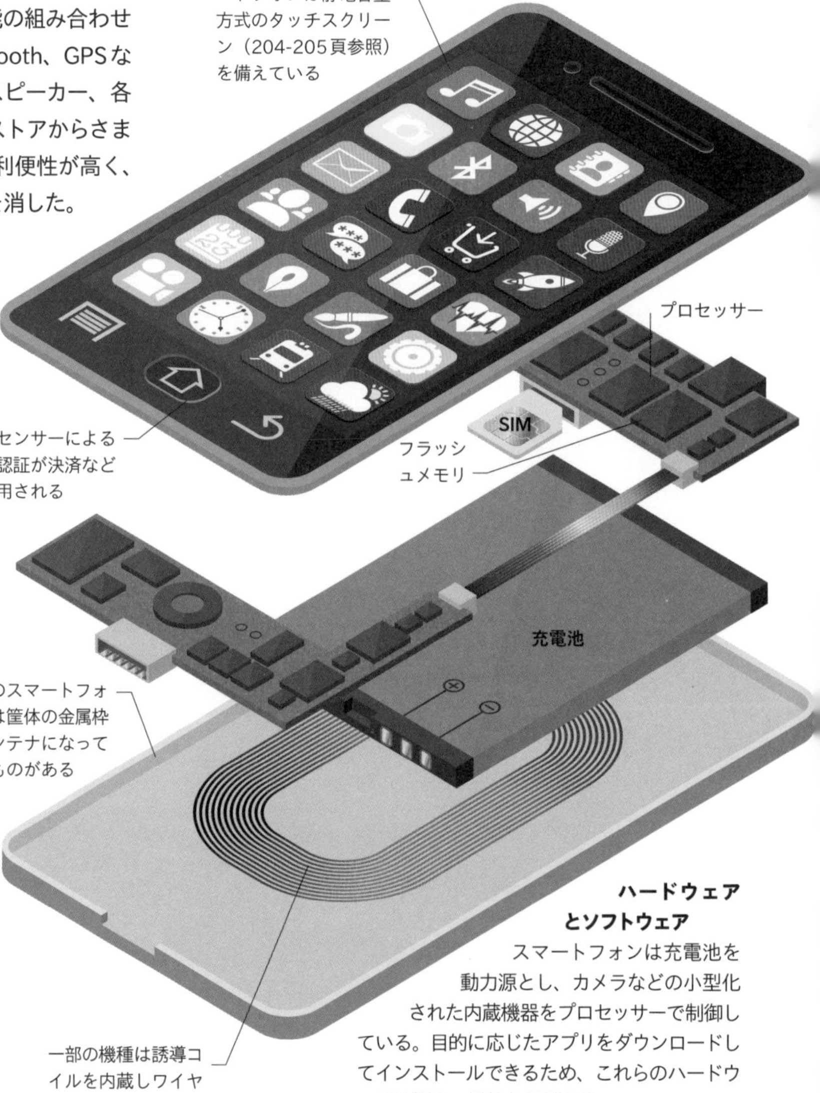
現在のほとんどのスマートフォンは静電容量方式のタッチスクリーン（204-205頁参照）を備えている
プロセッサー
SIM
フラッシュメモリ
指紋センサーによる個人認証が決済などに使用される
充電池
最近のスマートフォンでは筐体の金属枠がアンテナになっているものがある
一部の機種は誘導コイルを内蔵しワイヤレス充電が可能

ハードウェアとソフトウェア
スマートフォンは充電池を動力源とし、カメラなどの小型化された内蔵機器をプロセッサーで制御している。目的に応じたアプリをダウンロードしてインストールできるため、これらのハードウェアは幅広い機能を発揮する。

メッセージの送受信

テキストメッセージのやり取りでは、移動体通信のネットワークを介して電子メッセージが送受信される。SMS（ショートメッセージングサービス）で送受信されるテキストが多く、SMSでは文字のみのメッセージを最大160文字（全角70文字）まで送信できる。MMS（マルチメディアメッセージングサービス）を利用した場合は移動体通信ネットワークを通じて写真や動画や音声を添付したメッセージも送受信できる。

テキスト送信のしくみ

送信者のテキストは基地局を介して携帯電話交換局（MSC）に送られ、そこで送信者のSMSC（ショートメッセージサービスセンター）のアドレスが確認され、テキストはそのアドレスへ転送される。SMSCは受信者が受信可能かチェックし、可能ならばMSCを介してテキストを配信する。受信不能の状態ならば可能になるまでテキストを保存する。

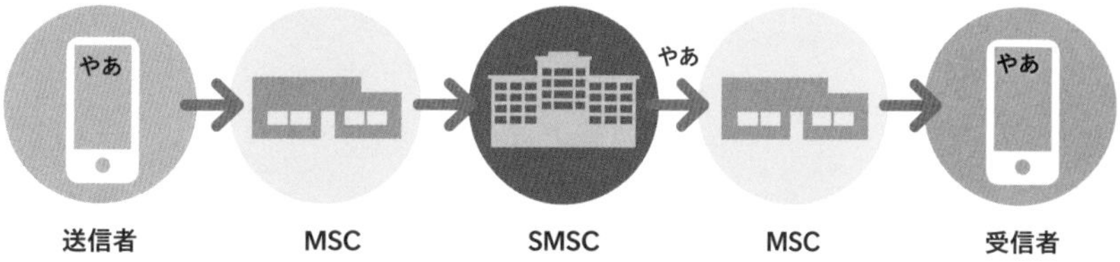
やあ
やあ
やあ
送信者
MSC
SMSC
MSC
受信者

すべての**スマートフォン**には**金、銀、プラチナ**などの貴金属が含まれている

インターネット
スマートフォンはWi-Fiや移動体通信ネットワークを使ってインターネットに接続できる。現在の多くの携帯電話は4G（第４世代移動通信システム）を利用していて高速通信を行う。

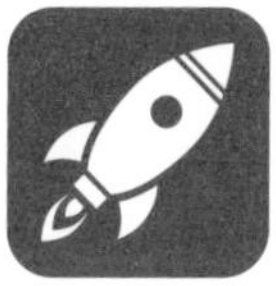

ゲーム
スマートフォンは携帯型ゲーム機としても使える。ゲーム専用機のような専用のグラフィックカードは内蔵してないが、画像やアニメーション、ビデオなどを描画する高性能なGPU（画像処理装置）がある。

アドレス帳
多くのスマートフォンには連絡先情報を記録する電子アドレス帳がついている。ソーシャルメディアサイトや電子メールアカウントから情報を集約することができ、デジタルアシスタントへの音声入力で呼び出すこともできる。

決済システム
スマートフォンは、電波信号や銀行カードの磁気ストライプを模倣した磁気信号など、いろいろな方法によって非接触型決済をすることができる。通常、支払いの際は使用者を確認するための認証が行われる。

音楽
音楽はアプリを使ったダウンロードや、Wi-Fiや移動体通信によるストリーミング視聴、およびユーザーのコレクションからのインポートなどによって利用できる。スマートフォンではMP3、AAC、WMA、WAVなどさまざまな形式の音楽ファイルを利用できる。

加速度計

多くのスマートフォンには小型化された加速度計が搭載され、加速度を計測することができる。このセンサーは機器の向きを検出できるので、機器の持ち方に応じてディスプレイ表示の縦横を変更することもできる。また歩数計やゲームの入力としても利用されている。

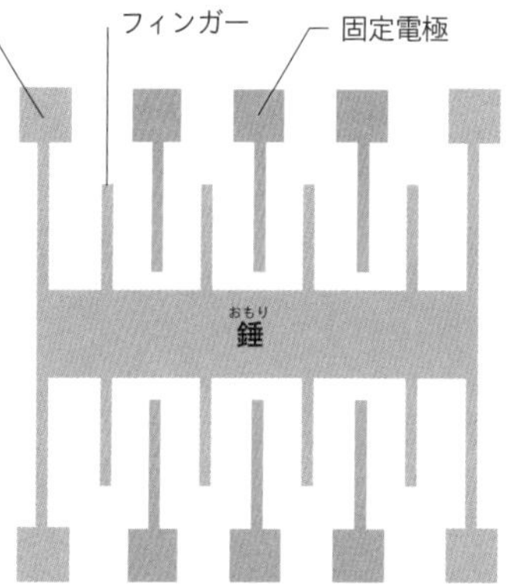
スマートフォンに固定された支持点
フィンガー
固定電極
錘《おもり》

1　スマートフォンが静止しているとき
固定電極はシリコンで作られた可動部（錘）の櫛歯状部位（フィンガー）の間に静止している。電極と錘が電池に接続されると、電荷を帯びた錘のフィンガーの間に電場が発生する。錘が静止しているときには電流は流れない。

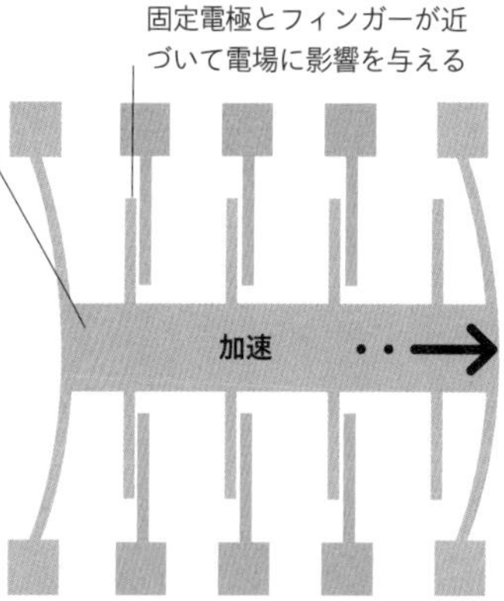
動きの反動で錘が前後に動く
固定電極とフィンガーが近づいて電場に影響を与える
加速

2　動きを検知する
錘はセンサー部の動きの反動によって動き、電荷によって電極付近の電場を変化させ電流を生じさせる。プロセッサーはこの情報を用いてスマートフォンがどの方向にどれだけ動いているかを算出する。

電子ペーパーのしくみ

電子ペーパーの中には大量のマイクロカプセルがあり、マイクロカプセルには白と黒の顔料の粒子と、透明なオイル状の液体が入っている。黒い粒子は負、白い粒子は正に帯電している。ディスプレイの下部のトランジスタから微弱な正電荷を供給すると、黒い粒子は引きつけられ、白は反発する。負電荷を加えた場合は逆である。機器の内蔵コンピューターは電荷の正負の配置を決めることで、画像や文章の白黒画像を描画する。粒子を挟んでいる電極の両側に正負の電荷を加えると、1つのマイクロカプセルで白黒半分ずつ表示して灰色に見せることもできる。

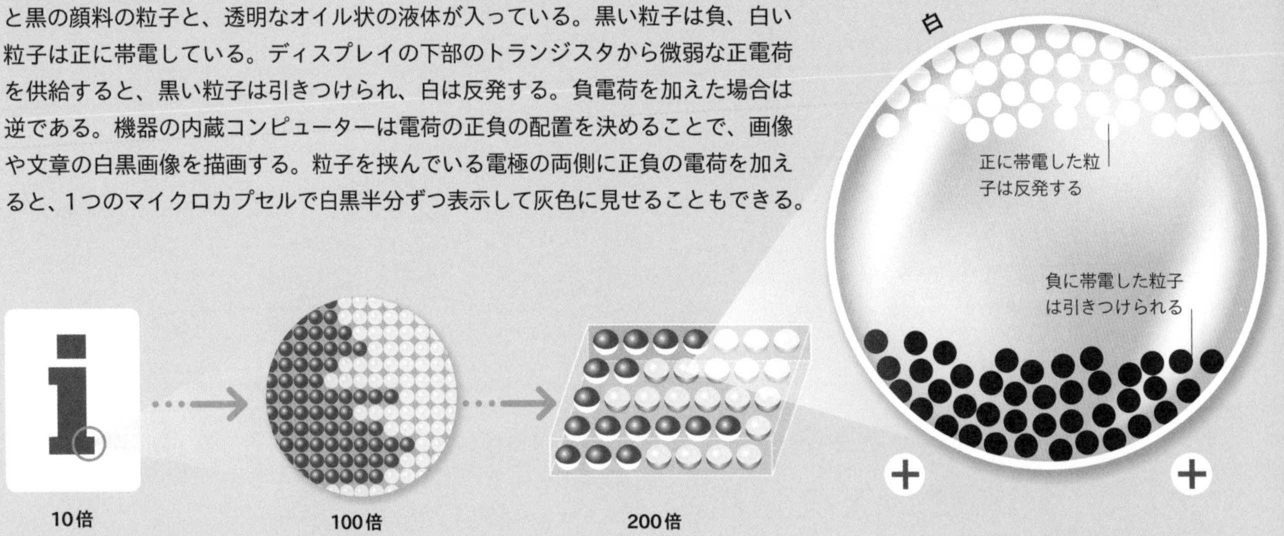
白
正に帯電した粒子は反発する
負に帯電した粒子は引きつけられる
10倍
100倍
200倍

マイクロカプセル
電子ペーパーの文字や画像を描画するマイクロカプセルの大きさは人間の毛髪の太さぐらいである。

凡例
+ 正電荷　　− 負電荷

1 黒色顔料の粒子は負、白は正に帯電している。ディスプレイの下側に正電荷があると黒を引きつける。

電子ペーパー

一部の電子書籍リーダーが文章を表示するスクリーンは電子ペーパーを使用している。実際の紙のように反射光を利用する電子ペーパーは目に負担をかけず、太陽光の下でも見やすいので文章を読むのに適している。

暗闇で読む

コンピューターのディスプレイなどと異なり、電子ペーパーは光源を内蔵する必要がない。ただし暗い場所で読むために、多くの電子書籍リーダーはディスプレイ照明用のLEDをスクリーンの脇に内蔵している。光は透明なスクリーンを透過して散乱し、電子ペーパーを照らす。

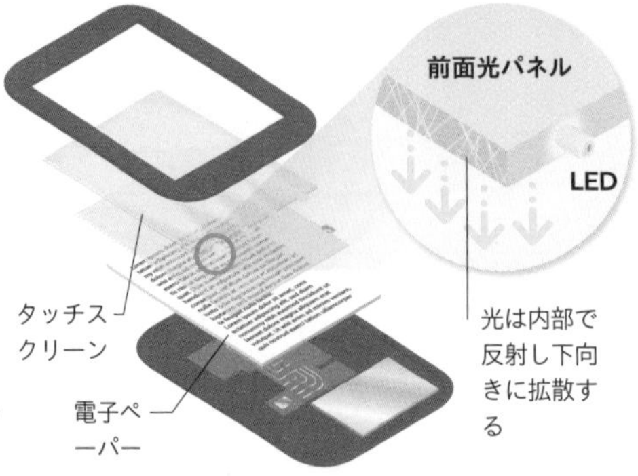
前面光パネル
LED
タッチスクリーン
電子ペーパー
光は内部で反射し下向きに拡散する

寝る前の読書には液晶よりも電子ペーパーの方がよい？

電子ペーパーの方がよい可能性はある。液晶で使われるブルーライトは睡眠を調節するホルモンであるメラトニンのはたらきを阻害し、入眠を妨げる可能性がある。

電子インクの技術を利用して、**絵柄の変わる衣類**が開発されている

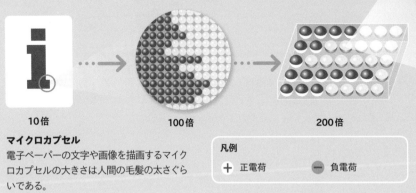

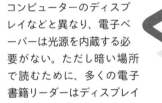

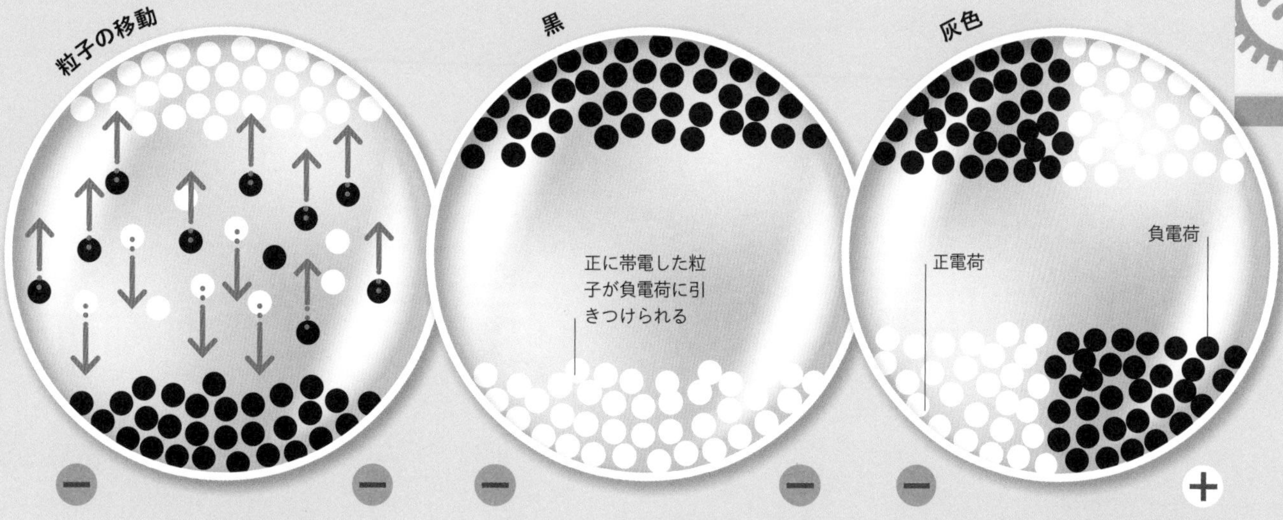
粒子の移動
黒
灰色
正に帯電した粒子が負電荷に引きつけられる
正電荷
負電荷

2 ディスプレイの下側に負電荷を与えると、正電荷の白粒子が黒粒子と入れ替わる。

3 負電荷に対して白色顔料の粒子は引きつけられ、黒粒子は反発して離れる。

4 機器の内蔵コンピューターは電荷の正負と配置をコントロールする。黒と白が混在していると灰色に見える。

エレクトロウェッティングディスプレイ

エレクトロウェッティングは電子ペーパーと同じく反射光を用いる。エレクトロウェッティングはカラー表示が可能で、電子ペーパーよりも高速で切り替えられるため映像の再生もできる。白い反射性の樹脂シート上に大量の小部屋が作られ、それぞれに黒い液滴が入っている。コンピューターの信号によって電圧がかけられると、液滴がカーテンのように前後に動き、光を吸収したり反射したりする。

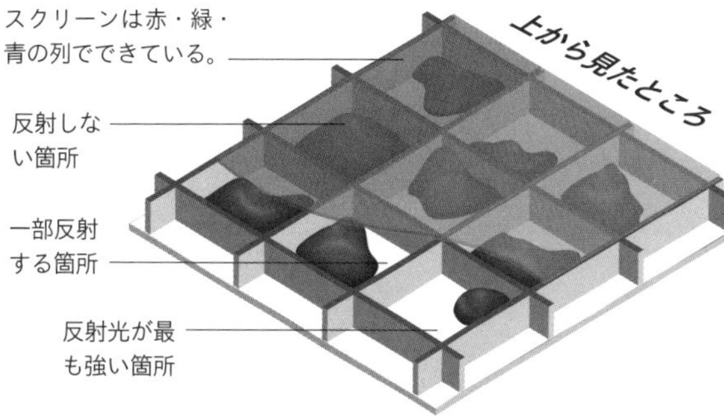
上から見たところ
スクリーンは赤・緑・青の列でできている。
反射しない箇所
一部反射する箇所
反射光が最も強い箇所

断面図

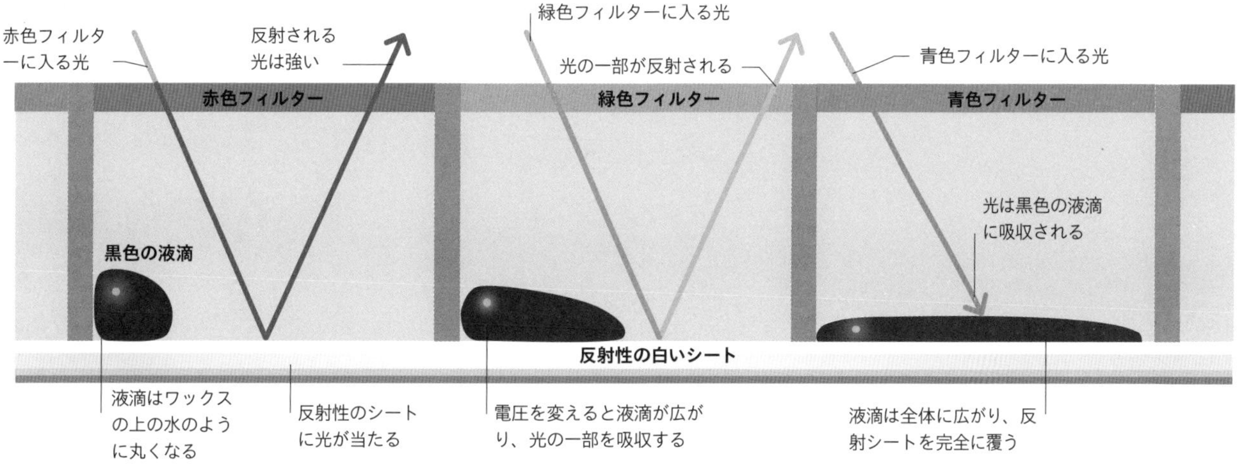
赤色フィルターに入る光
反射される光は強い
緑色フィルターに入る光
光の一部が反射される
青色フィルターに入る光
赤色フィルター
緑色フィルター
青色フィルター
光は黒色の液滴に吸収される
黒色の液滴
反射性の白いシート
液滴はワックスの上の水のように丸くなる
反射性のシートに光が当たる
電圧を変えると液滴が広がり、光の一部を吸収する
液滴は全体に広がり、反射シートを完全に覆う

第8章

農業・牧畜と食品の技術

種まきと灌漑

種をまく機械は大昔からあるが、機械も容量も大型化した現代の種まき機は一度に広大な面積の作業が可能であり、播種《はしゅ》作業の大幅な効率化をもたらしている。

種まき機

従来の種まき作業は土を準備し、畝を作り、種をまき、土をかけるという作業が必要であった。これは時間を要し、土の固化や侵食をもたらす危険もあった。現代の種まき機はこのほとんどの作業、すなわち整然とした畝を作って種をまき、肥料と殺虫剤を与えることを一度に行う。最新型の機械はGPSを利用し、農地内の正確な位置・方向で同時に72列の畝に種をまくことができる。

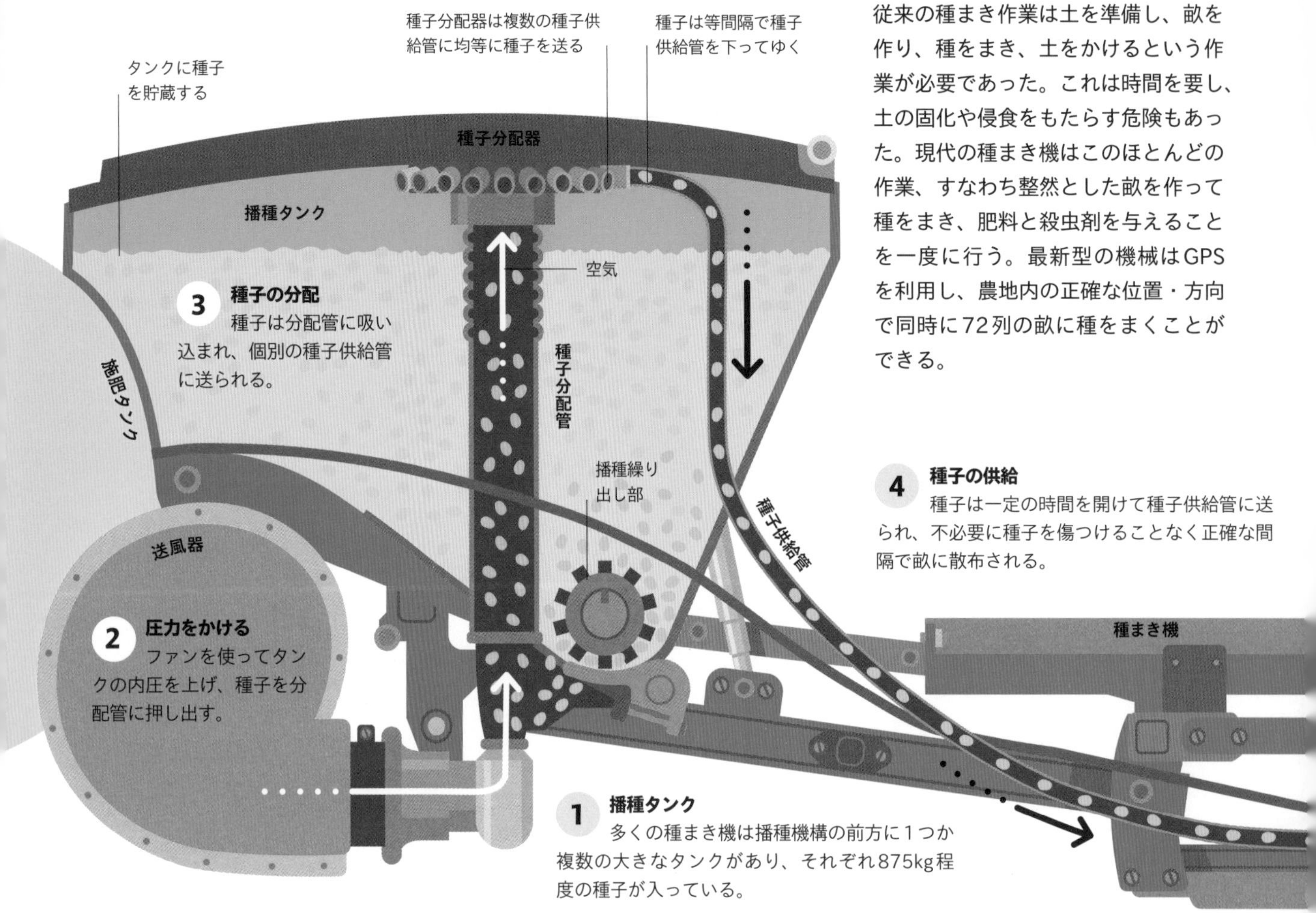

タンクに種子を貯蔵する
種子分配器は複数の種子供給管に均等に種子を送る
種子は等間隔で種子供給管を下ってゆく
種子分配器
播種タンク
空気
3 種子の分配
種子は分配管に吸い込まれ、個別の種子供給管に送られる。
施肥タンク
種子分配管
播種繰り出し部
種子供給管
4 種子の供給
種子は一定の時間を開けて種子供給管に送られ、不必要に種子を傷つけることなく正確な間隔で畝に散布される。
送風器
2 圧力をかける
ファンを使ってタンクの内圧を上げ、種子を分配管に押し出す。
種まき機
1 播種タンク
多くの種まき機は播種機構の前方に1つか複数の大きなタンクがあり、それぞれ875kg程度の種子が入っている。

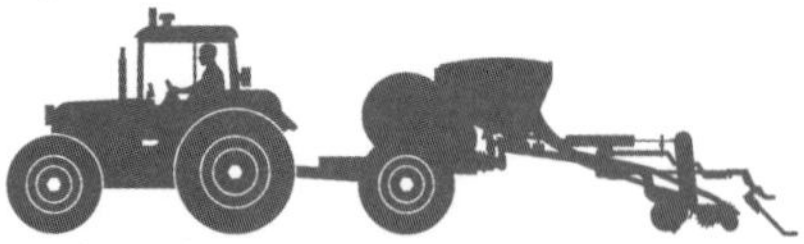

進行方向
トラクター
種まき機

29億t

1年間に世界中で生産される穀物の総量

灌漑《かんがい》

自然の降雨のみで作物を育てる場合もあるが、気候により灌漑が必要な場合がある。灌漑の方法は重力を利用して水を供給する単純な方法から、植物の根に直接水を与えるものまでさまざまである。灌漑には水の無駄な消費や、未処理の排水の使用により作物が汚染されたり、土中に塩分が蓄積したりといった問題を生じる可能性もある。農地全体に水を撒くのではなく、最も必要な箇所のみに精度の高い給水を行う技術も使われている。

地表灌漑

水が耕作地の全体を覆うものや、重力やポンプにより畝の間に流されるもの。労力を要する上、蒸発や流出による用水の無駄が多く、意図しない冠水の危険性もある。

点滴灌漑

多孔質材料や穴を開けたパイプを地表や地下に設置し、作物の根に直接水を与える。

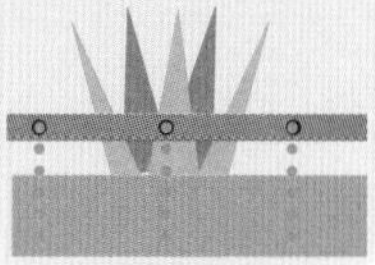

センターピボット

装輪された塔に搭載されたスプリンクラーが円周上を移動する。大きな面積に比較的短時間で散水できる。

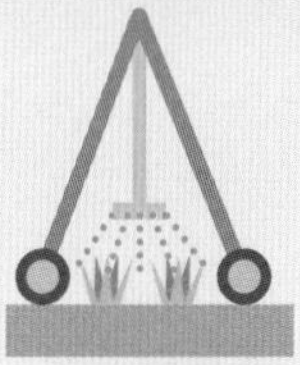

スプリンクラー

高所に設けられた散水機や移動式のスプレーガンで水を散布する。空中に散布される際に失われる水分も多い。

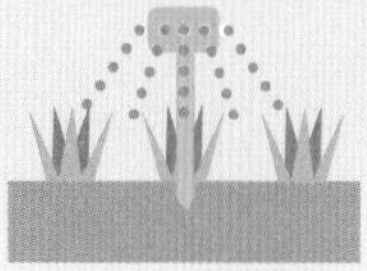

地下灌漑

地下に多孔質素材のパイプを埋設して地下水面を高くしたり、根周辺の土壌に直接放水したりする。

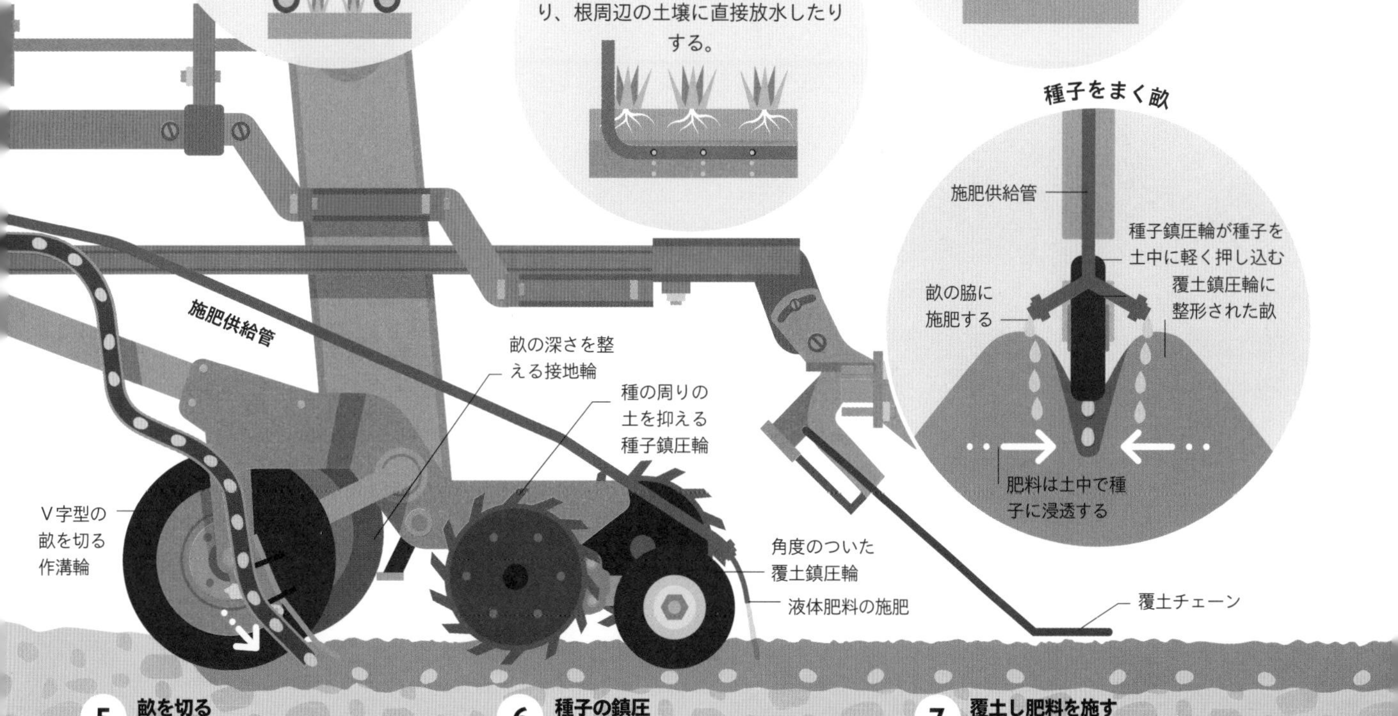
施肥供給管
畝の深さを整える接地輪
種の周りの土を抑える種子鎮圧輪
V字型の畝を切る作溝輪
角度のついた覆土鎮圧輪
液体肥料の施肥
覆土チェーン
種子をまく畝
施肥供給管
種子鎮圧輪が種子を土中に軽く押し込む
畝の脇に施肥する
覆土鎮圧輪に整形された畝
肥料は土中で種子に浸透する

5　畝を切る

作溝輪やブレードを使って正確な深さと形状で土を掘り、畝が作られる。種子は作溝輪の背後に規則正しく落とされ、肥料や殺虫剤を施す場合もある。

6　種子の鎮圧

種子鎮圧輪の回転やスライドにより畝の種子を押さえ、畝底の土や水分に密着させる。種子を飛び出させない意味もある。

7　覆土し肥料を施す

角度のついた覆土鎮圧輪で種子の覆土を押さえる。種子と同時に肥料を散布しない場合はここで畝の片側あるいは両側に施《し》肥《ひ》する。その後ローラーや覆土チェーンを用いて表面をならす。

酪農

畜産農家は高度に発達した設備で家畜を管理し、生産性の向上を図っている。酪農では同時に複数の牛の搾乳をする技術によって効率性が大きく上がった。

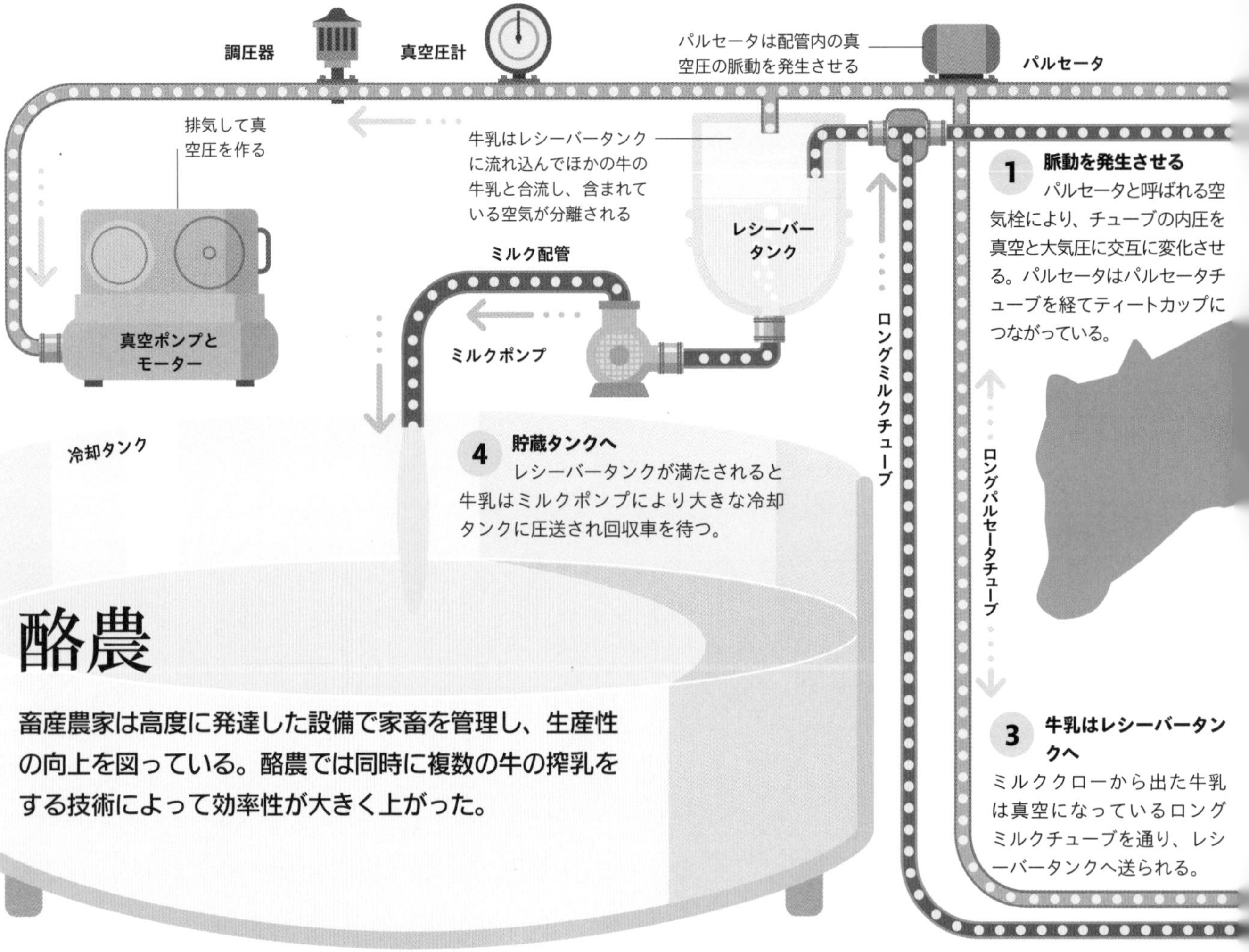

調圧器
真空圧計
パルセータは配管内の真空圧の脈動を発生させる
パルセータ
排気して真空圧を作る
牛乳はレシーバータンクに流れ込んでほかの牛の牛乳と合流し、含まれている空気が分離される
レシーバータンク
ミルク配管
ミルクポンプ
真空ポンプとモーター
冷却タンク
ロングミルクチューブ
ロングパルセータチューブ

1 脈動を発生させる
パルセータと呼ばれる空気栓により、チューブの内圧を真空と大気圧に交互に変化させる。パルセータはパルセータチューブを経てティートカップにつながっている。

3 牛乳はレシーバータンクへ
ミルククローから出た牛乳は真空になっているロングミルクチューブを通り、レシーバータンクへ送られる。

4 貯蔵タンクへ
レシーバータンクが満たされると牛乳はミルクポンプにより大きな冷却タンクに圧送され回収車を待つ。

堆肥中のメタン

酪農業では排泄物、汚れた敷きわら、搾乳の際の排水など大量の廃棄物が生じ、果実や野菜の栽培から生じる農業廃棄物と同じく処分が必要となる。大規模な農場では密閉型発酵槽を使って廃棄物を肥料として使える滅菌汚泥や、暖房や発電用の燃料として使えるメタンガスに変えている。トウモロコシなどの作物を育てて発酵槽に加え、ガスの発生を促進してエネルギー生産量を増やす農場もある。

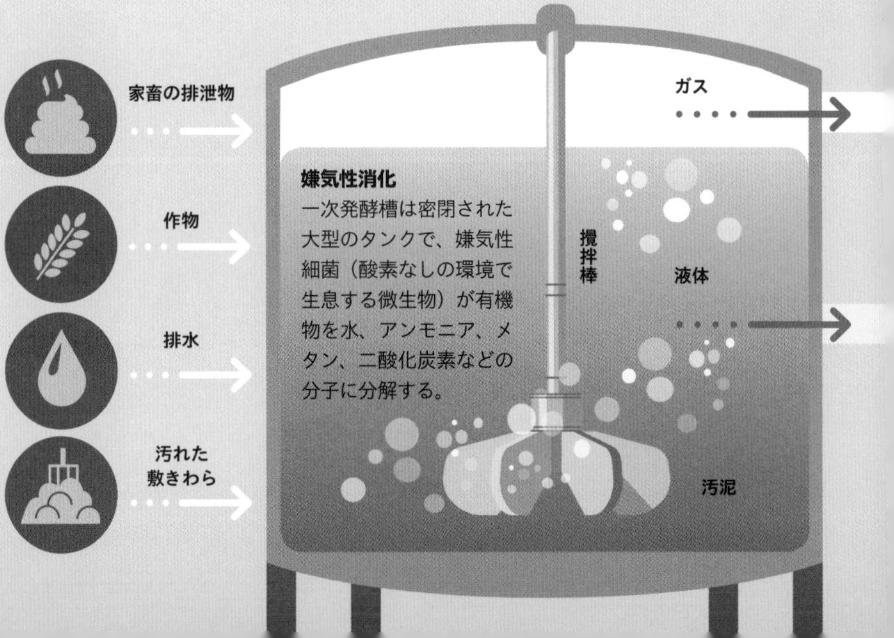

家畜の排泄物
作物
排水
汚れた敷きわら
ガス
攪拌棒
液体
汚泥

嫌気性消化
一次発酵槽は密閉された大型のタンクで、嫌気性細菌（酸素なしの環境で生息する微生物）が有機物を水、アンモニア、メタン、二酸化炭素などの分子に分解する。

搾乳機

搾乳機は真空ポンプを使い、牛の乳首から優しく牛乳を絞る。牛乳を吸う４つのティートカップはシリコンやゴムのライナーによって乳頭に密着し、牛乳はショートミルクチューブを通ってミルククローへ集められる。ここから牛乳は長いミルクチューブを通ってレシーバータンクへ、さらに搾乳タンクへと運ばれる。

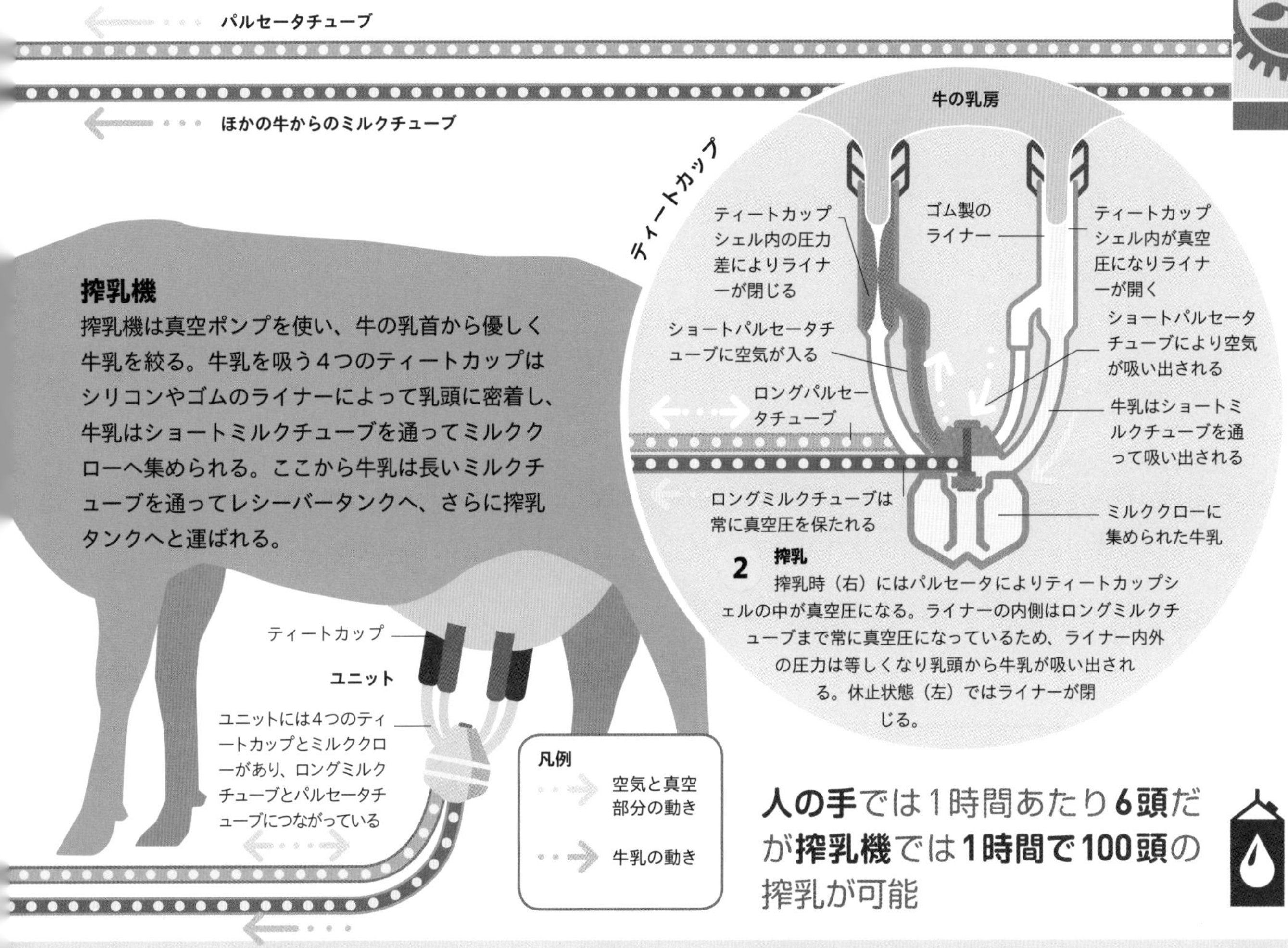
パルセータチューブ
ほかの牛からのミルクチューブ
牛の乳房
ティートカップ
ティートカップシェル内の圧力差によりライナーが閉じる
ゴム製のライナー
ティートカップシェル内が真空圧になりライナーが開く
ショートパルセータチューブに空気が入る
ショートパルセータチューブにより空気が吸い出される
ロングパルセータチューブ
牛乳はショートミルクチューブを通って吸い出される
ロングミルクチューブは常に真空圧を保たれる
ミルククローに集められた牛乳
ティートカップ
ユニット
ユニットには4つのティートカップとミルククローがあり、ロングミルクチューブとパルセータチューブにつながっている
凡例
空気と真空部分の動き
牛乳の動き

2　搾乳
搾乳時（右）にはパルセータによりティートカップシェルの中が真空圧になる。ライナーの内側はロングミルクチューブまで常に真空圧になっているため、ライナー内外の圧力は等しくなり乳頭から牛乳が吸い出される。休止状態（左）ではライナーが閉じる。

人の手では1時間あたり6頭だが搾乳機では1時間で100頭の搾乳が可能

酪農業ではどんなロボットが使われているか？

最近搾乳されたか確認するために牛のIDタグをスキャンするセンサーや、ティートカップの着脱を行うロボットアームが使われている。

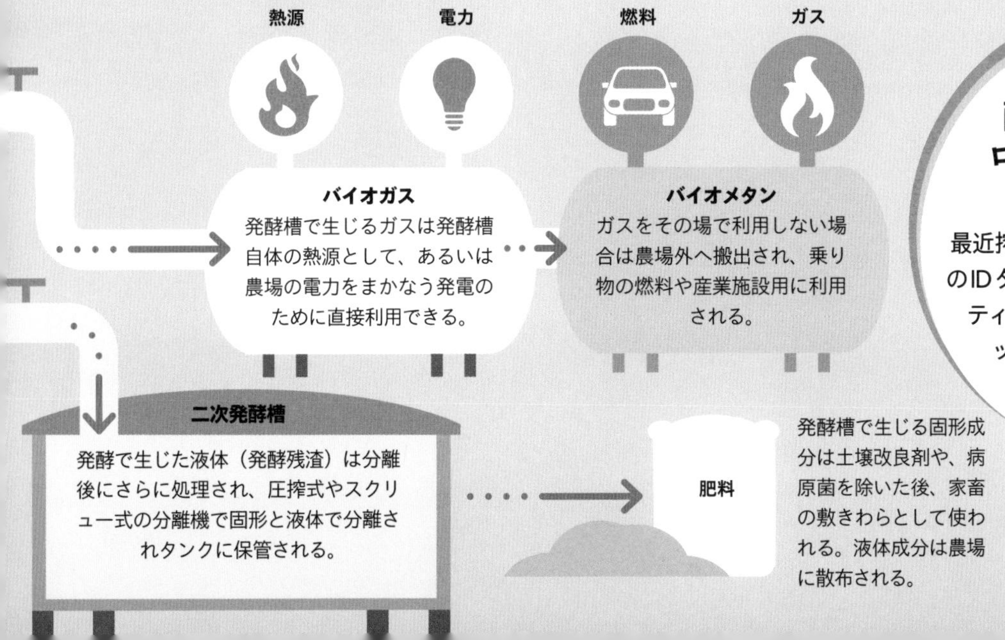
熱源
電力
燃料
ガス
バイオガス
発酵槽で生じるガスは発酵槽自体の熱源として、あるいは農場の電力をまかなう発電のために直接利用できる。
バイオメタン
ガスをその場で利用しない場合は農場外へ搬出され、乗り物の燃料や産業施設用に利用される。
二次発酵槽
発酵で生じた液体（発酵残渣）は分離後にさらに処理され、圧搾式やスクリュー式の分離機で固形と液体で分離されタンクに保管される。
肥料

発酵槽で生じる固形成分は土壌改良剤や、病原菌を除いた後、家畜の敷きわらとして使われる。液体成分は農場に散布される。

ハーベスタ

機械を使えば肉体労働を避けながら大量の作物を収穫できる。最新の機械は、ロボットの技術を用いて、果物や野菜など最近まで手作業で行われていた作物の収穫も可能になっている。

コンバインハーベスタ

コンバインハーベスタは最も大きな農業機械の1つで、1時間に70 t 程度の穀物を収穫することができる。複式収穫機を意味するコンバインという名称は刈り入れ（切り取り）・脱穀（穀粒を穂から分離する）・選別（籾殻を吹き飛ばす）という3つの収穫作業を1台の機械でこなすことに由来する。作業後、コンバインハーベスタは藁を畑に敷き戻す。

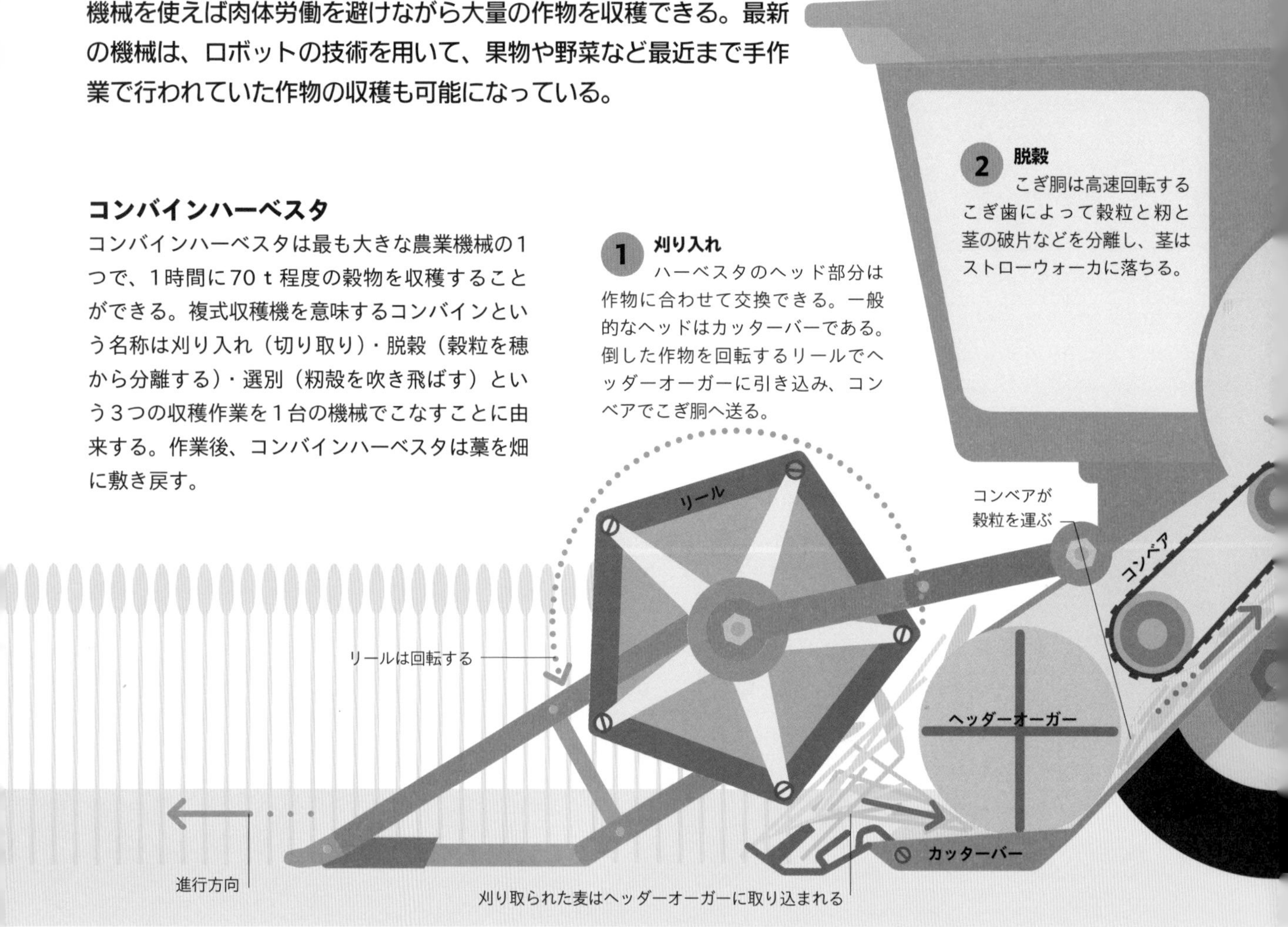

リール
リールは回転する
コンベアが
穀粒を運ぶ
コンベア
ヘッダーオーガー
カッターバー
進行方向
刈り取られた麦はヘッダーオーガーに取り込まれる

1 刈り入れ
ハーベスタのヘッド部分は作物に合わせて交換できる。一般的なヘッドはカッターバーである。倒した作物を回転するリールでヘッダーオーガーに引き込み、コンベアでこぎ胴へ送る。

2 脱穀
こぎ胴は高速回転するこぎ歯によって穀粒と籾と茎の破片などを分離し、茎はストローウォーカに落ちる。

未来の収穫作業

将来の果物や野菜の収穫作業はロボットが主役になるかもしれない。センサーにより作物が収穫に適しているかを判断する収穫ロボットが試作されている。カメラを搭載し作物の色を検知するものもある。繊細な作業が必要なリンゴのような果物などの摘み取りでは、真空式ロボットアームで果実を吸いつけたり、茎から果実や野菜を注意深く切り取る道具を用いたりする。

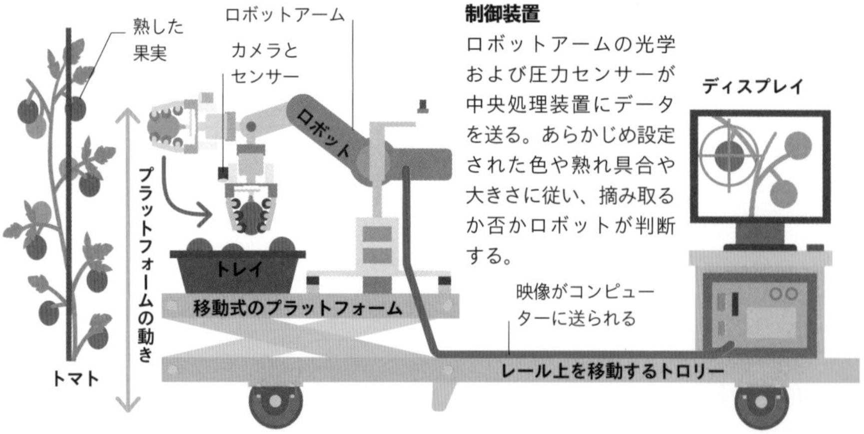

熟した
果実
ロボットアーム
カメラと
センサー
ロボット
プラットフォームの動き
トレイ
移動式のプラットフォーム
トマト
ディスプレイ
映像がコンピューターに送られる
レール上を移動するトロリー

制御装置
ロボットアームの光学および圧力センサーが中央処理装置にデータを送る。あらかじめ設定された色や熟れ具合や大きさに従い、摘み取るか否かロボットが判断する。

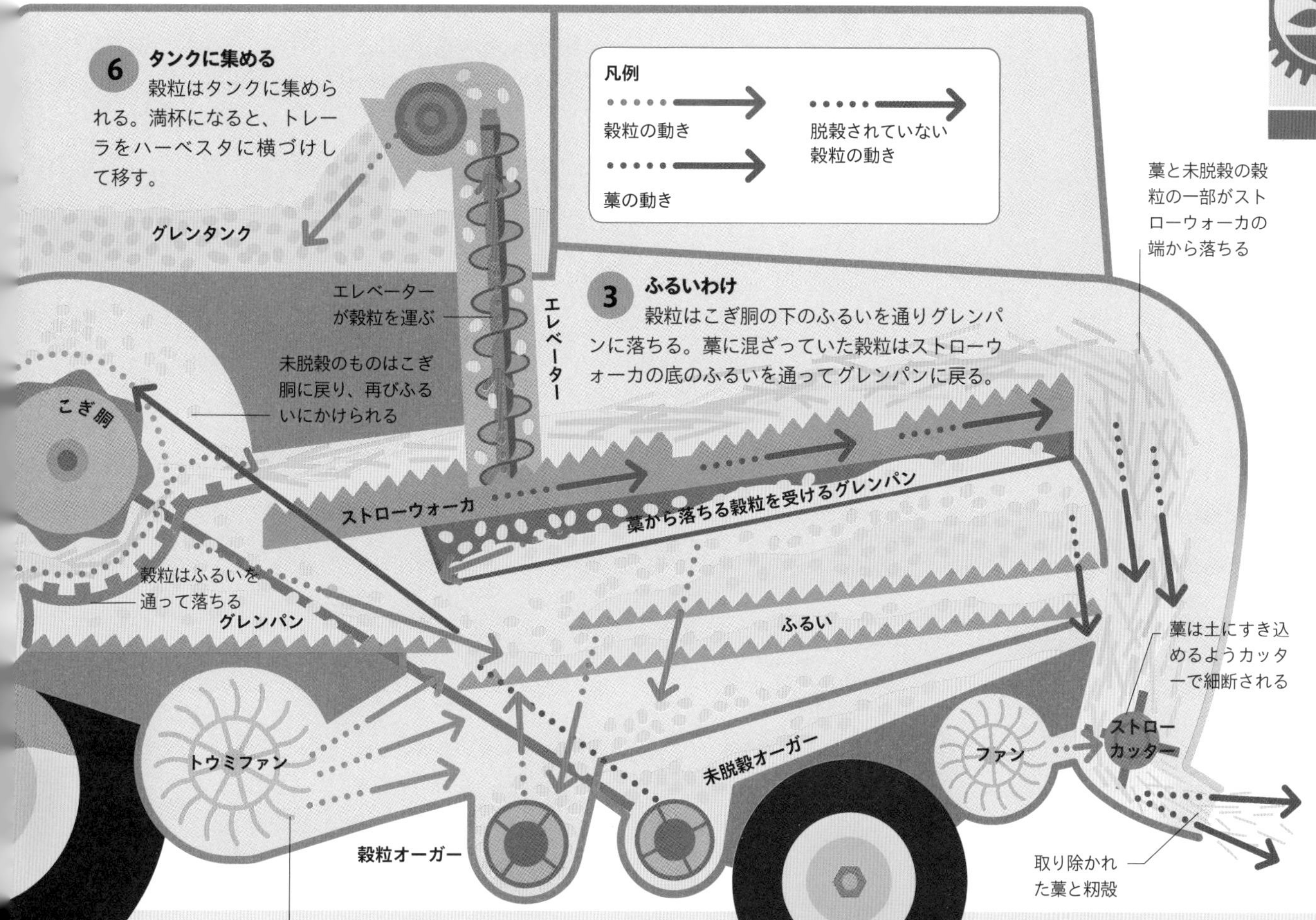
凡例
穀粒の動き
藁の動き
脱穀されていない穀粒の動き
グレンタンク
エレベーターが穀粒を運ぶ
エレベーター
未脱穀のものはこぎ胴に戻り、再びふるいにかけられる
こぎ胴
ストローウォーカ
藁から落ちる穀粒を受けるグレンパン
穀粒はふるいを通って落ちる
グレンパン
ふるい
藁と未脱穀の穀粒の一部がストローウォーカの端から落ちる
藁は土にすき込めるようカッターで細断される
トウミファン
未脱穀オーガー
ファン
ストローカッター
穀粒オーガー
取り除かれた藁と籾殻
トウミファンは籾殻を穀粒から分離してハーベスタの後部に吹き出す

6　タンクに集める
穀粒はタンクに集められる。満杯になると、トレーラをハーベスタに横づけして移す。

3　ふるいわけ
穀粒はこぎ胴の下のふるいを通りグレンパンに落ちる。藁に混ざっていた穀粒はストローウォーカの底のふるいを通ってグレンパンに戻る。

5　穀粒はタンクへ
穀粒はグレンパンから複数のふるいを通った後、グレンオーガーとエレベーターによってグレンタンクに送られる。

4　藁と籾殻を取り除く
藁と籾殻はファンによって機械の外へ吹き飛ばされる。吹き飛ばす前に藁を細断機で刻む場合もある。

広く使用されている収穫機

綿花収穫機
綿を収穫する機械には２種類ある。ピッカー型は回転するスピンドルなどで綿花を摘み取る。ストリッパ型は綿の木全体を引き抜き、別の機械で不要な部分を除去する。

ビート掘取機
ブレードが葉を取り除き、回転輪によりビートを収穫機に掘り上げる。収穫されたビートはクリーニングローラーで土を落とし、タンクに収容される。

オリーブ収穫機
オリーブやナッツなどの比較的傷つきにくい果実には木全体を振動させる機械が使われる。この機械は油圧シリンダーで木の幹を掴んで振動させ、落ちた果実を集める。

42
1ブッシェル（bsh、約35ℓ）の**小麦**でできる**パン（ローフ）**の数

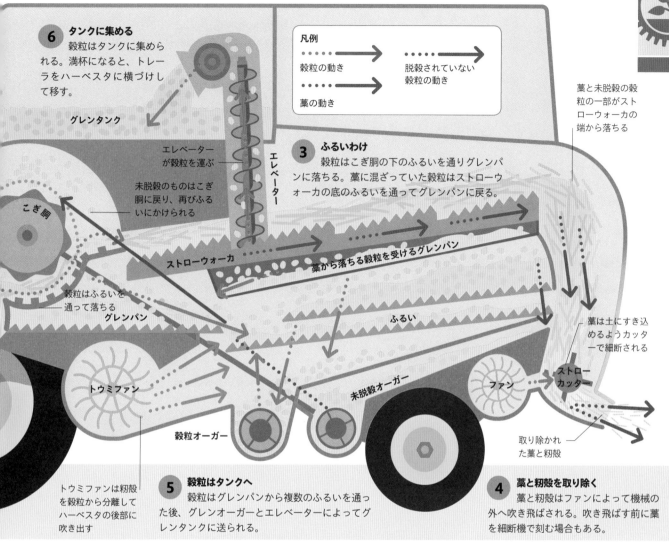

土を使わない農業

食料需要の拡大に応えるため、農家は作物栽培の効率化を工夫している。土を使わない栽培方法ではほとんどあらゆる場所で作物を育てることができ、生育条件の細い制御や、環境への影響を最小限に抑えることが可能である。

水耕栽培では**使用される水**は**従来型の農場**のわずか**10%**である

水耕栽培

水耕栽培は通常ポンプによって栄養分を含む水を供給し、作物は土なしで生育する。栄養分は植物の種類ごとに調整可能で、光・換気・湿度・温度も容易に制御できる。水耕栽培にはいくつかの方式がある。

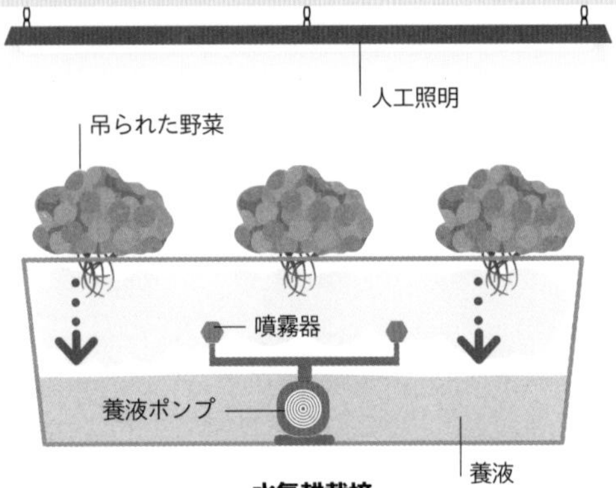

人工照明
吊られた野菜
噴霧器
養液ポンプ
養液

水気耕栽培

タンクの上から野菜の根が吊り下がっており、根が乾燥しないように栄養分を含んだ養液を数分ごとにポンプで噴霧する。

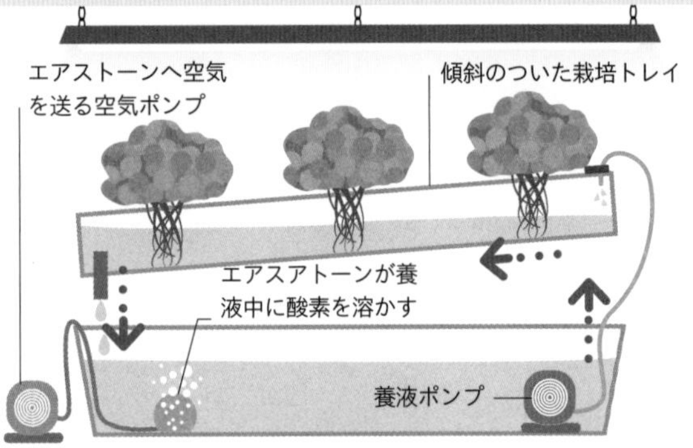

エアストーンへ空気を送る空気ポンプ
傾斜のついた栽培トレイ
エアスアトーンが養液中に酸素を溶かす
養液ポンプ

薄膜水耕法（NFT）

養液は絶えず根の先に流れるように栽培トレイにポンプで供給される。トレイは傾斜して設置され、養液はタンクに戻る。

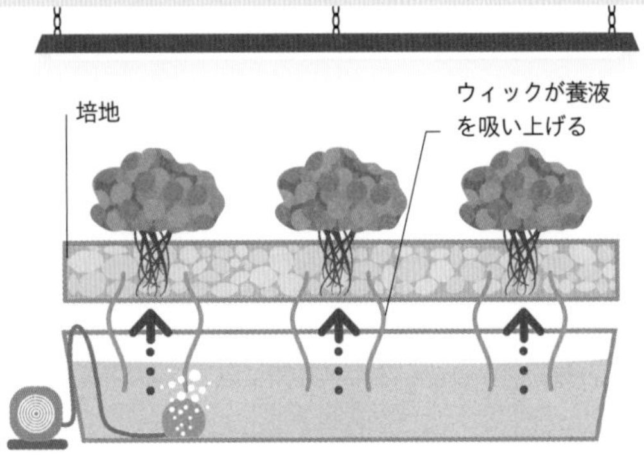

培地
ウィックが養液を吸い上げる

ウィックシステム

野菜はパーライトやコイア、バーミキュライトなどの培地で生育する。吸湿性のウィックが毛細管現象により養液をタンクから培地へ吸い上げる。

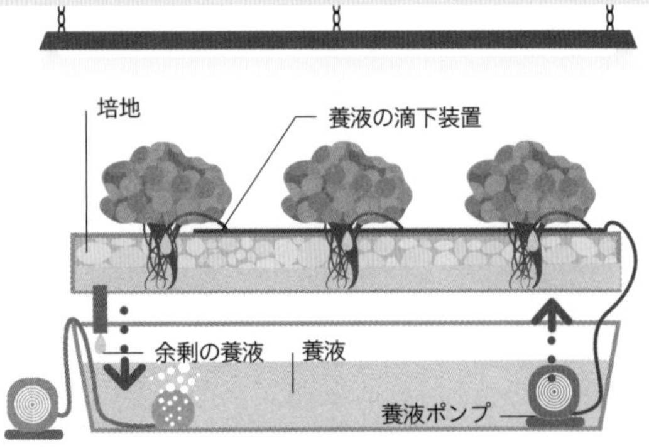

培地
養液の滴下装置
余剰の養液
養液
養液ポンプ

ドリップシステム

一定の間隔で培地に植えられた個々の野菜の周囲に養液を散布する。余剰の養液はタンクに戻り再び使われる。

アクアポニクス

このシステムは水耕栽培と養殖（水槽内での魚介類の育成）を組み合わせる。魚の水槽の水が植物の培地を通って循環し、魚の排泄物に含まれる栄養が植物に与えられ、ろ過された水が水槽に戻る。植物は自然由来の肥料で生育し、除草剤や殺虫剤は不要で土が媒介する病気の心配もない。また魚も食用にできる。

水耕栽培はどのくらい空間を節約できるか？

従来の農場と同じ面積で４～10倍程度の数の作物を育てることができる。

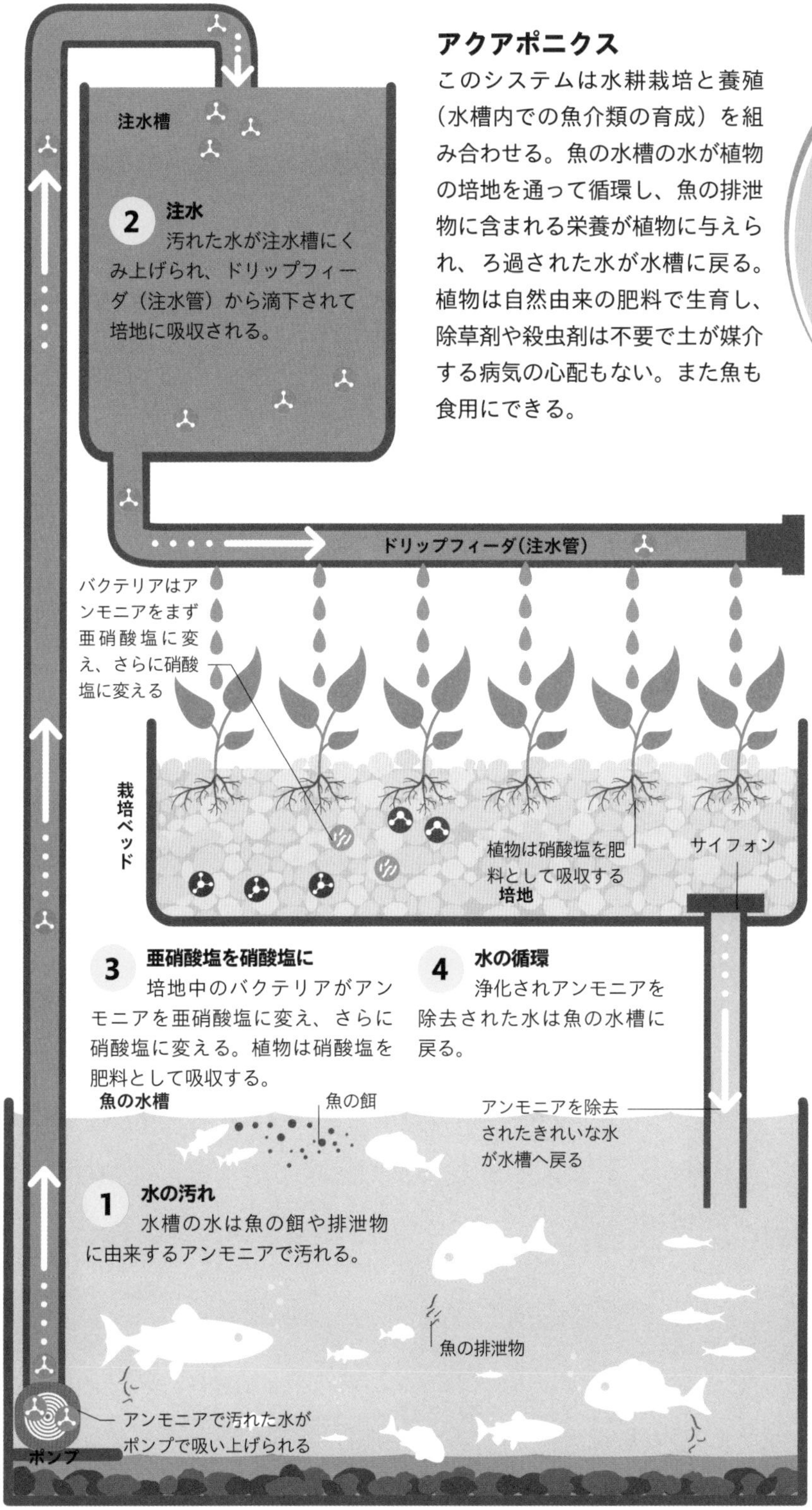
注水槽
2 注水
汚れた水が注水槽にくみ上げられ、ドリップフィーダ（注水管）から滴下されて培地に吸収される。
ドリップフィーダ（注水管）
バクテリアはアンモニアをまず亜硝酸塩に変え、さらに硝酸塩に変える
栽培ベッド
植物は硝酸塩を肥料として吸収する
培地
サイフォン
3 亜硝酸塩を硝酸塩に
培地中のバクテリアがアンモニアを亜硝酸塩に変え、さらに硝酸塩に変える。植物は硝酸塩を肥料として吸収する。
4 水の循環
浄化されアンモニアを除去された水は魚の水槽に戻る。
魚の水槽
魚の餌
アンモニアを除去されたきれいな水が水槽へ戻る
1 水の汚れ
水槽の水は魚の餌や排泄物に由来するアンモニアで汚れる。
魚の排泄物
アンモニアで汚れた水がポンプで吸い上げられる
ポンプ
凡例
アンモニア
バクテリア
亜硝酸塩
硝酸塩

垂直農場

高層建築で土を使わない栽培を行う都市型の農業が検討されている。作物は垂直の棚状のシステムや軽量の床板上で育てられ、センサーによって作物の生育状況を監視しながらロボットによる植物の世話と収穫を行う。

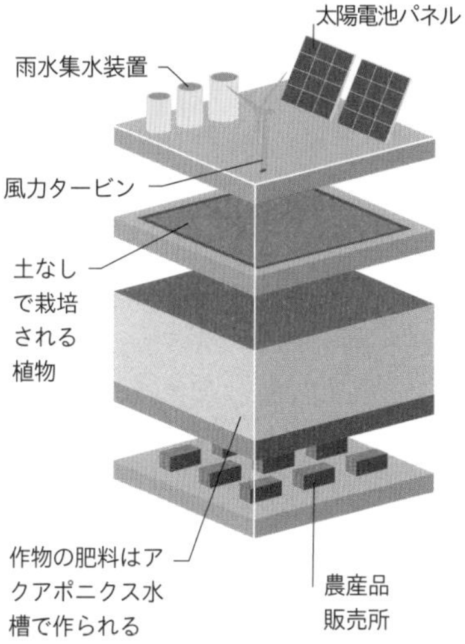
太陽電池パネル
雨水集水装置
風力タービン
土なしで栽培される植物
作物の肥料はアクアポニクス水槽で作られる
農産品販売所

精密農業

農業は急速にデジタル化されつつある。農家は通信技術やコンピューター技術によって作物や家畜のデータを収集し、農場運営を効率化し、機器類の遠隔操作なども行う。

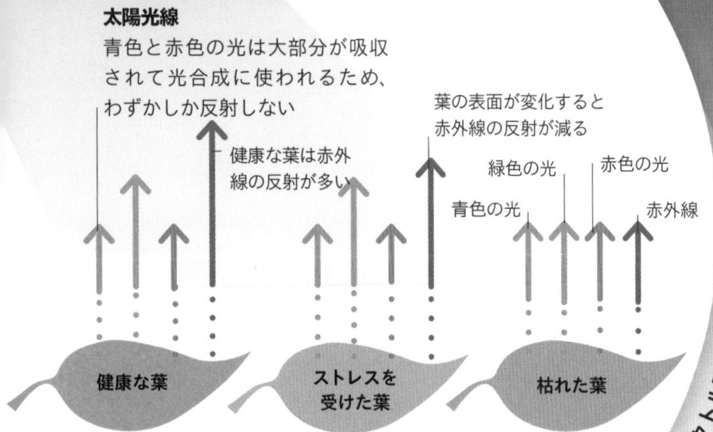

太陽光線
青色と赤色の光は大部分が吸収されて光合成に使われるため、わずかしか反射しない
健康な葉は赤外線の反射が多い
葉の表面が変化すると赤外線の反射が減る
緑色の光
赤色の光
青色の光
赤外線
健康な葉
ストレスを受けた葉
枯れた葉

葉は状態に応じて表面で反射する光が変化する。健康な葉は青色と赤色の光の大部分を吸収し光合成のエネルギーとして使用するが、緑色の光と赤外線の多くを反射する。しかし病気や脱水などのストレスを受けると生理機能が変化し、緑色や赤外線の反射が減少する。

1 リモートセンシング

ドローンにより上空から耕作地の観測を行う。多くのドローンは複数のレンズを備えたマルチスペクトルカメラを搭載している。赤外線および可視光領域の波長で観測し、土壌中の水分量や作物の葉緑素量などを検出することができる。

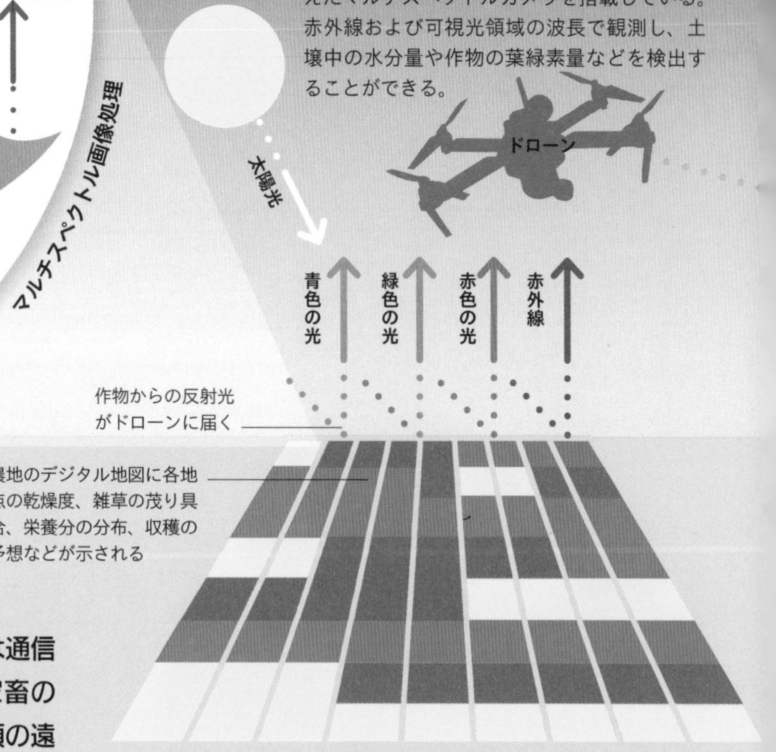

マルチスペクトル画像処理
太陽光
ドローン
青色の光
緑色の光
赤色の光
赤外線
作物からの反射光がドローンに届く
農地のデジタル地図に各地点の乾燥度、雑草の茂り具合、栄養分の分布、収穫の予想などが示される

家畜の監視

家畜には情報を得るためにさまざまなセンサーが取りつけられている。チップやタグにより、迷子の家畜の捜索や、管理・売却時の正確な個体識別が可能になる。またセンサーを通じて家畜の健康の問題を管理者に警告したり、交配や出産の時期を知らせることもできる。

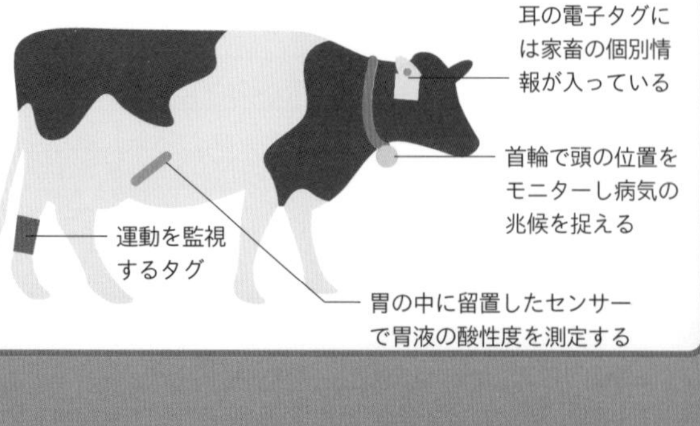

耳の電子タグには家畜の個別情報が入っている
首輪で頭の位置をモニターし病気の兆候を捉える
運動を監視するタグ
胃の中に留置したセンサーで胃液の酸性度を測定する

作物の監視

精密農業では、作物の収量を増やし廃棄物を減らすために、農場に設置したセンサーからドローンや人工衛星に至るまで、さまざまな情報源から集めたデータを活用する。GPSデータを使えば正確な位置を把握しながら農場のすみずみまで精密に管理することができる。また、現地において特定の場所の雑草の分布や土壌のpH値などの情報を参照できるので、場所ごとに必要な作業を行うことができる。インターネットにつながった農業機器を使えば、遠隔操作によって農作業を行うこともできる。

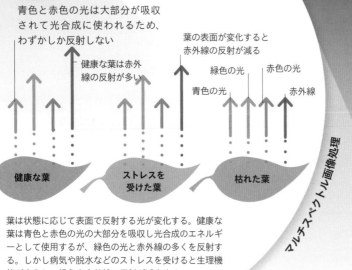

3　すべてのデータを集約する

ドローンや土壌センサーなどの各種のセンサーからの情報はデータ収集ハブへ送られる。

4　人工衛星の情報

GPS（194-95頁参照）と気象衛星のデータもクラウド（下記）に送られる。この情報によって農家は作付けや給水や収穫の最適時期を計画したり、農産物需要の増加を予測したりすることができる。

5　データの処理と蓄積

データは解析され、クラウド（インターネットからアクセスできるサーバー）に蓄積される。情報は自動的に更新され、警告を発したり、農家や監督官庁そのほかの関係者に向け、手作業では処理に長時間かかるような情報を提供するために使用されたりする。

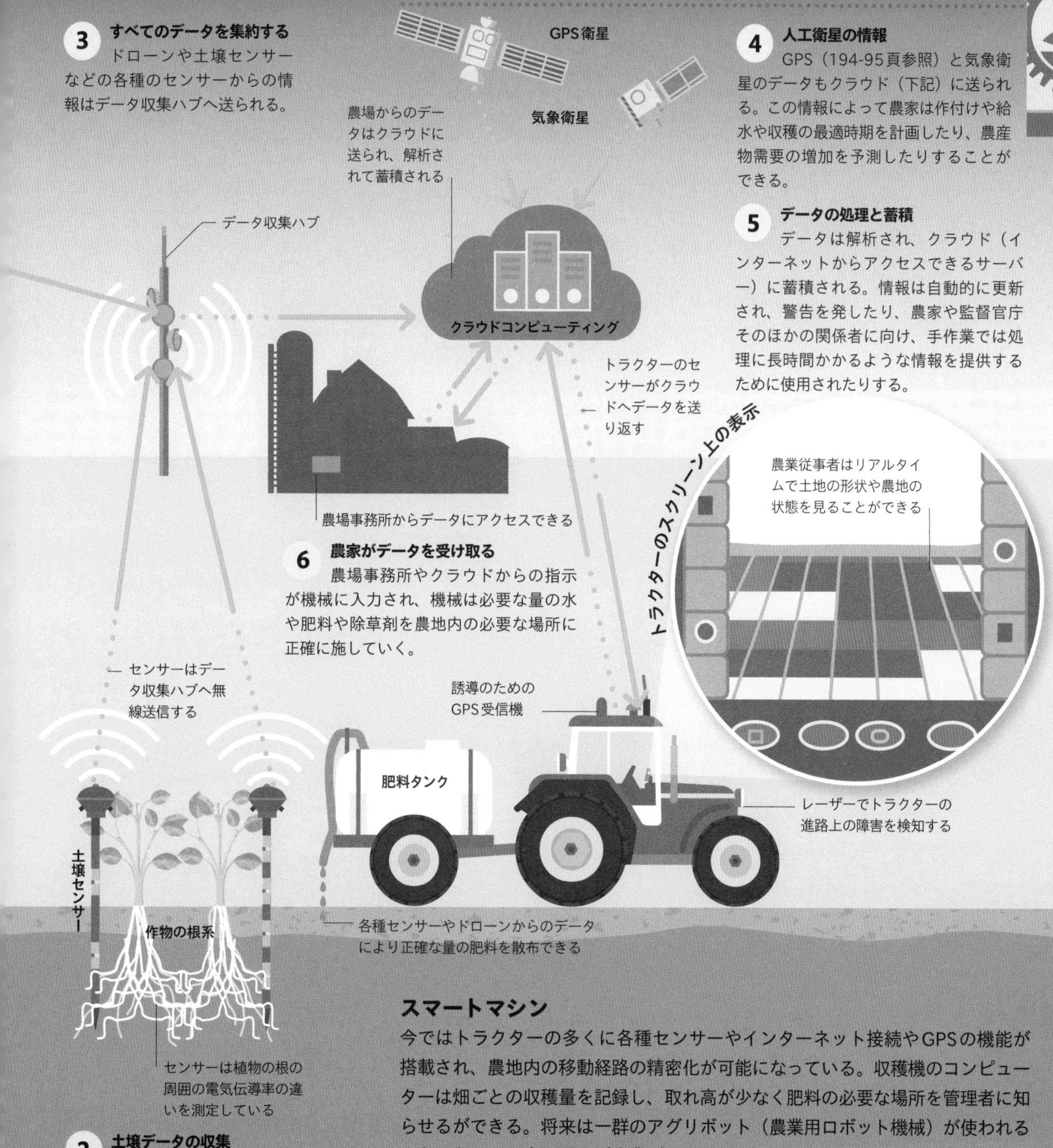
GPS衛星
気象衛星
農場からのデータはクラウドに送られ、解析されて蓄積される
データ収集ハブ
クラウドコンピューティング
トラクターのセンサーがクラウドへデータを送り返す
トラクターのスクリーン上の表示
農業従事者はリアルタイムで土地の形状や農地の状態を見ることができる
農場事務所からデータにアクセスできる
センサーはデータ収集ハブへ無線送信する
誘導のためのGPS受信機
肥料タンク
レーザーでトラクターの進路上の障害を検知する
土壌センサー
作物の根系
各種センサーやドローンからのデータにより正確な量の肥料を散布できる
センサーは植物の根の周囲の電気伝導率の違いを測定している

6　農家がデータを受け取る

農場事務所やクラウドからの指示が機械に入力され、機械は必要な量の水や肥料や除草剤を農地内の必要な場所に正確に施していく。

2　土壌データの収集

土中のセンサーが化学組成の変化を示すイオンを検出することで、土中の水分、栄養分、肥料などの量を監視できる。土の固さや通気性を調べるものもある。

スマートマシン

今ではトラクターの多くに各種センサーやインターネット接続やGPSの機能が搭載され、農地内の移動経路の精密化が可能になっている。収穫機のコンピューターは畑ごとの収穫量を記録し、取れ高が少なく肥料の必要な場所を管理者に知らせるができる。将来は一群のアグリボット（農業用ロボット機械）が使われるようになり、日夜を問わず作業が行われるようになるともいわれる。水や肥料は必要に応じて与えられ、雑草は除草剤ではなくレーザーで処理され、収穫は作物全体でなく一部ずつ行われる。すなわち耕作方法を1株ごとに最適化することも可能になりつつある。

収穫から出荷まで

収穫された作物は出荷のために準備される。農産品は最新の品質管理基準に則して選別・洗浄・等級づけがなされ、最高の状態で届くように箱詰めされて出荷される。

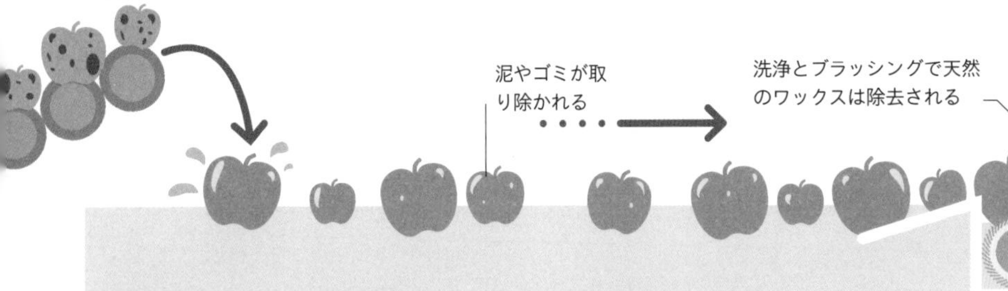

泥やゴミが取り除かれる
洗浄とブラッシングで天然のワックスは除去される

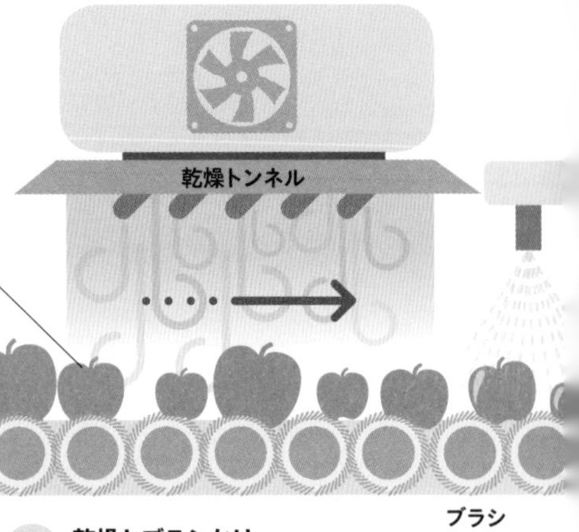

乾燥トンネル
ブラシ

箱詰め

新鮮な農産品を消費者に届けるための洗浄・等級づけ・箱詰めには多くの処理工程がある。かつて重労働だった作業は光学識別装置や選別機により自動化されるようになった。同種のプロセスは重くて泥だらけのジャガイモから傷つきやすいブドウまで、あらゆる種類の果物や野菜に導入されている。

1　洗浄

タンクで水に浸したり上から散水したりして洗浄する。農薬や病原体、泥などを落とすために弱い洗浄剤が使われる。

2　乾燥とブラシかけ

作物は乾燥されながら回転するブラシの上を通過し、洗浄で落ちなかった表面の汚れを取り除かれる。

冷蔵倉庫

7　冷蔵保存

箱はパレットに積み上げられ、倉庫に運ばれて配送まで冷蔵保存される。

光学式選別機

箱詰め工場では農産物の処理に光学式選別機を使うことが多い。農産品はコンベア上を移動中に、あるいは落下式の選別機（右図）を落下中にセンサーの上か下を通る。センサーは画像処理装置につながっており、通過する農産品はあらかじめ設定された選別基準と比較される。取り除くべきものがあると分離装置が起動され、小さいものは圧縮空気で吹き飛ばし、大きいものは機械的に取り除かれる。取り除かれたものは廃棄対象となり、残りはそれ以降の処理に進む。

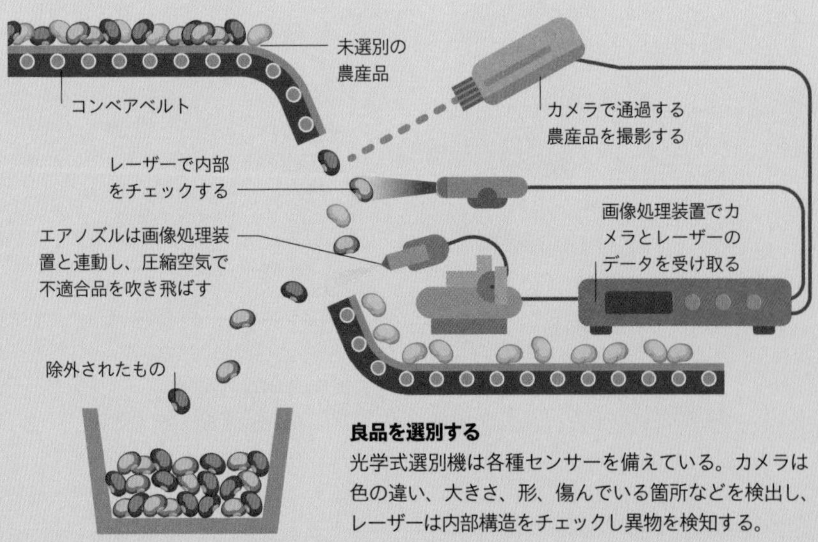

未選別の農産品
コンベアベルト
カメラで通過する農産品を撮影する
レーザーで内部をチェックする
画像処理装置でカメラとレーザーのデータを受け取る
エアノズルは画像処理装置と連動し、圧縮空気で不適合品を吹き飛ばす
除外されたもの

良品を選別する

光学式選別機は各種センサーを備えている。カメラは色の違い、大きさ、形、傷んでいる箇所などを検出し、レーザーは内部構造をチェックし異物を検知する。

3　ワックスがけ
ワックスを施して洗浄中に除去された天然のワックスを補う。防カビ剤につけたり放射線を照射したりして微生物の繁殖を防ぐ場合もある。

4　手作業による選別
熟練者が傷みや病変のある果物、未熟品や形の悪いものを選り分ける。

光学式選別機の処理能力は1時間あたり**35t**に達する

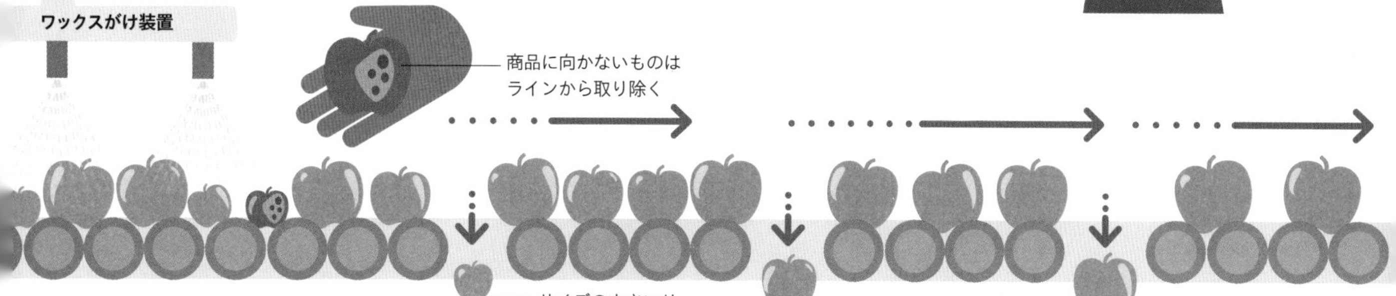
ワックスがけ装置
商品に向かないものはラインから取り除く

5　機械的な大きさの選別
基本的な大きさによる選別は機械的に行われる。コンベアの隙間を通るものは下に落ちるか、別のラインへ振り分けられる。

6　箱詰め
農産品は箱詰めラインに送られ、出荷用の大きな箱に丁寧に詰められる。小売用のものは重さを測って袋などで包装し、封をして日付印を押す。

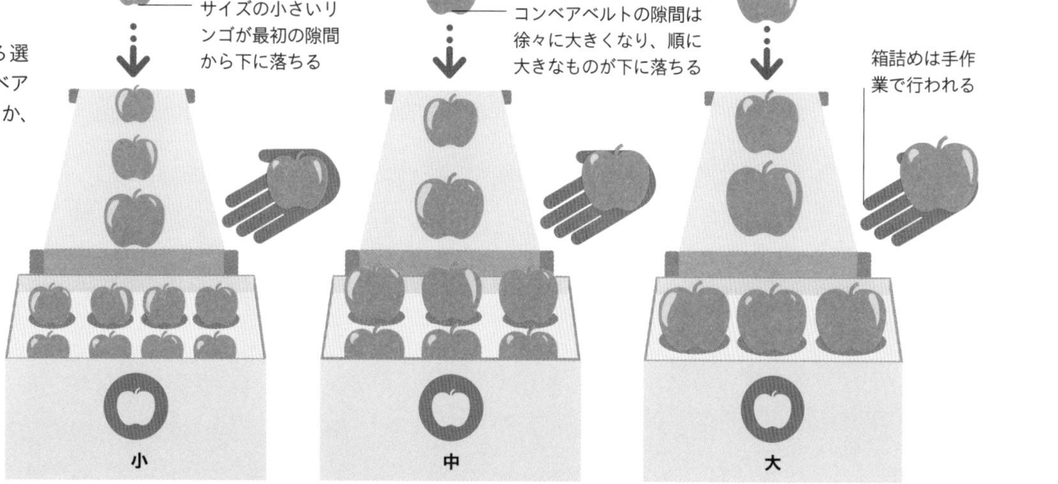
サイズの小さいリンゴが最初の隙間から下に落ちる
コンベアベルトの隙間は徐々に大きくなり、順に大きなものが下に落ちる
箱詰めは手作業で行われる
小
中
大

段ボール箱はいつから使われるようになったか？

段ボールはイギリスで1856年に発明されたが、箱として梱包に使われ始めたのは1903年。

ガス置換包装

果物や野菜には蒸散率の高いものや、それ自体から成熟を促進する気体が発生して賞味期間が短くなってしまうものがある。こうした品質の低下は包装内の気体の成分を変えることで遅らせることができる。真空包装では空気を抜いて酵素反応や細菌の成長を抑制する。ガス置換方式は調整した気体で空気を置換して品質の劣化を防ぐ。また、通気性の包装素材を使うと、包装内部で発生した気体を外部に逃がして空気中と同じ濃度に保つことができる。

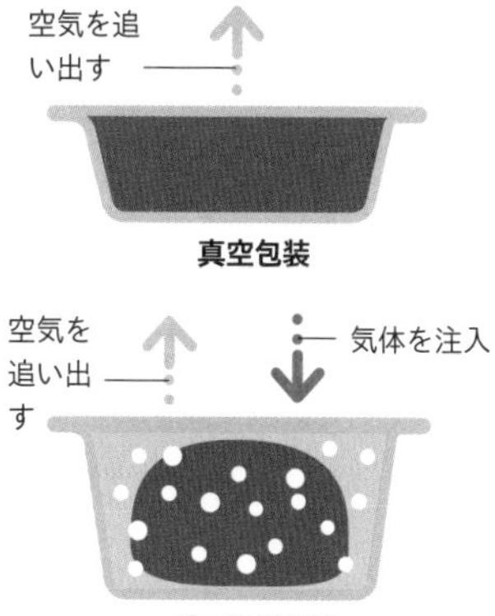
空気を追い出す
真空包装
空気を追い出す
気体を注入
ガス置換包装

食品の保存

農畜産物は、収穫直後から細菌などの微生物や酵素の攻撃を受け、食品として品質が劣化して最終的には食べられなくなる。これをできるだけ遅らせるために、何千年も昔からさまざまな方法が考えられてきた。

4　加熱された牛乳の検査
　牛乳はホールディングチューブに流入し一定時間とどめられる。配管上部の流路切り替えポンプは加熱殺菌された牛乳のみを冷却工程に送る。

3　二次加熱
　生乳は温水管のある加熱部を通過し、温水ポンプで送られる温水によってさらに加熱される。長く蛇行する配管により、生乳は十分な時間定められた温度に保たれる。

低温殺菌

低温殺菌法は牛乳、ソース、果物ジュースなどの液体に使われる保存処理である。液体は高温で短時間加熱されて冷却される。温度が高いほど加熱時間は短くて済む。加熱は病原菌やイースト菌やカビを殺し、液体を劣化させる酵素の不活性化に十分な温度で行われる。牛乳などは加熱時間が長いと変質するため、加熱殺菌後は冷蔵する必要がある。

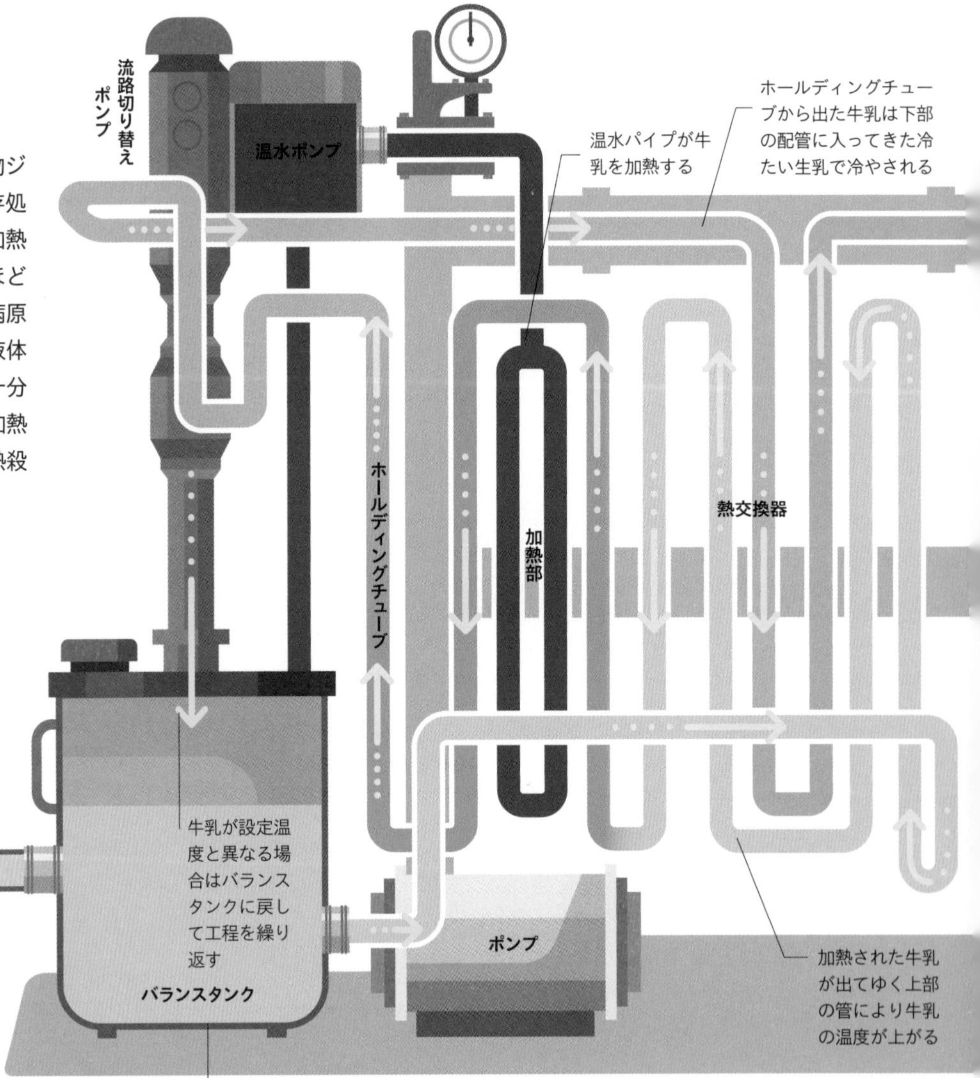

流路切り替えポンプ
温水ポンプ
温水パイプが牛乳を加熱する
ホールディングチューブから出た牛乳は下部の配管に入ってきた冷たい生乳で冷やされる
ホールディングチューブ
加熱部
熱交換器
牛乳が設定温度と異なる場合はバランスタンクに戻して工程を繰り返す
貯蔵タンクからの生乳
バランスタンク
ポンプ
加熱された牛乳が出てゆく上部の管により牛乳の温度が上がる
冷たい生乳はバランスタンクに貯蔵される

1　生乳の貯蔵
　生乳はバランスタンクに貯蔵され、加熱殺菌まで4～5℃程度に保たれる。

2　予備加熱
　生乳はポンプで熱交換器に導入される。入ってくる冷たい生乳は、すでに加熱された牛乳が通過する上部の管によって予熱される。

凡例

水	製品
温水	生乳
冷水	低温殺菌乳

6 急速冷却
処理済みの牛乳は冷水管のある冷却部を通過し、冷却水ポンプが供給する冷水により急速に冷却される。

ボツリヌス中毒とは？

不適切に保存された食品中で、ボツリヌス菌の芽胞が放出した毒素が起こす中毒。命に関わることもある。

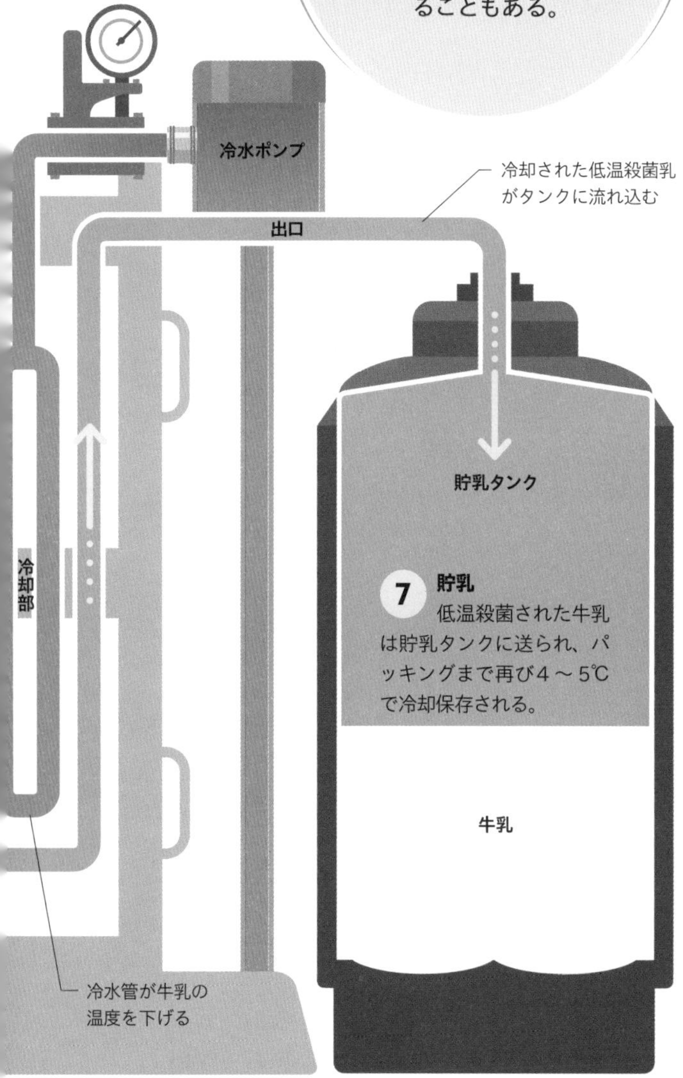
冷水ポンプ
冷却された低温殺菌乳がタンクに流れ込む
出口
貯乳タンク
冷却部
牛乳
冷水管が牛乳の温度を下げる

7 貯乳
低温殺菌された牛乳は貯乳タンクに送られ、パッキングまで再び4～5℃で冷却保存される。

5 予備冷却
加熱された牛乳はホールディングチューブから熱交換器の次のセクションに進み、下部に入ってくる冷たい生乳によって予備冷却される。

食品保存の方法

いろいろな食品保存方法が古代から知られ、今でも使われている。酢漬け、砂糖漬け、発酵、燻製、保存加工、冷蔵、塩漬け、冷凍、缶詰、あるいは埋蔵などは、すべて食品を腐敗させる微生物のはたらきを抑制する手法である。一方、最近では商品向けの新しい保存技術が開発されている。

放射線照射
電離放射線の照射はカビや細菌や虫を殺し、食品を滅菌し、果物を長持ちさせる。

真空包装
プラスチックの袋に入れた食品を真空にして密封することで、食品の酸化防止と殺菌を行う。

加圧殺菌
袋に入れて密封した食品をコンテナに入れて液体を満たし、高圧をかけて微生物を不活性化する。

食品添加物
抗菌薬や酸化防止剤を食品に添加し、細菌類の活動を抑え食品の劣化を防ぐ。

ガス置換
空気を二酸化炭素や窒素で置き換えることで微生物の成長を抑え、殺虫する。

バイオプリザベーション
自然に存在する微生物や抗菌物質を食料品の保存に利用する方法で、肉や魚介の処理に使われることが多い。

ハードルテクノロジー
強い酸、添加物、脱酸素などの複数の処理を組み合わせて微生物の活動を抑える。

パルス電界殺菌
食品に高電圧パルスを通すことで細菌の細胞膜に孔を開け、殺菌する。

二酸化炭素中で保存された**穀物**は**5年**経過しても食用可能である

食品の加工

販売されている食品の多くは、より長い賞味期間をもち、利便性の高い品にするために加工が施されている。基本的な処理は生鮮食料品にも行われる。

最古の食品添加物は？

塩は、肉や野菜の腐敗を防止し、風味を引き出すために約1万年前から使い続けられている。

インスタントラザーニャができるまで

加工食品の典型というべきインスタント食品は、主菜であれ副菜であれ容器ごと温めて食べるだけである。インスタント食品の生産では食材の準備、調理、包装が一連の流れとして自動化されている。ラザーニャのような手の込んだ料理には複数のラインが必要になる。

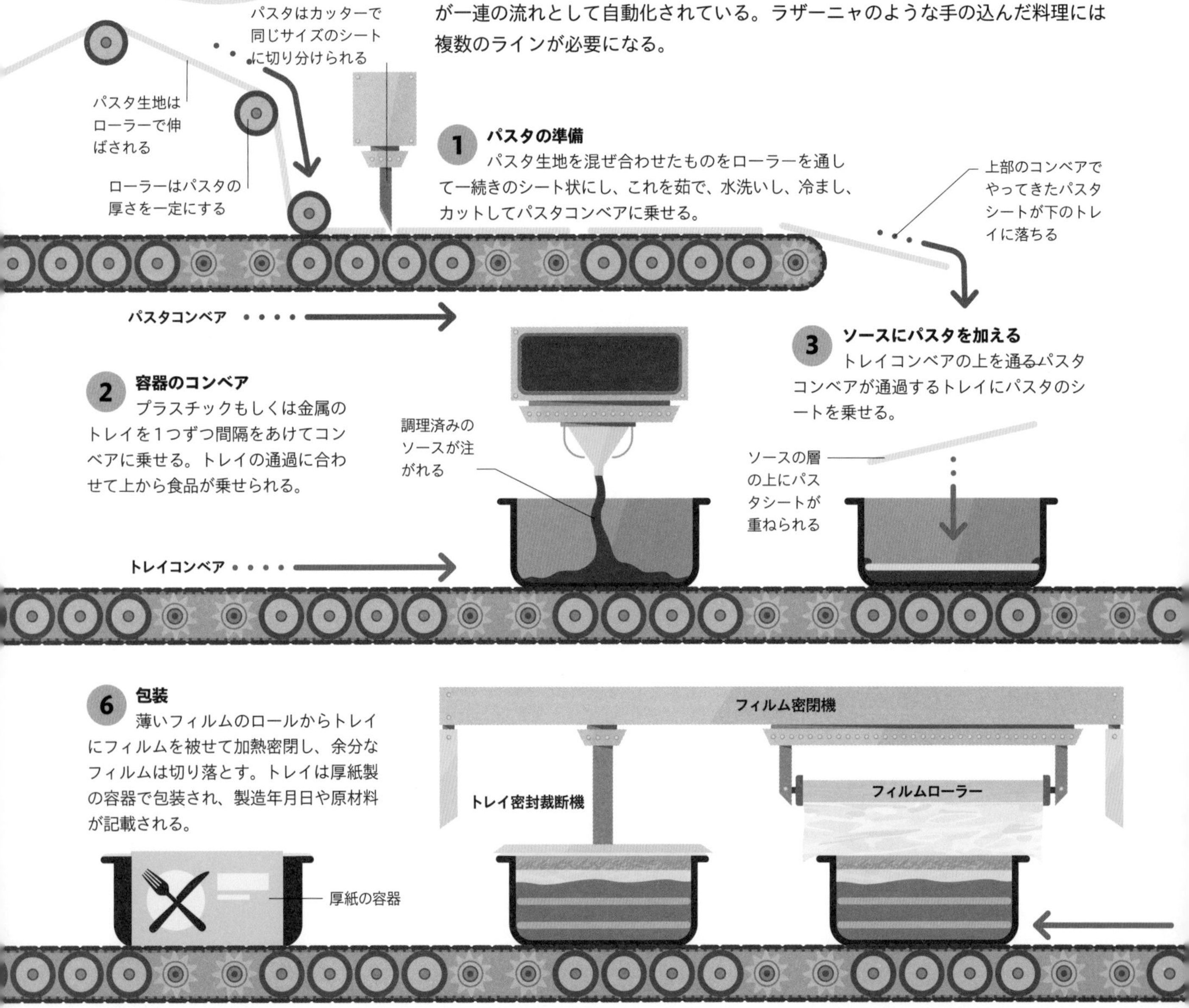

パスタはカッターで同じサイズのシートに切り分けられる
パスタ生地はローラーで伸ばされる
ローラーはパスタの厚さを一定にする
上部のコンベアでやってきたパスタシートが下のトレイに落ちる
パスタコンベア
調理済みのソースが注がれる
ソースの層の上にパスタシートが重ねられる
トレイコンベア
フィルム密閉機
フィルムローラー
トレイ密封裁断機
厚紙の容器

1 パスタの準備
パスタ生地を混ぜ合わせたものをローラーを通して一続きのシート状にし、これを茹で、水洗いし、冷まし、カットしてパスタコンベアに乗せる。

2 容器のコンベア
プラスチックもしくは金属のトレイを1つずつ間隔をあけてコンベアに乗せる。トレイの通過に合わせて上から食品が乗せられる。

3 ソースにパスタを加える
トレイコンベアの上を通るパスタコンベアが通過するトレイにパスタのシートを乗せる。

6 包装
薄いフィルムのロールからトレイにフィルムを被せて加熱密閉し、余分なフィルムは切り落とす。トレイは厚紙製の容器で包装され、製造年月日や原材料が記載される。

食品添加物

食品添加物は良くないものと思われることが多いが、加工食品の外見や風味、保存期間を保つためには欠かすことができない。また、加工によっては栄養や自然な色や風味が損なわれるので補わなければならない。増量剤、保存料、とろみ剤、酸味料、甘味料、着色料などがよく使われている。多くの添加物は天然由来であり、すべて食品添加物の基準を満たしていなければならない。

乳化剤
ソースにとろみをつけたり、油と水のように混ざりにくい材料の分離を防いだりするのに使われる。アイスクリーム、マヨネーズ、ドレッシングなどに添加されている。

調味料
塩とグルタミン酸ナトリウム（MSG）のような調味料は、加工の際に失われやすい自然の風味を補うために使われる。

栄養素
加工で失われた栄養素やビタミンを補うためのもの。たとえば朝食用のシリアルにはビタミンBと葉酸が添加されているものが多い。

4 ソースを加える
トレイはさらにコンベア上を進み、ソース盛り付けユニットとパスタコンベアの下を通過してソースの層とパスタを重ねる。

ラザーニャの仕上げにおろしチーズをトッピングする
ミートソース盛り付けユニット
ベシャメルソース盛り付けユニット
おろしチーズ盛り付けユニット

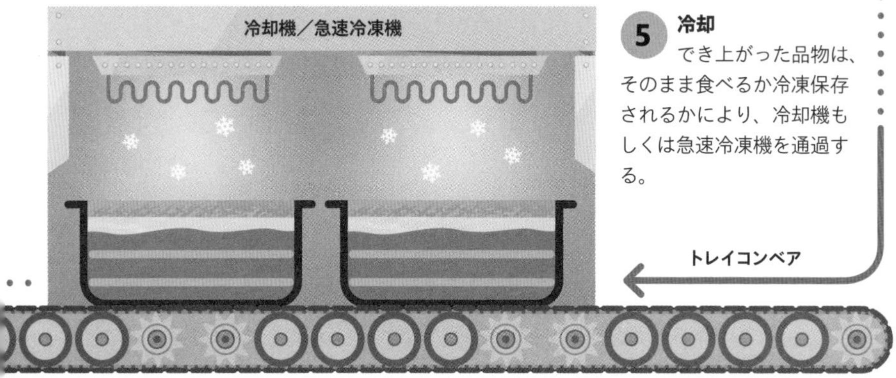
冷却機／急速冷凍機
トレイコンベア

5 冷却
でき上がった品物は、そのまま食べるか冷凍保存されるかにより、冷却機もしくは急速冷凍機を通過する。

1953年に、**感謝祭**で売れ残った**七面鳥**を使い切るために作られたのが**最初のインスタント食品**とされる

機内食

飛行中は高度のせいで嗅覚や味覚が鈍くなるため、機内食用の加工食品には余分の添加物が必要である。飛行機の客室のような気圧と湿度が低いところではとりわけ塩と砂糖の味を感じにくくなる。風味を増すためにスパイスが使われることも多い。

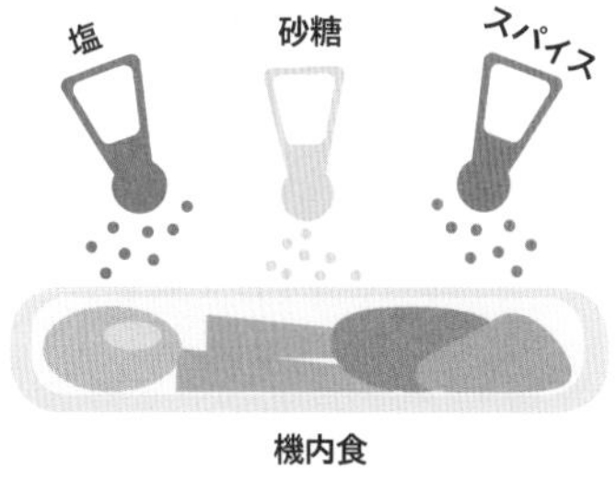
塩
砂糖
スパイス
機内食

遺伝子組み換え

農業においては作物や家畜の遺伝子組み換えが急速に導入されている。遺伝子組み換えの利用は世界の多くの国で議論を呼んでいるが、増え続ける人口がもたらす食料問題を解決する唯一の方法といわれることも多い。

アグロバクテリウム法

アグロバクテリウムは自分自身と植物の間で遺伝子を移動させることができるバクテリアを指す。この性質は選んだ遺伝子を別の植物に植え付ける遺伝子組み換えの有用な手法として利用できる。

パーティクルガン法

この方法はアグロバクテリウム法が有効でない植物に対して使われる。最初は改造された空気銃が植物細胞に材料を打ち込むために使われた。

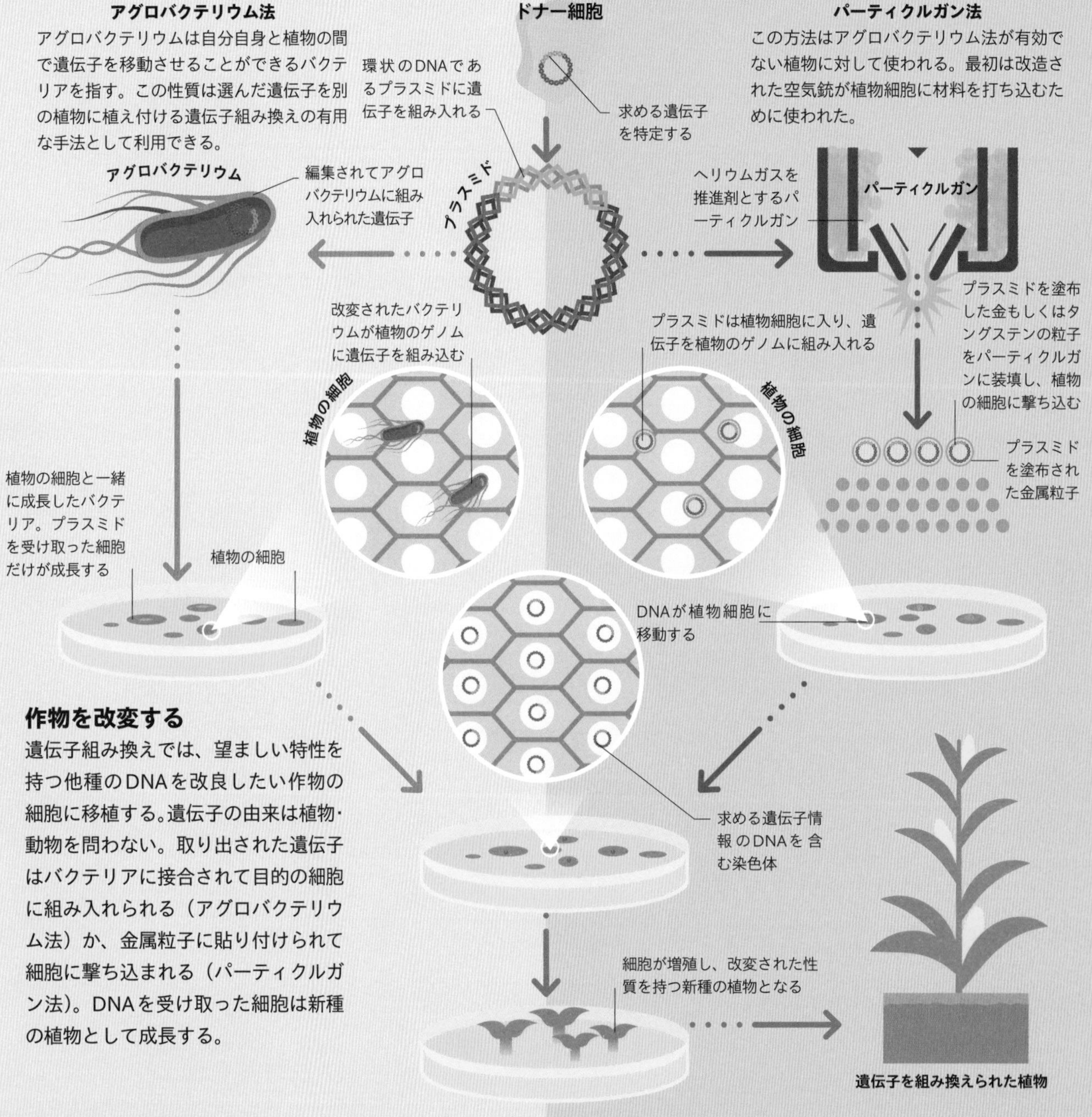

ドナー細胞
環状のDNAであるプラスミドに遺伝子を組み入れる
求める遺伝子を特定する
プラスミド
アグロバクテリウム
編集されてアグロバクテリウムに組み入れられた遺伝子
ヘリウムガスを推進剤とするパーティクルガン
パーティクルガン
改変されたバクテリウムが植物のゲノムに遺伝子を組み込む
プラスミドは植物細胞に入り、遺伝子を植物のゲノムに組み入れる
プラスミドを塗布した金もしくはタングステンの粒子をパーティクルガンに装填し、植物の細胞に撃ち込む
植物の細胞
植物の細胞
プラスミドを塗布された金属粒子
植物の細胞と一緒に成長したバクテリア。プラスミドを受け取った細胞だけが成長する
植物の細胞
DNAが植物細胞に移動する
求める遺伝子情報のDNAを含む染色体
細胞が増殖し、改変された性質を持つ新種の植物となる
遺伝子を組み換えられた植物

作物を改変する

遺伝子組み換えでは、望ましい特性を持つ他種のDNAを改良したい作物の細胞に移植する。遺伝子の由来は植物・動物を問わない。取り出された遺伝子はバクテリアに接合されて目的の細胞に組み入れられる（アグロバクテリウム法）か、金属粒子に貼り付けられて細胞に撃ち込まれる（パーティクルガン法）。DNAを受け取った細胞は新種の植物として成長する。

動物の遺伝子組み換え

すでに商品として遺伝子組み換え作物が栽培されている地域もある一方で、動物に関してはほとんどが研究段階である。家畜の遺伝子組み換えでは、成長の早さ、病気への抵抗力、肉の品質、子孫の生存率など、商業的に重視される特性を得るために交配が行われている。たとえば遺伝子を組み換えたサケは従来のサケの２倍早く成長する。

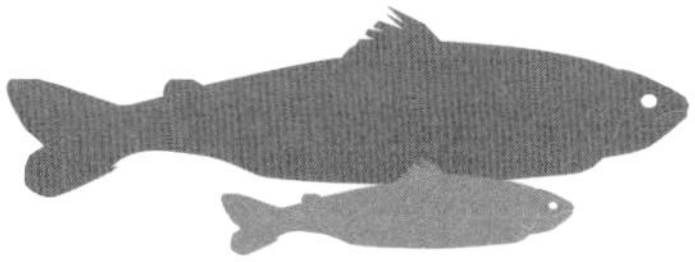

遺伝子組み換えが行われた**最初の商品作物**は**トマト**だった

遺伝子を移植された動物

移植遺伝子を持つ家畜に由来する食品が開発されつつあり、すでに製造されているものもある。遺伝子移植された家畜は他種の遺伝子を組み込まれたDNAを持っている。家畜の遺伝子移植の目的の１つは医薬品の製造である。動物の育成は製薬ラインを構築するよりも安価に医薬品を作ることができるが、今のところ牛乳や卵など動物を傷つけずに得られる材料から製造できるものに規制されている。動物の性別や年齢を問わずに得られる尿の利用も可能性が検討されている。

動物	用途
ウシ 	移植遺伝子を持つウシは、感染症治療に使われるタンパク質であるヒトのラクトフェリンを含む牛乳の製造など、複数の医薬品の製造に利用されている。また、研究者は乳糖不耐症の人のために、乳糖の少ない牛乳を作るウシを遺伝子移植によって作り出している。
ブタ 	研究者はブタの遺伝子編集によりヒトの臓器移植に使用できる動物の臓器を作る研究を行っている。またブタは排泄物による環境汚染を軽減するために、遺伝子の改変によってリンの排出を抑制する酵素であるフィターゼを作るように改良されている。
ヤギ 	ヤギは遺伝子の改変により、ヒトの血液の凝固を防ぐタンパク質であるアンチトロンビンの製造に用いられている（下欄参照）。さらにヤギのDNAにクモから発見された絹のタンパク質を挿入し、絹を含んだ乳を出すヤギも作り出されている。
ヒツジ 	脂肪酸の製造に関係のある回虫の遺伝子をヒツジの遺伝子に組み込み、高レベルのオメガ3脂肪酸を肉に含むヒツジが作られている。また難病であるハンチントン病の研究のために、この病気の遺伝子を持つよう改変されたヒツジもいる。

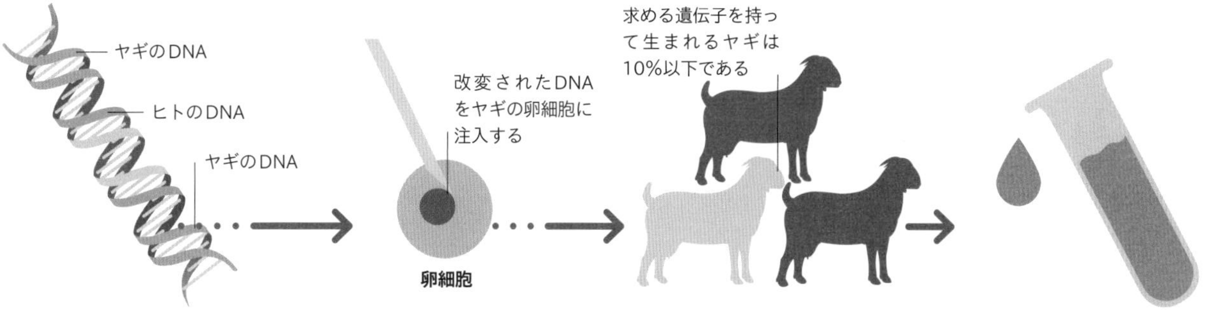
ヤギのDNA
ヒトのDNA
ヤギのDNA
改変されたDNAをヤギの卵細胞に注入する
卵細胞
求める遺伝子を持って生まれるヤギは10%以下である

1　DNAの改変
ヒトのDNAのうち血液ホルモンのアンチトロンビン（血液の凝固を阻害する）のコードを含む部分をヤギのDNAに組み入れる。

2　DNAの移植
改変されたDNAをヤギの受精卵の核に注入し、メスのヤギの胎内で出産まで育てる。

3　子の検証
誕生した子ヤギがアンチトロンビンの遺伝子を持っているか調べ、持っているヤギを交配して改変遺伝子を持つヤギを増やす。

3　タンパク質の抽出
改変遺伝子を持つヤギの乳をろ過して不純物を取り除く。1年間に1頭のヤギが作れるアンチトロンビンは9万件の献血に相当する。

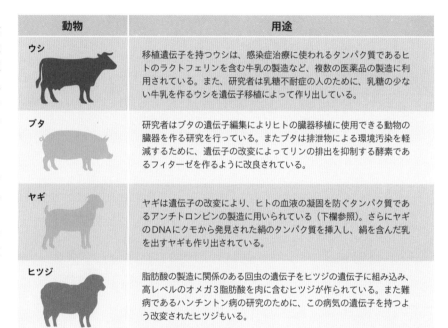

第9章

医療の技術

ペースメーカー

ペースメーカーは胸部に埋め込まれる電池を動力とする機器で、心臓に電気的な刺激を送ることで心拍の異常を修正する。

正常な心臓のはたらき

心拍は、結節と呼ばれる心臓の神経組織から出た信号が心筋を収縮させることで生じる。まず「自然のペースメーカー」と呼ばれる洞房結節から信号が発せられて心房が収縮する。次に信号は房室結節に送られ、心室を収縮させる。

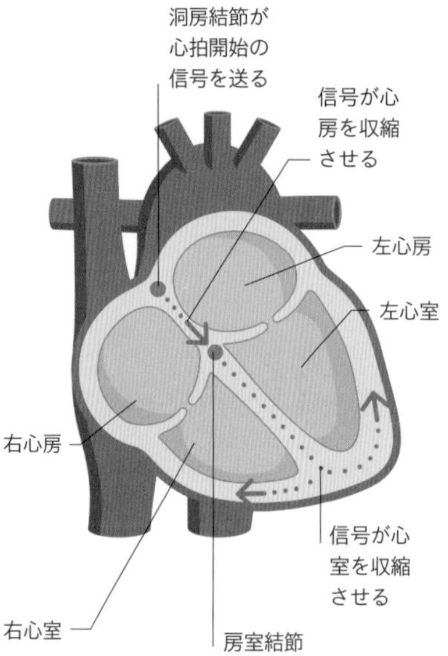

洞房結節が
心拍開始の
信号を送る
信号が心
房を収縮
させる
左心房
左心室
右心房
信号が心
室を収縮
させる
右心室
房室結節

リードレスペースメーカー

リードと呼ばれる導線を必要としないペースメーカーも開発されている。この小さな装置はカテーテルを使って右心室に直接埋め込まれる。装置には、心臓のリズムを検出し必要ならば修正するマイクロチップと電池が入っている。このマイクロチップは、心臓のはたらきを外部でモニターできるように、皮膚につけられた電極にデータを送る。

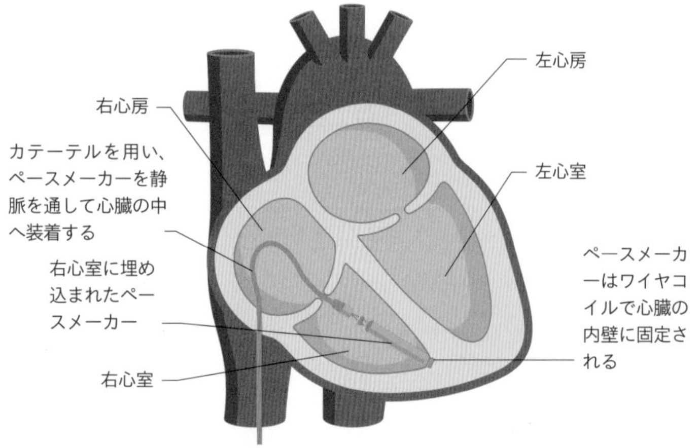

左心房
右心房
カテーテルを用い、
ペースメーカーを静
脈を通して心臓の中
へ装着する
左心室
右心室に埋め
込まれたペー
スメーカー
ペースメーカ
ーはワイヤコ
イルで心臓の
内壁に固定さ
れる
右心室

ペースメーカーを装着していても携帯電話を使用できるか？

使用できるが、電話はペースメーカーから15cm以上離す方がよい。Wi-Fiなどの無線インターネット機器とペースメーカーの干渉は確認されていない。

ペースメーカーのはたらき

心臓の不具合の中には心臓の結節がうまく機能せず、心拍が遅すぎたり、速すぎたり、異常なリズムになったりするものがある。患者の胸部に埋め込まれたペースメーカーは結節の役割をして心拍を整える。ペースメーカーには心房もしくは心室のいずれか1つにはたらくものや、すべての部位が正常なリズムで機能するように複数の心房・心室にはたらくものがある。

両心室ペースメーカー

この装置は、両心室が同時に収縮しないような心臓の不具合のある患者に使われる。この装置には3本のリード線があり、右心房へ信号を送り、ついで両心室へ同時に信号を送って各部屋の収縮を同期させる。両心室ペースメーカーによる処置は心臓再同期療法（CRT）とも呼ばれる。

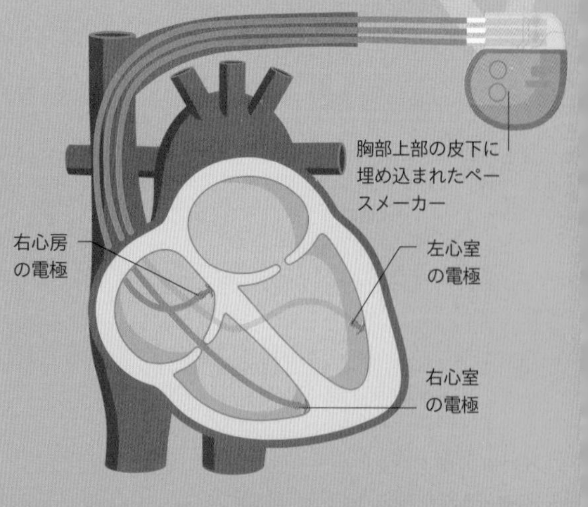

胸部上部の皮下に
埋め込まれたペー
スメーカー
右心房
の電極
左心室
の電極
右心室
の電極

世界中では毎年100万台を越えるペースメーカーが埋め込まれている

埋め込み型除細動器（ICD）

埋め込み型除細動器は、生命に関わる心臓の異常拍動のリスクを抱えた人に使われる。ICDもペースメーカーのように異常に速い鼓動や異常な拍動を検出すると、心臓に小さな電気刺激を与えたり（カーディオバージョン）、正常なリズムを取り戻すために大きな電気刺激を与えたり（電気的除細動）する。ICDとペースメーカーを組みわせて使うこともある。

二腔ペースメーカー
この装置には右心房と右心室への2本のリード線があって、異常な心拍リズムを生じさせる結節からの不良な信号の修正に使われる。ペースメーカーは修正信号を送ることにより心臓を正しいリズムで収縮させる。

1　ペースメーカーによる心臓の監視
心臓内の電極は心臓の電気信号を常に監視し、そのデータをペースメーカー内のマイクロプロセッサーに送る。マイクロプロセッサーは信号の欠損や異常を検知するようにプログラムされている。

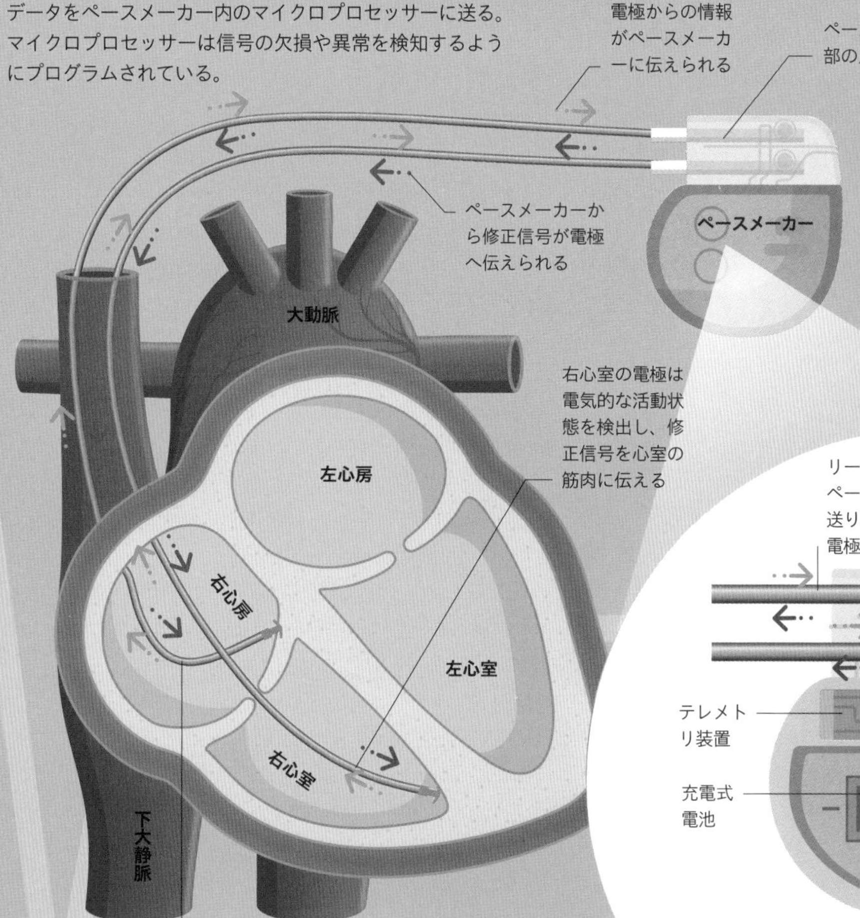
電極からの情報がペースメーカーに伝えられる
ペースメーカーは胸部上部の皮下に埋め込まれる
ペースメーカーから修正信号が電極へ伝えられる
ペースメーカー
大動脈
右心室の電極は電気的な活動状態を検出し、修正信号を心室の筋肉に伝える
左心房
右心房
左心室
右心室
下大静脈
右心房の電極は電気的な活動状態を検出し、修正信号を心房の筋肉に伝える

2　ペースメーカーが異常な動きを検知する
マイクロプロセッサーが異常な信号を認めると、ペースメーカー内のパルス発生器に指示して心臓内の電極に低電圧の電気パルスを送らせる。パルスが心臓の筋肉を刺激し心筋を収縮させる。

ペースメーカーの内部

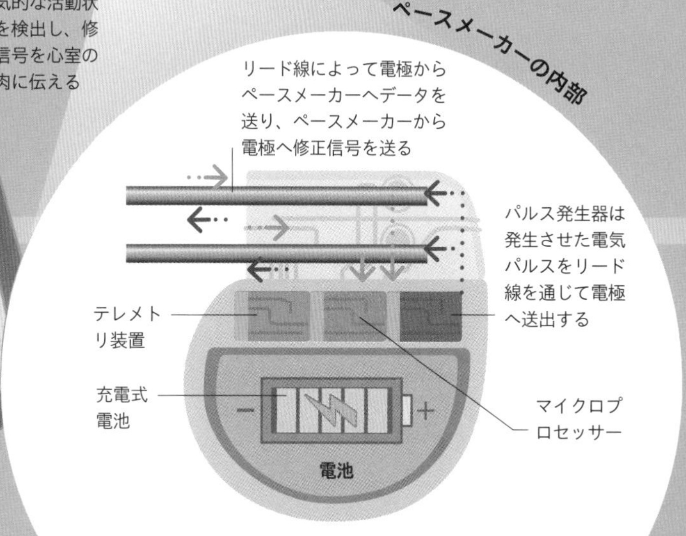
リード線によって電極からペースメーカーへデータを送り、ペースメーカーから電極へ修正信号を送る
パルス発生器は発生させた電気パルスをリード線を通じて電極へ送出する
テレメトリ装置
充電式電池
マイクロプロセッサー
電池

マイクロプロセッサーは、パルス発生器が送出する電気パルスを調節する。心臓の動きのデータを集めるための監視装置とメモリも内蔵されている。外部のコンピューターとデータ通信するためのテレメトリ装置も接続されている。電力は充電式の電池から供給される。

3　異常な動きが修正される
心拍が正常に戻れば、ペースメーカーは電気パルスを停止する。ただし心臓の監視を続けてデータを収集する。このデータは医師がペースメーカーの作動状況を確認できるよう外部のコンピューターに送られる。

X線撮影

X線は医療現場で利用される画像撮影法としてよく知られており、体内の組織の観察や、骨折や腫瘍などの異常の発見に使用されている。通常のX線撮影は複雑な処置は不要で痛みもないが、必ず放射線被曝をともなう。

X線は癌のリスクを増すか？

リスクは増すが、その度合いはX線の種類による。平均すれば、胸部や手足、歯科の単純X線撮影で癌になる確率の増加は100万分の1以下。

デジタルX線撮影

患者の両側にX線発生器と検出器を配置する。発生器から出たX線は患者の体を通って検出器に達し、検知したX線の強弱をデジタル信号に変換される。信号はコンピューターで画像処理されモニターに表示される。

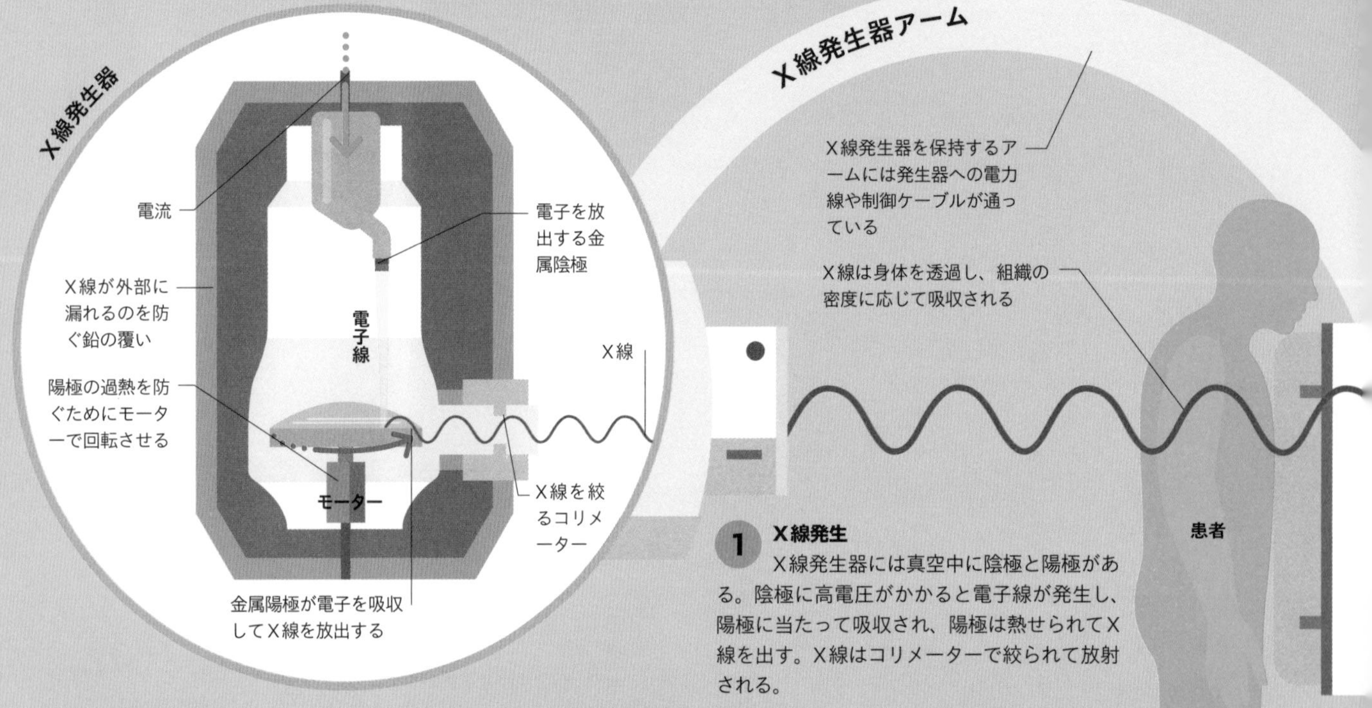

X線発生器
電流
X線が外部に漏れるのを防ぐ鉛の覆い
陽極の過熱を防ぐためにモーターで回転させる
電子線
モーター
金属陽極が電子を吸収してX線を放出する
電子を放出する金属陰極
X線
X線を絞るコリメーター
X線発生器アーム
X線発生器を保持するアームには発生器への電力線や制御ケーブルが通っている
X線は身体を透過し、組織の密度に応じて吸収される
患者

1 X線発生

X線発生器には真空中に陰極と陽極がある。陰極に高電圧がかかると電子線が発生し、陽極に当たって吸収され、陽極は熱せられてX線を出す。X線はコリメーターで絞られて放射される。

単純X線撮影

X線は光のような電磁波の一種だが目には見えない（137頁参照）。光よりもかなり大きなエネルギーがあり、身体組織を透過する。体にX線を照射すると、柔らかく密度の小さい筋肉や肺などは簡単に透過するが、骨などの密度の大きな組織は透過しにくい。デジタルX線撮影では身体を透過したX線は特殊な検出器に入り、コンピューターによる処理を経て画像として表示される。従来のX線撮影では感光フィルムが用いられたが、今ではこの方法が使われることはほとんどない。

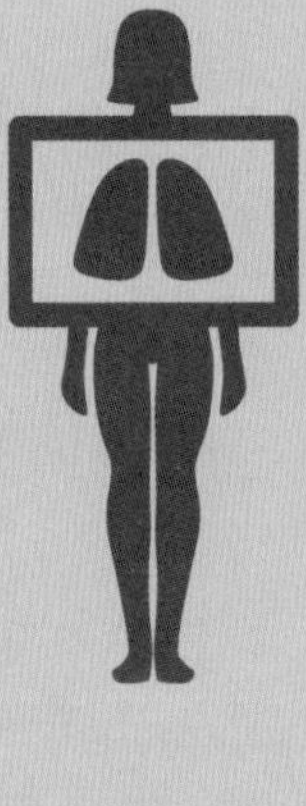

鉛は非常に密度が高いのでX線の防護には特に有効である

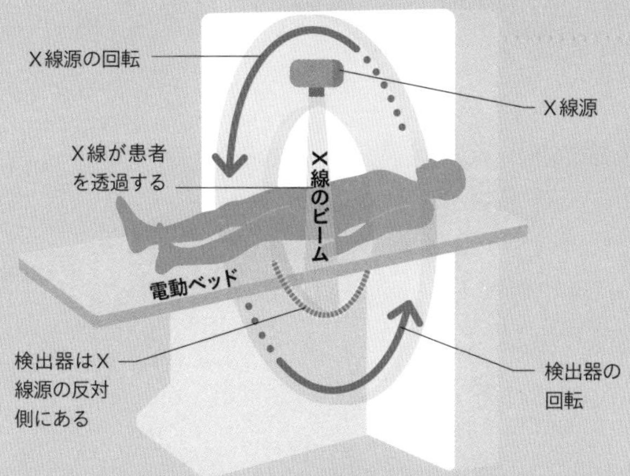
Ｘ線源の回転
Ｘ線源
Ｘ線が患者を透過する
Ｘ線のビーム
電動ベッド
検出器はＸ線源の反対側にある
検出器の回転

CTスキャン

コンピューター断層撮影（CT）はＸ線撮影によって身体の断面図を作成する。CTスキャンの実行中はＸ線源と検出器が患者の回りを回転し、患者の寝ているベッドはスキャンに合わせて電動で前進する。検出器はきわめて感度が高く、得られるデジタルデータをコンピューターで処理すると身体組織の高精度画像や３次元画像が得られる。

そのほかの医療用Ｘ線

単純Ｘ線撮影やCTスキャンに加えて、多くの特別なＸ線撮影法があり、特定の臓器を強調するために造影剤（Ｘ線に対して不透明な物質）を使うものもある。

歯科用Ｘ線撮影
歯やあご用の低線量のＸ線装置で、虫歯や膿瘍、歯茎やあごの骨の疾患などの異常を発見するためのもの。

骨密度スキャン
骨密度の低いところを発見するための低線量Ｘ線装置で、骨粗鬆症の検査のために脊椎や骨盤の検査に用いられることが多い。

乳房Ｘ線撮影（マンモグラフィ）
腫瘍などの異常を発見するための胸部の低線量Ｘ線画像で、女性の乳がん検査のために使われることが多い。

血管造影法
心臓や血管の組織の内部を明瞭に見るために造影剤を注入して撮影する方法。

Ｘ線透視検査
身体の動作や体の中に挿入された医療器具を追跡するために、蛍光性のスクリーン上でリアルタイムのＸ線画像を見る方法。

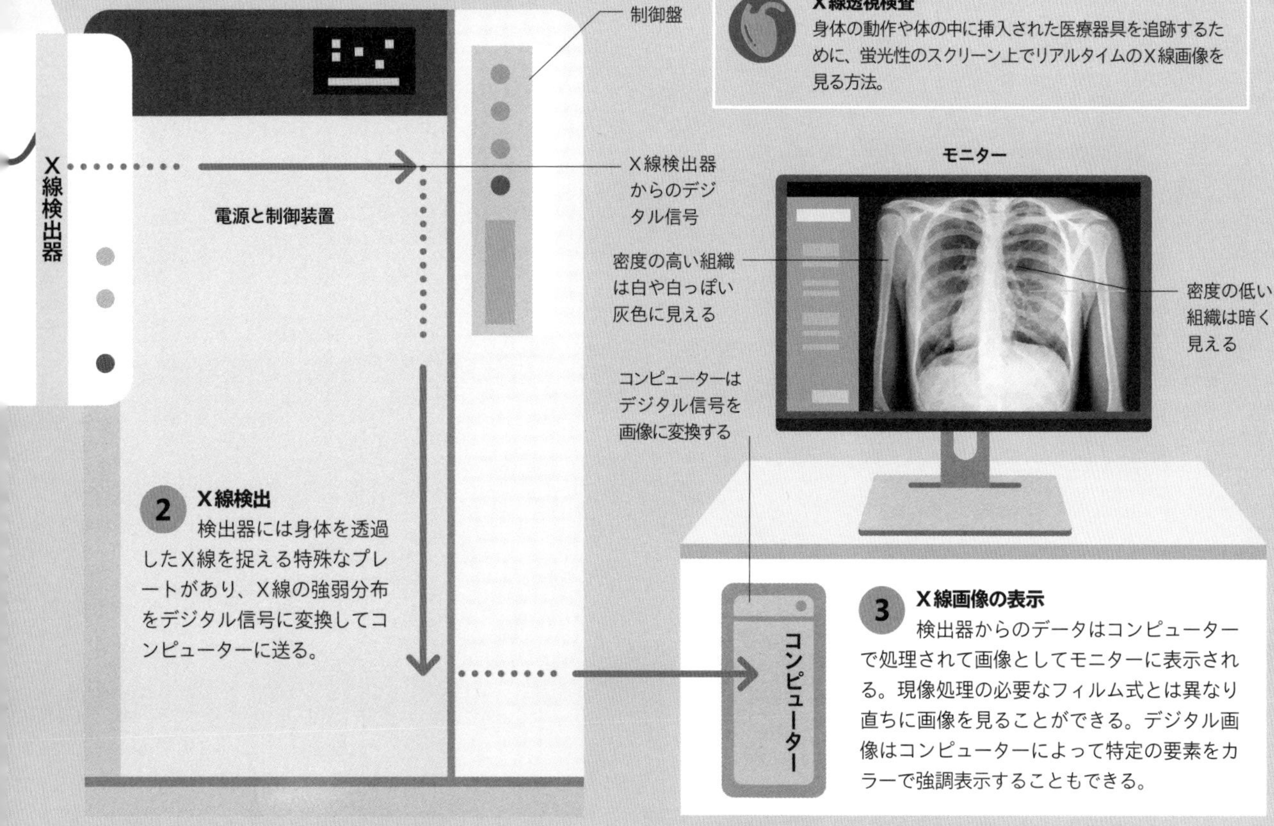
制御盤
Ｘ線検出器
電源と制御装置
Ｘ線検出器からのデジタル信号
モニター
密度の高い組織は白や白っぽい灰色に見える
密度の低い組織は暗く見える
コンピューターはデジタル信号を画像に変換する
コンピューター

２　Ｘ線検出
検出器には身体を透過したＸ線を捉える特殊なプレートがあり、Ｘ線の強弱分布をデジタル信号に変換してコンピューターに送る。

３　Ｘ線画像の表示
検出器からのデータはコンピューターで処理されて画像としてモニターに表示される。現像処理の必要なフィルム式とは異なり直ちに画像を見ることができる。デジタル画像はコンピューターによって特定の要素をカラーで強調表示することもできる。

MRI

MRI（磁気共鳴画像法）は強力な磁場と電磁波を使って体の内部の詳細な画像を得る方法である。

電磁石

電流を導線に流すと磁場が生じるため、導線をコイル状に巻くと電磁石ができる。電流が大きくなれば磁場も強くなる。MRI装置の中には液体ヘリウムで冷却された超電導磁石があり、電気抵抗がゼロなので大電流を流すことができ、きわめて強力な磁場が発生する。

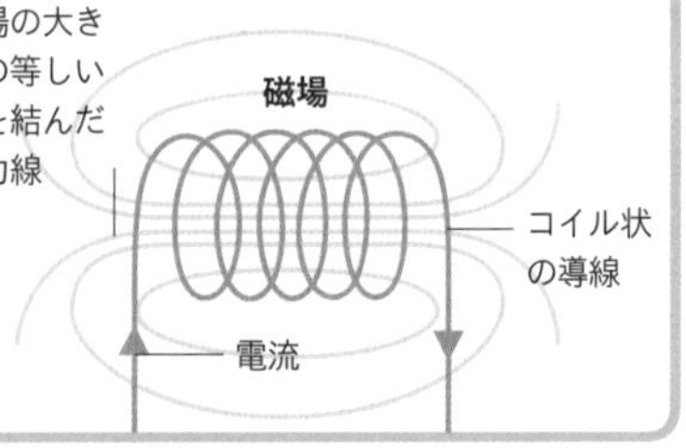

磁場の大きさの等しい点を結んだ磁力線
磁場
コイル状の導線
電流

MRI装置のしくみ

MRI装置は磁石とRFコイル（ラジオ波にあたる周波数のコイル）を使う。患者は電動ベッドに乗って装置の中に入る。主電磁石が強磁場を発生して体内の陽子（原子の中の正電荷）を整列させる。体の特定の場所の画像を得るために傾斜磁石が磁場を変化させる。RFコイルから電磁波パルスを照射して陽子を励起すると、陽子から発生する電磁波がRFコイルに検知されてコンピューターに送信され、コンピューターは電磁波データから画像を作成する。MRI画像はX線画像やCTスキャン（234–35頁参照）に似ているが、特に人体などの軟組織についてははるかに詳細な画像が得られる。

液体ヘリウムで電磁石を約－270℃に保つ
スキャン中、患者は機械の内部に横たわる
電動の台が患者をスキャン部に移動する

スキャンのプロセス

MRIは、体内に最も多く存在する元素の1つである水素の原子核を構成する陽子を利用する。強い磁場によって整列させた陽子を電磁波のエネルギーで励起し、陽子が元の状態に戻るときに放出するエネルギーを検出する。

MRI装置の中の**電磁石**は**地磁気の4万倍**の**磁場**を発生している

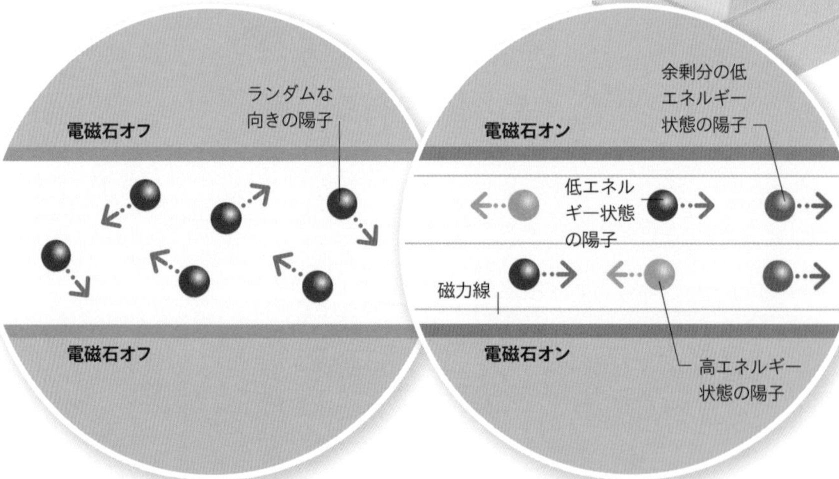

電磁石オフ
ランダムな向きの陽子
電磁石オフ
電磁石オン
余剰分の低エネルギー状態の陽子
低エネルギー状態の陽子
磁力線
電磁石オン
高エネルギー状態の陽子

1　普通の状態の陽子

水素の原子核には1つずつ陽子がある。それぞれの陽子はごく小さな磁場を持っておりその磁場の周りに自転している。普通の状態ではその自転の方向はばらばらである。

2　電磁石を起動する

電磁石に通電すると、陽子はその磁場の方向（低エネルギー状態）か、磁場と逆の方向（高エネルギー状態）に整列する。前者の方が後者よりも少し多く存在する。

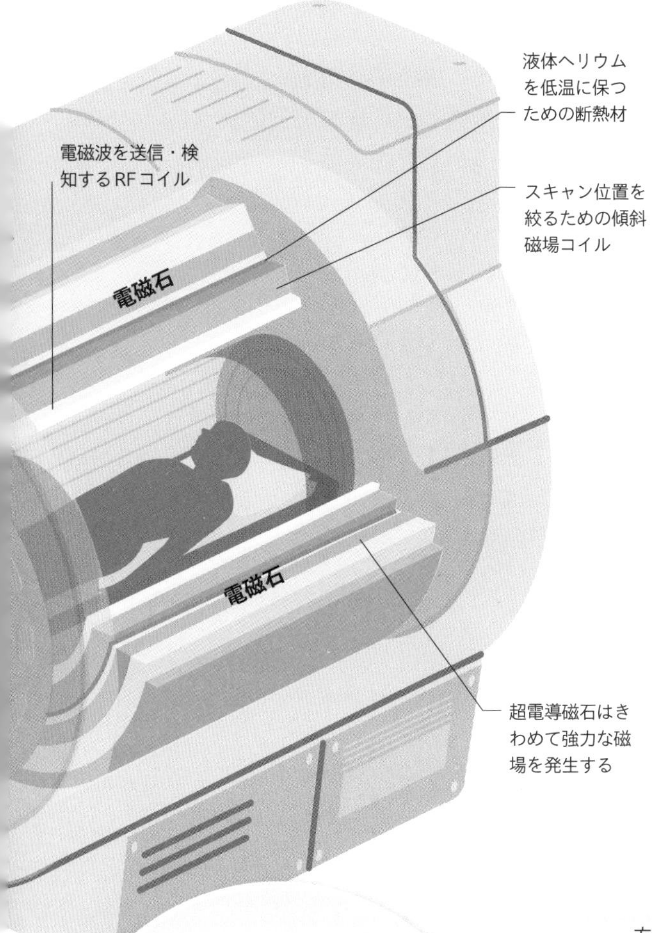
液体ヘリウムを低温に保つための断熱材
電磁波を送信・検知するRFコイル
スキャン位置を絞るための傾斜磁場コイル
電磁石
電磁石
超電導磁石はきわめて強力な磁場を発生する

MRIの特殊な利用

特別なMRIが身体組織の特殊な情報を得るために用いられている。特定の組織を見やすくするために造影剤（画像中で白く映る）を使うものや、特定の組織の機能や動きをリアルタイムで観察するものがある。

種類	用途
磁気共鳴血管造影法	血管の内部を見るために造影剤を注入して、血管の閉塞や狭窄、傷みなどを観察する。
磁気共鳴機能画像法	脳の血流を検出するための技術でfMRIとも呼ばれる。血流の多寡によって脳の各部位の活動の活発さが分かる。
リアルタイムMRI	複数の画像を得ることで、心臓の拍動や関節の動きなどの身体の機能を連続的に記録する。
MRIとPET（陽電子放射断層撮影）	PET検査では体内組織の活動を見るために放射性物質を注入する。MRIとPETの組み合わせにより組織の構造と活動の両方を観察することができる。

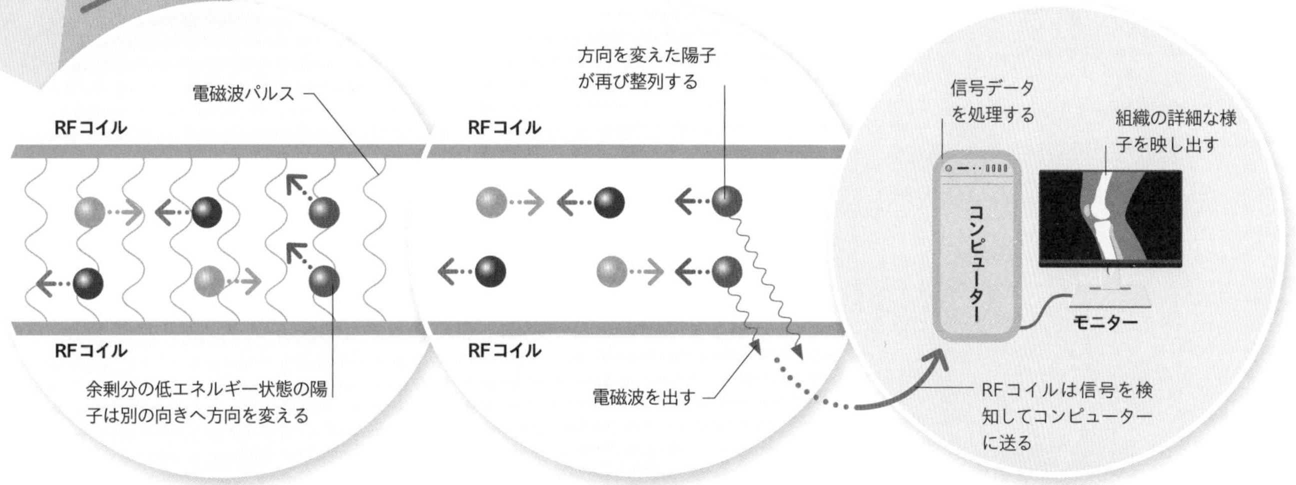
電磁波パルス
RFコイル
RFコイル
余剰分の低エネルギー状態の陽子は別の向きへ方向を変える
方向を変えた陽子が再び整列する
RFコイル
RFコイル
電磁波を出す
信号データを処理する
組織の詳細な様子を映し出す
コンピューター
モニター
RFコイルは信号を検知してコンピューターに送る

3　電磁波パルスを照射する

RFコイルから電磁波パルスを照射すると陽子の整列の向きが逆転する。すべての陽子が反転するが、余剰分の低エネルギー状態の陽子はほかの陽子とは異なる方向を向く。

4　陽子が電磁波を発生する

励起のための電磁波パルスを停止すると向きを変えていた陽子は低エネルギー状態に戻って再び整列する。このとき吸収していたエネルギーを電磁波として放出し、RFコイルがそれを検知する。

5　信号から画像を作成する

信号はコンピューターに送られ、処理されて画像として表示される。異なる体内組織中の陽子は異なる信号を発するので、画像には組織が区別されて詳細に映し出される。

内視鏡手術

大きく切開せず、ごく小さな開口部から実施する手術を内視鏡手術（鍵穴手術）という。口など、もともと体にある開口部から柔らかい内視鏡を挿入して実施する場合もある。

最初の内視鏡手術は？

初めての内視鏡手術は1901年に犬に対して実施された。人間に対する初の内視鏡手術は1910年。

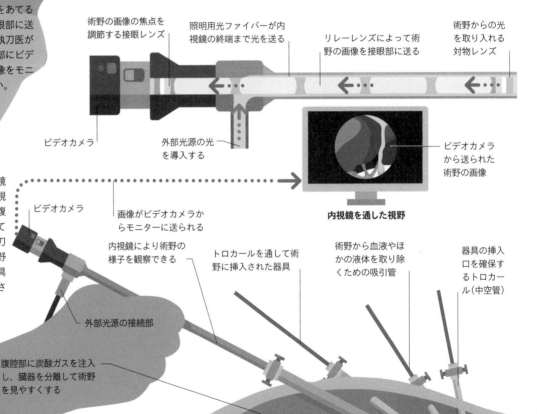

内視鏡手術のしくみ

皮膚に小さな開口を作り、これが閉じないようトロカールという中空の器具を挿入して内視鏡やほかの器具を挿入する。硬性内視鏡は術野を光で照らし、執刀医はこれを接眼部から直接、もしくは接眼部にビデオカメラが設置されていればモニター上で見ることができる。別の開口部から手術用の器具を挿入して切除・縫合・血管の遮断などを行う。

硬性内視鏡

硬性内視鏡は手術野に光をあてる光ファイバーと画像を接眼部に送るレンズでできている。執刀医が鮮明に見るために、接眼部にビデオカメラを取り付けて画像をモニターで表示することが多い。

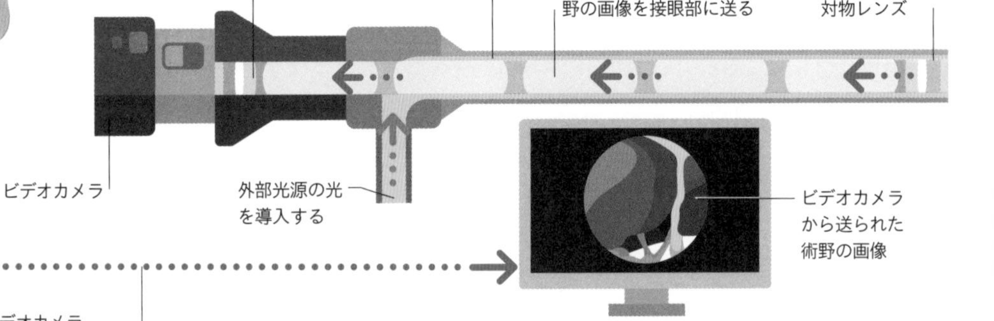

術野の画像の焦点を調節する接眼レンズ
照明用光ファイバーが内視鏡の終端まで光を送る
リレーレンズによって術野の画像を接眼部に送る
術野からの光を取り入れる対物レンズ
ビデオカメラ
外部光源の光を導入する
ビデオカメラから送られた術野の画像

内視鏡を通した視野

腹部の内視鏡手術

腹部の内視鏡手術は腹腔鏡手術とも呼ばれ、硬性内視鏡を用いて実施される。腹腔部に炭酸ガスを注入して臓器間に隙間を作り、執刀医は腹腔鏡を挿入して術野を確認する。手術用の器具は腹部に切開した別の小さな開口部から挿入される。

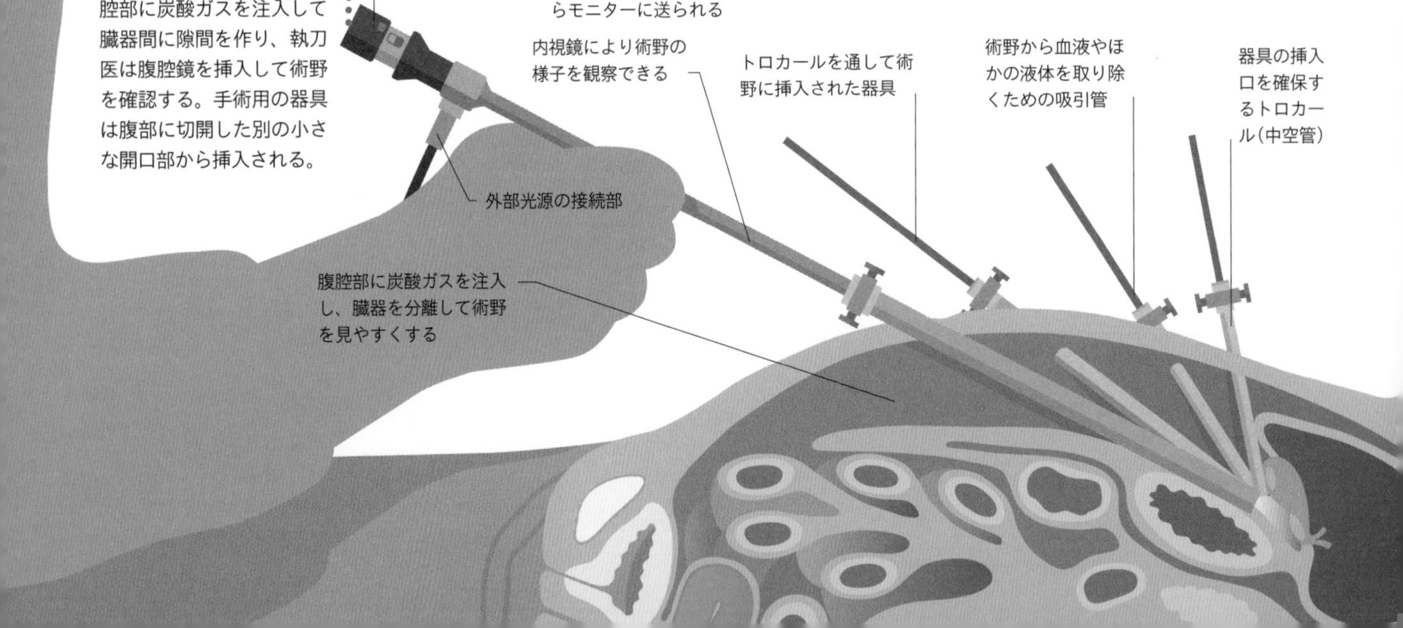

ビデオカメラ
画像がビデオカメラからモニターに送られる
内視鏡により術野の様子を観察できる
トロカールを通して術野に挿入された器具
術野から血液やほかの液体を取り除くための吸引管
器具の挿入口を確保するトロカール（中空管）
外部光源の接続部
腹腔部に炭酸ガスを注入し、臓器を分離して術野を見やすくする

軟性内視鏡による手術

この方式では柔軟な内視鏡（ファイバースコープ）を、口など、もともと体にある開口部から気管や腸に挿入して手術を行う。このタイプの内視鏡は術野に光を送る光ファイバーを備え、先端に術野の画像をモニターに送るためのビデオカメラがついている。さらに空気や水や処置具を術野に届ける経路（チャネル）がある。

10,000本
軟性内視鏡の一部で用いられる**光ファイバー**の数

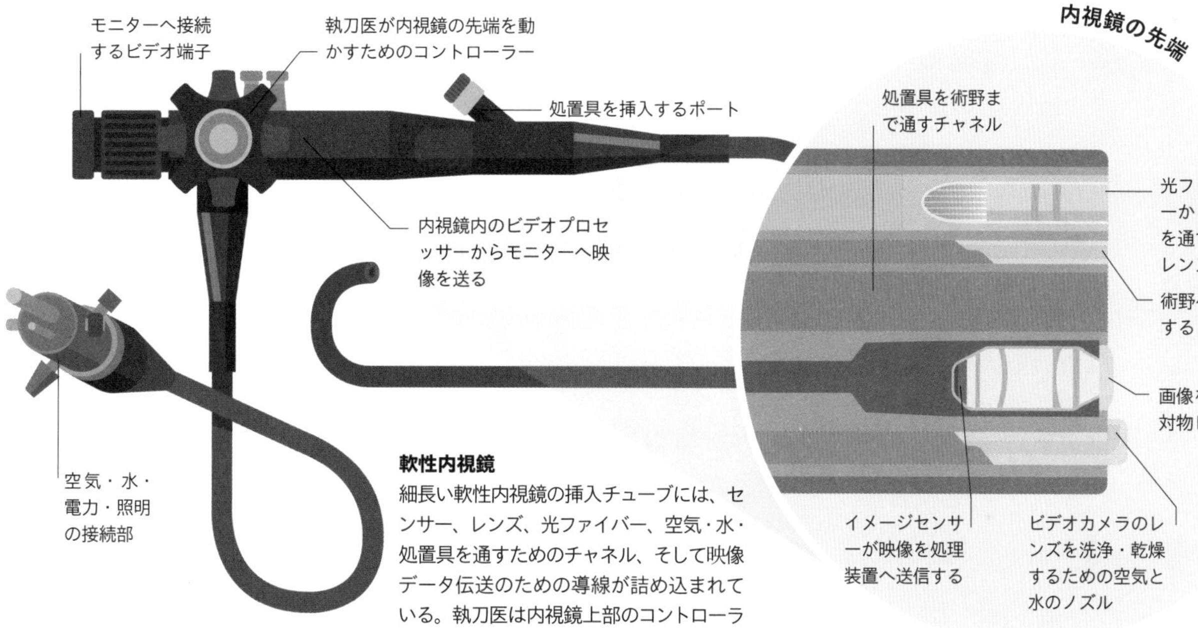
モニターへ接続するビデオ端子
執刀医が内視鏡の先端を動かすためのコントローラー
処置具を挿入するポート
内視鏡内のビデオプロセッサーからモニターへ映像を送る
空気・水・電力・照明の接続部
内視鏡の先端
処置具を術野まで通すチャネル
光ファイバーからの光を通す照明レンズ
術野へ注水するノズル
画像を捉える対物レンズ
イメージセンサーが映像を処理装置へ送信する
ビデオカメラのレンズを洗浄・乾燥するための空気と水のノズル

軟性内視鏡
細長い軟性内視鏡の挿入チューブには、センサー、レンズ、光ファイバー、空気・水・処置具を通すためのチャネル、そして映像データ伝送のための導線が詰め込まれている。執刀医は内視鏡上部のコントローラーを使って体内の内視鏡を操作する。

ロボット支援手術

現在の内視鏡手術ではロボットの支援を受けた方式も実施されている。患者の脇にロボットアームが設置され、アームの１つに取り付けた内視鏡が体内の映像を執刀医のコンソールとビデオモニターに表示する。別のアームは手術器具を保持し、執刀医はコンソールのコントローラーを用いて患者の体内の処置具を操作する。ロボット支援手術の利点として、ロボットを用いたシステムにより、執刀医の操作を微小な動きに変換して反映することができ、処置具の精密な操作が可能になることがある。

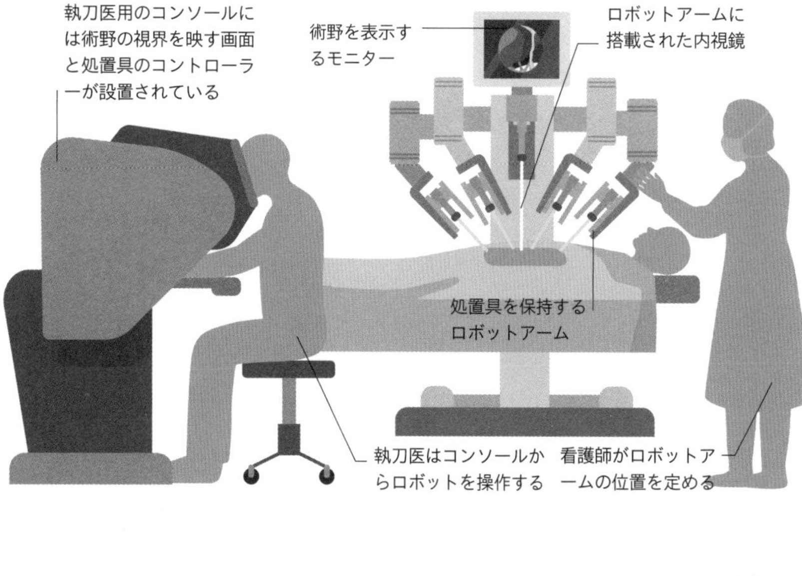
執刀医用のコンソールには術野の視界を映す画面と処置具のコントローラーが設置されている
術野を表示するモニター
ロボットアームに搭載された内視鏡
処置具を保持するロボットアーム
執刀医はコンソールからロボットを操作する
看護師がロボットアームの位置を定める

義肢

義肢は失った手足の代わりになり、使用者のふだんの活動を支援する器具である。義肢の種類は、比較的単純な器械式のものから、使用者の神経系と連動する電気式・ロボット式のものまで幅広い。

触覚センサー

触覚の再現を意図したさまざまな義手が開発されている。これらは筋肉から義手へ信号を伝えるだけではなく、義手から脳への信号も伝える。指先のセンサーで圧力や振動を検出し、そのデータをコンピューターのチップに伝える。コンピューターチップはデータを信号に変換して腕の神経に埋め込んだ素子に伝え、刺激はそこから脳まで伝達される。

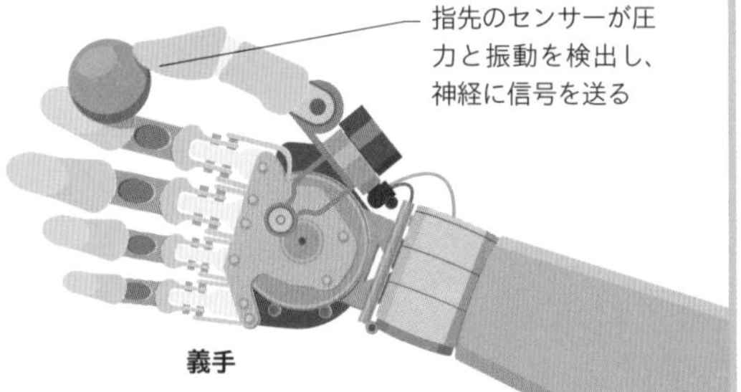

指先のセンサーが圧力と振動を検出し、神経に信号を送る
義手

前腕筋電義手のしくみ
残っている腕の筋肉からの電気信号を電極が感知する。信号はマイクロプロセッサーに送られ、手首と手のモーターに動きを指示するデータに変換される。

1 センサーが電気信号を感知する
義手のソケットの内側、あるいは残っている腕の筋肉に埋め込まれたセンサーが腕の筋肉からの信号を感知する。これは脳から神経信号で刺激された筋肉が収縮するときに出る信号である。

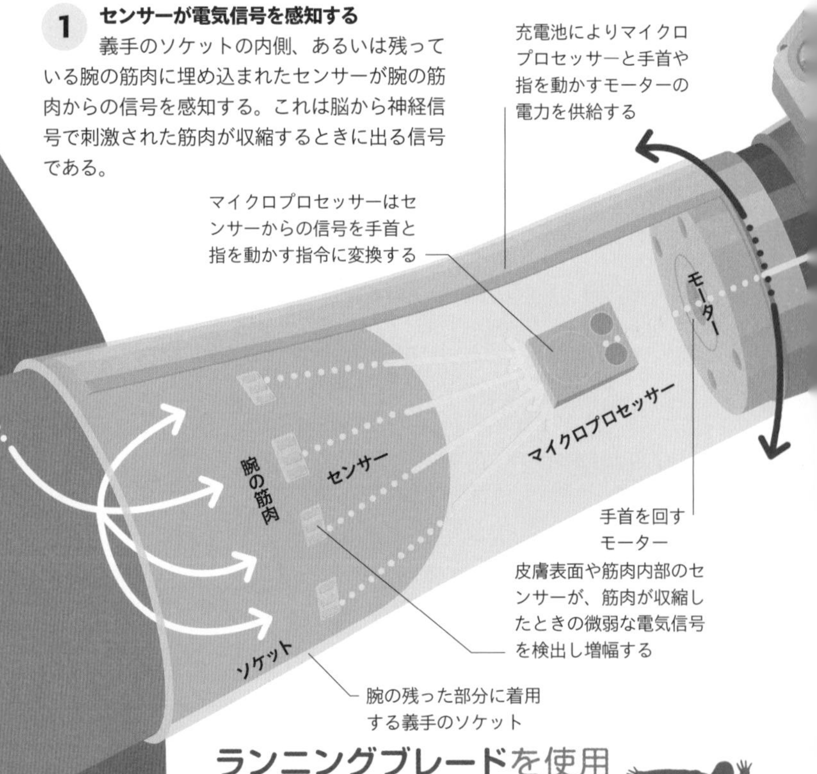

脳から腕の筋肉への神経信号
充電池によりマイクロプロセッサーと手首や指を動かすモーターの電力を供給する
マイクロプロセッサーはセンサーからの信号を手首と指を動かす指令に変換する
モーター
マイクロプロセッサー
腕の筋肉
センサー
ソケット
手首を回すモーター
皮膚表面や筋肉内部のセンサーが、筋肉が収縮したときの微弱な電気信号を検出し増幅する
腕の残った部分に着用する義手のソケット

義手

最もシンプルな義手は器械式のもので、反対側の肩に回したケーブルで操り、金属のフックで物をつかむ。筋電性の義肢はこれより複雑な機構を持ち、電極によって腕の残っている部位の筋電位を検知し、これを電気信号に変えてモーターを駆動し義手を動かす。腕の大部分や全部を失った人の場合には、標的化筋肉再神経分布と呼ばれる手法が使われることがある。これは失われた腕の筋肉へつながる神経の経路を変更して別の筋肉、たとえば胸筋などにつなげ、使用者が腕を動かそうとすると胸筋が収縮するようにして、こちらに取り付けたセンサーが義肢に信号を送るというものである。

ランニングブレードを使用するアスリートは**バランス**を保つために**常に動いて**いなければならない

最初の義肢が使われたのは？

人工的に作られた身体の一部は少なくとも3,000年以上前から使われている。現存する最古の義肢は、古代エジプトのミイラに装着されていた木と革でできた爪先である。

3　手が動く
モーターにより手首や指が動く。義肢によっては力を入れて握るために手の指を揃えて動かしたり、細かい動きのために協調して動かしたりできるものもある。

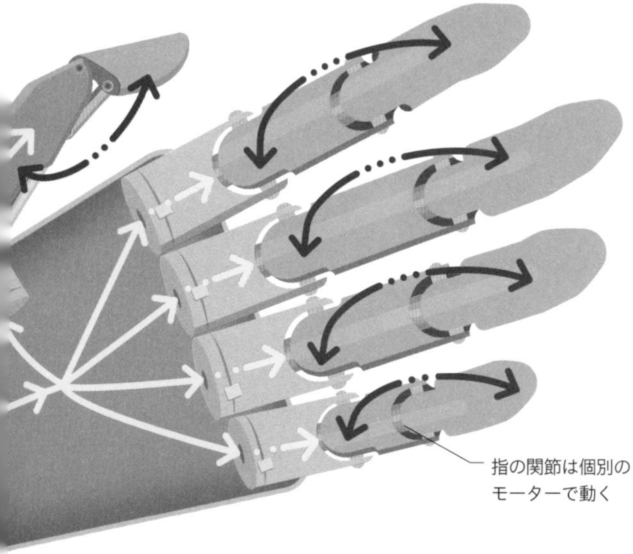
指の関節は個別のモーターで動く

2　信号がマイクロプロセッサーへ送られる
筋肉からの信号はマイクロプロセッサーへ送られ、そこで手と手首のモーターへの指令に変換される。異なる筋肉の信号によりいろいろな握り方が可能になる。

ランニングブレード

アスリートの使用するランニングブレードは積層された炭素繊維素材でできており、軽量で強度があり、柔軟性に富む。足底の部分にはグリップを得るための溝やスパイクがある。ランニングブレードはランナーが着地すると屈曲し、「足首」が回るように反発して走者を前に進めるエネルギーを生み出す。

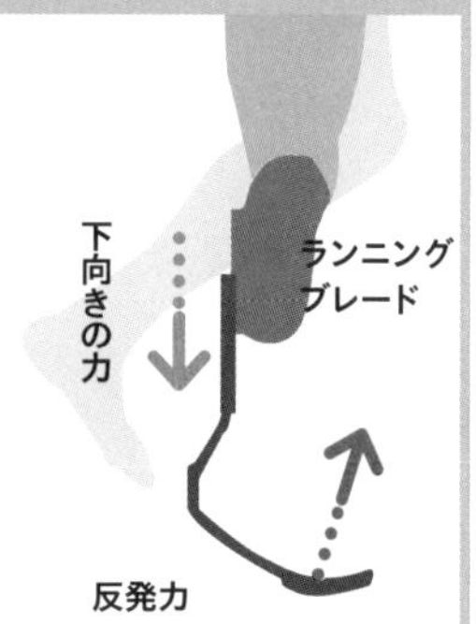
下向きの力
ランニングブレード
反発力

義足

義足は使用者を支えるだけではなく自然の脚に倣った動きをする。炭素繊維のような軽い素材でできており、使用者の体重はチタン製の支柱（チューブ）や外側の硬い素材で支える。前に進むためのエネルギーを蓄積する部分を備えるものや、膝関節をコンピューター制御することで動きや安定性を調整するものもある。

大腿義足
ほとんどの義足の膝と踵は柔軟に動く。最も簡単なものは器械式の関節であり、センサーとマイクロプロセッサーにより油圧や空気圧によって義肢の動きを制御するものもある。

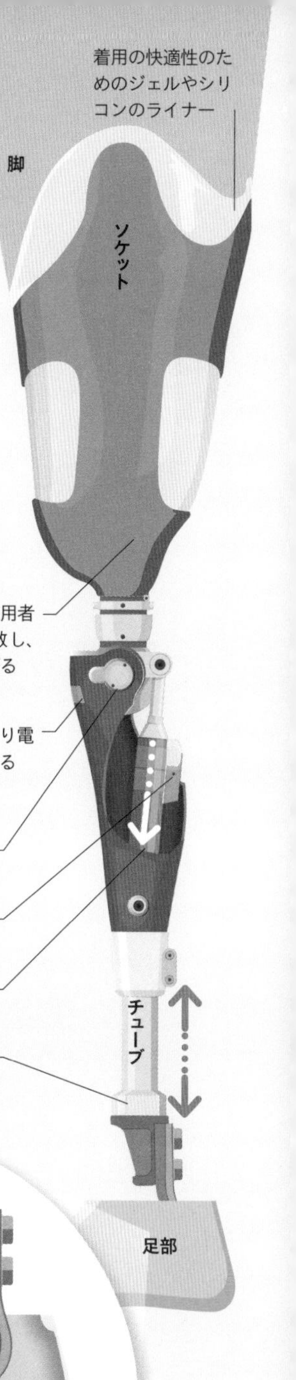
着用の快適性のためのジェルやシリコンのライナー
脚
ソケット
ソケットは使用者の体重を分散し、衝撃を和らげる
充電池により電力を供給する
膝の角度と動く速度を感知するセンサー
マイクロプロセッサーによりピストンへの液体や空気の流れをコントロールする
ピストンが支持し衝撃を吸収する
チューブ
チューブは使用者の身長に合わせて調節できる
足部

エネルギー蓄積型足部

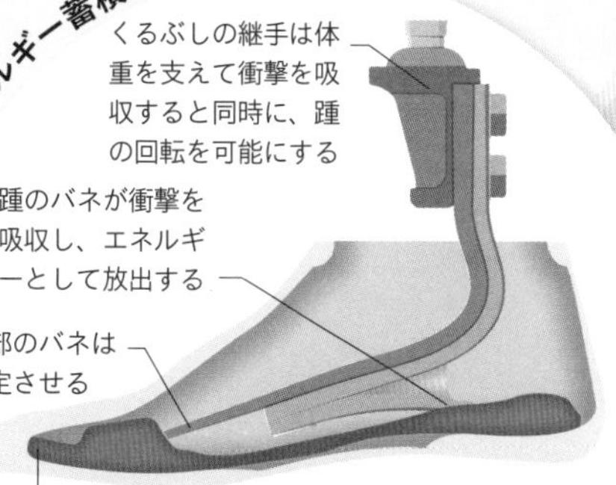
くるぶしの継手は体重を支えて衝撃を吸収すると同時に、踵の回転を可能にする
踵のバネが衝撃を吸収し、エネルギーとして放出する
つま先部のバネは足を安定させる
足部プレートは体重を分散させ、足の動きに合わせて曲がる

エネルギー蓄積型足部の踵はバネのような構造になっている。使用者が体重をかけるとバネは縮み、踵を上げるとバネはエネルギーを放出して使用者を前に進める。

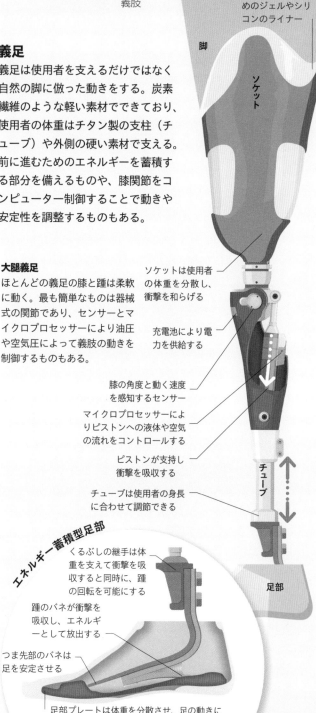

脳インプラント

脳インプラントは脳に人工的な機器を埋め込み、負傷や病気によって障害を負った人の脳機能の回復や改善をする技術である。感覚インプラントは神経系を通して脳と通信することで聴力や視力の回復を図る。脳インプラントの技術はまだ黎明期である。

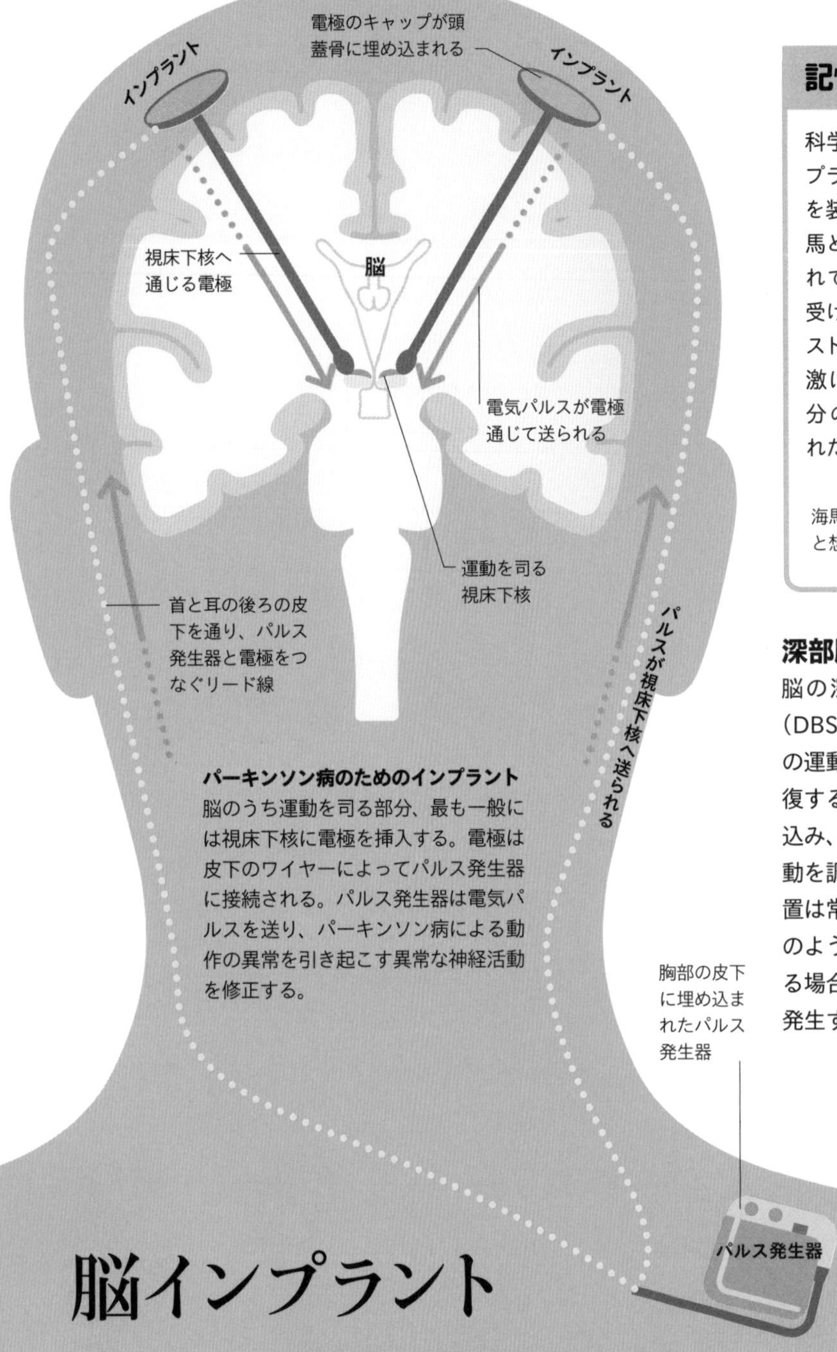

電極のキャップが頭蓋骨に埋め込まれる
インプラント
インプラント
視床下核へ通じる電極
脳
電気パルスが電極通じて送られる
運動を司る視床下核
首と耳の後ろの皮下を通り、パルス発生器と電極をつなぐリード線
パルスが視床下核へ送られる
胸部の皮下に埋め込まれたパルス発生器
パルス発生器

パーキンソン病のためのインプラント
脳のうち運動を司る部分、最も一般には視床下核に電極を挿入する。電極は皮下のワイヤーによってパルス発生器に接続される。パルス発生器は電気パルスを送り、パーキンソン病による動作の異常を引き起こす異常な神経活動を修正する。

記憶インプラント

科学者たちは記憶機能を改善するための脳インプラントを開発している。すでに脳インプラントを装着しているてんかん患者に対して、脳の海馬と呼ばれる部位に電極を埋め込む研究が行われている。それによれば、記憶能力のテストを受けている間の脳信号を記録し、後で類似のテストをするときに同じ信号で脳を刺激すると、刺激によって記憶力が3分の1程度増強された。

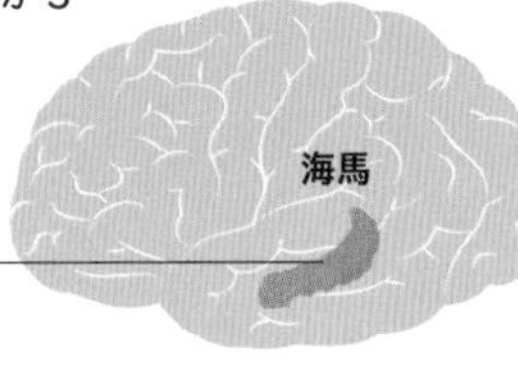

海馬
海馬は記憶の形成と想起に関わる

深部脳刺激療法

脳の深部のある神経細胞を刺激する深部脳刺激（DBS）と呼ばれる手法が、パーキンソン病や特定の運動障害やてんかんの患者の脳の正常な活動を回復するために使われることがある。脳に電極を埋め込み、胸部や腹部に埋め込んだパルス発生器が脳活動を調整するための電気パルスを発生する。この装置は常用される場合と、てんかん発作が始まった時のように異常な神経信号を検出したときだけ使われる場合がある。装置の装着後、必要な時にパルスを発生するよう専門家がパルス発生器を設定する。

脳の電極の材料は？

脳に埋め込む電極は、電気パルスをよく伝え、脳組織を傷つけない金や白金イリジウム合金で作られている。

1　ビデオカメラが像を捉える
使用者はブリッジ部分に小さなビデオカメラのついた眼鏡を装着する。カメラは像を捉え、配線を通じて使用者が身につけている携帯型の映像処理ユニット（VPU）に送る。

3　データが網膜インプラントに送られる
送信機は信号を眼窩の内側、眼球の脇にある受信機に中継する。受信機には信号を受けるアンテナと、網膜インプラントを刺激する信号を送り出す電気回路がある。

4　インプラントが脳へデータを送る
インプラントは網膜に接続された電極の束である。電極によって網膜の残っている細胞を刺激すると視神経を通して脳に信号が送られ、脳は視覚として認識する。

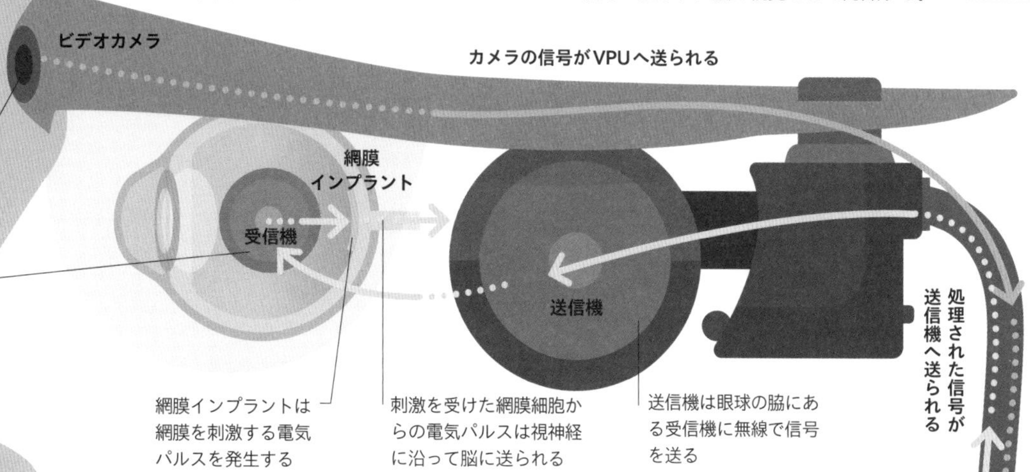
ビデオカメラ
カメラの信号がVPUへ送られる
網膜インプラント
受信機
送信機
処理された信号が送信機へ送られる
カメラが信号をプロセッサーに送る
受信機は送信機からの信号を網膜インプラントへ中継する
網膜インプラントは網膜を刺激する電気パルスを発生する
刺激を受けた網膜細胞からの電気パルスは視神経に沿って脳に送られる
送信機は眼球の脇にある受信機に無線で信号を送る

バイオニックアイ
網膜細胞（眼の奥にある光を感じる層）の損傷は視力の喪失につながることがある。「バイオニックアイ」は人工網膜システムの一種で、網膜インプラントによって光のパターンをデータに変換し、損傷した網膜細胞を迂回して脳にデータを送る。

感覚インプラント

神経から脳への情報伝達の不調によって視力や聴力に障害のある人に対して、これらの感覚を回復するために脳インプラントが使われる場合がある。網膜インプラント（人工視覚）は視神経を刺激して神経信号を脳へ送り、視覚の回復を図る。内耳の蝸牛殻内部のインプラント（人工内耳）は聴覚神経を刺激して内耳から脳へ信号を伝える。聴覚神経が機能していない場合には、脳幹に聴性脳幹インプラントを直接埋め込み、細胞を刺激して脳へ信号を送る。

2　カメラからの画像データを処理する
VPUは画像信号をピクセル化した輝度分布に変換し、これをデジタル信号に変えて使用者の眼鏡の脇についた送信機に伝える。

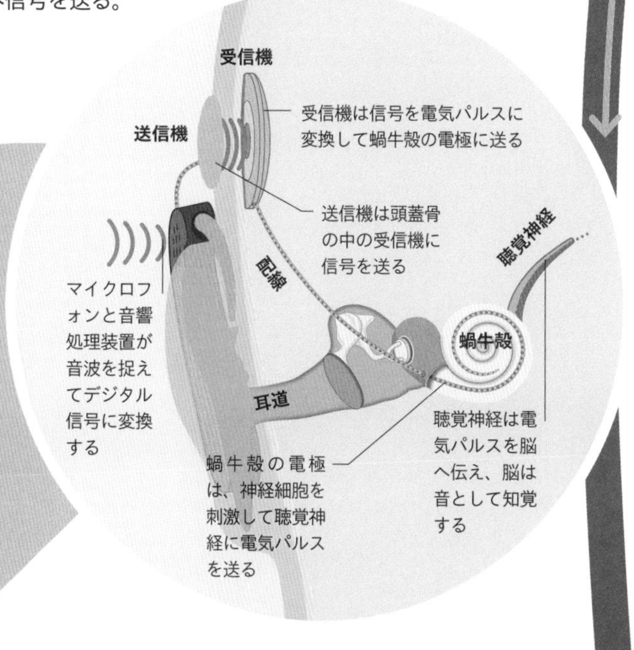
受信機
送信機
受信機は信号を電気パルスに変換して蝸牛殻の電極に送る
送信機は頭蓋骨の中の受信機に信号を送る
聴覚神経
配線
マイクロフォンと音響処理装置が音波を捉えてデジタル信号に変換する
蝸牛殻
耳道
蝸牛殻の電極は、神経細胞を刺激して聴覚神経に電気パルスを送る
聴覚神経は電気パルスを脳へ伝え、脳は音として知覚する

蝸牛殻インプラント（人工内耳）
通常の聴覚では音の振動は鼓膜と中耳の骨を経て内耳へ伝えられる。蝸牛殻と呼ばれる構造の中の有毛細胞がその振動を電気信号に変え、これが聴覚神経を通って脳へ伝わる。内耳の機構が正常に機能していない場合には、聴覚神経に直接信号を送るために蝸牛殻の内部にインプラントを施すことがある。

深部脳刺激療法の**パルス発生器**に使われている**電池**は、最長**9年間**程度機能する

遺伝子検査

遺伝子とはDNAと呼ばれる細胞中の分子の一部で、身体の発達や機能を指示するコードとなるものである。遺伝子検査は、両親から子供へ引き継がれる疾病の原因を含めて、遺伝子の誤った指示の原因となる問題を発見するために実施される。

ヒトの細胞には約**2万個の遺伝子**があると考えられている

染色体と遺伝子

体細胞の核には23対の染色体があり、さらに遺伝子に分割できる。それぞれの遺伝子はヌクレオチドという単位でできている。これらの単位は糖とリン酸からなる主鎖と、アデニン（A）・シトシン（C）・グアニン（G）・チミン（T）の4つの塩基のうちの1つからできている。常にアデニンはチミンと、シトシンはグアニンと対になっている。これらの塩基の並び方がDNAのコードとなる。

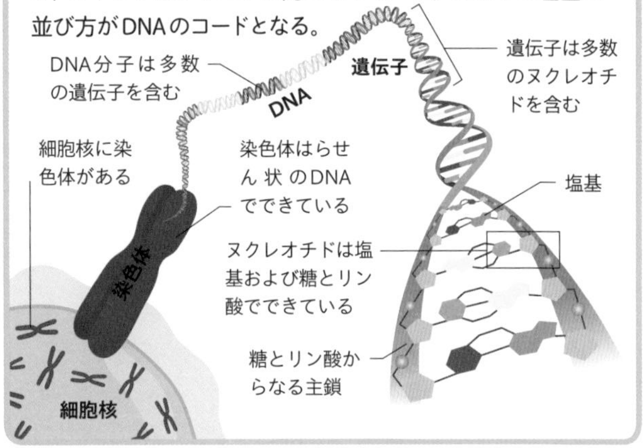
DNA分子は多数の遺伝子を含む
DNA
遺伝子
遺伝子は多数のヌクレオチドを含む
細胞核に染色体がある
染色体はらせん状のDNAでできている
塩基
染色体
ヌクレオチドは塩基および糖とリン酸でできている
糖とリン酸からなる主鎖
細胞核

染色体検査

ヒトの体細胞には46個の染色体があり、母親と父親から半数ずつ引き継がれている。染色体検査では個人のすべての染色体（核型）を調べ、染色体の余剰や不足や異常の有無を調べる。

核型の表示

核型分析では、細胞が分裂する過程で染色体が凝縮し明瞭な「X」の形となったものを観察する。染色体を着色し、対にして大きさの順に並べたものが核型である。

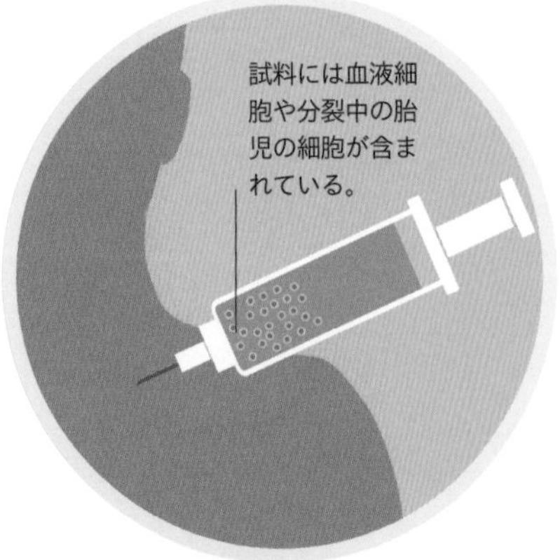
試料には血液細胞や分裂中の胎児の細胞が含まれている。

1 細胞の試料を採取する
細胞試料は血液や骨髄から採取される。胎児の遺伝子検査の場合は、妊婦の羊水や胎盤から採取される。

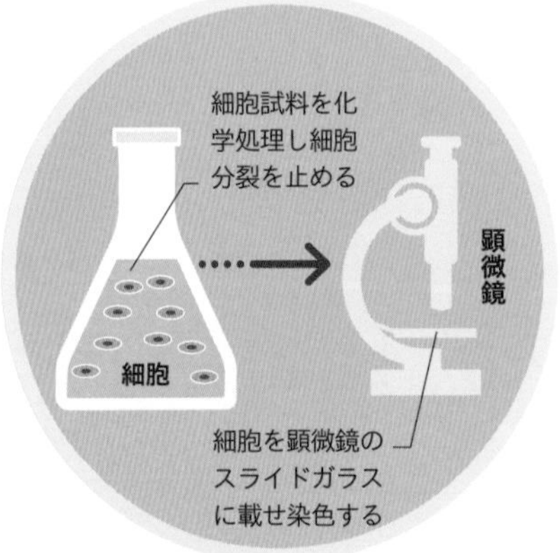
細胞試料を化学処理し細胞分裂を止める
顕微鏡
細胞
細胞を顕微鏡のスライドガラスに載せ染色する

2 染色体を取り出す
分裂中の細胞を化学処理し、染色体が凝縮している状態で分裂を停止する。細胞をスライドガラスに載せ、染色体を観察できるように染色する。

染色体を対にして大きさの順に並べる
1 2 3 4 5
6 7 8 9 10 11 12
13 14 15 16 17 18
19 20 21 22 23
核型
性染色体

3 染色体を整理する
染色体を配列し、22対の常染色体（性染色体以外）と1対の性染色体（女性はXX、男性はXY）の組み合わせに整理して核型を作成する。

遺伝子検査

特殊な検査を行うと、個々の遺伝子中の余剰や欠損部位、あるいは間違った場所にある塩基などの異常を検出することができる。試料はDNAシークエンシングなどの手法で解析され、DNAの特定部分のヌクレオチドの順序を検査される。異常箇所があっても必ずしも問題となるわけではなく、悪影響のない変異の可能性もある。しかし中には健康上の問題を生じるものもあるため、検査結果の専門的な分析が重要となる。

DNAシークエンシング

DNAシークエンシング（塩基配列の決定）の方法としてよく使われているものは、DNA鎖の端部に蛍光性のヌクレオチド塩基（左頁参照）を添加し、DNA鎖の基をそれぞれ検出するというものである。蛍光標識は各ヌクレオチド塩基（A·T·C·G）に対応する4種がある。

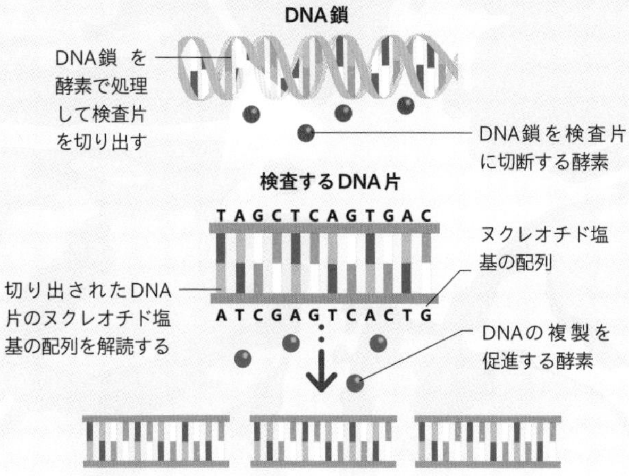

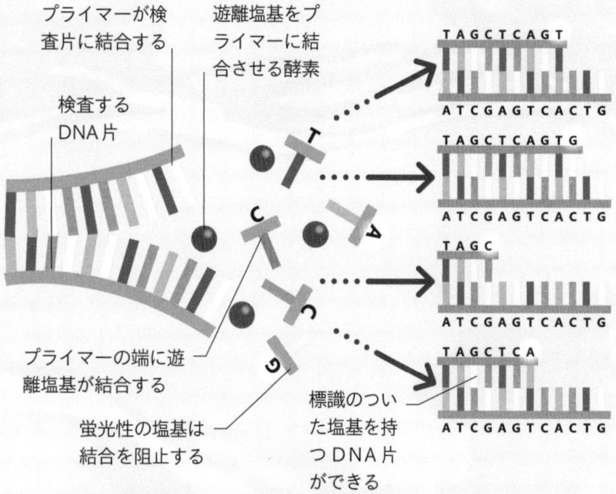

1 DNA片の抽出

DNA試料は口腔細胞や唾液、毛髪、血液などさまざまな素材から採取できる。試料はDNAを切断する酵素を用いて処理し、分析対象のDNA片を切り出す。さらに別の酵素によってこのDNA片を大量に複製し、分析に十分な量を確保する。

2 DNA検体の塩基に標識を付ける

検査用のDNA鎖はプライマーDNA、酵素、遊離ヌクレオチド塩基、蛍光標識の付されたヌクレオチド塩基と混合される。プライマーは検査用のDNA鎖に結合し、遊離塩基はプライマーの端部に結合する。このプロセスは蛍光塩基が結合すると停止する。これにより検査するDNA片の塩基の1つに対応する標識塩基を端部に持つDNA片が作成される。

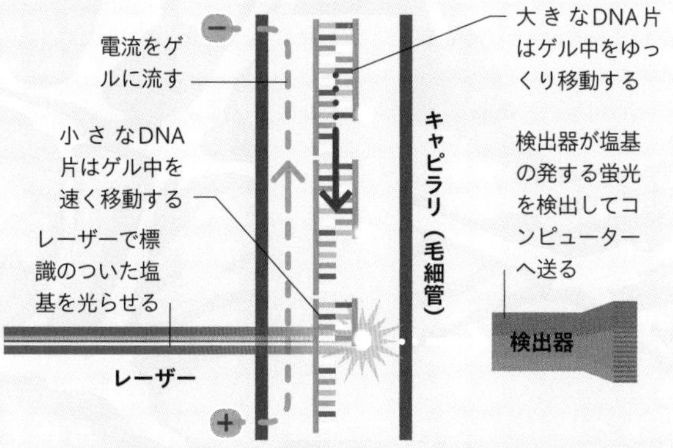

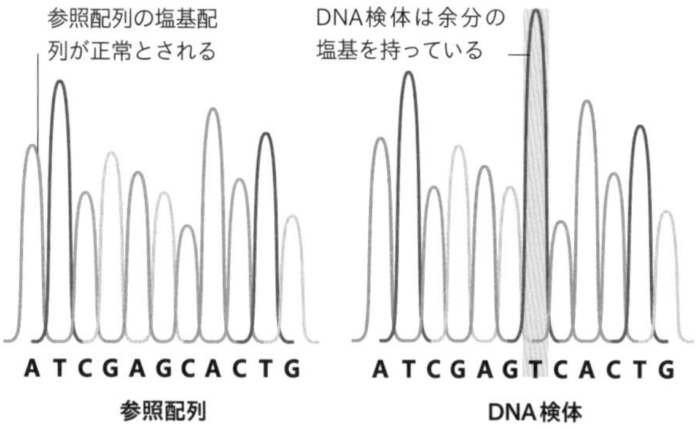

3 標識を付与されたDNA検体中の塩基を検出する

DNA片をキャピラリ（毛細管）のゲル中に配置して電流を流すとDNA片は移動し（電気泳動）、長さの順に並ぶ。標識づけされた塩基の順序はDNA検体の塩基の順序を反映している。DNA片がレーザー光を通過すると標識づけされた塩基は蛍光を発するので、検出器は順にそれを読み出す。

4 コンピューターによる分析

検出器は検体の塩基の配列をコンピューターに送る。コンピューターはデータからクロマトグラムと呼ばれる画像を作成し、ヌクレオチドの配列を画像と文字で表示する。DNA検体のクロマトグラムを正常な参照用のDNA試料と比較すれば違いを検出できる。

体外受精

女性の卵子を体外で受精させる技術を体外受精（IVF）という。IVFが実施されるケースは男性の生殖能力に問題がある場合や、女性の生殖能力に問題がある場合がある。女性は投薬により通常より多くの卵子を作り出し、取り出された卵子は実験室内で精子と混合される。受精が起きた場合、卵は数日間発達を待ってから女性の子宮内に戻される。受精卵の余剰が生じた場合は後の使用のために凍結される。

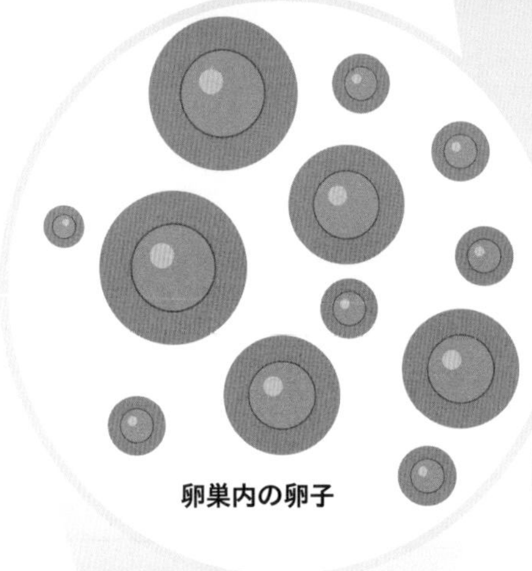

卵巣内の卵子

1　ホルモンによる刺激

卵子の成熟と発達のために卵巣内の卵胞を刺激する薬剤を投与する。卵子の準備ができたら排卵を誘発する薬剤を注射する。

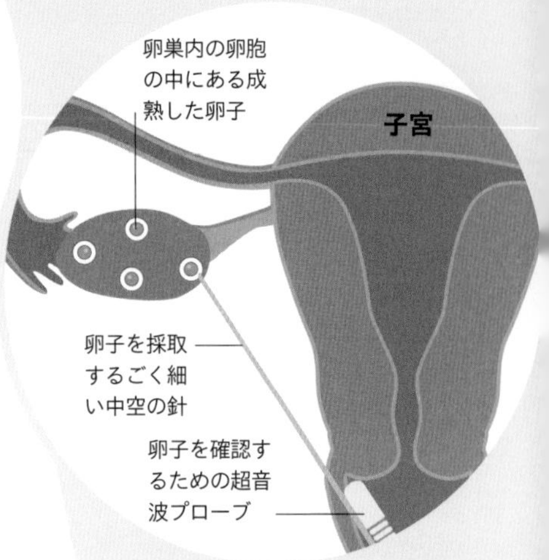

卵巣内の卵胞の中にある成熟した卵子
子宮
卵子を採取するごく細い中空の針
卵子を確認するための超音波プローブ

2　卵子の採取

超音波プローブを膣から挿入して成熟した卵子を識別し、きわめて細い針で8個から15個の卵子を取り出す。

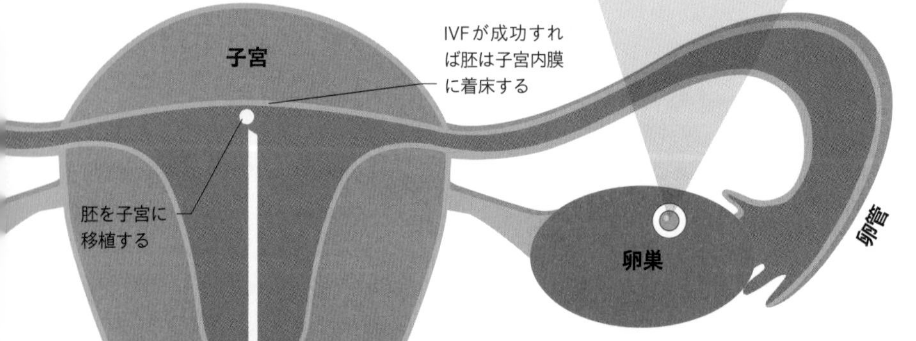

子宮
IVFが成功すれば胚は子宮内膜に着床する
胚を子宮に移植する
卵巣
卵管

5　胚の子宮への移植

子宮頚部を通ってカテーテルを挿入し、1つまたは複数の胚を子宮へ注入する。胚が1つでも子宮内膜に着床すればIVFは成功であり、妊娠が成立する。

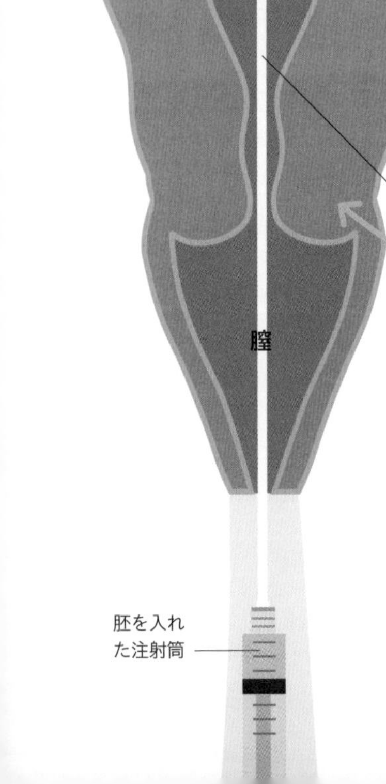

胚を移植するためのカテーテル
膣
胚を入れた注射筒

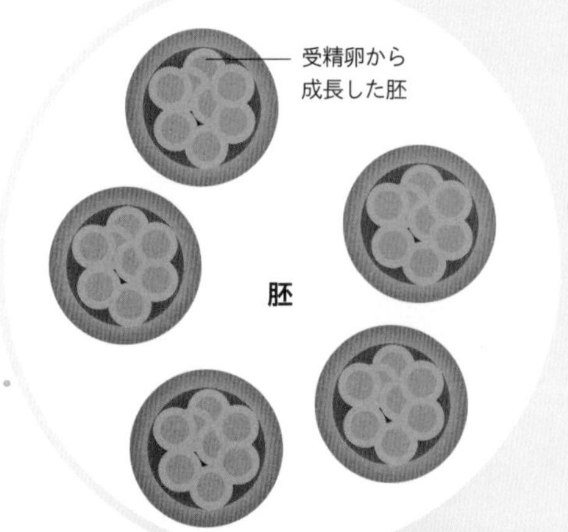

受精卵から成長した胚
胚

1978年に初めて実施されて以来、**IVF**によって**世界中で800万人**以上の**子ども**が**生まれて**いる

4　受精卵の成長

3日間おいて受精卵を複数の細胞へ成長させる。子宮への移植が成功する可能性を高めるためには移植までに8個程度の細胞塊（胚）に成長する必要がある。

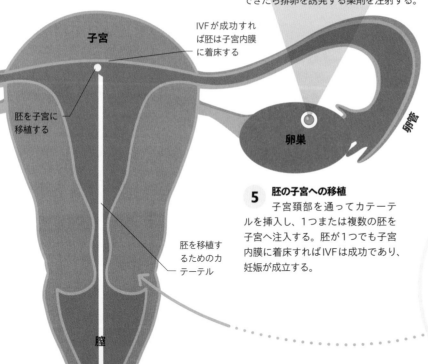

IVFの手順
女性から卵子を、男性から精子を取り出し、実験室内で混ぜ合わせる。確実に受精させるために精子を卵子に注入する場合もあり、これを卵細胞質内精子注入法（ICSI、右下参照）という。受精した卵子（胚）は着床させるために子宮に戻される。

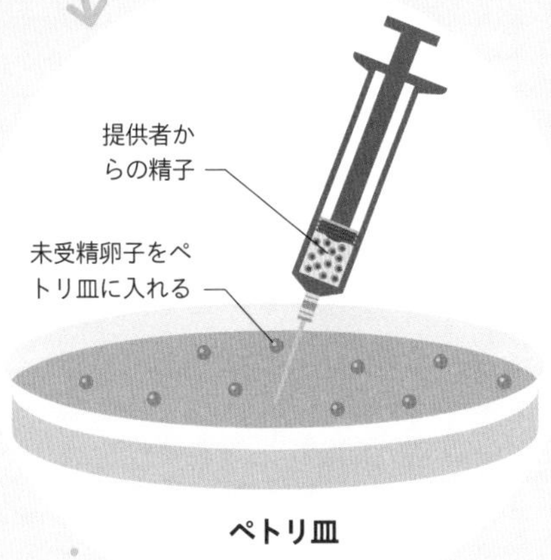
提供者からの精子
未受精卵子をペトリ皿に入れる
ペトリ皿

3　精子と卵子を混合する
卵子の質を確認し、精子と合わせてペトリ皿内で体温（37℃）に保温する。翌日、受精の成否を確認する。

年齢は生殖能力にどう影響するか？

20歳台半ば以降、女性の生殖能力は年齢とともに低下し、30歳台半ばからは大きく減少する。男性の生殖能力も20歳台以降は低下するがそれほど急激ではない。

生殖補助医療

生殖補助技術は人々が健康な子供を授かるために実施されている。最も普及しているのは子宮内精子注入法（IUI、人工受精）と体外受精（IVF、試験管受精）である。

子宮内精子注入法

正常な受精は性交渉の後、卵管の中で卵子と精子が融合して成立する。受精卵は子宮壁に着床して胚となる。IUIでは精子はカテーテル（細い中空の管）を使って子宮に送り込まれる。女性が自然妊娠できない場合や男性が健康な精子を十分に持たない場合、あるいは精子提供を受けた場合などにIUIが検討される。

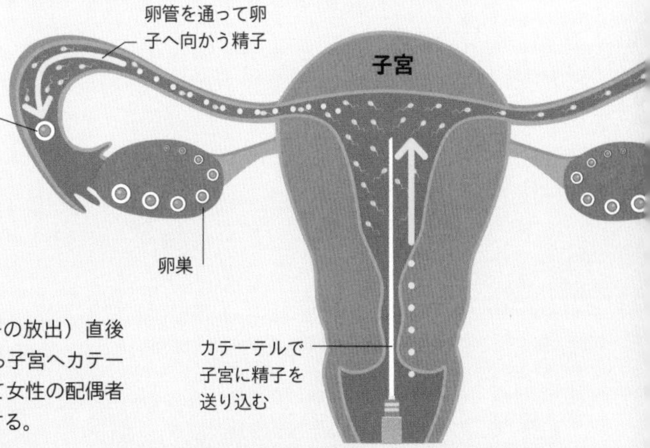
卵管を通って卵子へ向かう精子
子宮
卵巣から放出された卵子
卵巣
カテーテルで子宮に精子を送り込む

子宮内精子注入法の手順
IUIは排卵（卵巣からの卵子の放出）直後に実施される。子宮頸部から子宮へカテーテルを挿入し、これを通じて女性の配偶者や提供者からの精子を注入する。

卵細胞質内精子注入法（ICSI、顕微受精）

ICSIでは、男性が提供する精子から健康な精細胞を1つ選び出し、女性から取り出した卵子に直接注入する。通常、ICSIが実施されるのは男性の精子がほとんどない場合、あるいは健康な精子がほとんどない場合である。

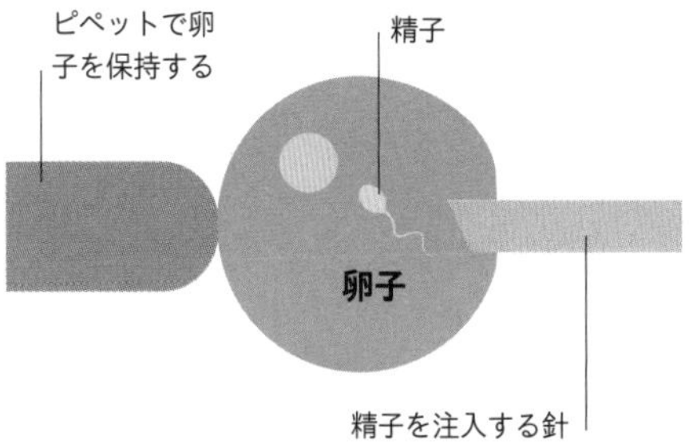
ピペットで卵子を保持する
精子
卵子
精子を注入する針

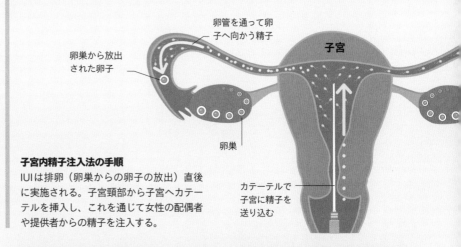

索引

注：太字は主要な記載ページを示す

あ

さ

た

な

は

ま

や

ら

わ

謝辞

本書の作成にあたっては以下の方々の助力を賜りました。

ジョー・スコット（イラスト）、ページ・ジョーンズとシャヒド・マフムードとダンカン・ターナー（デザイン）、アリソン・スタージョン（編集）、ヘレン・ピーターズ（索引）、ケイティ・ジョンとジョイ・エヴァット（校閲）、スティーブ・コノリーとザヒド・デュラーニとサンデー・ポポ=オラ（第3章に関する助言）、トム・レッティヒ（エンジンと自動車に関する助言）。DK社として謝意を表します。